上

B.H. LIDDELL HART

李德哈特——著 鈕先鍾——譯

第二次世界大戰戰史

WWII

HISTORY OF THE SECOND WORLD WAR

目次

上

第三篇　狂瀾（一九四〇）

第四篇　蔓延（一九四一）

第五篇　轉向（一九四二）

下

第六篇 退潮（一九四三）

第七篇 低潮（一九四四）

第八篇

終結（一九四五）

第九篇

結論

譯者前言

第二次世界大戰結束於一九四五年，到現在已經整整五十年，不僅是有史以來規模最大的戰爭，而對於戰後世局也產生莫大的衝擊。基於鑑往知來的觀點，可以確信這次大戰的歷史即令到今天仍然值得深入研究。五十年來，有關第二次大戰的歷史著作真是汗牛充棟，不勝枚舉；但其中具有永恒價值者則屈指可數，而李德哈特的《第二次世界大戰戰史》又可以說是無出其右。

李德哈特著作等身，萬人景仰，其在學術思想史中地位早有定論，毋庸介紹。誠如何華德教授（Prof. Michael Howard）所云：李德哈特不僅為戰略家和史學家，他是一位通儒，也是一位哲學家。這本當是其最後傳世之作，不僅敘述翔實，判斷嚴謹，而更能對後世提供具有深遠意義的教訓，實際上，那也無異於其臨別贈言。

李德哈特本人曾指出：寫歷史的目的是要想發現事實真相，解釋其原因，並確定事相之間的因果關係。他又引述羅馬史學家波里比奧（Polybius）的話說：「最具有教訓意義的事情莫過於回憶他人的災難。要學會如何莊嚴地忍受命運的變化，這是唯一的方法。」簡言之，歷史意識能幫助人類保持冷靜，度過難關。歷史顯示最長的隧道還是有其終點，於是也就能增強苦撐待變的信心和勇氣。（引自《為何不向歷史學習？》）

李德哈特寫這本書一共花了二十二年的時間（一九四七—一九六九年），足以證明治學態度的認真，寫作過程的艱辛。令人傷感的是他在一九七〇年一月逝世，未能親見其巨著出版，但不可思議的是天下事往往物必有偶，李德哈特像克勞塞維茨一樣，其最後傳世之作都是由夫人代為出版。李德哈特素有「二十世紀克勞塞維茨」之稱，難道這也是天意安排嗎？

李德哈特未能目睹冷戰結束，但誠如他所預言，隧道的確有其終點，不過又應記著他在本書結論中所云：「歐洲文明列車雖已從黑暗的隧道中衝出，眼前的光明卻只是一片幻影。」但願後冷戰世界所看見的是真正的陽光而不再是幻影。

序言

李德哈特夫人

幾個月之前，當出版人要求我替我丈夫所著的《第二次世界大戰戰史》寫序的時候，我就想要對該書編撰曾經給予幫助的人們表示謝意，不過所應列舉的人名可能就要數以百計。這些人從元帥以至士兵，還有教授、學人、和朋友，那都是貝西爾（Basil）在他的積極研究生活中所曾經接觸過的。[1]

當他還是小孩子的時候，貝西爾就養成了一種對競技比賽（Games）和競技戰術的愛好，也

1 譯註：貝西爾為李德哈特的首名（First Name）在其《回憶錄》（*Memoirs*）的自序中，他曾經這樣的寫著說：「回憶錄，在其最快樂的方面，就是一種友誼的記錄——而在這一方面我是非常的幸運。」這一本《歷史》也同樣的受到此種友誼的恩惠。

保存著關於它們的記錄和剪報。在航空時代的初期，飛機駕駛員變成了他在學童年齡時的英雄，他對他們也是保存著同樣的記錄。在其一生當中這種習慣都是一直維持不變的，又因為他的興趣是日益廣泛，所以到了他臨終時，他遺留下來了幾十萬件的剪報、信件、備忘錄、小冊等等，其所包括的主題是自裝甲戰爭以至於衣服的流行樣式。以後，他又用日記的方式，或是他自己所稱的「談話記錄」（Talk Notes）方式，以來記錄他對於某些特別感到興趣的問題所作的討論，通常都是在討論之後就立即加以記錄的。

他在第二次大戰之後所寫的第一本書為《山的那一邊》（*The Other Side of The Hill*），那也就是他和某些正在英國作戰俘的德國將軍們的談話記錄。這些人之中有許多都是其戰前著作的讀者，並且很想和他討論他們的戰役。在一九六三年十二月，他曾以回顧的心情，寫了一條札記，其命題是「我為什麼和怎樣寫這一本書的解釋」，其中解釋了他為什麼對於此種記錄感到如此重視的理由。他說：

> 當我在一九二〇年和一九三〇年代研究第一次世界大戰的史科時，我才開始認識由於具有獨立和史學觀念的研究者未能確定和記錄那些軍事領袖們在當時的實際想法（作為一種事後回憶的核對），遂使歷史的研究受到了莫大的阻礙。因為那是非常明顯的，凡是參加重大事件的人，其事後的回憶總是不免有掩飾或歪曲之處，而時間愈久則程度也就愈深。尤有

進者，官方的文件不特常常不足以顯示其真正的意見和目的，有時甚至於還故意用來掩飾它們。

所以在第二次世界大戰期中，當我訪問英國和同盟國指揮官們的時候，我對於和他們的討論，總是作了詳細的『為歷史而寫的筆記』（Notes for History），尤其是要記錄他們在當時的觀點——作為對官方文件記錄的補充，和一種對於事後所寫的回憶錄和記載的核對工具。

當戰爭結束時，我又獲得了一個詢問被俘德軍將領的難得機會，我曾經和他們作了許多次長時間的討論，所包括的內容除了有關他們本身的作戰以外，也還有較廣泛的問題。對於了解他們在某一特殊情況或決定之前的思想而言，這種調查在時間上自然是已經落後了，不過無論如何，總還是在他們的記憶尚未完全受到時間沖淡之前，而且他們的敘述又還可以用其他證人的敘述，以及文件的記錄來加以彼此核對和覆驗。

這本《歷史》的讀者可以從書中的附註上發現這些談話記錄是如何的經得起時間的考驗——許多年來，貝西爾曾經對它們加以不斷的覆核，事實證明它們是經得起此種考驗的。

一九四六年初，英國「皇家戰車團」（Royal Tank Regiment）的指揮官要求貝西爾替該團和它的前身寫一本歷史，包括著兩次世界大戰以及戰爭之間的時代。這是一項艱巨的任務，花了許多年的時間，直到一九五八年這本書才由卡賽爾公司（Cassell）出版。[2]但當貝西爾開始來寫這一本《歷史》時，對於《戰車》那本書所需的研究卻給了他很大的幫助，因為他曾經結識了許多參加雙方作戰的青年指揮官，同時也曾經和那些老友暢談，其中包括著蒙哥馬利元帥（Field Marshal Montgomery）、亞歷山大元帥（Field Marshal Alexander），和奧欽列克元帥（Field Marshal Auchinleck）等人，以及許多德國的將領。

在一九四六年獨立戰爭之後，許多以色列的軍官也來拜訪貝西爾向他請教有關他們的建軍問題。[3]其中有一位是艾侖（Yigal Allon），他們變成了親密的愛——艾侖曾在他送給我們的照片上寫了這樣一句話：「送給為將軍師的上尉」（To the Captain Who Teaches Generals），這張照片掛在我們的圖書館內，而這句話也曾為許多人所引述。一九六一年貝西爾被邀請訪問以色列並向其武裝部隊和大學講演。以色列人對於貝西爾的教訓曾經恭維備至，所以貝西爾常常不免感慨繫之的說，他的「最佳弟子」是德國人和以色列人而不是他自己的國人。

一九五一年，隆美爾夫人（Frau Rommel）問他是否願意主編其丈夫的文件。他立即欣然同意，於是我們和隆美爾夫人、他的公子曼夫瑞（Manfred）、曾任隆美爾參謀長的拜爾林將軍（Gen. Bayerlein），以及非常能幹的出版商編者，馬克波漢（Mark Bonham Carter of Collins），都建立了溫暖的友誼。

一九五二年貝西爾到加拿大和美國的各戰爭學院去講學。那是很忙碌吃力的，但卻也收穫頗豐，因為他能和那兩國的戰時舊友聚首，並且還結交一些新的朋友。在他所接受的許多榮銜當中，最使他感到高興的就是美國海軍陸戰隊所給予他的名譽隊員資格，直到他逝世時為止，他每天都戴著該隊在那次儀式中所贈送的金質領帶夾。

一九六五年他被戴維斯（Davis）的加州大學（The University of California）聘為歷史學客座教授，於是以七十高齡他才做了教授，並講授兩次世界大戰的歷史。這是一個很刺激的經驗，也是他非常欣賞的，但不幸的是我們的停留期縮短了幾個月，因為他必須回到英國去進行一次重要的外科手術。在他逝世的前夕，他還是不顧醫師的忠告，準備在一九七〇年四月再到美國去接受美國海軍戰爭學院（U.S. Naval War College）的邀請在那裡作一系列對於戰略問題的講演。

旅行是貝西爾生活中的一個必要部分，他曾經接受多次的邀請前往歐洲諸國訪問，並在各國的參謀學院中講學。他是一位卓越的地圖研究者，他對於美國內戰中薛爾曼（Gen. Sher-man）的各次會戰所作的生動描寫都是依賴在大縮尺地圖上的精密研究而寫成的，那是遠在他個人親自訪問美國南方舊戰場之前。在第二次大戰之後，我們幾乎是每年都要訪問一次西歐，其目的是研究

2　譯註：那本書的原名為 *The Tanks-The History of the Royal Tank Regiment and Its Predecessors (etc)*，譯名應為《戰車：皇家戰車團及其前身的歷史》。

3　譯註：此處原文有一個錯誤，以色列的獨立戰爭是發生在一九四八年。

戰場和登陸灘頭，以及探訪舊友。他總是手上握著地圖，隨時為這本《歷史》核對資料。他愛好美麗的田園、教堂，和可口的食品；所以在我們旅行時，米其林的導遊手冊（*Guide Michelin*），戰場地圖，以及其他觀光手冊等總是被一齊放在車上。他用口授的方式對於地形、食品、和教堂建築形式等作成詳細的札記，由我記錄下來，以便回家後用來充實那不斷增加的私人檔案。

貝西爾對於編撰第一次世界大戰歷史的官方史政人員是頗有微詞的，他時常說「官」（Official）字是已經把「史」（History）字蓋著了，但對於大多數編撰第二次大戰歷史的人員都常有好評，在他的檔案中是充滿了和那些人的通信，包括英國、國協，和美國的都在內。與全世界史學家（尤其是較年輕的一輩）和其他學者之間的友誼是足以充實他的生活，所以他花了很多時間去閱讀和批評他們的論文和著作，雖然不免懈怠了他自己的工作，卻給予他以無限的愉快。羅蘭李文（Ronald Lewin）就是其中之一人，他曾經這樣的寫道：「……他僅當他認為值得稱讚時才會稱讚，而當他認為你在事實或意見上犯了錯誤時，就會毫不客氣的加以糾正。」年輕的學者、研究人員、作家、新聞記者——也還有年齡較長的人，都紛紛到我們的圖書館中來工作，那些書籍和文件是完全公開的，可以讓他們去盡量研究。在任何時候，無分晝夜，或者是在進餐時，或者是在花園中散步時，他們都可以受到「教益」（Tutorials）。許多當代的歷史家，最先都是為了討論和工作而來的，以後就變成了經常的通信者，而最使我們感到快樂的，是他們終於以朋友的身分一再的回到我們的身邊。像巴芮特（Correlli Barnett）、薄富爾將軍（Gen. Andre

Beaufre）、貝納德上校（Col. Henri Bernard）、龐德（Brian Bond）、克拉克（Alan Clark）、高達德上校（Col. A. Goutard）、何恩（Alastair Horne）、何華德（Michael Howard）、歐尼爾（Robert O'Neill）、巴里特（Peter Paret）、皮特（Barrie Pitt）、湯普森（W. R. Thompson）、威廉士（Michael Williams）等人不過是許多知名之士中間的一部分而已。還有許多其他的人士來自美國和加拿大，例如魯伐斯（Jay Luvaas）和舒爾曼（Don Schurman），他們和他們的家人都已經變成了我們的摯友。

這一本《歷史》所欠的人情債實在是太多了，除了上述的所有那些人以外，還有許多我不曾列舉姓名的人，關於這一點，我相信他們是一定能夠原諒我的。這些人有好幾百位之多，分散在戰略和國防以外的各種不同的領域之內，因為貝西爾的興趣非常的廣泛。沒有任何人會比貝西爾更相信「教學相長」的道理（Taught by His Pupils），而他的弟子和朋友也都是一時之選，也最足以對他的思想產生刺激作用。當他寫這本《歷史》時，貝西爾也有些非常能幹的助手。哈特（Christopher Hart）；席金斯（Peter Simkins），現在帝國戰爭博物館中工作；保羅．甘迺迪（Paul Kennedy），在太平洋戰役方面曾作頗有價值的工作；[4] 布萊德雷（Peter Bradley）在有關空軍的

4 譯註：《世界強權的興衰》一書作者。原書名 *The Rise and Fall of the Great Powers: Economic Change and Military Conflict From 1500 to 2000.* 繁體中文版《霸權興衰史：1500至2000年的經濟變遷與軍事衝突》由五南文化出版。

各章中也曾有相當的幫助。

許多位秘書在這些年來的工作上都曾表現極佳的效率，她們具有興趣和耐性，對於刪改頻繁的原稿一次又一次加以清繕（打字），這樣也就使貝西爾的任務變得比較容易。當我們還住在吳爾費吞公園（Wolverton Park）時，湯姆森小姐（Myra Thomson）曾經和我們在一起有八年之久，她現在是斯拉特爾太太（Mrs. Slater）。以後在斯退茲屋（States House）的時代，包桑奎太太（Mrs. Daphne Bosanquet）和羅賓森太太（Mrs. Edna Robinson）也對我們極有貢獻，而在這本書編撰的最後階段，史密士太太（Mrs. Wendy Smith）、拜勒斯太太（Mrs. Pamela Byrnes）和哈斯太太（Mrs. Margaret Haws）也都曾作非常有價值的工作。

在其他無數應該致謝的人們當中，又有本書英國版的出版者，卡賽爾公司的董事和同仁。富樂爾（Desmond Flower）在一九四七年就簽訂了合約，但他卻非常有耐性的等待這本書的完成。同時也應感謝希漢（David Higham），那不僅是因為他是貝西爾許多著作的經理人，而且更有許多年來的友情。

出版者和我還特別感謝下列諸君，他們在貝西爾逝世之前或之後，曾經分別校閱這本《歷史》的各章或全部，並曾提供有價值的批評：艾特金森（G. R. Atkinson）、龐德（Brian Bond）、富南克蘭博士（Dr. Noble Frankland）、格雷敦海軍中將（Vice-Admiral Sir Peter Gretton）、艾德里安·李德哈特（Adrian Liddell Hart）、麥金塔（Malcolm Mackintosh）、羅斯基爾海軍上校

（Capt. Stephen Roskill）、夏費德海軍中將（Vice-Admiral Brian Scholfield）、希吞中校（Lt. Col. Albert Seaton）、斯壯少將（Maj. Gen. Sir Kenneth Strong）、威廉士博士（Dr. M. J. Williams）。他們中間有些人更慷慨的容許貝西爾引用他們自己著作中的資料——尤其是希吞中校的著作還是尚未出版的原稿。

我們也要感謝費恩（Ann Fern）和拉特基爾（Richard Natkiel），他們的工作是在地圖的研究和繪製方面。還有傑羅小姐（Miss Hebe Jerrold），她曾編成了一份第一流的索引，儘管那是加工趕造的。

在許多曾經給予幫助的人們當中，我認為我們是尤其應該感謝卡賽爾公司的派克（**Kenneth Parker**），他是貝西爾的編輯和朋友，在貝西爾逝世之後，整理這本書以便出版的重任也就完全落在他一個人的身上。若非他的協助，則這本書可能還要拖得更久了。貝西爾在其《回憶錄》的前言中曾經這樣說過：「能有這樣一位博學多才的編輯真是三生有幸，和他一起工作真是一種快樂。」除了這些好評以外，我更應特別感謝他對於這本書的工作。

貝西爾沒有很多的積蓄，為了維持生活他必須從事於新聞記者的工作，和寫一些比較速成的書籍，因此這本《歷史》的研究也就常被延緩。在一九六五年到一九六七年之間，吳爾夫森基金（Wolfson Foundation）曾經給予他一筆輔助費，他對於吳爾夫森先生（Mr. Leonard Wolfson）的雅意很表感激。在一九六一年從另一方面也曾獲得援助。由於何華德當時在倫敦國王學院

（King's College）主持戰爭研究的部門，所以該院遂慷慨的幫助我們把住宅中的馬廄改建為圖書館，並在穀倉中建了一個小型客房以供來訪學人住宿之用。這不僅擴大了我們的工作空間，而且也使訪客感到舒適。這些年來我們曾在三個不同的縣區中居住，那些稅務機關對於貝西爾工作的性質和問題都很了解，這樣才使我們能在英國安居和工作。若非如此，則我們勢必被迫要生活在國外，於是這本《歷史》，以及貝西爾的其他著作和教學也就都將蒙受不利的影響。

所以對於所有一切曾經給予幫助的人，無論他們的大名是否已在這個前言中被提及，我都要把這一本書奉獻給他們。

凱賽琳．李德哈特（Kathleen Liddell Hart）

一九七〇年七月於英格蘭

白金漢郡，梅德門漢縣，斯退茲屋

第一篇

前奏

第一章 戰爭是如何引起的

一九三九年四月一日，全世界的報紙都登載出下述的新聞：英國張伯倫（Neville Chamberlain）內閣，正在改變其安撫和孤立政策，並以維持歐洲和平為目的向波蘭提出保證，將保衛該國以對抗任何來自德國方面的威脅。

但是九月一日，希特勒已越過波蘭國界前進。兩天以後，經要求其撤兵無效後，英法兩國也就參戰了。另一次歐洲大戰已經發動——而且終於發展成為第二次世界大戰。

西方同盟國在進入戰爭時具有一種雙重的目標。其當前的目的就是履行他們維護波蘭獨立的諾言。其最後目的則為消滅一個對他們本身的潛伏威脅，從而確保他們自己的安全。結果是他們的兩個目的都沒能夠達到。他們不僅未能阻止波蘭首被蹂躪，繼而又受到德俄兩國的瓜分，而且經過六年苦戰之後，雖然能以表面的勝利為結束，但他們卻還是被迫承認俄國對波蘭的支配地位——而放棄了他們對於曾經比肩作戰的波蘭人的保證。

芬蘭
拉多加湖
赫爾辛基
列寧格勒
典
斯德哥爾摩
塔林
愛沙尼亞
俄國
波羅的海
里加
拉脫維亞
莫斯科
立陶宛
哥尼斯堡
但澤
考拉斯
東普魯士
白俄羅斯
布格河
華沙
維斯杜拉河
波蘭
基輔
聶伯河
卡爾可夫
羅佛
烏克蘭
利西亞
格
克斯洛伐克
羅斯托夫
布達佩斯
匈牙利
羅馬尼亞
布加勒斯特
貝爾格勒
南斯拉夫
黑海
多瑙河
索非亞
保加利亞
伊斯坦堡
地拉那
阿爾巴尼亞
安卡拉
土耳其
希臘
雅典

戰爭爆發時的歐洲
0 哩 200 400
0 公里 200 400 600
北 海
愛爾蘭
都柏林
大不列顛
荷蘭
阿姆斯特丹
倫敦
海牙
大 西 洋
布魯塞爾
比利時
萊因河
科隆
塞納河
巴黎
盧森堡
馬奇諾防線
法蘭西
伯恩
瑞士
日內瓦
義
馬賽
葡萄牙
里斯本
馬德里
西班牙
科西嘉
薩丁尼亞
地 中 海
丹吉爾
直布羅陀
西屬
摩洛哥
阿爾及利亞

同時所有一切用來毀滅希特勒德國的努力，結果也就使歐洲變得如此的殘破和衰弱，以至於當它面臨著一個新的較大威脅時，其抵抗力也就大不如前——於是英國，連同其所有的歐洲鄰國，都已經變成美國的窮親戚。

這些都是鐵硬的事實，作為勝利追求的基礎是如此的充滿了希望，而其達成卻又是如此的痛苦——在把美蘇兩國的巨大重量引入以對抗德國之後，其結果就是如此。這種結果也就粉碎了那種以為「勝利」就是和平的流行幻想。它也重新證明了殷鑑不遠這句話，那就是說勝利只不過是「沙漠中的蜃樓」（a mirage in the desert）——當使用近代兵器和無限方法來打一個長期戰爭時，則此種沙漠即為其所創造的產品。

在尚未分析戰爭的起因之前，對於戰爭的後果是值得首先加以清查的。在認清了戰爭所帶來的後果之後，那麼也就使我們對於戰爭是怎麼產生的問題更能作較現實的觀察。就紐倫堡戰犯審判（Nuremberg Trials）的目的而言，只要假定戰爭的爆發，以及其一切的發展，都是純粹由於希特勒的侵略也許就夠了。但這卻是一種太簡單和太膚淺的解釋。

希特勒並不想製造另一次大戰以達到其目的。他的人民，尤其是他的將領，對於任何這一類的冒險都是深感畏懼的——第一次世界大戰的經驗已經在他們的心靈中留下了很深的創痕。強調此種基本事實，並非是想替希特勒的侵略野心洗刷，也不是想減輕許多甘心跟著他走的德國人的責任。希特勒雖然是異常的驕橫，但當他在追求其目標時，卻又還是極端的慎重。而軍事首長，則比他還更要謹慎，對於任何可能挑起全面衝突的步驟都是感到非常焦慮的。

戰後有一大部分德國檔案都已被俘獲，而且也可供研究之用。這些文件顯示出德國人對於他們自己有無能力進行一次全面戰爭是深感懷疑和不信任的。

一九三六年，當希特勒主張重占萊茵河岸非軍事化地區時，德軍將領們對於他的決定和可能挑起的法國反應感到十分憂懼。由於他們抗議的結果，所以最初只派遣少數象徵性的部隊來作為一種試探而已。當希特勒在西班牙內戰期間想要出兵援助佛朗哥時，他們對於所可能引起的危險又再度提出了新的抗議，結果希特勒也就同意限制其所給予的援助。但是在一九三八年三月，當希特勒決心向奧地利進軍時，他卻不理會那些將領們的反對。

不久以後，希特勒又宣布他決心壓迫捷克斯洛伐克歸還蘇臺德區（Sudetenland）。於是當時的陸軍參謀總長貝克將軍（Gen. Beck）就草擬了一項備忘錄，其中指出希特勒的侵略擴張計畫必然會產生一次世界浩劫，而使德國也化為廢墟。這項文件在高級將領的會議中宣讀，獲得他們的贊同後，遂送請希特勒考慮。當希特勒對於他的政策並未表示任何改變的跡象時，貝克遂辭去其參謀總長的職務。希特勒向其他的將領們保證英法兩國決不會為捷克而戰，但他們並不信服，於是著手計畫一次軍人政變，想要拘捕希特勒和其他的納粹黨領袖以挽救戰爭的冒險。

但是張伯倫卻使他們的計畫受到了釜底抽薪的打擊。他不僅接受了希特勒對於捷克問題的一切要求，並和法國人一致同意坐視那個不幸的國家受到德國的吞併。

對於張伯倫而言，慕尼黑協定（Munich Agreement）的意義即為「我們時代的和平」。對於希特勒而言，那是一個更進一步和更偉大的勝利，這又不僅是對於其國外的對手，而尤其是對於其本國的將領為然。當他們的警告如此一再的為他的那種無敵的和不流血的成功所否定之後，他們也就自然的喪失了信心和影響力。同樣的，希特勒本人對於其一帆風順的成功也就自然的有了躊躇滿志之感。即令當他也考慮到再進一步冒險是有引起戰爭的可能時，他又還是會感覺到那最多不過只是一個小型和短期的戰爭而已。成功毒素的累積作用已經使他喪失了戒懼的心理。

假使他真是企圖發動一次包括英國在內的全面戰爭，那麼他就應該會全力來建造一支能夠向英國海權挑戰的海軍。但事實上，他對於德國海軍的建造甚至還不曾達到一九三五年英國海軍條約所容許的限度。他經常向其海軍將領保證說，他們可以完全不考慮任何和英國交戰的危險。在慕尼黑會議之後，他告訴他們說，至少在今後六年之內是不會和英國發生衝突。甚至於在一九三九年的夏天，和甚至於延遲到八月二十二日，他還是一再作這樣的保證——儘管其信心是已經有一點動搖。

既然他對於大戰是如此的希望能夠避免，然則他為什麼又還是陷入這種漩渦而不能自拔呢？希特勒的侵略野心是既非唯一的答案，也非主要的答案。西方國家的那種親切態度一向使他受到鼓勵，但到了一九三九年的春天，西方國家卻突然的改變了他們的態度。這種改變是來得如此的突然，和出乎意料之外，所以也就使戰爭變得必然無可倖免。

假如你容許任何人在鍋爐下面不斷的加煤，直到蒸汽壓力已經超過了危險點，則引起任何爆炸的真正責任也就應該由你負擔。此種物理學中的真理對於政治學也同樣的適用——尤其是以對國際事務的指導為然。

自從一九三三年希特勒當權之後，英法兩國政府對於這個危險的獨裁者所作的讓步是遠超過他們過去對於德國前民主政府的。每次他們都表現出由於怕麻煩而把困難問題擱置起來的作風——為了眼前的舒適而不惜犧牲將來。

在另一方面，希特勒對於他的問題卻正在作過分合於邏輯的思考。其政策的路線是受到一套理想的指導，這種理想是收容在一種「神聖的誓約」（**testament**）之內，他在一九三七年十一月曾經加以解釋——其譯文是保存在所謂《霍斯巴赫備忘錄》（*Hossbach Memorandum*）之內，其基礎就是深信德國需要較多的「生存空間」（**Lebensraum**）以來容納其正在增長的人口，否則就無法維持其生活水準。他認為德國不可能希望使其本身自足，尤其是在糧食供應方面。德國也不可能用向國外採購的方式以來滿足其需要，因為它沒有那樣多的外匯可供揮霍。在世界貿易中爭取較高地位的機會也非常有限，因為不僅他國有關稅壁壘，而且德國本身的財力也極感缺乏。何況這種間接補給的方法，將使德國必須依賴外國，於是到了戰時就會有挨餓的危險。

希特勒的結論認為德國應在人口稀少的東歐地區中去獲得較多的「農業有用空間」。若希望有人自願把這種空間讓與德國，那實在是一種幻想。他說：「古今的歷史——羅馬帝國、不列顛帝國——已經證明出來任何空間的擴張都必須冒險和擊破抵抗……無論是過去還是現在，都不可能找到沒有主人的空間。」這個問題至遲在一九四五年以前必須求得解決——「過此以後我們就只可能期待每況愈下的改變了。」一切可能的出路都將會被阻塞，而糧食危機卻會日益嚴重。

希特勒最初的願望只是想收回德國在第一次世界大戰之後所喪失的領土而已。這種理想當然是已經超過那種願望遠甚，不過若說西方政治家對於這些理想是完全不知道，那卻絕非事實，儘管他們後來假裝是那樣的。在一九三七年到一九三八年之間，他們中間有許多人在私下的討論中都是很坦白現實的，儘管在公開的場合發言時並非如此，而在英國的政界也已有許多的議論主張容許德國向東擴張，以便減輕對西方的威脅。他們對於希特勒尋求生存空間的願望是寄予以極大的同情——而且更希望他知道。但他們卻避免思考若不使用優勢武力的威脅又如何可以勸誘土地所有人讓步的問題。

德國方面的文件顯示出來由於一九三七年十一月哈里法克斯勛爵（Lord Halifax）的訪問，曾經使希特勒獲得了特別的鼓勵。哈里法克斯在當時是英國的樞密院院長（Lord President of the Council），在內閣中的地位是僅次於首相。依照談話的記錄，他曾經使希特勒了解英國將容許他在東歐可以有行動的自由。也許哈里法克斯的原意並非如此，但他所給予希特勒的印象卻的確是如此——而這也證明是極其重要的。

於是，在一九三八年二月間，艾登（Antony Eden）因為一再的和張伯倫意見不一致，而被迫辭去其外長的職務——某次當艾登表示反對意見時，張伯倫的回答是請他「回家去吃一顆阿斯匹靈」。哈里法克斯被指派接替其外長職務。幾天之後，英國駐柏林的大使，韓德遜爵士（Sir Nevile Henderson），奉命晉謁希特勒作一次密談，那也就是哈里法克斯十一月會談的延續，其所傳達的內容為英國政府對於希特勒想基於德國的利益而改變歐洲的願望是深表同情——「英國現政府具有一種敏銳的現實感」。

從文件上表現出來，這些事件刺激了希特勒的行動。他認為綠燈是已經發亮了，可以允許他向東前進。這是一種非常自然的結論。

當希特勒進軍奧國並將該國併入第三帝國的版圖時，英法兩國政府所表示出來的欣然同意態度使希特勒獲得了進一步的鼓勵。（這次事變中唯一美中不足的事情就是他的戰車有許多輛在前往維也納的途中拋錨不走了。）事變之後，俄國曾建議召開一次會議來研究對抗德國前進的集體安全計畫，但卻遭到張伯倫和哈里法克斯的拒絕。當希特勒聽到這個消息之後，當然又使他獲得了更多的鼓勵。

這裡又必須再度說明，當對捷克的威脅在一九三八年九月開始表面化時，俄國政府又曾透過公開和私人的途徑，表示他願意和英法兩國共謀保護捷克的對策。這個建議還是不曾受到理會。此外，當慕尼黑會議在決定捷克斯洛伐克的命運時，俄國又被摒棄在門外。這種「冷遇」（Cold-Shouldering）在次年也就產生了足以致命的後果。

九月間當希特勒對捷克斯洛伐克施加壓力時，英國曾作強烈的反應，甚至於作部分的動員。由於英國政府早已同意讓希特勒東進，所以此種反應也就使他深感駭異。但當張伯倫接受了他的要求，並積極幫助他對捷克強制執行其要求之後，希特勒遂又認為英國的那種反應不過是一種保全面子的行動——只是為了應付英國由邱吉爾（Winston Churchill）所領導的輿論，那大部分都是反對政府的姑息讓步政策。法國人的消極態度也使希特勒獲得同樣的鼓勵。在所有的歐洲小國當中，捷克要算是擁有最精銳的兵力，對於這樣的同盟國，法國人既然都可以棄如敝屣，那麼他們似乎也就更不可能為了保護其在東中歐的同盟體系殘餘部分而投入戰爭了。

所以希特勒認為他可以安全的提早完成對捷克斯洛伐克的吞併，然後再繼續向東前進。最初他並不想對波蘭採取行動——儘管該國所據有的德國失地是面積最大的。波蘭，也像匈牙利一樣，曾經幫助希特勒威脅捷克的後方，所以也就促使捷克不得不向希特勒屈服——而且波蘭也更乘機獲得了一片捷克的領土。希特勒的原意是準備讓波蘭暫時做他的幫凶，其條件為波蘭應把但澤港（Danzig）歸還德國，並允許德國有一條通過「波蘭走廊」（Polish Corridor）以達到東普魯士的自由道路。從希特勒的觀點來看，在當時的環境中這真是非常溫和的要求。但是在那年（一九三八）冬天的一連串討論中，希特勒發現波蘭人很頑固，不肯作任何這一類的讓步，而且對於自己的實力頗有夜郎自大之感。即令如此，他還是繼續希望在進一步的談判之後，可以使波蘭人就範。直到一九三九年三月二十五日，他還告訴他的陸軍參謀總長說他「不想使用武力來解決但澤問題」。但是由於他在一個不同的方向上採取了一個新的步驟，而引起英國人也採取一個意想不到的步驟，這樣才使希特勒改變了他的原意。

在一九三九年最初幾個月內，英國政府的首長們感覺到心情相當愉快，這是他們在過去很長一段時間中所未有者。他們自欺的以為英國的加速再武裝、美國的重整軍備計畫，和德國的經濟困難是已經使情況的危險日益減輕。三月十日，張伯倫私下發表他認為和平的前途是從未有像目前這樣光明的意見，並且說他希望在年底以前可以安排一次新的裁軍會議。次日，霍爾爵士（Sir Samuel Hoare）就在一次講演中充滿了希望的暗示著說，世界是正在進入一個「黃金時代」——他過去曾任外長，是艾登的前任，現在充任內政部長。部長們都紛紛向朋友和批評者保證著說，德國的經濟困難已經使它不能從事戰爭，它是注定了必須接受英國政府的條件以來換取援助，這種援助將會採取一種商約的形式。有兩位閣員，史坦黎（Oliver Stanley）和哈德森（Robert Hudson），也正要啟程前往柏林去安排商約的談判。

在同一星期內，《五味酒》（*Punch*）畫報上載出了一幅卡通畫，表示「約翰牛」（John Bull）正從惡夢中驚醒，而最近的「戰爭恐怖」卻已經從窗口中飛走了。[1]在一九三九年「三月十五日」（Ides of March）之前的一個星期中，英國所瀰漫著的荒謬樂觀幻想簡直是空前所未有的。

1　譯註：《五味酒》為倫敦的著名諷刺畫刊，「約翰牛」為英國的外號。

當此之時，納粹黨人卻在捷克斯洛伐克境內培養獨立運動，促使其內部分裂。三月十二日，斯洛伐克人（Slovaks）在其領袖狄索神父（Father Tiso）到柏林謁見希特勒之後，就正式宣布獨立。更盲目的是波蘭的外交部長貝克上校（Colonel Beck），居然公開表示他對於斯洛伐克人的充分同情。三月十五日，在捷克總統已向希特勒屈服，同意在波希米亞（Bohemia）建立一個「保護國」（Protectorate）的要求之後，德國部隊遂立即開入布拉格（Prague），並占領了這個國家。

在前一年的秋天，當慕尼黑協定作成時，英國政府曾自動保證捷克斯洛伐克可以不再受侵略的威脅。但現在張伯倫卻告訴下議院說，他認為斯洛伐克的獨立是已經使這個保證失效，所以他覺得英國不再受此種義務的約束。儘管對於所發生的事情表示遺憾，但他向下議院說他看不出有什麼理由應「改變」英國的政策。

但是在幾天內，張伯倫卻作了一個完全的「轉變」——那是如此的突然和徹底，所以全世界都為之愕然。他突然決定阻止希特勒的任何進一步行動，並在三月二十九日自動向波蘭表示願意支援它來對抗「任何威脅波蘭獨立的行動，以及任何波蘭政府認為有抵抗必要的行動」。

什麼是造成他這樣衝動的主要因素，根本上無法推測——也許是群情憤激的壓力，也許是他自己內心中的怒火，或者是因為他受到了希特勒的愚弄而感到憤怒，又或者是他在眾人的面前已經像一個傻瓜而感到羞恥。

那些一向支持安撫政策的英國人，也大多數都產生了類似的激烈反應——而不向不信任此種政策的另一半英國人所作的非難，則更使此種反應趨於尖銳化。在普遍的憤激情緒之下，英國人開始團結一致，不再有意見上的分歧。

此種無條件的保證把英國的命運放在波蘭統治者的手中，那些人的判斷力是非常的不可靠和不穩定。而且，除非有俄國的援助，否則此種保證也就根本上不可能履行，但英國政府事先卻未採取任何步驟來發現俄國是否願意給予此種援助，以及波蘭是否願意接受此種援助。

當內閣被要求批准此種保證時，甚至於連參謀首長委員會（Chiefs of Staff Committee）的實情報告書也都不曾過目——那份報告書也許可以使人明白，要想給予波蘭以任何有效的保護，實際上，將是怎樣的不可能。[2]不過即令那些閣員能夠看到參謀首長的報告書，在當時那樣的政治氣氛之下，其所作的決定也還是照樣不可能有任何的改變。

當此種保證在英國國會中交付討論時，它也受到各方面的歡迎。勞合·喬治（Lloyd George）是唯一發出反對呼聲的人。[3]他提出警告說，在尚未確實獲得俄國支持之前就作下如此超過限度

2 原註：不久以後，賀爾貝利夏先生（Mr. Hore-Belisha）就曾經把上述的情形告訴我，他是當時的軍政部長。比費布羅克勛爵（Lord Beaverbrook）也曾把同樣的消息告訴我，他是聽到其他的閣員說的，當時他還沒有入閣。

3 譯註：勞合·喬治為英國政治元老，曾任第一次大戰時的戰時總理。

的承諾，實在是一種自殺的愚行。對波蘭的保證的確使世界大戰提早爆發，它把最大的誘惑和最明顯的挑撥合而為一。它刺激希特勒想要證明對於一個西方所達不到的國家，此種保證將是毫無用處，它又使頑固的波蘭人更不願意自希特勒作任何讓步，而同時又使希特勒無法打退堂鼓，因為那將使他喪失面子。

為什麼波蘭當局會接受這種致命的保證呢？一部分是由於他們對於自己的落伍兵力所具有的威力抱著一種荒謬的誇大想法——他們居然高談「騎兵遠征柏林」的神話。另一部分則是由於個人的因素：不久以後，貝克上校曾經說過，他在彈去兩次香煙灰的時間之內，就決定了接受英國的保證。他解釋著說，在他一月間和希特勒會晤時，感覺到希特勒說但澤必須歸還的語氣，實在是很難受，所以當英國的建議傳到他的面前時，他就立即想到這是還擊希特勒一個耳光的好機會。這種衝動是太典型化了，民族的命運就常常是這樣決定的。

現在唯一避免戰爭的機會就是要看是否能夠獲得俄國的支援——俄國是唯一能夠給予波蘭以直接支持的強國，所以也就可以對希特勒構成一種嚇阻。但是，儘管情況是這樣的迫切，英國政府所採取的步驟還是拖拖拉拉，毫不認真。張伯倫對於蘇俄具有強烈的厭惡心理，而哈里法克斯則具有強烈的宗教性反應，而他們兩人對於蘇俄的實力估計過低，其程度恰與對於波蘭的實力估計過高是如出一轍。假使說現在他們已經承認一個與蘇俄之間的防禦安排是有所必要，他們卻仍然希望能夠依照他們自己的條件來安排，殊不知自從他們不假思索的給予波蘭以保證之後，他們自己的地位已經非常不利，所以必須依照蘇俄的條件始能得到它的合作——假使說他們還不了解，史達林完全了解卻是毫無疑問的。

除了他們自己的猶豫不決以外，波蘭政府，以及其他的東歐小國，也都反對接受蘇俄的軍事支援——因為這些國家害怕蘇俄軍隊的增援即無異於外敵的侵入。所以英俄談判的步調簡直像送葬行列的進行一樣緩慢。

希特勒對於此種新情況的反應卻是完全不同。英國的強烈反應和加倍的整軍措施使他震驚，但其所產生的效果卻和英國人所想像的完全相反。因為他感覺到英國人已經開始反對德國向東擴張，他害怕若再耽擱就有被阻止的危險，所以他的結論就是必須加速其爭取生存空間的行動。但他應如何行動才不至於引起全面戰爭呢？他的答案是受到他個人對於英國歷史知識的影響。希特勒想像中的英國人是頭腦冷靜，具有理智，其感情是受到頭腦的控制而不會輕舉妄動，所以他認為除非能夠獲得俄國的支援，否則英國人連做夢也都不會考慮到為波蘭而投入戰爭。所以，希特勒決心暫時忍受對於共產主義的一切仇恨和恐懼，而傾其全力來討好蘇俄，使其確保中立。這是一個比張伯倫還更奇特的向後轉行動——具有同等的致命後果。

希特勒對於俄國的勾引行動很易於成功，因為史達林對於西方早已心存怨懟。張伯倫和哈里法克斯在一九三八年給予俄國人的冷遇，很自然的會引起他們的反應，尤其是當希特勒進軍布拉格之後，他們對於聯防同盟所作的新建議又不為英國所重視，而當此之時，英國政府卻趕忙去和波蘭作成單獨安排。再沒有比這種方式更能加深俄國人的疑慮和猜忌。

五月三日有消息傳來，說蘇俄的外長李維諾夫（Maxim Litvinow）已經被免職，這是一個除了瞎子都能認清的警告。他一直都是提倡與西方合作以來抵抗納粹德國的領袖人物。接替他的人是莫洛托夫（Vyacheslav Molotov），據報導他是寧願和獨裁者打交道而不願意和自由民主國家合作的。

蘇俄—納粹協商的試探開始於四月間，但雙方的行動都是異常的慎重——因為彼此間都還是互不信任，並且都認為雙方的目的只不過想嘗試阻止自己和西方國家達成協議而已。但是英俄談判的遲緩進度卻鼓勵德國人去利用此種機會，加速他們的步調，和加緊他們的追求。不過直到八月中旬為止，莫洛托夫卻還始終不肯作任何承諾。然後才發生了決定性的變化，這也許是出於德國人的主動，他們不像英國人那樣猶豫不決，而決心接受史達林的條件，尤其是容許他在波羅的海方面有自由行動的權利。同時也和下述的明顯事實有關：希特勒對於波蘭的行動決不能遲過九月初，因為過此天氣就可能會把他陷住。所以德俄協定遲到八月底才簽訂，也就是保證沒有時間來讓希特勒和西方國家再來一次「慕尼黑協定」——那是可能對蘇俄構成危險的。

八月二十三日，李賓特洛甫（Jachim von Ribbentrop）飛往莫斯科，接著俄德條約就簽字了。它又還附有一份祕密協定，內容是決定波蘭由德俄兩國瓜分。[4]

這個條約遂使戰爭必然爆發，尤其是因為在時機上是已經如此迫切。希特勒對於波蘭問題是不可能再撤回的，否則在莫斯科就不免要嚴重的喪失面子。此外，由於在七月底，張伯倫又已經派了他的親信顧問，威爾遜爵士（Sir Horace Wilson）來和希特勒就英德條約的問題進行私下談判，所以也就更使他相信英國政府不會為了保存波蘭而冒險去作一次顯然毫無希望的鬥爭，同時也不可能真正想把俄國引入這種情況。

但是俄德條約的簽訂，在時機上是如此的延遲，對於英國也就未能產生希特勒所預期的效果。反之，它卻激起了英國人的「牛脾氣」——那是一種盲目的決心，不計一切後果。在這種感情激動的情況之下，張伯倫也就不可能坐視，否則不僅失言而且丟臉。

史達林是完全明瞭西方國家一向都是在鼓勵希特勒向東擴張——即朝著俄國的方向。他很可能認為俄德條約是一種方便的工具足以把希特勒的侵略野心引向相反的方向。換言之，採取這樣微妙的一著，他可以引誘他遠近的敵人互相衝突。至少還應該能夠減輕對蘇俄的威脅，而且甚至於可以使他們兩敗俱傷，好讓蘇俄坐享漁人之利。

這個條約固然使德俄兩國之間少了一個作為緩衝國的波蘭——但俄國人卻一向認為波蘭對於他們不特不是一道屏障，反而可能會變成德國侵入俄國的矛頭。若與希特勒合作共同征服波蘭，然後再將其瓜分，則不僅是收回一九一四年以前舊有國土的最佳途徑，而且還可以把東波蘭變成

---

4 譯註：李賓特洛甫為當時德國的外交部長。

一道緩衝地帶，雖然是比較狹窄，但卻是由他們自己的兵力來據守的。那似乎是一個比獨立的波蘭國要更為可靠的緩衝。這個條約也替蘇俄占領波羅的海三個小國和比薩拉比亞（Bessarabia）的行動鋪路，於是緩衝地帶也就可以獲得進一步的拓寬。

一九四一年，當希特勒橫掃俄國如入無人之境時，史達林在一九三九年所採取的步驟，也就使人感覺到那實在是一種近視的愚行，幾乎送了性命。也許史達林是把西方國家的抵抗能力估計得太高，認為他們有能力把德國的實力消耗得差不多。同時，也很可能他是把自己兵力的初期抵抗能力估計得太高。儘管如此，但若對以後的歐洲情況作一番觀察，則他這一著對蘇俄不利的程度又似乎並不像一九四一年所想像的那樣厲害。

反之，對於西方，那卻是帶來了無限的損失。面對著一個如此明顯的爆炸情況，西方的政策卻是拖延和輕率兼而有之，所以當國諸公實在是不能辭其咎。

邱吉爾在其《第二次大戰回憶錄》中，對於英國的投入戰爭有很精闢的評述。他在敘述了英國如何容許德國再武裝，和如何容許德國吞併奧國和捷克，以及如何同時又拒絕俄國的聯合行動建議之後，邱吉爾就這樣的寫道：

……當所有一切的援助和利益都已喪失殆盡之後，英國才開始牽著法國一同保證波蘭的完整——這個貪鄙的波蘭，僅僅在六個月之前，還曾在捷克趁火打劫。若在一九三八年為捷克而戰，那還是很合理的。當時德國陸軍能用在西線上的精兵可能只有六個師，而法國兵力則約有六、七十個師，所以一路長驅直入越過萊茵河，甚至於進入魯爾地區，都是非常可能的。但當時大家卻認為這種想法是魯莽的、不合理的，缺乏近代化的思想和道德觀念。但現在卻終於有了兩個西方民主國家宣布他們不惜以自己的生命為賭注，以來保證波蘭的領土完整。有人告訴我們，歷史主要的就是一種人類罪惡、愚行和不幸的記錄。儘管如此，要想找到與此類似的例證也許還是很困難的，五、六年來，所採取的都是安撫政策，現在卻於一夜之間作了一個突然的和完全的轉變，決心在遠較過去惡劣的條件上，和最大的規模上，接受一次顯然即將爆發的戰爭……

這就是最後的決定，其作成的時機可能是最惡劣的，其作成的理由也是最難令人滿意的，但其將使千萬人受到屠殺卻是毫無疑問的。

這是一個對張伯倫的愚行所作的明確判決，根據「後見之明」（Hindsight）寫成的。因為邱吉爾本人，在那種群情鼎沸之時，他也曾支持張伯倫主張英國保證波蘭的政策。這是太明顯的事實，在一九三九年，他也像大多數英國領袖一樣，行動是以熱情的衝動為基礎——而不是以冷靜的判斷為基礎，後者卻曾經一度是英國政治家的特長。

第二章　爆發時雙方的兵力

一九三九年九月一日，星期五，德軍侵入波蘭。九月三日的星期天，英國政府為了履行其事先所給予波蘭的保證，遂向德國宣戰。六個小時之後，法國政府，雖然是比較猶豫不決，但也還是步上英國的後塵。

在對英國國會作這個決定國運的宣布時，七十歲的老首相，張伯倫先生用下述的語句來作結論：「我深信在我有生之日還能看到希特勒主義被毀滅，和一個解放的歐洲重建起來。」在不到一個月之內，波蘭已經被蹂躪了。在九個月之內，西歐的大部分都已被淹沒在戰爭洪流之中。雖然希特勒是終被打倒，但一個解放的歐洲卻始終未能重建起來。

為了表示對宣戰的歡迎，格林吳德先生（Arthur Greenwood）也代表工黨發言，在表示其如釋重負的心情時，他說：「那個使我們大家都感到難於忍受的拖延痛苦是已經過去了。我們現在知道最壞也不過如此。」從大家對他歡呼如雷的情形上看來，可以證明他的話也恰好表達了整個下院的一般情緒。他的結語是這樣的：「但願這次戰爭是快而且短，但願在那個惡名的廢墟上所重建的和平能夠永垂不朽！」

只要對於雙方的兵力和資源能作一次合理的計算，就可知道相信戰爭是「快而且短」（Swift and Short）的想法實在是毫無根據。甚至於無論戰爭繼續延長多久的時間，也都不可能希望僅憑英法兩國的力量，即足以擊敗德國。至於認為「我們現在知道最壞也不過如此」的假定則更是愚不可及。

關於波蘭的實力也有許多幻想。作為一位外長，哈里法克斯勛爵本應有良好的情報知識，但他卻相信波蘭的軍事價值是高於蘇俄，所以寧願保留它來當作一個同盟國。這就是他在三月二十四日向美國大使所發表的高論，這也正是在英國突然決定對波蘭提供保證的前幾天。七月間，英國武裝部隊的總監察長（Inspector-General of the Forces），艾侖賽將軍（General Ironside），前往訪問波蘭的陸軍，在他回國之後所提出的報告，照邱吉爾先生所形容的，那是「最有利的」（Most Favourable）。

關於法國的陸軍卻存在著更大的幻想。邱吉爾本人，在一九三八年四月十四日，曾經形容它是「歐洲訓練最完善和機動最可靠的兵力」。在戰爭爆發之前的幾天，邱吉爾曾和法國野戰軍總司令，喬治將軍（General Georges）會晤，在比較了法德雙方兵力數字之後，邱吉爾的印象是非常的良好，所以他稱讚著說：「那麼你們是贏定了。」

也許這也就更增強了他幫助催促法國宣戰的熱心——法國大使的報告曾經這樣的說：「其中最激勵的人就是邱吉爾先生，他的聲音宏亮使電話機都發生了震動。」在三月間，邱吉爾也曾宣稱對於向波蘭提供保證的問題，他本人的意見是和首相完全一致。他也和所有其他的英國政治領袖一樣，曾經高談此種保證在作為維護和平工具時的價值。只有勞合．喬治一人曾經指出它的不切實際和危險——而他的警告卻被《泰晤士報》（*The Times*）形容是「一種無可慰藉的悲觀主義的發洩」，並且說「勞合．喬治先生現在似乎是生活在他自己的一個孤獨和遙遠的世界中」。

平心而論，應該指出的是在比較冷靜的軍事圈內，有許多人對於前途都不存有這一類的幻想。我個人在戰爭爆發時所寫的戰略形勢研判曾經預測波蘭很快就會失敗，而法國也不能支持很久，我的結論是：「總而言之，由於我們的戰略基礎是如此的不健全，所以我們也就陷入了一種窘境——這也許是我們有史以來最壞的情況。」但在當時一般人的想法都完全是意氣用事，不僅淹沒了眼前的現實感，而且掩蔽了長遠的考慮。

波蘭能否支持得更久一點呢？英法兩國對於減輕德國對波蘭的壓力是否可以做得更好一點呢？如現在所知的，從軍事力量的數字表面上看來，這兩個問題的答案似乎都應該是肯定的。以人數而論，波蘭是足夠在其國界上阻止德軍的侵入，或至少應能使他們的前進受到長期遲滯。以數字而論，法軍也似乎同樣的能夠擊退被留置在西線方面的德軍。

波蘭陸軍共有三十個常備師和十個預備師。它同時也擁有不少於十二個的大型騎兵旅——不過其中卻只有一個是摩托化的。其在數量方面的潛力甚至於是要比上述單位數字所表現的還更大——因為波蘭幾乎擁有二百五十萬「有訓練的人員」可供動員之用。

法國所動員的人力相當於一百一十個師，其中的常備師不少於六十五個。包括五個騎兵師、兩個機械化師，和一個正在編組中的裝甲師——其餘則均為步兵師。就總數而言，即令扣除了駐防法國南部和北非以對抗義大利可能威脅的部隊，法國統帥部還能在其面對德國的北部國境上集中八十五個師的兵力。此外，他們還可以動員五百萬有訓練的人員。

除了必須兼顧中東和遠東的防務以外，英國曾允許在戰爭爆發時立即送四個正規（Regular）師到法國去——以後實際上是送去了相當於五個師的兵力。不過由於海運的問題，以及為了避免空中攻擊而必須採取曲折的航線，所以其第一批部隊要在九月底才能到達。[1]

除了小型但素質頗高的正規陸軍以外，英國正在著手編組和裝備二十六個師的地方軍（Territorial field army），在戰爭爆發時，英國政府又已經計畫將其總數擴充為五十五個師。但是這支新軍的第一批部隊在一九四〇年以前都還不能完成進入戰場的準備。就眼前而言，英國的主要貢獻僅能採取以海權執行海上封鎖的傳統形式——此種形式的壓力當然要很長久的時間才能收效。

英國有一支剛剛超過六百架的轟炸機兵力——比法國的要多一倍，但比德國的卻要少一半——但由於當時飛機的體型和航程都很有限，所以並不能直接攻擊德國以產生任何嚴重的效果。

德國動員了九十八個師，其中五十二個為常備師，包括六個師的奧國人在內。其餘的四十六個師中，只有十個師可在動員後即能作戰。即令如此，這些單位中的大部分人員又都是僅只服役約一個月的新兵。其他的三十六個師則主要的是用第一次世界大戰的老兵所組成的，他們的年齡都已超過四十歲，對於近代化的兵器和戰術幾乎是毫無所知。他們也非常缺乏砲兵以及其他的兵器。要想把這些師組訓完成，使其能夠變成真正的作戰單位，則必須要很長的時間——甚至比德軍統帥部所預計的還要更長，對於此種進度的遲緩已經使它深感震驚。

德國陸軍在一九三九年尚未完成對戰爭的準備——因為相信希特勒的保證，德軍將領們也都感覺到戰爭是出乎他們意料之外。他們本來是主張以徹底訓練的幹部為基礎，來逐步完成建軍的計畫，但還是勉強同意了希特勒想要加速擴軍的願望。不過希特勒卻又一再的告訴他們，還是有充分的時間來完成訓練，因為至少在一九四四年以前，他是絕對無意冒險發動大規模戰爭的，與軍隊的數量相比較，裝備也是極感缺乏。

但是在戰爭初期德國人獲得了迅速勝利之後，一般的假定都認為這是由於他們在兵器和數量上擁有一種壓倒性的優勢之故。

1　譯註：英國所謂「正規」單位就是完全由職業軍人所組成的。

這第二種幻想是消蝕得非常的慢。甚至於在他的戰爭回憶錄中，邱吉爾還是說德國人在一九四〇年至少擁有一千輛「重戰車」。事實上，他們在當時根本上就沒有重戰車。當戰爭發動時，他們只有少量的中型戰車，其重量僅為二十噸。他們在波蘭所使用的大部分都是重量很輕和裝甲很薄的戰車。

只要總結算一下，就可以看出來波蘭和法國是一共約有相當於一百三十個師的兵力，而德國卻一共只有九十八個師，其中又有三十六個師是幾乎完全沒有訓練和組織的。以「有訓練的兵員」數量來比較，則對德國也就更為不利。唯一足以抵消此種數量劣勢的因素，即為德國是居於中央位置，可以把對方的兵力分割為兩部分，彼此相距頗遠，難於互相支援。德國人可以先攻擊對方兩個夥伴中的較弱者，而法國人若欲救援他們的盟友，則必須向德國人已有準備的防線進攻。

即令如此，就數量的計算而言，波蘭人還是擁有龐大的兵力，足以抵抗德軍所發動的攻勢——攻勢兵力是由四十八個常備師所組成。在他們後面，還有六個預備師，但戰役卻結束得太快，所以這些預備部隊根本上就沒有機會參加戰鬥。

從表面上看來，法國人似乎是擁有充分的優勢足以壓倒德軍在西線上的兵力，而一直衝到萊茵河上。因為他們並沒有這樣做，所以德國將領們先是感到驚奇，然後就如釋重負。因為他們中間的大多數在思想上也還是擺脫不了一九一八年的舊觀念，並且也像英國人一樣，把法國陸軍估計得太高了。

但波蘭人是否能夠守得住，和法國人能否對他們提供比較有效的援助，若在較嚴密的分析之下，結論就會完全不同了——這也就是說對於他們內在的弱點，以及在一九三九年首次實際被使用的戰爭新技術，必須有較深入的了解。從這種近代化的觀點來看，甚至於在事前，即已經可以知道局勢的演變是無可挽回。

邱吉爾在其《大戰回憶錄》中對於波蘭的崩潰曾作下述的評論：

裝甲車輛能夠抵抗砲兵的火力，能夠一天前進一百哩，無論在法國還是在英國，對於此種新事實的後果幾乎都完全缺乏有效的了解。

對於英法兩國大部分高級軍官和政治家而言，以上的說法可以說是太真實了。但是此種新潛力的首次被發現卻還是在英國。有一小群進步的軍事思想家曾經公開的和不斷的對於這種新觀念加以提倡和解釋。

在其《大戰回憶錄》的第二卷中，邱吉爾在談到法國的崩潰時，又曾作了下述的坦白承認，雖然還是不免有一點諱言：

> 因為許多年來我不曾和官方的資料接觸，所以我對於上次大戰之後，大量快速重裝甲兵力所帶來的猛烈革命是並無深入的了解。雖然我也略知一二，但那卻不足以改變我的舊觀念。

這是一個非常值得注意的聲明，出自一個在第一次世界大戰時曾對戰車的創造立有如此重大功勞的偉人的筆下。邱吉爾的坦白態度是很可敬佩的。但他曾任財政部長直到一九二九年為止。一九二七年，英國曾在沙利斯貝瑞平原（Salisbury Plain）上組成一支「實驗裝甲部隊」（Experimental Armoured Force），那也是全世界上的第一個，用來實驗新的理論，因為主張高速戰車戰爭的人們提倡這些新理論是已有幾年之久。邱吉爾對於他們的觀念也有充分的認識，並且也曾訪問在工作中的實驗部隊，而在以後的若干年內，他還繼續和他們保持接觸。

對於此種新戰爭觀念的缺乏了解，以及官方的反對態度，在法國尤有甚於英國。而在波蘭是又比在法國更進一步。此種了解的缺乏實為一九三九年波法兩軍失敗的根源，也是一九四〇年法國更大失敗的根源。

波蘭官方的軍事思想可以說完全是落伍的，其部隊的組織型態大致也是如此。他們沒有裝甲師和摩托化師，其舊式的部隊也非常缺乏戰防砲和高射砲。此外，波蘭的領袖們也仍然深信大量乘馬騎兵的價值，並對騎兵衝鋒的可能性寄以一種病態的信仰。就這一方面來說，他們的思想也許真正是已經落後了八十年。因為遠在美國內戰時，即早已證明騎兵衝鋒的無效——不過「戰馬心懷」（horse-minded）的軍人們卻始終不肯接受這種教訓。在第一次世界大戰時，所有各國的陸軍仍然繼續維持著大量的乘馬騎兵，並希望有一顯身手的機會，那可以算是那次靜態戰爭中的一個極大諷刺。

在另一方面，法國人卻擁有近代化陸軍的許多構成因素，但他們卻並不曾把它們組織成為一個整體——因為他們高階層的軍事思想落後了二十年。與他們失敗之後所傳出來的神話完全相反，他們所擁有的戰車要比德國人在開戰時所已經建造的全部數量還要多——其中有許多是比德國的任何戰車的體型都較大和裝甲較厚，雖然速度可能較慢。但法軍的高級指揮部卻還是透過一九一八年的眼光來看戰車——把戰車當作步兵的僕人，或是用作搜察部隊以補騎兵之不足。在此種舊式思想的束縛之下，他們也就和德國人完全不同，對於把戰車組成裝甲師的工作耽誤了很久，因為他們始終只是把戰車兵力分割成為一小撮一小撮的來使用。

法國人，尤其是波蘭人，在新式地面部隊上的弱點，又因為他們缺乏空軍來掩護和支援他們的陸軍，於是也就變得更為嚴重。波蘭的情形也許還可以原諒，因為他們缺乏工業資源，但法國人卻不能以此為藉口。在這兩個國家中，空權的需要都是被建立大陸軍的主張所壓倒——因為在軍事預算的分配上，陸軍將領的發言是居於支配的地位，而他們自然是喜愛他們自己所熟習的那種部隊。他們幾乎完全不了解地面部隊的效力，現在是必須有賴於適當的空中掩護。

兩國高級將領的自我陶醉也都已達到了致命的程度，這是他們失敗的主因。在法國方面，不僅是第一次世界大戰的勝利培養了他們的驕氣，而其他國家的軍人也都一致推崇他們的軍事知識，於是也就更使他們有不可一世之感。在波蘭方面，由於他們在一九二〇年曾經擊敗俄國人，所以也就養成了自負的心理。這兩國的軍事領袖對於他們的軍隊和軍事技術一向都是自以為了不起的，他們那種自鳴得意的態度真是不堪入目。不過憑良心說，法國還有一些青年軍官，例如戴高樂上校（Colonel de Gaulle），對於正在英國被提倡的新戰車戰爭思想曾經表示深刻的興趣。但是那些較高級的法國將領們對於這種英國產生的「理論」，幾乎完全不加以注意——這與那些積極研究的德國新派將領們恰好成一強烈對比。[2]

即令如此，德國的陸軍距離一種具有真正效率和近代設計的兵力標準也還是差得很遠。不僅就其全體而言對於戰爭並無準備，而其常備師的大部分在組織上也都是落伍的。此外其較高級指揮部的觀念也還是有因沿舊轍的趨勢。不過當戰爭爆發時，德國卻已經組成了少數的新型部隊——六個裝甲師、四個「輕裝」（機械化）師，以及支援用的四個摩托化步兵師。在總數中這只占極小的比例，但這一點少數兵力卻比德國陸軍其餘的全部都更有價值。

同時，德國的最高統帥部，雖然也是很猶豫的，但卻終於承認了此種高速戰爭的新理論，並且願意給予它一次嘗試的機會。尤其應歸功於古德林將軍（General Heinz Guderian）和少數其他人士的熱心提倡。他們的辯論說動了希特勒——因為他欣賞任何能提供速戰速決的觀念。總而言之，德國陸軍之所以能獲得如此驚人的勝利，並非因為他們擁有壓倒性的數量優勢，也非因為他們在組織形態上已經徹底的現代化，而是因為他們要比對方略高一籌，這個程度雖然不大，但卻是非常的重要。

在第一次世界大戰時，法國的總理克里蒙梭（Georges E. B. Clemenceau）曾經說過這樣一句話：

> 戰爭是件太嚴重的事，不能完全委之於軍人。（War is too serious a business to be left to soldiers.）

他這句名言是經常為人所引用，而一九三九年的歐洲情況也給予它以一種新的解釋。因為即令對於軍人的判斷能夠完全信任，現在也還是不能把戰爭完全委之於軍人。維持戰爭的權力，姑不論是發動戰爭的權力，現在是已經從軍事的領域轉移到經濟的領域。正好像機器在戰場上已經壓倒人力，所以在大戰略的領域中，工業和經濟也的確已經把軍事從前台推到後台了。除非從

2　原註：在戰爭將要爆發之前，我出版了一本叫作《不列顛的防禦》（*The Defence of Britain*）的小書，在書中我對於波蘭軍事領袖們仍然繼續信仰乘馬騎兵衝鋒的情形表示憂慮。結果卻引起了他們的憤怒，並促使波蘭外交部正式提出抗議。這也可以算是一個令人啼笑皆非的小插曲。

工廠和油田中出來的補給能夠源源不斷的維持，否則軍隊就不過是一群毫無生氣的烏合之眾而已。從外行人眼裡看來，糾糾武夫所組成的行列還是威風凜凜的，但在近代戰爭科學家的眼裡，他們不過是一種裝在傳動皮帶上的玩偶而已。而在這一方面也就呈現出一種可以拯救文明的潛在因素。

假使僅只計算現有的軍隊和軍備，則情況也就會顯得更為暗淡。慕尼黑協定已經改變了歐洲的戰略平衡，而且至少在一段時間之內，會使這種平衡對於英法二國非常的不利。不管他們的重整軍備計畫是如何的加速推進，但在相當長時間之內都還是無法扭轉已經形成的劣勢，因為在戰略天秤上不僅是已經取消了捷克的三十五個裝備良好的師，而且同時又放出了原先用來平衡他們的德國兵力。

到一九三九年三月為止，英法兩國在軍備方面固然是已有若干的增加，但是由於德國吞併了捷克，於是也就順便接收了其軍火工業和所儲存的一切軍事裝備，所以其優勢也就更形增大。專以重型火砲而言，德國的數量就在一擊之下增加了一倍。使前途變得更惡劣的是德義兩國的援助已經使佛朗哥能夠推翻西班牙的共和政府，於是對於法國的疆界，以及英法兩國的海上交通，也都構成一種額外的新威脅。

從戰略上來看，除非能確實獲得俄國的支援，否則在有限時間之內，是絕無希望可以扭轉此種劣勢的。同樣的，從戰略上來看，德國若想解決其與西方國家之間的問題，則也就再沒有比這個時機更為有利了。但是戰略的天秤卻位置在經濟基礎上，在戰爭壓力之下，此種基礎能否長久支持德國武力的重量，似乎是有一點疑問的。

差不多有二十種基本產品都是戰爭所必需的。用在一般性生產上的煤，用作動力來源的石油，用來生產炸藥的棉花、羊毛、鐵，運輸方面所需要的橡膠，一般軍需品和一切電力裝備所必需的銅，用於煉鋼和彈藥方面的鎳，用在彈藥方面的鉛，製造炸藥的甘油，製造無煙火藥的纖維質醋酸鹽，製造雷管的水銀，製造飛機的鋁，製造化學儀器的鉑，用在煉鋼和一般冶金工業上的銻、錳等，用在彈藥和機械上的石棉，用作絕緣物的雲母，用來生產炸藥的硝酸和硫磺。

除了煤以外，對於這些產品的大量需求，英國本身都無法供應。不過只要對海運還能確保，則其中的大部分都可以取自不列顛帝國之內。以鎳為例，全世界供應量中約有百分之九十是來自加拿大，其餘的大部分則來自法屬殖民地新卡里多尼亞（New Caledonia）。主要缺乏的是銻、水銀和硫磺，而石油資源也不夠應付戰爭的需要。

法國並不能補充這些特殊的缺乏，而且它本身也缺乏棉花、羊毛、銅、鉛、錳、橡膠，和其他幾種需要量較少的物資。

對於這些產品中的大部分，蘇俄都有豐富的供應，但它也缺乏銻、鎳和橡膠，而銅和硫磺的供應量也不充分。

在所有的強國之中，地理位置最佳的還是美國。它生產了世界石油總供應量的三分之二，棉花約一半，銅也接近一半。至於仰給於外來的就只有銻、鎳、橡膠、錫，以及一部分的錳。

柏林—羅馬—東京軸心的情況則恰好與此成一強烈對比。義大利對於其所需的一切產品，幾乎都要向國外作大量的輸入，甚至於連煤也不例外。日本對於國外資源的依賴程度也不相上下。德國國內完全不產棉花、橡膠、錫、鉑、鐵礬土、水銀和雲母，而其鐵、銅、銻、錳、鎳、硫磺、羊毛和石油的產量也都不豐富。在占領了捷克斯洛伐克之後，其在鐵苗方面的缺乏已獲相當的改善，又因為干涉西班牙內戰之功，遂乘機運用有利的條件在該國獲得一個新的鐵苗供應來源，而且還有水銀——不過這卻必須依賴其海運的能力。此外，利用一種木質的代用品，德國對於羊毛的需要已可滿足其一部分。還有在不惜成本要比天然產品遠較昂貴的條件之下，德國也利用人工產品滿足其橡膠需要量的五分之一，和石油需要量的三分之一。

當陸軍日益依賴摩托化的運輸，而空軍又已變成了軍事力量中的必要因素時，這也就是軸心國方面在戰爭潛力上的最大弱點。除了以煤為原料來提煉人工石油以外，德國從其本國的油井中大約只能獲得五十萬噸的石油，而從奧地利和捷克斯洛伐克所獲得的數量則更微不足道。為了補足其平時需要，它每年必須從國外輸入近五百萬噸的石油，其主要來源為委內瑞拉、墨西哥、荷屬東印度、美國、俄國和羅馬尼亞。對於前四者的任何一國在戰時都是不可能運到的，而對於後二者也就必須使用征服的手段。此外，據估計德國的戰時需要量每年將超過一千二百萬噸。所以人工燃料的生產無論如何的增加，也都無法滿足這樣巨大的需求。只有在無損毀的狀況之下，奪占羅馬尼亞的油田（能生產七百萬噸），然後對於這種缺乏才有解決的希望。

假使義大利也進入戰爭，則其需要將使差額變得更大。在戰時，它每年可能要有四百萬噸才夠用，即令義大利的船隻願意冒險越過亞德里亞海，從阿爾巴尼亞所能獲得的數量也還不過只相當於這個總額的百分之二。

知己知彼，百戰不殆。軍事前途雖然已經變得如此的暗淡，但由於德義兩國的資源不足以支持長期戰爭，所以也就多少還有一點樂觀的理由。假使對抗他們的國家在戰爭爆發之初，能夠抵抗其猛烈的攻勢以待援助的到來，則勝利也就仍然有望。總之，軸心方面的命運就要看戰爭能否速決而定。

第二篇

爆發

（一九三九—一九四〇）

第三章　波蘭的蹂躪

波蘭戰役是聯合使用裝甲和空中兵力的機動戰理論在戰爭中的第一次表演和證明。當此種理論最初在英國發展成形時，其行動被人用「閃電」（Lightning）字樣來加以形容。從現在起，很適當的但也很諷刺的，這種理論在全世界上所通用的名詞就是德文的「閃電戰」（Blitzkrieg）。事實上，德文的「Blitz」一字卻正是英文「Lightning」的翻譯。

對於閃電戰的表演而言，波蘭可以算是一個很適合的場地。它的國界非常長——一共差不多有三千五百哩。和德國接壤的部分本來是一千二百五十哩，最近由於捷克斯洛伐克的被占領，遂又增長到一千七百五十哩。波蘭的北部，面對著東普魯士，是早已暴露在侵入威脅之下，現在其南面由於此種國境線延長的結果，也就同樣的變得暴露起來了。其西部已經變成一塊巨形的舌頭，夾在德國牙床之間。

波蘭平原對於機械化的侵入軍而言，是一種可以長驅直入的坦途——不過還不像法國那樣的

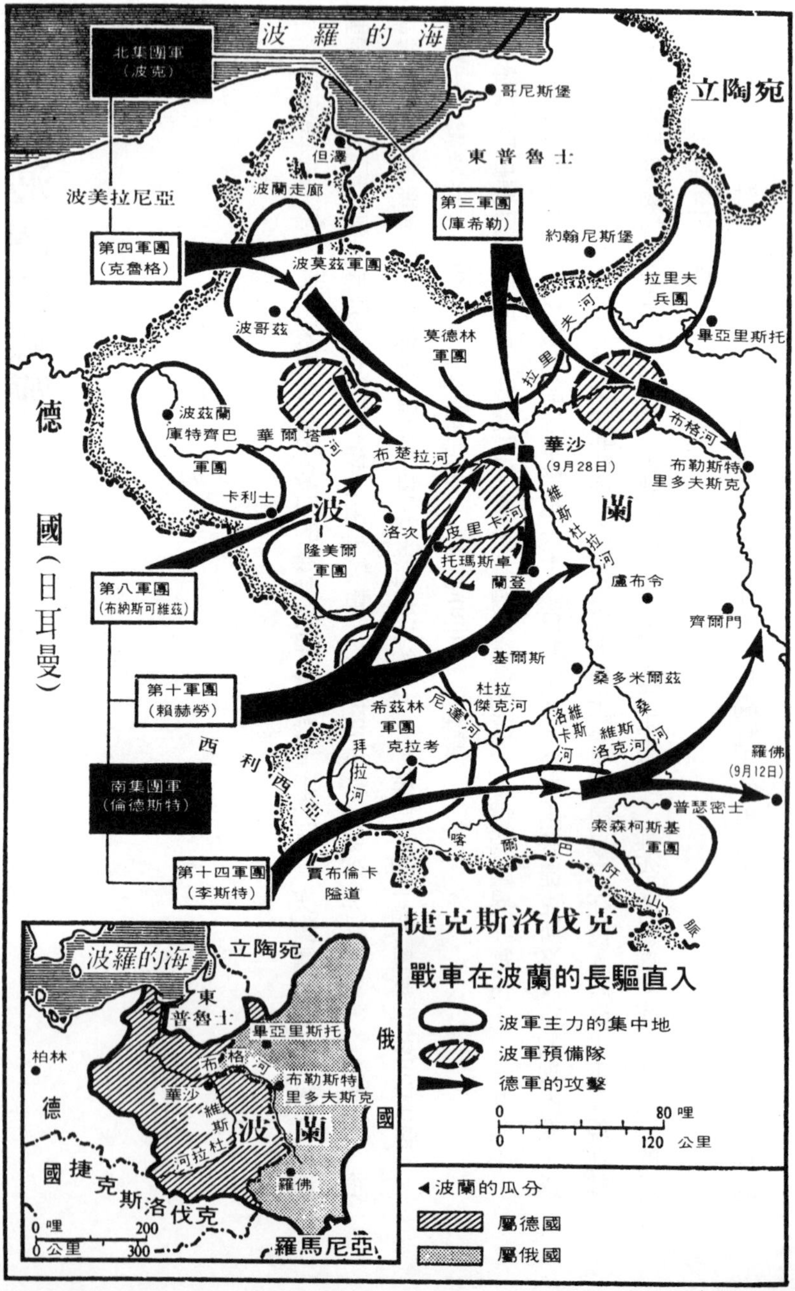
波羅的海
北集團軍
(波克)
哥尼斯堡
立陶宛
但澤
東普魯士
波美拉尼亞
波蘭走廊
第三軍團
(庫希勒)
約翰尼斯堡
第四軍團
(克魯格)
波莫茲軍團
拉里夫
兵團
波哥茲
莫德林
軍團
拉里夫河
畢亞里斯托
德
波茲蘭
庫特齊巴
軍團
華爾塔河
布楚拉河
華沙
(9月28日)
布格河
布勒斯特
里多夫斯克
卡利士
波
洛次
皮里卡河
蘭
維斯杜拉河
隆美爾
軍團
托瑪斯卓
蘭登
盧布令
國
(日耳曼)
第八軍團
(布納斯可維茲)
齊爾門
基爾斯
第十軍團
(賴赫勞)
桑多米爾茲
杜拉
傑克河
希茲林
軍團
尼達河
洛維
卡斯
河
維斯
洛克河
桑河
西利西亞
拜
拉
河
克拉考
羅佛
(9月12日)
南集團軍
(倫德斯特)
普瑟密士
索森柯斯基
軍團
喀爾巴阡山脈
第十四軍團
(李斯特)
賈布倫卡
隘道
捷克斯洛伐克
波羅的海
立陶宛
東
普魯士
畢亞里斯托
柏林
布格河
布勒斯特
里多夫斯克
華沙
維
斯
杜
拉
河
波蘭
德
國
捷
克
斯洛伐克
羅佛
俄
國
0 哩 200
0 公里 300
羅馬尼亞
波軍主力的集中地
波軍預備隊
德軍的攻擊
0 80 哩
0 120 公里
◀波蘭的瓜分
屬德國
屬俄國
戰車在波蘭的長驅直入

輕鬆，因為波蘭缺乏良好的道路，而離開道路又常常會遭遇到深厚的沙地，此外在某些地區中也有很多的湖沼和森林。但是德軍所選擇的侵入時間卻又可以使這些阻礙減至最低限度。

假使波蘭陸軍能夠集結在遠較退後的地區中，即位置在維斯杜拉河（Vistula）和桑河（San）寬廣河川線的後方，那麼也許才是一種比較聰明的部署，但那樣就必須決心放棄該國某些最有價值的部分。西利西亞（Silesia）的煤田是靠近國境的，它在一九一八年以前本來就屬於德國。其主要工業的大部分，即令是位置最退後的，也還是在上述河川防線以西。甚至於在最有利的環境之下，也都很難設想波蘭人能夠在前進地區中固守其陣地。但經濟上的考慮使他們企圖盡可能遲滯敵人向其主要工業區的前進，而民族的自尊和軍人的過分自信也增強此種想法，此外他們對於西方同盟國的援助也存著一種過分樂觀的希望。

在波蘭的兵力部署上充分表現了此種不現實的態度。差不多三分之一的兵力是集中在波蘭走廊之內或其附近，那是完全暴露在一個雙鉗包圍之下——從東普魯士和西面可以兩面聯合進攻。此種民族自尊心理的病態表現——即不准德國人重回到其一九一八年以前的舊領土——結果是犧牲了許多可以用來掩護對波蘭國防更重要地區的兵力。因為在南面，雖然面對著德軍進攻的主要路線，兵力卻很單薄。同時另約有三分之一的波蘭兵力，集中在中央軸線以北，即在洛次（Lodz）與華沙（Warsaw）之間，在其最高統帥，史米格里·黎茲元帥（Marshal Smigly-Rydz）指揮之下充當總預備隊。這個集團是充滿了攻擊精神，但其發動反擊的目的卻與波蘭陸軍的有限機動能力不相配合。即令德國空軍不摧毀他們的鐵路和公路，他們的機動能力也還是太差。

一般說來，波蘭兵力的前進集中是自動犧牲了他們作一連串遲滯行動的機會，因為徒步行軍的波軍尚未來得及退入後方的既設陣地，並加以防守之前，他們就早已被敵方機械化縱隊所趕上，並突破了那些防線。在波蘭的廣闊空間中，其兵力的非機械化狀況，要比受到了奇襲，而來不及召集其全部預備役人員的事實，更為一個遠較嚴重的障礙。機動力的缺乏要比不完全的動員更具有致命的作用。

同理，德國人在侵入時雖然動用四十多個正規師，但其價值卻遠不如那十四個機械化或部分機械化的師。他們一共為六個裝甲師、四個輕裝師（摩托化步兵加兩個裝甲營）和四個摩托化步兵師。決定勝負的就是他們的深入和快速衝刺，再配合著空軍在頭頂上的壓力。後者不僅破壞了波蘭的鐵路系統，而且在侵入的最初階段也毀滅了波蘭空軍的大部分。德國空軍在作戰時是採取一種非常分散的方式，而不使用大編隊，但這樣卻能在極廣大的地區中逐漸造成一種癱瘓。另外一個重要因素就是德國人的無線電「轟炸」（Radio bombardment），那是喬裝著波蘭的廣播，盡可能的在波蘭的後方製造混亂並打擊士氣，因為波蘭人對於他們自己具有過度的信心，深信人力可以擊敗機器，在失敗之後也就立即產生心理反應，以至於精神完全崩潰，莫知所措，這樣也就使上述這些因素發生加倍的效力。

九月一日，上午六點還不到的時候，德國的部隊越過了波蘭的國界，空中攻擊則已在一小時前開始。在北面為波克集團軍（Bock's Army Group），包括著庫希勒（Küchler）的第三軍團和克魯格（Kluge）的第四軍團。前者從其在東普魯士的側面位置上向南進攻，而後者則越過波蘭走廊向東推進，以與前者會合並共同包圍波軍的右翼。

較大的任務則給予在南面的倫德斯特集團軍（Rundstedt's Army Group）。其步兵實力差不多要多一倍，而裝甲兵則更多。其組織為布納斯可維茲（Blaskowitz）的第八軍團，賴赫勞（Reichenau）的第十軍團，和李斯特（List）的第十四軍團。布納斯可維茲，在左翼上，向洛次的巨大工業中心挺進，並孤立在波茲蘭（Poznan）突出地區中的波蘭部隊，同時也負責掩護賴赫勞的側面。在右翼方面，李斯特應向克拉考（Cracow）前進，並同時迂迴波軍在喀爾巴阡山脈（Carpathian）附近的側翼，和使用克萊斯特（Kleist）的裝甲軍衝過山地的隘道。決定性的打擊則由中央的賴赫勞來執行，為此，裝甲部隊的大部分也都分配給他。

波蘭的將領們，一向鄙視防禦，所以不肯花氣力去構築工事，他們寧願依賴反擊，儘管缺乏機械，但他們卻仍然深信他們的軍隊能夠有效的執行此種反擊任務。這種想法對於德軍侵入的成功有很大的幫助。機械化的侵入者毫無困難的就可以找到和突入開放的前路，而波蘭人的反擊也大部分都很輕鬆地被擊破，因為深入的德軍不斷的威脅他們的後方，使他們感到腹背受敵而無法立足。

到九月三日——即英法兩國投入戰爭之日——克魯格的前進已經切斷了波蘭走廊，並達到了維斯杜拉河的下游，而庫希勒從東普魯士向拉里夫河（Narev）的壓迫則正在發展之中。但更重要的，是賴赫勞的裝甲部隊已經進到了華爾塔河（Warta）上，並強渡成功。同時，李斯特的軍團則正後兩面向克拉考集中，迫使希茲林（Szylling）在這個地區中的波軍放棄該城並向尼達河（Nida）和杜拉傑克河（Dunajec）之線撤退。

到九月四日，賴赫勞的矛頭已經達到並渡過皮里卡河（Pilica），遠離國界已在五十哩以外。兩天之後，他的左翼在攻占了托瑪斯卓（Tomaszow）之後，就已經深入到洛次的後方，而其右翼則已經進入基爾斯（Kielce）。所以掩護洛次地區的波蘭隆美爾（Rommel）軍團已被德軍迂迴，而庫特齊巴（Kutrzeba）軍團位置更突出，尚留在波茲蘭的附近，有被孤立的危險。其他的德國兵力也都各有進展，在這個大包圍作戰中都分別達成了他們的任務。這個作戰的計畫是由德國陸軍參謀總長哈爾德（Halder）所負責，而指導作戰的則為其陸軍總司令布勞齊區（Brauchitsch）。波蘭陸軍此時已經潰不成軍，有些狂奔逃命，有些則向最近的敵軍縱隊作零亂的攻擊。

若非一種傳統趨勢的牽制，則德軍的前進可能還要更快，因為機動部隊是經常被制止不讓他們跑得太遠，以免支援步兵跟不上。但新得來的經驗卻顯示出由於對方的混亂，即令孤軍深入也都不會有危險，於是德軍才開始採取較果敢的態度。利用洛次與皮里卡河之間的一個缺口，賴赫勞的一個裝甲軍即從那裡衝入，在九月八日達到了華沙城的郊外——這個軍在第一個星期內前進了一百四十哩。次日，在其右翼上的輕型師也在華沙和桑多米爾茲（Sandomierz）之間，達到更南端的維斯杜拉河岸。於是他們向北旋轉。

此時，在喀爾巴阡山脈附近，李斯特的機動兵力已經順次渡過了杜拉傑克、拜拉（Biala）、維斯洛卡（Wisloka）和維斯洛克（Wislok）四道河川，而達到了著名的普瑟密士（Przemysl）要塞兩旁的桑河之上。在北面，古德林的裝甲軍（庫希勒軍團的矛頭）已經渡過了拉里夫河，並已向布格河（Bug）之線進攻，即已達華沙的後方。所以德軍攻勢是已經發展成為兩道鉗形運動（Pincer-movement）。其內鉗是在對華沙以西維斯杜拉河灣中的波蘭部隊縮小包圍圈，而其較寬廣的外鉗也正在迅速的發展中。

當侵入戰發展到了這個階段，德國方面在計畫上曾經有一次重要的改變。因為波蘭方面的情形是極端的混亂，其若干縱隊似乎分別朝著不同的方向運動，同時也揚起了大量的塵土，妨礙了德國方面的空中偵察，所以有一段時間，德軍最高統帥部對於情況的發展也暫時搞不清楚。在這個模糊的階段，德軍最高統帥部遂以為在北面的波軍都早已逃過了維斯杜拉河。基於此種判斷，他們就命令賴赫勞軍團在華沙和桑多米爾茲之間渡過維斯杜拉河，以攔截波軍向該國東南部撤退。但倫德斯特卻表反對，他相信波軍的大部分仍留在維斯杜拉河以西的地區中，經過了一番辯論，他的意見終被採納。於是賴赫勞的部隊向北旋轉，並在華沙以西的布楚拉河（Bzura）上建立一道封鎖線。

結果波蘭軍的最大殘餘部分還沒有能夠退過維斯杜拉河之前，就都已入了陷阱。德國人除了沿著抵抗力最弱的路線來作戰略貫穿而獲得利益以外，現在又加上了戰術防禦的利益。為了完成他們的勝利，現在他們就只要坐以待敵即可——殘餘的敵軍是以反正面來戰鬥，他們匆匆的突擊，彼此既沒有協調，和基地的補給線也早已被截斷，其補給量日益短少，而布納斯可維茲和克魯格兩個軍團向東的向心攻勢，又從側面和後方對他們不斷的增加壓力。雖然波蘭人拚命苦戰，其勇敢的程度使他們的對手大感驚訝，但卻只有極小部分部隊，乘著黑夜，勉強突出重圍，與華沙的守軍會合在一起。

九月十日，史米格里．黎茲元帥已經下令向該國東南部作全面退卻，在那個地區中由索森柯斯基將軍（General Sosnkowski）負責指揮，其目的是想在一個相當狹窄的正面上組成防禦陣地以作長期抵抗。但現在這卻是一種空洞的希望。當維斯杜拉河以西的大包圍圈正在縮小之際，德軍同時也就已經深入該河以東的地區。此外，他們在北面也已經渡過了布格河，在南面也已經渡過了桑河。在庫希勒的正面上，古德林的裝甲軍正在向南對布勒斯特里多夫斯克（Brest-Litovsk）作一次大迂迴的攻擊。在李斯特方面，克萊斯特的裝甲軍已於九月十二日到達了羅佛城（Lwow）。在這裡德軍的前進受到了阻止，但他們卻向北伸展以求與庫希勒的部隊會合。

雖然侵入部隊已經感到深入的緊張，並且也感到燃料的缺乏，但波蘭的指揮系統卻已經完全脫節，所以儘管敵軍是已經暫時休止，而許多孤立的波軍殘部也還在作頑強的抵抗，但卻無法加以利用。這些波蘭部隊在毫無目的的苦鬥中消耗了他們的精力，而德軍卻逐步逼緊，完成他們的包圍。

九月十七日蘇俄的軍隊越過了波蘭的東面國界。這個背面的打擊也就決定了該國的命運，因為它已經沒有餘力可以用來對抗第二次的侵入。次日波蘭政府和統帥部都逃入了羅馬尼亞——其最高統帥在那裡發出一項文告要求他的部隊繼續奮鬥。也許這個文告並不曾到達大多數的部隊，但仍有許多的單位在以後的幾天之內，的確是依照這種指示繼續作戰，但他們的抵抗也逐漸的完全崩潰。在空中和地面的猛烈炸射之下，華沙守軍還是一直打到了九月二十八日，而波軍的最後殘部到十月五日才投降，至於游擊抵抗則到冬季都還在繼續進行。大約有八萬人逃過了中立國的國界。

從東普魯士起，沿著畢亞里斯托（Bialystok），布勒斯特里多夫斯克，和羅佛以達喀爾巴阡山脈之線，德俄兩國的部隊，以夥伴的身分，彼此會合和互相敬禮。由於共同瓜分了波蘭，也就建立了此種夥伴關係，可惜並不能持久。

當此之時，法國人卻只在德國的西線上作成了一個小的缺口。為了減輕其同盟國所受到的壓力，這真是一種非常微弱的努力。從德國兵力和防禦的弱點上看來，自然會感覺到他們似乎是應該可以做得更好一點。但在這裡又像在波蘭一樣，只要略作較深入的分析，即可發現雙方兵力比較數字所暗示出來的表面結論是有改正的必要。

雖然法國的北部國境線長達五百餘哩，但在企圖發動攻勢時，法國人卻只能限於從萊茵河（Rhine）到摩塞爾河（Moselle）之間的那個九十哩寬的狹窄地帶——否則他們必須破壞比利時和盧森堡的中立。德國人可以把他們所能動用部隊中最好的部分集中在這個狹窄的地段內，並在達到他們的齊格菲防線（Siegfried Line）的進路上都布下一道縱深的雷陣，所以這也足以使攻擊者無法迅速前進。

更壞的是除了一些初步的試探性攻擊以外，法國差不多直到九月十七日為止，都還不能發動其攻勢行動。到了那個時候，波蘭是明顯的已經崩潰了，所以他們也就有了良好的藉口來收回成命。他們為什麼不能早一點發動攻勢呢？其原因是受到動員制度的限制，而這種制度的本身早已落伍。那是他們依賴徵兵制而必然產生的結果——必須把大量「有訓練的預備役人員」召集入伍，並使新編成的部隊完成作戰準備之後，才能開始作有效的行動。又因為法軍統帥部堅持其古老的戰術思想，於是也就更增加了延遲的時間——尤其是他們認為任何攻勢都必須像在第一次世界大戰時那樣先用大規模的砲擊來作準備。他們仍然認為在對付任何設防的陣地，重砲是一種必要的「開罐器」（Tin-Opener）。但是他們的重砲大部分都必須從倉庫中提出，且必須到動員的最後階段，即第十六天，才能應用。這種條件也就支配著他們對於攻勢發動的一切準備。

過去好幾年前，有一位法國的政治領袖，他就是雷諾（Paul Reynaud），曾經一再辯論著說這樣的徵兵制是已經落伍了，他主張應創立一支機械化部隊，由職業軍人來組成，隨時都能採取行動，而不可以再依賴那種老舊的和動員遲緩的徵集人員。但根本就沒有人理會他的這種呼籲。法國的政治家，也像大多數法國軍人一樣，都仍然把他們的信心寄託在徵兵制和數量上。

一九三九年的軍事問題可以綜合成為兩句話。在東面一支毫無希望的落伍陸軍被一支小型戰車部隊所迅速的打垮了，這支戰車部隊，又和一支優秀空軍合作，並且把一種新奇的技術付之實踐。同時，在西面，一支行動緩慢的陸軍始終未能發揮任何有效的壓力，直到時間已經太遲為止。

第四章 「假的戰爭」

「假的戰爭」（The Phoney War）這個名詞是美國新聞界所杜撰的。正像許多生動的美國話一樣，它不久就在大西洋的兩邊都被普遍的採用了。對於從一九三九年九月波蘭崩潰之時起，到次年春季希特勒在西線發動攻勢之時止的這一段戰爭，它已經變成了一項肯定的名詞了。

那些最初杜撰此一名詞的人，其意義就是想要表示在這個階段中，戰爭好像是假的——因為英法兩國的軍隊和德國軍隊之間並不曾打任何大仗。實際上，這是一個幕後準備活動的階段。在這個階段內有一個非常奇怪的意外事件降落在一位德國參謀軍官的身上。這個偶然事件使希特勒吃了一驚，於是爾後的幾個星期內德國的軍事計畫遂發生完全的改變，使那個舊計畫不可能獲得和新計畫一樣的成功機會。

但所有這些內幕是當時世人所不知道的。全世界所能看到的就是戰場上一片沉寂，於是也就以為戰神是已經睡著了。

一般人對於此種外表沉寂的狀況所作的解釋也各有不同。有人認為英法兩國對於他們的戰爭意圖並不那樣認真，儘管他們是已經為波蘭而宣戰，但卻仍在等候和平談判的機會。另一種流行的解釋是以為英法兩國自有他們的神機妙算。美國報紙上有許多的「報導」說聯軍最高統帥部故意採取一種具有微妙構想的守勢戰略計畫，並正在替德國人準備好了一個陷阱。

以上這兩種解釋都是毫無根據。在秋冬兩季，同盟國政府和最高統帥部是花了許多時間去討論對德國或德國側翼的攻勢計畫（以他們在當時的資源而論，這是沒有可能性的），而並不曾集中全力以求對希特勒的未來攻勢作任何有效的防禦準備。

在法國淪陷之後，德國人曾經俘獲了法軍統帥部的全部檔案——他們在其中曾經挑選一部分具有煽動性的文件來加以公布。這些文件可以顯示出同盟國領袖們是如何花費了一個冬季的時間來構想各種不同的攻勢計畫——取道挪威、瑞典、芬蘭以進攻德國的側後方；透過比利時以進攻魯爾（Ruhr）地區；假道希臘和巴爾幹以打擊在遙遠的德國東面側翼；進攻蘇俄在高加索的大油田，以切斷該國對德國的石油補給來源。這一大堆天外奇想，可以證明同盟國領袖們如何富有幻想力。他們簡直是生活在一個夢想的世界中，直到希特勒發動其自己的攻勢時，才好像一盆冷水澆在他們的頭上，把他們從美夢中驚醒了。

希特勒的想法總是走在情況發展的前面，當波蘭戰役將要結束之際，和他尚未公開提出召開全面和平會議的建議之前，就已經開始思考在西線發動攻勢的問題。很明顯的，他是早已認清任何這一類的建議都不會受到西方同盟國的考慮。不過，就目前而言，他卻只讓其最親信的夥伴知道他心裡在想些什麼。直到十月六日，他公開的提出和平的呼籲，並在受到對方的公開拒絕之後，他才把這些想法告訴參謀本部。

三天之後，他在一份給德國陸軍首長的冗長命令中說明他的想法，他解釋了為什麼他認為在西線發動攻勢是德國唯一可能路線的理由。這是一件最有意義的文件。其中的結論是說一個與英法之間的長期戰爭將會耗盡德國的資源，並使其暴露在俄國的背面打擊之下。他害怕他和俄國之間的條約並不能確保俄國人的中立，超過他們自認為有利的時間。他的畏懼心理促使他想要提早發動攻勢以強迫法國求和。他相信一旦法國失敗之後，英國也就會隨之而屈服。

他認為就眼前而言，他是有足以擊敗法國的兵力和裝備——因為德國在最重要的新武器方面享有優勢。在命令中他說：

> 戰車兵和空軍，在目前，無論為攻為守，都已經達到任何其他國家所不曾達到的技術高峰。他們對於作戰的戰略潛力是受到其組織和領導的保證，那是比任何其他國家都要較為優秀。

希特勒也承認法國人在較舊式的兵器方面是享有優勢，尤以重砲為然，但他卻辯論著說：

「在機動戰中這些兵器並無決定性的重要。」憑藉其在新兵器方面的技術優勢，他認為法國再有訓練人數上的優勢也不足懼。

他接著又說，假使他因為希望法國人會厭戰而再等下去，那麼「英國戰鬥力量的發展就會給法國帶來一個新的戰鬥要素，那在心理和物質兩方面都有巨大的價值」——即足以增強法國的防禦。該文件又說：

最應預防的就是敵人也可以改進其在裝備方面的弱點，尤其是在反戰車和防空兵器兩方面——這樣也就代表一種對德國攻擊力量不利的時間損失。

一旦當輕鬆戰勝波蘭所產生的興奮作用消失之後，他對於德國軍人的「戰爭意志」也感到憂慮。他說：「目前別人對他的尊敬正像他的自尊一樣的崇高。但是六個月的拖延再加上敵方所作的有效宣傳也許就會使這些重要的素質再度受到減弱。」希特勒感覺到他應該馬上動手攻擊，否則就會太遲了。他說：「在現有的情況中，時間是對西方國家比較有利。」他的總結論是：「只要條件勉強可能，則應在這個秋季發動攻勢。」[1]

希特勒堅決主張比利時應包括在攻擊地區之內，那不僅是為了獲得運動的空間，以便迂迴法國的「馬奇諾防線」（Maginot Line），並且也為了預防英法聯軍進入比利時，逼近魯爾地區的危險。他說：「那樣就會使戰爭接近我方軍需工業的中心。」（從法國檔案中顯示出來，這也的確是當時法軍總司令甘末林〔Gamelin〕所曾經提倡的觀念。）

在了解希特勒的意圖之後，德國陸軍總司令布勞齊區（Brauchitsch），和陸軍參謀總長哈爾德（Halder）都大感震驚。他們也像大多數德國高級將領一樣，並不同意希特勒的想法。他們不相信新兵器能夠壓倒對方有訓練的軍事人力上的優勢。根據陸軍師數量的習慣算法，他們認為德軍實力不足以擊敗西方。他們指出德國所能勉強動員的總數為九十八個師，這已經比對方的總數少了很多，何況其中還有三十六個師是缺乏裝備和訓練的。同時他們也害怕戰爭將擴大成為另一次世界大戰，而使德國終於一敗塗地。

他們是那樣的感到困惑，於是也就盡量想要尋找補救之策。正像一年前的慕尼黑危機時一樣，他們開始考慮採取行動以推翻希特勒，其構想是從前線上抽出一部分精選的部隊，向柏林進軍以發動政變。但是本土部隊（Home Forces）總司令，富樂門將軍（General Fromm），卻不願合作——而他的協助卻是必要的。富樂門認為假使部隊奉命向希特勒進攻，他們將不會服從——

1 原註：事實證明希特勒是有一點過慮。在實際上拖延了七個月之後，法國人的士氣變得比德國人更為低落。同盟國的宣傳毫無效力——那只是高喊打倒德國，而從未企圖分化一般德國人和納粹頭子之間的關係。更壞的是在德國有幾個集團都想推翻希特勒並與西方謀和，不過他們卻希望對於同盟國方面所構想的和平條件能夠事先獲得滿意的保證，但是英國政府對於這些秘密試探卻很少予以鼓勵。

因為一般軍人中的大多數都是信仰希特勒的。富樂門對於部隊反應的判斷也許是正確的。大多數與部隊有接觸而又不知道較高級司令部中所討論內容的軍官們都證實他的判斷不錯。

德國的一般軍民，縱不為勝利所陶醉，但也已經中了哥培爾博士（Dr. Goebbels）的宣傳毒素。他的宣傳是說希特勒希望和平，但西方同盟國卻決心要毀滅德國。很不幸的，同盟國的政治家和報紙卻自動向哥培爾提出許多可以引用的好資料。哥培爾把同盟國形容成為一頭想要吞食德國羔羊的惡狼，而他們的那些言論卻恰好足以作為支持這種說法的證據。

儘管這一次戰時反對希特勒的陰謀已經胎死腹中，但他卻還是未能如願以償的在秋季發動他的攻勢，很諷刺的，事實證明這對他是一大幸事，而對全世界卻是一大不幸——包括德國人民在內。

暫定的攻勢發動日期為十一月十二日。在十一月五日那一天，布勞齊區又去做新的努力，以期能說服希特勒放棄侵法的意圖。並列舉了許多理由。但是希特勒不僅逐條加以駁斥，而且也對他作了嚴厲的指責，並堅持一定要在十一月十二日發動攻勢。不過到了十一月七日，這個命令卻被取消了——因為氣象專家預測天氣將會變壞。於是預定的時間被延遲三天，然後又繼續一再的延期。

儘管惡劣的天氣變成了延期的顯明理由，希特勒在批准時卻非常感到惱怒，並且也不相信這就是唯一的理由。十一月二十三日，他召集所有高級將領開會，他在會議中設法消除他們的疑處，並說明發動攻勢的必要。他一方面對於蘇俄的潛在威脅表示焦急，另一方面又強調西方同盟國不但不考慮他的和平建議，而且還正在加速擴充軍備。他說：「時間是對我們不利的。」、「我們有一個阿奇里士的腳後跟（Achilles Heel），那就是魯爾地區……一旦英法聯軍通過比利時和荷蘭進入了魯爾，我們就會陷入最大的危險。」

他接著又譴責他們是意志薄弱，並且讓他們知道他懷疑他們是在嘗試暗中破壞他的計畫。他指出自從重占萊茵河地區起，他們曾經反對他的每一個步驟，而每一次的成功都足以證明他的觀念是對的，所以他現在要求他們應無條件的追隨他的意志。布勞齊區企圖指出此次新行動的差異和所包括的較大危險，結果只是使他受到了一次更嚴厲的斥責。在夜間希特勒單獨召見布勞齊區，又再訓斥了他一頓。於是布勞齊區提出辭呈，但希特勒把它擱置一邊，並告訴他應服從命令。

不過，天氣的阻力卻超過了這些將軍的力量，而迫使在十二月的上半月內，又一再延期。於是希特勒決定等過了新年再說，並准許聖誕節放假。剛剛過了聖誕節，天氣又再度轉壞，但在一月十日，希特勒終於還是決定了在十七日發動攻擊。

但就在他作決定的那一天，一件極富戲劇性的「插曲」發生了。這個故事在許多不同的記載中都曾被提到，但敘述得最簡明扼要的卻首推德國空降部隊司令，司徒登將軍（General Student）。以下就是取自他的記錄。

一月十日我派了一位少校到第二航空隊（Air Fleet）充任聯絡官，他從明斯特（Munster）飛波昂（Bonn）去和空軍討論計畫中的某些不重要細節。但是他們卻攜帶著西線攻擊的全部作戰計畫。

在嚴寒和強風中，他在冰雪掩蓋著的萊茵河上空迷失了方向，於是飛入了比利時，並在那裡迫降著陸。他未能把重要文件完全焚毀。其中重要部分落入了比利時人的手裡，換言之也就是洩漏了德軍西線攻擊計畫的大概。德國駐海牙的空軍武官報告在當天夜間比利時國王曾與荷蘭女王作電話長談。

當然，在那個時候德國人還不知道那些文件的真正下落，但他們自然要作最壞的打算，並考慮如何應付的對策。在那次危機中希特勒保持冷靜的頭腦，和其他的人恰好成一對比。以下又是司徒登的記錄：

德國的領導人物對於此意外事件的反應是值得注意的。戈林（Goering）是大發雷霆，希特勒卻相當的冷靜並能自制……最初他想要立即發動攻擊，但很僥倖的他抑制了這種衝動——並決定完全取消原有的作戰計畫。於是才改用曼斯坦計畫（Manstein Plan）。[2]

華里蒙特將軍（General Warlimont），在德國最高統帥部中居於非常重要的地位，他的記錄是說希特勒在一月十六日決心改變計畫，而主要是由於受到這次意外事件的影響。[3]

事後證明這對於同盟國是非常的不幸，儘管那是讓他們再多了四個月的準備時間——因為現在計畫要完全改變，所以德軍的攻擊也就暫時不定期的被擱置，直到五月十日才發動。但當它一發動，就使同盟國完全喪失了平衡，並使法軍迅速崩潰，至於英軍從敦克爾克（Dunkirk）的逃脫也可以說是間不容髮。

這自然要問這位少校的迫降是否真為意外事件。這似乎也是意料中事，任何與這一案有關的德國將領在戰後被俘之後，為了討好起見，都會宣稱那是出於故意的安排，以作為對同盟國的警告。但事實上，卻沒有人這樣做——而所有的人似乎都深信那是一次真正的意外事件。但我們卻又知道海軍上將卡拉里斯（Admiral Canaris），德國祕密間諜組織的頭子，曾經採取了許多祕密的行動，以破壞希特勒的目標——他本人以後終被希特勒處決。在一九四〇年春季，挪威、荷蘭、比利時等國受到攻擊之前，都曾有警告送給那些受威脅的國家——儘管它們並不曾為人所重視。我們也知道卡拉里斯的工作方式是非常神祕的，他是善於掩飾他的行藏。所以這個決定命運的一月十日意外事件始終還是一個猜不透的啞謎。

---

2 原註：以上記載均引自《山的那一邊》。

3 原註：華里蒙特是德國最高統帥部（ＯＫＷ）作戰廳的副廳長，地位僅次於約德爾將軍（General Jodl）。

新計畫的發源卻並無這一類的疑問。它構成了另外一個傳奇性的故事——不過傳奇的方式卻不同。

舊計畫是在哈爾德之下的參謀本部所策定的，其主攻方向是通過比利時中部，像一九一四年一樣。這個主攻是預定由波克所指揮的B集團軍來負責執行，而在其左面的A集團軍，在倫德斯特指揮之下，則準備通過丘陵起伏、森林茂密的阿登地區（Ardennes，或譯作亞耳丁），執行助攻。在這一方面並不期待巨大的戰果，所以所有的裝甲師都是分配給波克，因為參謀本部認為阿登地區對於戰車的行動是太困難了。[4]

倫德斯特集團軍的參謀長是曼斯坦（Erich von Manstein）——他一向被其儕輩認為是青年將領中的最優秀的戰略家。他感覺到這第一個計畫是太平凡了，幾乎是完全抄襲一九一四年的希里芬計畫（Schlieffen plan）——所以這也正是聯軍最高統帥部所準備應付的那種攻勢。曼斯坦認為另外還有一個弱點，那就是德軍的主攻將和英軍遭遇，他們很可能是一個比法國人要較頑強的對手。此外，這個計畫也不能導致一種決定性的結果。下面就引述曼斯坦本人所說的話：

> 我們也許可以擊敗在比利時的聯軍。我們也可以征服英吉利海峽的沿岸。但非常可能的，我們的攻勢將會停頓在索穆河（Somme）上。於是就會形成一個像一九一四年一樣的情況……那將永無達到和平的機會。

在思考這個問題時，曼斯坦早就想到採取一種勇敢的辦法，把主力攻勢移到阿登地區，因為他感覺到這是敵人所最想不到的路線。不過在他內心中卻還存在著一個大問題，於是在一九三九年十一月就去和古德林研究。以下就是古德林本人的敘述：

曼斯坦問我若從阿登向色當（Sedan）方向前進，戰車的運動是否可能。他解釋他的計畫是準備在色當附近突破馬奇諾防線的延長部分，以避免希里芬計畫的老套，那是敵人所熟知的，而且也很可能已有準備。從第一次世界大戰時的經驗，我了解那裡的地形，於是在地圖上研究了一番之後，我就同意他的觀點。曼斯坦接著就去說服了倫德斯特將軍，並向OKH提出了一份備忘錄（OKH即陸軍總部的簡稱）。但OKH卻拒絕採納曼斯坦的新觀念。但他又終於使希特勒獲知了他的意見。[5]

4　原註：法國參謀本部的看法也恰好與此相同，英國參謀本部也是一樣。一九三三年十一月，當英國軍政部剛剛開始組成我們的快速戰車部隊時，他們問我在一個未來的戰爭中，我們這種快速戰車部隊的最佳用法是什麼，我說一旦德國軍侵入法國時，我們應通過阿登地區來作一次戰車的反擊。他們告訴我「阿登是戰車所不能通過的」，我回答說，基於我個人對地形的研究，我認為這種想法是一種誤會——在兩次大戰之間的時代，我曾經在幾本書中強調過這一點。

5　原註：以上均引自《山的那一邊》。

在十二月中旬和曼斯坦作了一次談話之後，華里蒙特就把曼斯坦的這種觀念帶入了希特勒的統帥部。他向ＯＫＷ（即統帥部）主管作戰的約德爾將軍說明這個新觀念，而後者又轉告希特勒。但當一月十日意外事件發生之後，希特勒才開始尋求一個新計畫，於是遂想起曼斯坦的建議，這才開始發生作用。即令如此，又再過了一個月的時間，他才正式決定採用。

這個最後的決定是非常的曲折。布勞齊區和哈爾德對於曼斯坦這種到處游說以反對他們的計畫深感不滿。於是他們決定把他調走，讓他去做一個步兵軍的軍長——這樣也就把他擠出了主要路線之外，使他不再有發言的機會。但在調職之後他蒙希特勒召見，於是反而讓他有一個充分解釋的機會。這次會晤的安排是出於施密特將軍（General Schmundt）的主動，他是希特勒的侍衛長，一向是曼斯坦的崇拜者，並感覺到他受了虧待。

此後，希特勒就迫使布勞齊區和哈爾德接受此種新觀念，這個壓力是如此的強大，他們遂終於屈服，並開始依照曼斯坦的構想來修改計畫。哈爾德雖然頭腦非常頑固，但卻是一位極能幹的參謀軍官，所以這個計畫的細部草擬可以算是後勤計畫作為的一項傑作。

一項典型的結果為一旦希特勒決心採取這種新觀念之後，他就很快的宣稱那是完全出於他本人的構想。對於曼斯坦的功勞他只是這樣輕描淡寫的提到：「當我談到西線方面的計畫時，在所有的將領當中，就只有曼斯坦一個人了解我的思想。」

假使我們把攻勢在五月發動之後的一切情況發展經過作一番分析，就可以明瞭舊計畫是幾乎必然不會使法蘭西淪陷。它最多只能把聯軍推回到法國的國境線上而已。因為德軍的攻勢主力將會一頭撞在實力最強和裝備最好的英法聯軍的正面上，而且必須在一片充滿了障礙物（河川、運河和大型的城鎮）的地區中打開他們的出路。阿登地區雖然似乎是地形更加困難，但只要德軍能在法國統帥部尚未注意到危險之前，迅速通過比利時南部的森林起伏地帶，則法蘭西的起伏平原就會完全暴露在他們的面前——那是一個戰車長驅直入的理想戰場。

假使舊計畫維持不變，則可能會形成一個僵局，於是整個戰爭就要完全改觀了。當然僅憑當時英法兩國的力量是並不能夠擊敗德國，但若德國的攻勢顯然的受到了阻止，則可使他們獲得時間上的餘裕發展他們的軍備，尤其是在飛機和戰車這兩方面，於是在此種新兵器上也就可以建立一種權力平衡。希特勒如果不能速戰速決，也就會逐漸影響其軍民的信心。所以西線上的僵局可以使德國國內的強大反希特勒集團獲得一種良好的機會，以得到更多的支援，並發展他們推翻希特勒的計畫以為尋求和平的基礎。只要德軍的攻勢能夠阻止，則不管以後的情況是如何的演變，歐洲至少是可以不至於變得那樣的殘破和悲慘，因為這都是法蘭西淪陷後所帶來的一連串的事實的結果。

這次飛行意外事件使希特勒得以改變其計畫，真是塞翁失馬，焉知非福；相反的卻使同盟國吃了大虧。這整個故事的最奇特部分就是同盟國對於落在他們手中的警告並不曾加以好好的利用。因為那位德國少校參謀軍官所攜帶的文件並未完全燒毀，比利時人立即把它們的複印本轉送給英法兩國的政府。但他們的軍事顧問們卻認為這些文件是德國人故意用來欺騙同盟國的。這種想法實在不通，因為天下絕沒有這樣笨的人會使用這樣的「妙計」，其結果不僅會促使比利時人加強戒備，而且也驅使他們去和英法兩國作較密切的合作。他們會很容易決定，趕在德國尚未發動攻擊之前，先開放他們的國境，容許英法聯軍進入，以增強他們的防禦。

更奇怪的是聯軍統帥部對於其自己的計畫也不作任何的改變，同時對於下述的可能性也不採取任何的預防措施：那就是說假使所俘獲的計畫是真的，則德國統帥部也必定會對於其攻擊重點作某種改變。

十一月中旬，同盟國最高會議批准了甘末林的D計畫，這是原來計畫的一種具有危險性的發展——英國參謀本部最初是曾經表示疑問的。在D計畫之下，加強聯軍的左翼，在希特勒一開發動攻勢時，就應立即衝入比利時，並盡可能向東推進。這也就等於直接落入希特勒的手中，因為那是完全配合了他的新計畫。聯軍左翼向比利時中部推進得愈遠，則他的戰車也就愈易於衝過阿登地區，迂迴到聯軍的後方並將其截斷。

勝負的結果也就幾乎已成定局，因為聯軍統帥部把它的機動部隊的大部分都送入了比利時境內，而只留有一個由第二流的師所構成的薄弱屏障，擋著其前進的樞紐——面對著「不能通過的阿登」（impassable Ardennes）地區的出口。使情勢變得更壞的是他們所要據守的防禦陣地也是特別脆弱的——在馬奇諾防線終點與英軍所構築的工事起點之間的空隙部分。

邱吉爾在他的回憶錄上曾經提到在那個秋季裡，英國方面對於這個空隙所感到的憂慮，並且說：「軍政部長賀爾・貝利夏先生（Mr. Hore-Belisha）在戰時內閣中曾幾次提出這一點……不過內閣和我們的軍事領袖都不願意批評法國人，因為他們的陸軍實力要比我們自己的強過十倍。」在他的批評引起了風潮之後，賀爾・貝利夏也就於一月初辭職。以後就更沒有人願意再談這個問題了。同時，在英法兩國又已經產生了一種危險的假信心。在一月二十七日的一次講演中，邱吉爾宣布說：「希特勒已經喪失了其最好的機會。」此種令人感到安慰的說法，在次日的報紙上也就變成頭條標題。而正在這個時候，新計畫卻已在希特勒的腦海中醞釀著。

第五章　芬蘭戰爭

在波蘭被瓜分之後，史達林也就急於想保護俄國在波羅的海方面的側翼，以對抗其臨時夥伴希特勒的未來威脅。因此，蘇俄政府也就立即企圖確保對於俄國過去在波羅的海方面的緩衝地區的戰略控制。到十月十日，它已經和愛沙尼亞（Estonia）、拉脫維亞（Latvia）、立陶宛（Lithuania）三小國分別簽訂了條約，以使蘇俄的軍隊可以在那些國家內據守某些要點。十月九日蘇俄開始與芬蘭談判，十四日蘇俄政府遂正式提出要求。這些要求可根據三大主要目標分述如下：

第一，使用兩種方式來掩護通到列寧格勒（Leningrad）的海上門戶：(1)從兩岸上用砲兵能夠封鎖芬蘭灣（Gulf of Finland），以阻止敵人的軍艦和運輸船隻進入該灣；(2)阻止任何敵人達到芬蘭灣內位置在列寧格勒出口西面和西北面的那些島嶼。為了這個目的，蘇俄遂要求芬蘭割讓何格蘭（Hogland）、賽斯卡里（Seiskari）、拉凡斯卡里（Lavanskari）、臺塔爾斯卡里（Tytarskari）

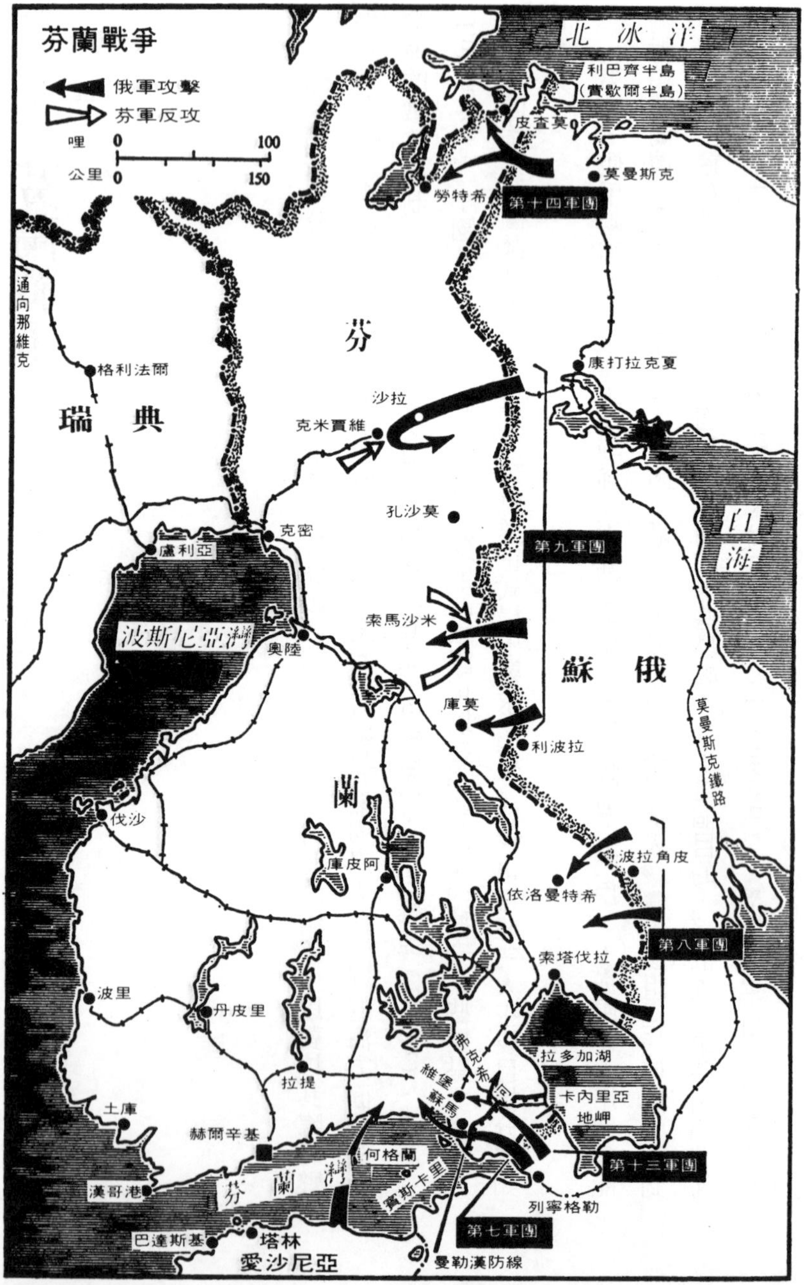
芬蘭戰爭
俄軍攻擊
芬軍反攻
哩 0 100
公里 0 150
北冰洋
利巴齊半島
(賣歐爾半島)
皮查莫
莫曼斯克
勞特希
第十四軍團
通向那維克
格利法爾
瑞典
芬
康打拉克夏
沙拉
克米買維
孔沙莫
克密
盧利亞
第九軍團
白海
波斯尼亞灣
索馬沙米
奧陸
蘇俄
庫莫
利波拉
莫曼斯克鐵路
蘭
伐沙
波拉角皮
庫皮阿
依洛曼特希
第八軍團
索塔伐拉
波里
丹皮里
拉多加湖
弗克希河
拉提
維堡
蘇馬
卡內里亞
地岬
土庫
赫爾辛基
何格蘭
第十三軍團
漢哥港
芬蘭灣
賓斯卡里
列寧格勒
第七軍團
巴達斯基
塔林
愛沙尼亞
曼勒漢防線

和羅維斯托（Loivisto）等島嶼，但卻願以其他的領土為交換；同時又要求租借漢哥（Hango）港三十年，以便蘇俄可在那裡建立海軍基地並部署海岸砲兵，於是與對岸巴達斯基（Paldaski）的海軍基地聯合起來，即可以封鎖芬蘭灣的出口。

第二，為了在陸路上對列寧格勒也能提供較佳的掩護，蘇俄遂要求芬蘭在卡內里亞地峽（Karelian Isthmus）中的國界向後移動，達到一條在列寧格勒重砲射程以外之線為止，但此種國界的調整卻仍然不影響芬蘭曼勒漢防線（Mannerheim Line）主要部分的完整。

第三，要求調整遠北方皮查莫（Petsamo）地區中的國界，因為那是人工劃定且不合理的。它是一條直線通過利巴齊（Rybachi）半島的狹窄地岬，然後截斷了該半島的西端。此種再調整的目的顯然是為了保護莫曼斯克（Murmansk）的出路，並預防敵人在利巴齊半島上建立基地。

作為是此種領土再調整的交換條件，蘇俄願意把利波拉（Repola）和波拉角皮（Porajorpi）兩個縣區割讓給芬蘭——即令依照芬蘭白皮書（White Book）的說法，這個交換也還是可以使該國增加二千一百三十四平方哩的領土，至於它割給蘇俄的領土則僅為一千零六十六平方哩。

對於這些條件若作一個客觀的觀察則似乎應認為它們是建立在一種合理的基礎上，可以使蘇俄的領土獲得較大的安全，對於芬蘭的安全也無嚴重的損失。很明白的，這樣是足以阻止德國利用芬蘭來作為攻擊俄國的跳板。但若蘇俄攻擊芬蘭時卻並不一定有多大的利益。事實上，蘇俄所願意割讓的土地可以使芬蘭最危險的蜂腰部分反而放寬了不少。

但是民族的感情卻使芬蘭人很難於同意這種條件。他們表示除了何格蘭以外，其他的島嶼都可以割讓，但卻不肯放棄在大陸上的漢哥港——其理由是與芬蘭的嚴格中立政策衝突。俄國人表示願意購買這一片土地，並指出這樣不致於違反芬蘭的中立義務。但是芬蘭卻還是斷然拒絕。於是爭論日益激烈，而蘇俄報紙也就開始發出威脅的言論。十一月二十八日，蘇俄政府廢除了一九三二年的不侵犯條約。十一月三十日俄軍即開始發動侵入芬蘭的戰爭。

俄軍的最初前進受到了阻止，這也使全世界都感到驚異。從列寧格勒直接向卡內里亞地岬推進的部隊被阻止在曼勒漢防線的外圍陣地上。在拉多加湖（Lake Ladoga）附近的前進也沒有進展。在戰線的另一端，俄軍截斷了北冰洋上的小港皮查莫，以阻止芬蘭從這條路線獲得援助。

另有兩支部隊越過芬蘭的腰部進攻，構成了比較迫切的威脅。偏北的一支部隊經過沙拉（Salla）向克米賈維（Kemijarri）滲入，達到了距離波斯尼亞灣（Gulf of Bothnia）全程的中點。然後才被從南部用鐵路調來的一師芬軍所擊退。南面的突擊，過了索馬沙米（Suomussalmi），在一九四〇年一月初也被反擊所制止，芬蘭人繞過侵入者的側面，截斷他們的補給線和退路，等到他們飢寒交迫不能支持時，然後才發動攻擊將其擊潰。

在西方，因為芬蘭是一個新的侵略受害者，所以引起了廣泛的同情，而其以弱敵強的成功更令人感到敬佩。此種印象產生了很深遠的影響。它促使英法兩國政府考慮派遣一支遠征軍到這個新戰場中去，其目的不僅為了援助芬蘭，而且還有確保瑞典在格利法爾（Gallivare）的鐵礦以阻止其對德國的補給，和建立一個基地以威脅德國在波羅的海方面的側翼。由於挪威和瑞典的反對，這個計畫遂在芬蘭崩潰之前都沒有實現。於是英法兩國遂倖免於投入對蘇俄的戰爭，實際上在這個時候，他們自己的防禦力量是非常的脆弱，連德國都應付不了，更不宜樹敵過多。但由於聯軍已有進入斯堪地那維亞地區的顯明威脅，所以也就促使希特勒決定搶先下手，占領挪威以打消此種威脅。

芬蘭早期的成功所產生的另一種效果即為增強世人低估蘇俄軍事實力的一股趨勢。一九四〇年一月二十日邱吉爾所作的廣播對於這種觀念即為一種扼要的代表，他說：「芬蘭已在全世界的眼前暴露了紅軍的無能。」希特勒的判斷也大致和他相似，這在次年曾經造成莫大的後果。

不過，對於此次戰役若能作較客觀的觀察，則對於俄軍最初進攻的無效也可以找到一些較好的理由。俄國人並不曾準備發動一次強大的攻勢，儘管其資源很豐富，但對於彈藥和裝備卻都感不足。很明顯的，蘇俄當局是吃了情報錯誤的虧：他們認為芬蘭人不特不會作認真的抵抗，反而會乘機起來推翻那個不孚眾望的政府。這個國家充滿了天然障礙物，使侵入者有寸步難移之感。從地圖上看來，在拉多加湖與北冰洋之間的國境線似乎是非常的寬廣，但實際上卻遍布著湖沼和森林，是設置陷阱和作頑強抵抗的理想戰場。此外，在蘇俄這一邊，從莫曼斯克到列寧格勒，其間就只有一條單軌的鐵路交通線，而在其全長八百哩之內，又只有一條支線是可以達到芬蘭國境的。此種限制可以從下述的事實反映出來：儘管從芬蘭發出的報導，是把俄軍對「腰部」的攻擊形容得非常的猛烈，但實際上每一支部隊都只有三個師，另外還有四個師則用在拉多加湖以北的迂迴行動中。

進攻芬蘭的最佳路線是箭過在拉多加湖和芬蘭灣之間的卡內里亞地岬，但這卻為曼勒漢防線所阻塞，而芬蘭的六個常備師是從一開始就集中在那裡的。俄軍在北面的攻擊，雖然成績很壞，但卻達到了把芬蘭一部分預備隊向那方面吸引的目的，而在同時，俄國人又在作徹底的準備，集中了十四個師的兵力，來對曼勒漢防線發動一次認真的攻擊。在梅里茨柯將軍（General Meretskov）指揮之下，二月一日發動了這次攻擊。其重點則指向蘇馬（Summa）附近十哩長的一個地段上。首先為猛烈的砲擊，在要塞都已被擊毀時，戰車和用雪橇載運的步兵才攻擊前進，蘇俄空軍則負責擊破敵方的反擊企圖。使用這種有系統的打法，經過了兩個多星期的時間，終於貫穿了曼勒漢防線的整個縱深，打開了一個缺口。攻擊者在尚未向維堡（Viborg）（芬蘭原文為Viipuri）推進之前，先向兩側旋迴以包圍兩端的芬蘭部隊。越過已封凍的芬蘭灣，俄軍又作了一次較大的迂迴行動，其部隊從已被冰塊所包圍的何格蘭島前進，深入到維堡的後方。雖然在維堡的正面上，還拚命堅守了幾個星期之久，但在堅守卡內里亞地岬的努力中，芬蘭的有限兵力卻早已消耗殆盡。一旦這道防線被突破，他們的交通線也就受到威脅，於是最後的崩潰也就成為定局，因為宣傳已久的英法遠征軍仍然不曾到達（雖然他們幾乎已經準備出發），投降就是他們的唯一出路了。

一九四〇年三月六日，芬蘭政府派了一個代表團去談判和平。除了原有的條件之外，現在蘇俄更要求芬蘭割讓沙拉和孔沙莫（Kunsamo）兩個地區，包括維堡在內的整個卡內里亞半島，以及費歇爾（Fisher）半島的芬蘭部分。此外，芬蘭又被要求修一條鐵路從克米賈維到尚未劃定的國界，以與俄國的支線相連接。三月十三日，芬蘭宣布完全接受蘇俄的條件。

在此種徹底改變後的環境中，尤其是在二月十二日曼勒漢防線的蘇馬段完全崩潰之後，蘇俄的新條件是顯得很溫和。芬蘭領袖曼勒漢元帥是一位比大多數政治家都較現實的人，他深知英法援助的不可靠，遂力主接受蘇俄的條件。史達林也似乎頗有政治家的風度，因為他對於要求只作了如此少量的增加。不過有充分的證據可以證明他是急於想結束這個小型的戰爭，因為它使用了一百萬以上的俄國軍隊，以及大量的戰車和飛機，當一九四〇年的春季正在日益接近之際，這對於蘇俄當然是非常不利。

比起歐洲的任何地區，波蘭的條件對於閃電性的攻勢而言，可以算是最有利的。反而言之，芬蘭對於這樣的作戰，卻是一個最不適宜的戰場，尤其是當俄軍發動戰爭時，在一年當中更是最不利的季節。

德國方面的交通極為便利，而波蘭方面則極為缺乏，所以也就更增強了波蘭國界在地理上受包圍的形勢。這個國家的開闊地形，加上九月間的乾燥氣候，使機械化部隊可以長驅直入，極為便利。波蘭陸軍要比其他國家的陸軍更富有傳統的攻擊精神，這樣也適足以減弱其採取防禦行動的能力。

芬蘭的情形則恰好成一強烈對比。防禦者有遠較良好的國內交通系統，無論是鐵路或公路，都比攻擊者在國境以外的要便利得多了。芬蘭人有幾條和國境平行的鐵路線，所以其預備隊能作迅速的調動；俄國人在列寧格勒到莫曼斯克之間只有一條鐵路，而且又只有一條支線能達到國境。在其他的地方，俄軍都必須從鐵路線步行五〇哩到一五〇哩，始能越過國境，而要想威脅任何具有戰略重要性的地點，則必須前進得更遠。此外，當前進時又必須通過遍布湖沼和森林的地區，所使用的道路不僅惡劣而且當時的積雪也很深。

這些困難大大的限制了蘇俄所能運用和維持的兵力，只有透過卡內里亞地岬向曼勒漢堅強防線的直接進攻為例外。這個地岬，在地圖上的寬度為七十哩，但就現實的戰略情況而言，則遠較狹窄。其中有一半是為寬廣的弗克希河（Vuoksi）所阻絕，而其餘一半的大部分是被一連串的湖沼所掩蓋，其間又還夾雜著森林。只有在蘇馬附近才有展開相當兵力的空間。

除了上述不能在芬蘭前線集中大量兵力向其內陸推進的戰略困難以外，又還有戰術困難。因防禦者熟習地形，並能加以充分利用，所以很難克服他們的抵抗。湖沼和森林迫使侵入者擁擠在狹窄的進路上，那是很容易用機槍火力來加以掃射的，它們也使防禦者便於作側面的襲擊和游擊式的活動。面對著一個手段高明的敵人，即令在夏季突入這樣的國家也都很危險，而在北極的冬季作如此的企圖，當然是更加困難。尤其是重型的縱隊更是寸步難移。

曼勒漢元帥是把他所有的預備隊都集中在極南端的地區中，直等到俄國人的牌已經攤開之後，才再來加以調動。這顯然是一種冒險，但就整個局勢而論，他的戰略卻是合理的，因為敵人的最初突入給予他以後的反擊機會——尤其是冬季，在芬蘭這樣的國家中是更為有利。

至於俄國方面，因為其原始計畫是以一種虛偽的假定為基礎，所以經不起現實的考驗，實為意料中事。但這卻並不能證明所有一切的部隊都是缺乏軍事效率的。當然，極權統治者對於符合其願望的情況報告是最易於接受，但任何其他類型的政府也都一樣會犯這種過錯。換言之，對於此種危險是並無免疫性。在一九一四年和一九四〇年，法國的計畫就都是以虛偽的假定為基礎的，而且在近代史上，那可能又是所有一切虛偽假定中的最大者。這是一個值得記取的教訓。

第三篇

狂瀾（一九四〇）

第六章　挪威的蹂躪

波蘭被征服之後，接著就是六個月的暫時平靜，於是平地一聲雷結束了這場欺人的好夢。這個晴天霹靂又並不打在戰雲密布的中心上，而是打在斯堪地那維亞的邊緣上。挪威和丹麥這兩個和平國家突然受到希特勒閃電的襲擊。

四月九日的報紙上登載出在前一天，英法兩國海軍已經進入挪威水域在那裡布設雷區的消息——其目的是阻止任何與德國貿易的船隻進入該水域。對於這一個主動行動，報紙都給予稱讚的評論，而對於破壞挪威中立一節也都提供強詞奪理的辯護。但是那天上午的無線電廣播卻已經使報紙變得落後了——因為它播出更驚人的消息，德國軍隊已沿著挪威海岸在一連串的地點登陸，同時也已經進入丹麥。

德國人的如此橫行無忌，一點都不在乎英國在海權方面的優勢，使同盟國領袖們大吃一驚。當英國首相張伯倫先生，那天下午在下議院致詞時，他說德軍已在挪威西岸登陸，其地點為卑爾

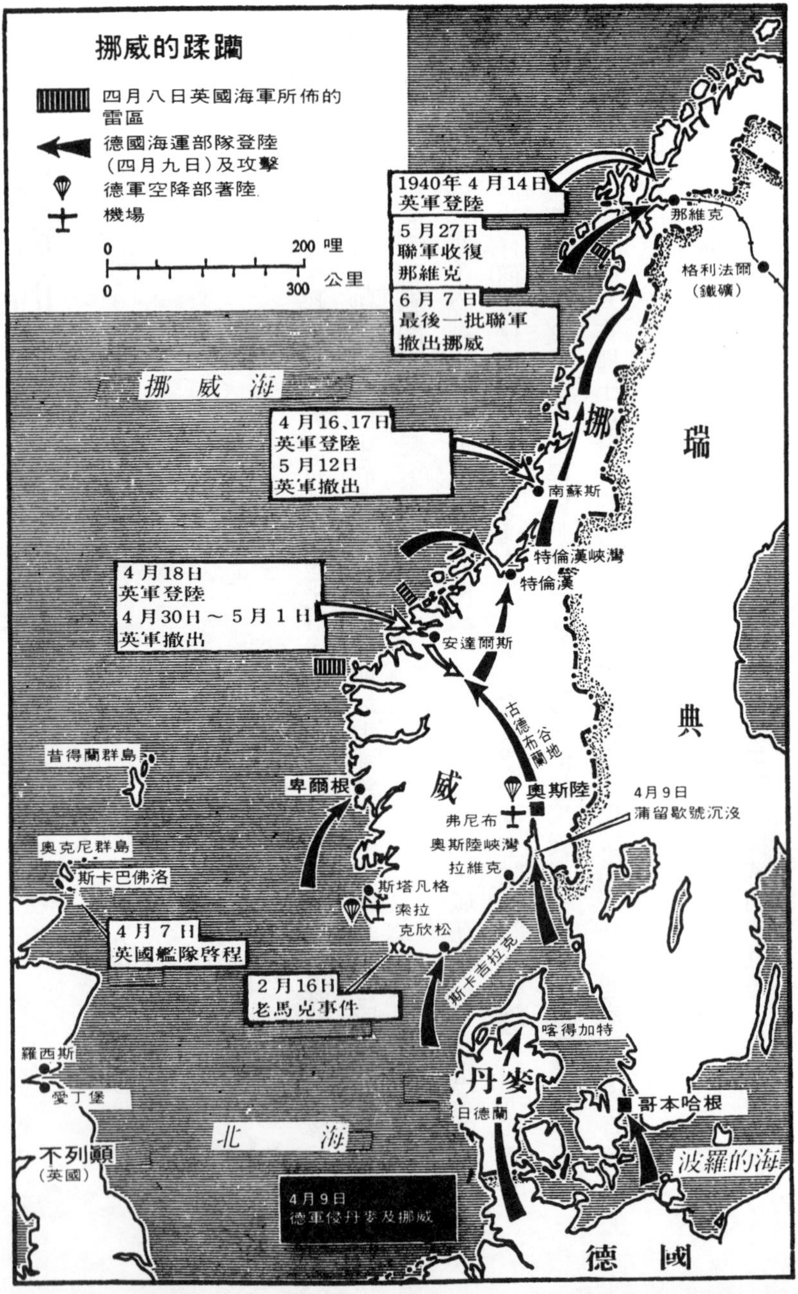
挪威的蹂躪
四月八日英國海軍所佈的雷區
德國海運部隊登陸(四月九日)及攻擊
德軍空降部著陸
機場
0 200 哩
0 300 公里
1940年4月14日 英軍登陸
5月27日 聯軍收復那維克
6月7日 最後一批聯軍撤出挪威
那維克
格利法爾(鐵礦)
挪威海
4月16、17日 英軍登陸 5月12日 英軍撤出
南蘇斯
特倫漢峽灣
特倫漢
4月18日 英軍登陸 4月30日～5月1日 英軍撤出
安達爾斯
古德布蘭谷地
昔得蘭群島
卑爾根
威
奧斯陸
4月9日 蒲留歇號沉沒
弗尼布
奧斯陸峽灣
拉維克
奧克尼群島
斯卡巴佛洛
斯塔凡格
索拉
克欣松
4月7日 英國艦隊啓程
2月16日 老馬克事件
斯卡吉拉克
喀得加特
羅西斯
愛丁堡
丹麥
日德蘭
哥本哈根
北海
波羅的海
不列顛(英國)
4月9日 德軍侵丹麥及挪威
德國
挪
瑞
典

根（Bergen）和特倫漢（Trondheim），同時在南岸也已有德軍登陸，他又補充著說：「此外還有報導說在那維克（Narvik）也有類似的登陸，但我卻很懷疑此項報導是否正確。」從英國當局眼中看來，希特勒居然敢冒險在那樣遠北的地方去登陸，簡直是令人難以置信，尤其是因為知道他們自己的海軍有很強大的兵力正留在那個現場的附近，掩護布雷行動及其他意圖中的步驟，所以就更覺得不可思議。他們以為那維克一定是拉維克（Larvik）的誤傳，後者是南岸上的一個地方。

不過，在那一天尚未結束之前，大家就都知道德軍已經占領挪威的首都奧斯陸（Oslo），以及一切主要的港口，包括那維克在內。他們所同時發動的每一個登陸攻擊都已成功。

英國政府對於這種成功首先是深感喪氣，接著就又產生新的幻想。邱吉爾，當時還是海軍部長，兩天之後他在英國下議院中這樣說：

> 照我看來，希特勒先生是已經犯了一項嚴重的戰略錯誤，我的那些高明的顧問也都有此同感……在斯堪地那維亞所發生的情形可以使我們大有收穫……他在挪威海岸上占領了許多的據點，現在就必須要在整個夏天裡繼續作戰，其所面對的敵人是擁有遠較優勢的海軍，而且達到現場的運輸也遠比他要方便。我看不出來他已經獲得了何種足資對抗的利益……我感覺到當我們的死敵被挑撥而犯了戰略錯誤之後，情勢已對我們大為有利。

可惜實際的行動卻配合不上這種高調的言論。英國人所採取的對抗行動是遲緩的、猶豫的和笨拙的。儘管在戰前對於空權是十分的瞧不起，但到實際行動時，英國海軍當局卻變得非常的慎重，他們因為害怕空襲而不敢讓他們的船隻去冒險介入那些可能發生決定性作用的地方。部隊的行動更是差勁。雖然曾經在幾處地方登陸，以逐出德國侵入者為目的，但只不過兩個星期的時間，他們就都已撤回了，只有在那維克的一個據點為例外——那是一個月以後，德軍在西線上發動主力的攻勢之後才放棄的。

邱吉爾所構想的空中樓閣是必然會崩潰的。因為對於情況，和近代戰爭中的變化都缺乏正確的認識——尤其是以空權對海權的影響為最。這些假想既然都是以完全錯誤的觀念為基礎，則焉有不失敗之理。

把挪威形容得是一個對希特勒的陷阱之後，邱吉爾在其結語中，又說希特勒是因為「受到了挑撥」（been provoked）才採取這個步驟。他這句話卻含有較多的現實意義和重要性。因為在關於這個戰役所有一切的戰後發現中，最驚人的事實就是希特勒，儘管是那樣的肆無忌憚，最初他卻還是寧願挪威保持中立，並不曾計畫侵入該國。直到他看到同盟國已在該地區中計畫採取敵對行動之後，他才受到了挑撥而決心先發制人。

當時雙方幕後的情形演變是很值得追溯的——雖然那是充滿了悲慘和恐怖的意味，但卻可以顯出具有強烈攻勢思想的政治家，是如何易於彼此互相引起毀滅性的爆炸來。第一個明顯的步驟是邱吉爾在一九三九年九月十九日（依照其回憶錄的記載）要求英國內閣採取在挪威水域中布雷的計畫，以便阻止瑞典的鐵苗從那維克轉運到德國去。他辯論著說這樣一個步驟對於打擊敵方的戰爭工業是具有極大的重要性。他事後通知海軍參謀總長（First Sea Lord）說：「內閣，包括外相（哈里法克斯勛爵）在內，似乎都強烈的支持這個行動。」

這是很足以令人驚異的，因為它暗示內閣在並未對「手段」加以慎重考慮之前，就已經同意了這個「目的」——而且也不顧及其可能引起的後果。在一九一八年也曾討論過一個與此類似的計畫，但在那時，英國官方海軍史上卻曾有下述一段記載：

……總司令畢特勛爵（Lord Beatty）說大艦隊（Grand Fleet）的全體官兵對於以壓倒實力進入一個弱小但精神崇高的民族的水域以來壓迫他們是同表憤慨。假使挪威人抵抗，都很可能也會流血；總司令說，這樣所構成的罪行也就不在德國人之下。

很明顯的，海軍軍人是要比政治家更害怕良心的譴責，也可以說，在一九三九年第二次大戰開始時，英國政府的作風是要比第一次大戰結束時更膽大妄為。

不過，英國外交部的幕僚人員卻發揮了一種約束作用，並提醒內閣應注意破壞挪威中立時所將引起的反對。邱吉爾很悲哀的記載著：「外交部對於中立問題的辯論很有分量，使我不能貫徹我的主張。但我仍在所有的場合用一切的手段來繼續努力。」它變成了許多方面所討論的一個問題，並終於在報紙上也登載了擁護的評論。這樣也就自然的會引起德國方面的憂慮和對抗措施。

在德國方面，從所俘獲的檔案中所發現的第一個值得重視之點是在十月初，海軍總司令賴德爾上將（Admiral Raeder）表示他害怕挪威可能會開放其港口以供英國人使用，並向希特勒提出報告，指出若英國人占領挪威，則在戰略上將會產生何種不利的影響。他同時又指出在俄國壓力的協助之下，在挪威海岸獲得基地，例如特倫漢，則對於德國的潛艇作戰也是有利的。

但希特勒卻把他的意見擱在一邊。他正全神貫注在西線攻擊計畫之上，想一舉而壓迫法國求和，所以不願意分散他的精神和資源。

十一月底俄軍侵入芬蘭，於是對於英德雙方也都帶來一種新的和遠較強烈的刺激。邱吉爾認為在援助芬蘭的偽裝之下，又可以有打擊德國側翼的新可能性。所以他說：「作為切斷對德國主要鐵苗補給的一種工具，我歡迎這個有利的新變化，它可以使我們獲得重大的戰略利益。」

在十二月十六日的一則筆記中他列舉了他主張採取此種步驟的一切理由，並且形容這是一個「主要的攻勢行動」。他也承認此舉有驅使德國人侵入斯堪地那維亞的可能，因為誠如他自己所說的：「當你向敵人開火時，他當然也會還擊」。但他卻接著肯定的說：「如果德國人攻擊挪威和瑞典，則我們所得就多於所失。」他卻似乎完全沒有考慮當他們的國家被變成了戰場之後，斯堪地那維亞人民所受到的痛苦將是如何的重大。

不過，內閣中的多數都仍不希望破壞挪威的中立。儘管邱吉爾拚命的要求，但他們還是不肯同意立即執行他的計畫。他們僅授權參謀首長們去計畫送一支軍隊在那維克登陸——那是通往瑞典格利法爾鐵礦區的鐵路線終點，這條鐵路向另一端延也就進入了芬蘭。這個遠征行動固然是以援助芬蘭為表面目的，但真正的主要目的卻是想支配瑞典的鐵礦。

在同一月中，有一個重要的訪客從挪威來到了柏林。這個人是曾任挪威國防部長的奎斯林（Vidkun Quisling），他現在是一個納粹式小黨的領袖，對於德國表示強烈的同情。他一到柏林之後就去謁見賴德爾，告訴他英國人占領挪威已經是一個迫切的危險。他要求金錢和地下援助，以便他可以發動政變來推翻現有的挪威政府。他又說已有一批挪威的重要官員正在準備擁護他，其中包括那維克駐軍指揮官，孫德樂上校（Colonel Sundlo）在內。一旦在他取得了政權之後，他就會要求德國保護挪威，於是也就可以阻止英軍的進入。

賴德爾說服了希特勒親自接見奎斯林，於是他們在十二月十六日和十八日晤談了兩次。他們談話記錄顯示出來希特勒曾說：「他寧願挪威和斯堪地那維亞的其餘部分都能維持完全的中立」，因為他並不想「擴大戰場」。但「若敵人準備擴大戰爭則他將採取步驟以保護自己免受威脅」。同時，他允許給予奎斯林以補助，並保證給予他以軍事支援的問題也願加以研究。

即令如此，一個月以後，德國海軍參謀本部在一月十三日的戰爭日誌上還是表示他們的意見仍認為「最有利的解決還是維持挪威的中立」，儘管他們對於「英國有和挪威政府取得默契以來占領該國的意圖」頗感憂慮。

那麼在山的那一邊情形的發展又是怎樣呢？一月十五日，法軍統帥甘末林將軍上書法國總理達拉第，分析在斯堪地那維亞開闢新戰場的重要性。他同時也擬定了一個計畫要送一支聯軍在芬蘭北部的皮查莫登陸，並「預先占領挪威西海岸上的一切港口和機場」。這個計畫也更進一步設想到「把作戰擴展到瑞典境內並占領格利法爾鐵礦」的可能性。

邱吉爾又作了一次廣播演說，呼籲中立國自動參加對希特勒的戰鬥，這自然也煽動了德國人的畏懼心理。總之，同盟國的行動是已經給予太多的暗示。[1]

一月二十七日，希特勒遂明白的命令其軍事顧問準備一個必要時侵入挪威的全盤計畫。為了這個目的而組成的特種參謀作業小組在二月五日作了首次的集會。

那一天同盟國也在巴黎舉行最高戰爭會議，張伯倫偕同邱吉爾前往出席。在這次會議中批准了一個以一支由兩師英軍和數量較少的法軍所共同組成的軍隊來援救芬蘭的計畫——為了減少和俄國公開交戰的機會，這些部隊將加以「志願軍」的偽裝。但是對於所採取的路線卻引起了激辯。英國首相強調在皮查莫登陸的困難，和在那維克登陸的利益——尤其是為了控制格利法爾鐵礦。這被指定為主要目的，而只有一部分兵力將向前推進以來援助芬蘭。結果英國的意見被通過，並安排這支軍隊應在三月初啟程。

於是在二月十六日，又發生了一件決定命運的意外事件。一艘德國商船「老馬克」號

（Altmark），從南大西洋運回一批英國戰俘，中途受到英國驅逐艦的追逐，遂駛入了挪威水域的一處峽灣內避難。邱吉爾直接發出一個命令給驅逐艦「哥薩克」號（Cossack）的艦長，要他進入挪威的領海，派兵登上「老馬克」號，將戰俘救出。在現場雖有兩艘挪威砲艇，但他們都不敢過問。事後挪威政府也提出抗議，英國政府卻置之不理。

希特勒認為抗議不過是一種騙人的姿態，他深信挪威政府是願意和英國合作的。尤其是那兩艘挪威砲艇的袖手旁觀，以及奎斯林的報告說那是預定的計畫，遂更加強了希特勒是一個具有決定性的因素。於是這一個火花就點著了火藥的引線。

希特勒感覺到他不能等候奎斯林計畫的發展，尤其是在挪威的德國觀察員認為奎斯林的黨羽沒有多少實力，而從英國來的報告則指出在挪威地區的某種行動是正在計畫中，而部隊和運輸船也都正在集中。

二月二十日，希特勒召見法根霍斯特將軍（General von Falkenhorst），指派他充任挪威遠征軍司令，並負責一切準備工作。希特勒向他說：「據報英國已準備在那裡登陸，我要趕在他們的

1 原註：一月二十日，邱吉爾在一次廣播演說中，首先誇耀同盟國海軍在海上的成功，接著就呼籲所有的中立國家根據其對國際聯盟公約的責任，自動與英法兩國合作以來對抗侵略。這一番高論引起了很大的騷亂，比利時、荷蘭、挪威、丹麥和瑞士的報紙都紛紛加以駁斥。於是倫敦政府只好宣布這只能代表邱吉爾先生的私人意見。

前面到達。英國人占領挪威是一種戰略性的迂迴運動，將使他們得以進入波羅的海，而我們在那一方面是既無部隊又無海岸要塞……於是敵人可以由那裡向柏林前進，折斷我們東西兩線的背脊骨。」

三月一日，希特勒對於侵入行動的一切準備下達了他的命令。作為一個必要的戰略踏腳石，並保護其交通線，丹麥同時也必須加以占領。

但即令到此時，也還未決定立即發動攻擊。從賴德爾與希特勒會談的記錄上顯示出希特勒仍在徘徊不定，他一方面仍認為維持挪威的中立是對德國最為有利，另一方面卻又害怕英國人會馬上在那裡登陸。當三月九日檢討海軍作戰計畫時，他指出這個行動的危險，因為那是「違反了一切海軍作戰原則」，但同時他卻又說那是迫切需要的。

在下一個星期中，德國方面的焦急情況變得更為熾烈。三月十三日，有報告說英國潛艇正在向挪威南方海岸集中；十四日德國人截獲了一份無線電報，其內容是命令同盟國運輸船舶準備行動；十五日又有一批法國軍官到達了卑爾根。德國人認為他們自己必定會趕不及，因為他們的遠征軍還尚未完成準備。

然而在同盟國方面的實際情形又是怎樣呢？二月二十一日，達拉第力主應用「老馬克」事件來作為一個藉口，以便在突擊之下，立即攻占所有的挪威港口。他辯論著說：「由於世人對於挪威在此次事件中與德國人同謀的記憶還很新鮮，所以我們的行動愈快，則我們的宣傳也就可以愈有效，在世界輿論的面前也愈顯得我們理直氣壯。」——這種說法簡直是和希特勒的作風並無二致。在倫敦方面對於法國政府的建議都表示相當的懷疑，因為遠征軍尚未準備就緒，而張伯倫也仍希望挪威和瑞典兩國的政府能夠同意讓聯軍進入他們的領土。

在三月八日的英國戰時內閣會議中，邱吉爾又提出一個計畫，其內容是把兵力集中在那維克的外海上，並立即派一個支隊上岸——這是根據所謂「拉弓不放箭」的原則。十二日英國內閣又再度集會，決定「恢復」在特倫漢、斯塔凡格（Stavanger）、卑爾根和那維克等地登陸的計畫。

在那維克登陸的部隊應向內陸迅速推進，超過瑞典的國境以進據格利法爾鐵礦為目的。計畫定在三月二十日執行，在此以前，一切都應準備就緒。

但是到三月十三日，芬蘭卻已經全面崩潰並向俄國投降，於是這個計畫也就隨之而被推翻，因為同盟國已經喪失了假道挪威的理由。對於這一盆冷水的第一個反應就是準備充任遠征軍的兩師英軍被改送往法國，不過仍有相當於一個師的兵力在集中待命。第二個連發事件就是達拉第的下臺，代替他出任法國總理的人為雷諾——他是在一片要求採取積極政策和迅速行動的呼聲中，接管了法國的政權。雷諾前往倫敦出席三月二十八日舉行的同盟國最高戰爭會議，並決定要求立即執行挪威計畫，那也正是邱吉爾老早就在催促的。

但現在卻已經不需要任何這一類的壓力了——因為，誠如邱吉爾所說：「在這個階段張伯倫也希望能立即採取某種積極性的行動。」正像在一九三九年春季一樣，但他下了決心之後，張伯倫的行動也很敏捷的。在會議一開始時，他不僅強烈的主張在挪威採取行動，而且更進一步主張同時採取邱吉爾所醉心的另一種計畫——那就是從空中不斷的把水雷投擲在萊茵河以及其他德國的河流中，讓它們去順流而下的漂浮著。雷諾對於這個計畫表示有一點懷疑，遂說他必須首先徵求法國戰爭委員會（War Committee）的同意。但他卻熱烈的擁護挪威作戰計畫。

四月五日應開始在挪威水域布雷之事已決定，接著就派遣部隊在那維克、特倫漢、卑爾根和斯塔凡格等地登陸。第一批部隊預定在四月八日啟程前往那維克。但卻又發生了新的耽擱。法國戰爭委員會對於在萊茵河上空投水雷的計畫表示不能同意，因為害怕德國人向法國採取報復行動。但對於可能落在挪威的報復行動，他們卻並不表示關切——甘末林甚至於還強調著說，其目的之一就是挑撥敵人在挪威登陸，以便將他引入陷阱。但是張伯倫卻又試圖堅持兩個行動必須同時執行，於是與邱吉爾商量，要他在四月四日前往巴黎去再作一次新的努力，以說服法國人採納他的萊茵計畫——這個努力並未成功。

這也就是說挪威計畫的執行必須再等一下。邱吉爾對於這一點居然表示同意，那實在是很奇怪的，因為在前一天的戰時內閣集會時，軍政部和外交部所提出的報告都指出在最近挪威的港口中，已集中有大批的德國船隻，船上並也已經滿載軍隊。但很荒謬的，這些軍隊卻被解釋為是準備在英軍登陸挪威之後再來作反擊之用的——而更荒謬的，卻是此種解釋又居然為袞袞諸公所深信不疑。

於是挪威作戰的發動遂又順延三天，即延到四月八日。這一次的延期也就斷送了一切成功的希望。它使德軍能夠恰好趕在聯軍之前進入挪威。

四月一日希特勒才下了最後決心，並命令在四月九日上午五點十五分開始發動對挪威和丹麥的作戰。他之所以當機立斷是因為已經接到一項令人感到困擾的報告，說挪威當局正在允許其高射砲兵和海防砲兵可以自由開火而不必等候上級的命令——這暗示挪威軍隊已在準備作戰，所以希特勒若再等下去，則將會喪失一切奇襲和成功的希望。

在四月九日天還未亮的時候，德國部隊的先遣支隊，大多數都是乘坐軍艦，到達了挪威的各主要港口，從奧斯陸起到那維克止——並且很輕鬆的就把它們都攻占了。德軍指揮官向各地方當局宣布他們是來保護挪威，以免其受到聯軍即將發動的攻擊——同盟國發言人對於這一點立即矢口否認，而且以後還不斷的否認。

韓克勳爵（Lord Hankey）為當時戰時內閣中的一員，他曾經這樣的說：

> ……從開始計畫起，到德軍侵入時為止，英德雙方在他們的計畫和準備工作上，大致是保持著平行的進度。實際上，英國人的計畫開始還要早一點……雙方計畫的執行也幾乎是同時，假使所謂侵略行動這個名詞對於雙方真是同樣的適用，則英國人可能還要早了二十四小時。

但是德國人的最後衝刺卻比較迅捷，也比較有力。所以他們才終於以極短的差距領先，而贏得了這一場競賽。

把侵略挪威行動的計畫和執行列為德國人大罪之一，在紐倫堡戰犯審判的許多疑問之中，這也許要算是最明顯的一個。我們真的很難了解英法兩國政府居然有顏面批准將這樣的指控列入，而官方的檢察官又居然以此為理由來提起公訴。對於歷史的顛倒是非而言，真是良可慨也。

現在就再談戰役本身的經過，一個驚人的發現就是在突擊開始時，用來攻占挪威首都和主要港口的部隊實在是非常的渺小。它一共只有兩艘巡洋戰艦、一艘袖珍戰艦、七艘巡洋艦、十四艘驅逐艦、二十八艘潛艇、若干艘輔助艦和大約一萬名部隊——即預定用於侵入作戰中的三個師的先頭部分。在任何地方最初登陸的兵力都沒有超過兩千人。同時也使用了一個傘兵營——以奪占在奧斯陸和斯塔凡格的飛機場。這是傘兵部隊在戰爭中的第一次使用，結果證明他們非常有價值。但在德軍的成功中最具有決定性的因素卻還是空軍；在這次戰役中所實際使用的兵力是作戰飛機約八百架、運輸機約二百五十架。他們在第一階段就把挪威人嚇倒了，以後又癱瘓了聯軍的對抗行動。

載運侵入兵力的德國海軍若與英國海軍相比較，實力是遠較微弱，為什麼英國海軍沒有將他們攔住並加以擊沉呢？海洋空間的廣闊，挪威海岸的特殊性質，和氣候的惡劣都是重要的障礙。但也還有其他的因素，以及比較易於避免的障礙。甘末林曾記錄著，在四月二日，他曾催促英國的陸軍參謀總長艾侖賽（Ironside），趕快派出遠征軍，後者的答覆是說：「和我們在一起時，海軍部是擁有全權；它喜歡對於一切事情都組織得井井有條。它更深信能夠阻止德軍在挪威西岸上的任何登陸行動。」

四月七日下午一點二十五分，英國飛機實際上已經發現強大的德國海軍艦隊迅速向北越過斯卡吉拉克（Skaggerak）的出口，向挪威海岸前進。邱吉爾說：「我們在海軍部中的人很難相信這支艦隊是準備前往那維克的」——反而言之，「從哥本哈根傳來的情報卻指出希特勒是想奪占那個港口」。英國本土艦隊（Home Fleet）於下午七點三十分從斯卡巴佛洛（Scapa Flow）駛出，但英國海軍部以及其在海上的將領似乎都是一心只想捕捉德國的巡洋戰艦。在他們一心想把德國巡洋戰艦引入戰鬥的努力中，似乎已經忽視了敵人是具有一種登陸的作戰企圖，於是也就喪失了攔截德國運輸部隊小型軍艦的機會。

因為一支英國遠征軍早已上船並準備啟程，為什麼登陸行動會那樣慢，而不能夠趕在少數德軍尚未將挪威港口占穩之前就把他們打走呢？主要的原因也就是在上一節的解釋中。當海軍部聽到已經發現了德國巡洋戰艦時，它立即命令在羅西斯（Rosyth）的巡洋戰艦支隊把船上所載的士兵都送回岸上，甚至於連裝備都來不及攜帶，就立即出海與主力艦會合。對於在克萊德（Clyde）那些載滿了部隊的船隻也發出了類似的命令。

對於如此渺小的入侵德軍，挪威人又為什麼不能作較佳的抵抗呢？主要是因為他們的軍隊甚至都尚未動員。儘管他們駐柏林的公使曾經發出警告，而他們的參謀首長也曾一再催促，但動員令卻還是一直延到四月八日的深夜才頒發，那距離侵入的來臨已經只有幾個小時。這是已經太遲了，行動迅速的侵入者能擾亂一切動員工作的進行，並瓦解挪威人的抵抗。

此外，又誠如邱吉爾所云，此時挪威政府所最關切的卻是英國人的活動。很不幸的，也很諷刺的，英國海軍的布雷行動恰好在德軍登陸以前的二十四小時內，吸引和分散了挪威人的注意力。

在挨了第一擊之後，挪威人本應有集中全力再來反撲的機會，但因為他們缺乏戰鬥經驗而軍事組織又已經落伍，所以這種機會實際上也就幾乎等於零。他們根本就不夠資格應付一個現代化的閃電戰，即令如此小規模的也都已經使他們吃不消。侵入者沿著那些深谷快速挺進，向全國各地進攻。他們的速度就可以充分顯示出抵抗的微弱。假使抵抗若能稍為頑強一點，則谷邊的融雪——足以阻止迂迴行動——對於德軍的成功將可構成一種遠較嚴重的障礙。

在開始的一連串突擊中，最令人感到驚奇的就是在那維克的突擊中——這個最北端的挪威港口距離德國海軍基地約為一千二百哩。兩艘挪威的海岸防禦船英勇的迎擊德國的驅逐艦，但都迅速的被擊沉。岸上的防衛部隊沒有作任何抵抗的企圖——其原因與其歸於陰謀，則毋寧說是無能。次日，一支英國驅逐艦分隊開進了峽灣，和德國海軍交戰，互有損傷。至十三日，大批英國增援部隊趕到，才把德國的艦艇完全擊滅，但到了此時，德國部隊卻已在那維克港內和附近建立了穩固的據點。

在南面，德國艦隻衝過了海防砲兵在峽灣中所控制的地段之後，特倫漢港也就很輕易的被攻占了——當同盟國專家在考慮這個問題時，對於他們的冒險精神都不免深表駭異。在確保了特倫漢之後，德國人也就掌握了挪威中部的戰略鎖鑰。不過他們這少許的兵力能否從南面獲得增援，卻還是一個問題。

在卑爾根，挪威的軍艦和海防砲兵曾經使德國人受到一些損失，但一旦當他們登陸之後就不再有什麼困難了。

但在奧斯陸港外，侵入軍的主力卻遭遇挫折。因為載運著許多司令部人員的德國重巡洋艦「布呂舍」號（Biucher）為奧斯卡堡（Oscarborg）要塞所發射的魚雷所擊沉，強迫進入水道的企圖只好暫時擱置。直到下午，經過了猛烈的空中攻擊，這個要塞才投降。於是攻占挪威首都的任務只好改由已在弗尼布（Fornebu）飛機場著陸的傘兵部隊來接替；在那天下午，這一點象徵性的兵力對奧斯陸城擺出勝利遊行的姿態，他們的虛聲恫嚇居然獲得成功。但這一點耽擱卻至少讓挪威國王和政府有向北逃走和繼續抵抗的機會。

攻占哥本哈根的時間本是與奧斯陸方面的行動相配合。這個丹麥的首都從海上是很容易進入的。在四月九日上午五時之前，由飛機掩護著，三艘小型運輸船溜進了港口。德軍的登陸完全沒有遭受抵抗，有一個營立即前往丹麥駐軍的營區，在奇襲之下將其占領。同時，德軍已侵入丹麥在日德蘭（Jutland）的陸上國境線，在些許交互射擊之後，守軍就放棄抵抗。丹麥的占領可以使德國人控制一條有掩蔽的海上走廊，從他們自己的港口直達挪威的南部；同時也給予他們前進機場，可用來支援在挪威的部隊。固然丹麥人的抵抗時間也可以稍為延長一點，不過這個國家本身卻是如此的易遭蹂躪，根本上無力對抗現代武器的強大攻擊。

若能立即採取較堅決的行動，則英軍也許能夠收復德國人在上午所已攻占的許多挪威要點中的兩個。因為當他們登陸時，由弗貝斯將軍（Admiral Forbes）所指揮的英國主力艦隊是正位置在卑爾根的海外。他想應派一支部隊去攻擊在那裡的德國艦隻。海軍部對此表示同意，並建議對於特倫漢也應作類似的攻擊。不過不久以後，海軍部又決定要在捕獲了德國巡洋戰艦之後，再發動對特倫漢的攻擊。此時，正當由四艘巡洋艦和七艘驅逐艦所組成的英國艦隊向卑爾根進發之際，飛機又報告在那裡有兩艘德國巡洋艦，而不是以前所報告的只有一艘，於是英國海軍部又表現出過度的慎重，而取消這次攻擊。

當德國人已在挪威建立基地之後，趕走他們的最好方法就是切斷其補給和增援。要達到這個目的，則必須阻塞在丹麥和挪威之間的斯卡吉拉克水道（Passage of Skaggerak）。但不久就了解由於害怕德國的空中攻擊，除了潛艇以外，英國海軍部不願意派遣任何其他的軍艦進入斯卡吉拉克水域。此種過分謹慎的態度，充分顯示出英國海軍部對於空權在海權上的影響已有深刻的認識，這卻是他們在戰前所從未表現過的。但這也反映出邱吉爾想要把戰爭擴大到斯堪地那維亞境內的判斷實在並不高明——因為除非能夠有效的切斷德軍的增援路線，否則絕無其他辦法可以阻止他們在挪威南部增加兵力，這樣他們也就注定了會獲得日益有利的地位。

假使從奧斯陸通向北面的兩處長距離山地隘道仍能堅守，而在特倫漢的少量德軍又能迅速消滅，則挪威中部也就似乎尚有保存的機會。現在英國人的努力就是指向這個目標。在德軍突擊後一個星期，英軍才決定在特倫漢南北兩面的安達爾斯（Aandalsnes）和南蘇斯（Namsos）分別登陸，作為向特倫漢發動主力直接攻擊的準備步驟。

但在這個決定之後就發生了一連串的怪事。哈特布萊克將軍（General Hotblack）是一個具有近代思想的優秀軍人，被指派為陸軍部隊指揮官。在對於他的任務參加了一次簡報之後，他就在午夜離開海軍部返回他的俱樂部；幾小時之後，他在「約克公爵」（Duke of York）俱樂部的門前石階上為人所發現，已經不省人事，顯然是心臟病突然發作。次日，另有一位將領被派為他的繼任人，並立即乘坐飛機前往斯卡巴佛洛。但是當飛機已在機場上繞圈子時，欲突然失事，機毀人亡。

此時，參謀首長和海軍部又突然改變他們的意見。在十七日那一天他們已經批准這個計畫，但到了次日卻又群起而反對。他們在內心裡都認為這個作戰太冒險。雖然邱吉爾本人原是主張集中兵力在那維克，但對於他們這種出爾反爾的態度也感到非常失望和無可奈何。

現在參謀首長們遂又建議不直接進攻，而應增強在南蘇斯和安達爾斯兩地的登陸兵力，並將其發展成為一個對特倫漢的鉗形攻勢。從紙面上看來成功的機會似乎很大，因為在那個地區德國部隊還不到兩千人，而聯軍的登陸人數則多達一萬三千人。但所要經過的距離很長，積雪足以妨礙運動，而在克服這些困難的能力上，聯軍又被證明出來不如德軍遠甚。從南蘇斯向南的前進為後方的威脅所牽制，實際上不過是有極少數的德軍分為幾個部分，在接近特倫漢峽灣頂部附近登陸，而在這個地區中支援他們的則僅為一艘德國驅逐艦而已。從安達爾斯的前進，根本上就不曾朝北轉向特倫漢，不久就轉變成為一種防禦性的行動，因為從奧斯陸通過古德布蘭谷地（Gudbrand Valley）前進的德軍已經衝散了挪威的守軍，而和他們遭遇了。由於聯軍部隊已受到嚴重的空中威脅，而他們本身又缺乏空中支援，所以戰場指揮官們遂主張撤出。在五月一日到二日之間，這兩支部隊都已完全上船——於是也就容許德國人完全控制挪威的南部和中部。

現在同盟國方面就只好集中全力來爭取那維克——這並非真正希望能夠達到瑞典的鐵礦，而不過是為了保全面子而已。四月十四日，第一批英軍即已在這個地區登陸，儘管負責指揮聯合部隊的海軍上將柯克（Admiral Lord Cork and Orrery）拚命的催促，但指揮登陸部隊的馬凱希將軍（General Mackesy）卻是過分的慎重，遂使英軍未能迅速的向那維克城進攻。甚至於當登陸部隊已經增到了兩萬人時，他們的進展依然還是十分遲緩。在另一方面，二千名原奧國籍的阿爾卑斯山地部隊，加上二千名德國水兵（來自驅逐艦上）的增援，在狄特爾將軍（General Dietl）的卓越指揮之下，對於這種險惡地區的防禦價值是發揮了最高度的利用。直到五月二十七日，他們才被逐出了那維克城。到了此時，德軍在西線上的攻勢已經深入法蘭西的境內，後者已達崩潰的邊緣。所以到了六月七日，在那維克的聯軍也就不得不自動撤出。挪威國王和他的政府也於同日離開了該國流亡到英國去了。

就整個斯堪地那維亞戰役而言，同盟國政府所表現出來的是一種過度的進取精神，加上一種對時間觀念認識不夠的缺點，結果是冤枉的使挪威老百姓遭殃。相形之下，希特勒曾經在很長久的一個階段內對於發動攻擊感到非常的勉強。但當他下了決心先發制人之後，卻不再浪費一點時間——而他的軍隊在作戰時是異常的迅速和敢於冒險，所以在緊急階段，也就足以抵銷其數量上的劣勢而綽有餘裕。

第七章　西歐的蹂躪

當一九四〇年五月十日希特勒的軍隊突破了西方的防線時，我們這個時代的世界前途也就發生了變化，對於全人類的將來也產生了重大的影響。這場震動世界的好戲中具有決定性的一幕是開始於五月十三日，即古德林的裝甲軍在色當（Sedan）越過了繆斯河（Meuse）。

在五月十日這同一天，活力充沛的邱吉爾先生代替張伯倫做了大英帝國的首相。

在色當的那一條狹隘的裂縫不久就擴大成為一個巨大的缺口，德國人的戰車從這個缺口中衝入，在一個星期之內就達到英吉利海峽的海岸，於是也就切斷在比利時境內聯軍的退路。這個慘敗導致法蘭西的淪陷和不列顛的孤立。雖然躲在海峽的後面，英國勉強撐過了難關，但一直等到一個長期戰爭變成全球性的鬥爭之後，才算是得救了。最後希特勒雖然還是被美蘇兩國的聯合力量所打倒，但歐洲卻已經奄奄一息，並且在共產黨支配的陰影之下討生活。

在慘敗之後，一般人都認為法軍防線的崩潰是必然的，而希特勒的攻擊也是不可抵抗的。但

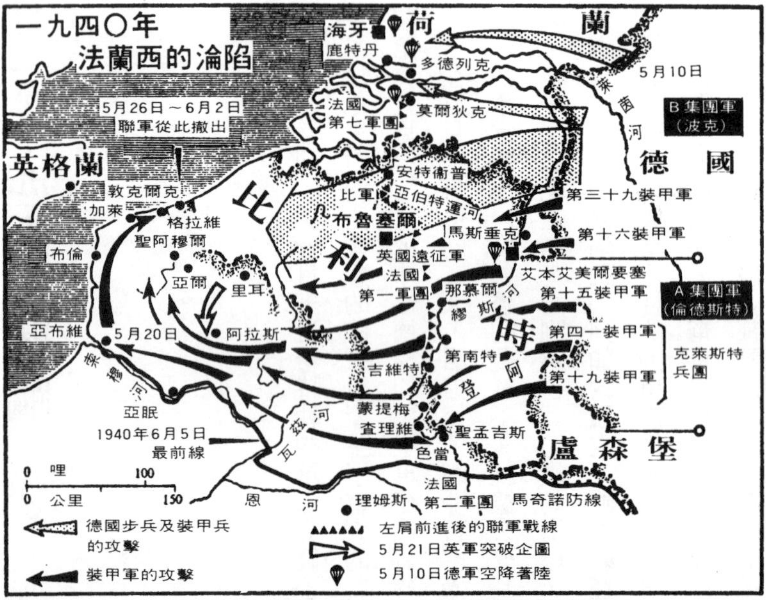
一九四〇年
法蘭西的淪陷
海牙
荷
蘭
鹿特丹
多德列克
5月10日
5月26日～6月2日
聯軍從此撤出
法國
第七軍團
莫爾狄克
萊
茵
河
B 集團軍
(波克)
英格蘭
安特衛普
德
國
敦克爾克
比
比軍
亞伯特運河
第三十九裝甲軍
加萊
格拉維
布魯塞爾
馬斯垂克
第十六裝甲軍
聖阿穆爾
布倫
英國遠征軍
利
亞爾
法國
艾本艾美爾要塞
里耳
第一軍團
那慕爾
第十五裝甲軍
A 集團軍
(倫德斯特)
繆斯河
時
亞布維
5月20日
阿拉斯
第四一裝甲軍
第南特
克萊斯特
兵團
索穆河
吉維特
登
阿
第十九裝甲軍
亞眠
蒙提梅
瓦茲河
查理維
聖孟吉斯
1940年6月5日
最前線
盧
森
堡
色當
0 哩 100
0 公里 150
法國
第二軍團
馬奇諾防線
恩河
理姆斯
德國步兵及裝甲兵的攻擊
左肩前進後的聯軍戰線
5月21日英軍突破企圖
裝甲軍的攻擊
5月10日德軍空降著陸

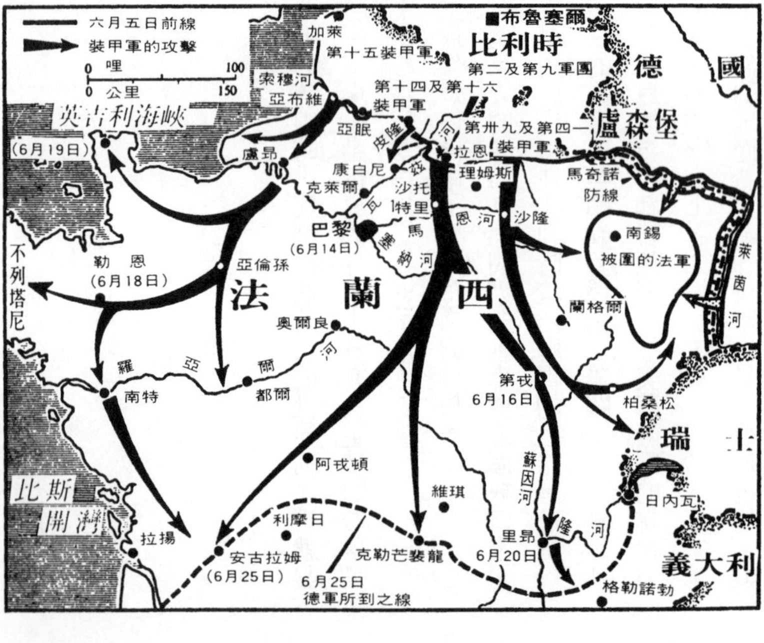
六月五日前線
裝甲軍的攻擊
加萊
布魯塞爾
第十五裝甲軍
比利時
0 哩 100
0 公里 150
第二及第九軍團
德
國
索穆河
亞布維
第十四及第十六
裝甲軍
英吉利海峽
亞眠
皮隆
第卅九及第四一
裝甲軍
盧森堡
(6月19日)
盧昂
拉恩
康白尼
瓦茲
理姆斯
馬奇諾
防線
克萊爾
沙托
特里
恩河
沙隆
巴黎
(6月14日)
馬
塞
納
河
南錫
被圍的法軍
不
列
塔
尼
勒 恩
(6月18日)
亞倫孫
法
蘭
西
萊
茵
河
蘭格爾
奧爾良
羅
亞
爾
河
南特
都爾
第戎
6月16日
柏桑松
瑞
士
阿戎頓
蘇
因
河
比斯
開灣
維琪
日內瓦
利摩日
隆
河
拉揚
安古拉姆
(6月25日)
克勒芒棐龍
里昂
6月20日
義大利
6月25日
德軍所到之線
格勒諾勃

是表面與現實卻差得很遠——到現在一切的真相也都已經大白。

德國陸軍的首長們對於這次攻勢的前途並無信心，僅僅由於希特勒的堅持，他們才勉強的發動了。在緊要關頭上，希特勒也曾突然的喪失信心，因此當他的矛頭正穿透法軍的防線並且在其前面也已有一條開放的道路時，他卻硬是不准繼續前進而暫停了兩天之久。假使當時法國人若能乘機利用這個喘息的時間，則對於希特勒的勝利即可能產生致命的影響作用。

但奇事中的最奇者卻是，那個領導矛頭的人，古德林，因為其上級感覺他在擴張戰果的突破時前進得太快，於是為了制止他，遂暫時停止他的指揮權。但若非他不聽話而拚命的向前直衝，那麼這次的攻勢即可能會失敗——而整個世局的演變也就都會和今天完全不同了。

許多人都以為希特勒享有壓倒的優勢，事實上完全相反，以數量而言，他的兵力比之對方還是居於劣勢的。雖然其戰車的長驅直入具有決定性，但他所擁有的戰車比之對方不僅數量較少而且威力也較差。僅在空權方面，他的確保有優勢——而那也正是一個最重要的因素。

此外，在大部分部隊都尚未行動之前，勝算實際上就早已由其中一小支部隊所決定了。那個具有決定性的小部分兵力一共是十個裝甲師、一個傘兵師和一個空運師（Air-portable）——空軍在外——至於他所集中的全部兵力則約為一百三十五個師。

這些新式軍種的成就是如此的輝煌，所以也就令人有眼花撩亂之感。大家不僅沒有注意到他們的數量相當微少，而且更沒有想到其成功是十分的僥倖。假使不是同盟國方面自犯錯誤把機會送給他們，則他們的成功也就很容易加以預防——這些錯誤大致都是發源於落伍的思想。即令如此，加上對方半盲目領袖們的幫助，此次侵入作戰的成功還是有賴於一連串的好機會——而尤其是應歸功於古德林一個人，因為他一發現機會就能立即盡量的加以利用。

任何一種新觀念，由一個具有活力的執行者來加以執行，往往即足以產生決定性的效果，法蘭西之戰要算是歷史上的最顯著例證之一。古德林曾經自述，在戰前使用獨立裝甲部隊來作深入戰略性貫穿的理想是如何的點燃了他的幻想——即用戰車作長距離的馳騁來切斷敵軍後方的大動脈。此種軍事思想的新潮流是在第一次世界大戰後發源於英國，其皇家戰車兵團（Royal Tank Corps）是第一個在實際訓練中表演此種思想的。古德林是一個對戰車極熱心的人，他也就立即抓著了此種理想的潛在價值。大多數較高級的德國將領對於此種新觀念的懷疑程度，並不亞於英法兩國的當局——他們認為這在戰爭中是不可能實現的。但當戰爭來臨時，古德林卻不顧其上級的懷疑，抓著一個機會就把這種理想實現了。其效果之具有決定性正像過去歷史上的許多其他新觀念一樣——戰馬的使用、長矛、方陣、彈性的羅馬兵團、斜行序列（Oblique Order）、騎弓手、長弓、火槍、師的組織。的確，其決定性是顯得極具神效的。

德軍對西方的侵入一開始就在其右翼方面獲得戲劇化的成功，即打擊在荷比兩中立國的防禦要害上。由空降部隊所組成的矛頭吸引了聯軍方面的全部注意力，使他們在幾天之內都沒有注意到德軍的主力攻擊——那是從中央，通過阿登森林的丘陵地區，而直趨法國的心臟。

荷蘭的首都，海牙（The Hague）以及其在鹿特丹（Rotterdam）的交通中心在五月十日清晨都受到空降部隊的攻擊，同時在東面一百哩以外的國境防線也受到突擊。這種在前後方同時發動的雙重打擊所產生的混亂和驚慌，又因為德國飛機的到處肆虐而益形增大。利用這種混亂的情況，德國裝甲部隊從南側面上的一個空隙中衝入，第三天就和在鹿特丹的空降部隊會師了。當時法國的第七軍團為了增援，已經到達荷蘭，但德軍都不理會這種威脅，就在它的前面繼續向指定的目標突破。到了第五天，荷蘭人就投降了，雖然其主要防線尚未崩潰。德國空軍對其人口眾多的城市所作的進一步威脅是加速荷蘭投降的主因。

德國人在這裡的兵力遠比對抗他們的要少。而且執行決定性突擊的部隊僅為一個裝甲師（第九）。因為兵力不夠分配，對於荷蘭方面的攻擊，所能抽出來的就只有這樣的一個師。在它的前進路線上是遍布著運河和寬廣的河川，那是應該易於設防的。所以成功的機會就有賴於空降突擊的效果。

但這個新兵種也是非常的渺小——若與其成就相比較，則更是令人感到驚異。在一九四〇年五月，德國一共只有四千五百名受過訓練的傘兵部隊。在這個渺小的總數中，就有四千人都已用在對荷蘭攻擊。他們編成了五個營，支援他們的為一個輕步兵師，共一萬二千人，也是用運輸機載運的。

其計畫的重點最好是用德國空降部隊司令司徒登自己所說的話來加以綜合說明：

因為我們實力太有限，所以只能集中在兩個目標上——這兩個點也似乎是對於侵入成功最具有必要性的。在我自己控制之下，重點是指向鹿特丹、多德勒克（Dordrecht）和莫爾狄克（Moerdijk）的橋梁，從南面來的主要交通線都是由這裡渡過萊茵河口。我們的任務就是要迅速攻占這些橋梁，不讓荷蘭人有炸毀的時間，然後就盡量保持它們的開放，以待我方機動的地面部隊到達。我的部隊共為四個傘兵營和一個空運團（三個營）。我們獲得了完全的成功，其成本僅為一百八十個人傷亡。我們不敢失敗，因為假使我們失敗了，則整個侵入作戰也就會隨之而失敗。[1]

司徒登本人也是傷員中的一人，他頭部負了重傷，休養了八個月才復原。

一個次要的攻擊則以荷蘭首都海牙為目標。其目的為俘獲荷蘭政府和三軍的重要首長，以破壞其全部指揮機構。使用的兵力為一個傘兵營和兩個空運團，由史波尼克將軍（General Graf Sponeck）指揮。這個攻擊未能完全成功，但卻也造成了很大的混亂。

對於比利時的侵入也有一個驚心動魄的開始。這裡的地面攻擊是賴赫勞（Reichenau）所率領的強大第六軍團來執行，其中包括霍普納（Hoppner）的第十六裝甲軍。但它卻必須先克服一

1　原註：以上引自《山的那一邊》，本章所有一切的引述也都是出自該書。

個困難的障礙物，然後才能作有效的展開。一共只有五百名傘兵來幫助完成這次攻擊。他們是用來攻占亞伯特運河（Albert Canal）上面的兩座橋梁，以及艾本艾美爾（Eben Emael）要塞，那是比利時最重要和最近代化的要塞，保護著這一條水上防線的側翼。

但這一點有限的兵力卻正是勝負的關鍵。因為德軍要想進入比利時，必須首先通過一塊叫作「馬斯垂克盲腸」（Maastricht Appendix）的地帶，這是向南伸出的荷蘭領土；一旦德軍越過荷蘭國界，則在亞伯特運河防線上的比利時守軍也就可以獲得充分的警告，在任何侵入的地面部隊得以越過這塊十五哩寬的地帶之前，先把一切的橋梁都炸毀。只有在黑夜裡把傘兵偷偷地投擲下去才是確保這幾座重要橋梁的唯一新辦法。

當時的報導都盛傳德國傘兵降落在好幾十處地方，其累積人數有幾萬人之多。事實上，比利時所使用的空降部隊，其兵力真是非常有限，這也可以顯示出來，事實和傳說之間的差距有多大。司徒登曾提供一種解釋——為了補救實際資源的缺乏，並企圖盡可能製造混亂，在這個國家內曾廣泛的投擲假傘兵。這個計謀的確證明出來大有功效，因為它助長了人類對於一切數字都愛誇大的天然趨勢。

下面是司徒登的記述：

亞伯特運河的冒險也是出於希特勒本人的思想。這個人的頭腦中充滿了許多奇怪的想法，而這也許是其中最傑出的一個。他召見我並詢問我的意見。經過一天的考慮，我才確定了這個行動的可能性，於是遂奉命作一切的準備。我用五百人，由柯赫上尉（Captain Koch）指揮。第六軍團的司令賴赫勞將軍，和他的參謀長包拉斯（Von Paulus）將軍，都是非常優秀的將才，但卻都認為這個計畫太冒險而並不寄以信心。

對於艾本艾美爾要塞的奇襲是一個由七十八名工程傘兵所組成的小型支隊來執行，其指揮者為魏齊格中尉（Lieutenant Witzig）。他們只損失了六個人。這支小型支隊完全出乎敵人意料之外，降落在要塞的屋頂上，解決了上面的防空槍砲人員，然後用一種新型的強力炸藥（以前是保密的）將所有一切的砲臺都炸毀。……對於艾本艾美爾的奇襲就是以此種新兵器的使用為基礎，它又是用另一種新兵器——一架滑翔運輸機（Freight-carrying glider）——來寂靜無聲的運到目標的附近。

這個要塞有良好的設計，能夠應付一切的威脅，但只有敵軍降落在其屋頂上的可能性為例外。從要塞的屋頂上，魏齊格所率領的這一撮「空中騎兵」，制服了總數一千二百名的守軍，直到二十四小時之後，德國地面部隊才趕到。

在那兩座重要橋梁上的比利時守軍也同樣的受到了奇襲。在其中的一座橋上，他們實際上已經點著了炸橋的引信——但是一架滑翔機的乘員跟在這些比利時哨兵的後面衝入那座碉堡，並在那千鈞一髮的情況之下撲滅了燃著的引信。

值得注意的是，除了使用空降突擊的部分以外，在整個的侵入正面上，其他的橋梁都已被守軍依照其原定計畫炸毀。這可以指出在德國方面，其勝敗之機真是間不容髮——因為侵入的前途就完全依賴在時間因素之上。

到了第二天上午，已有足夠的德國部隊到達運河之上，足以突破比軍的單薄防線。於是霍普納的兩個裝甲師（第三和第四）從尚未炸毀的橋梁上直衝而過，並向對岸的平原上立即展開。他們這種橫掃一切的前進迫使比利時軍立即進行總退卻——而適當此時，法英兩國的軍隊也正趕來支援他們。

這個在比利時的突破對於整個西歐戰役而言並非決定性的一擊，但對於勝負卻又還是有重大的影響。它不僅把同盟國的注意力引向錯誤的方向，而且更把同盟國兵力中最機動的部隊吸入已經在那裡發展的戰鬥中，於是這些機動師也就不可能再抽出而轉向南面去應付五月十三日突然降臨在法國國境上的更大的威脅——那也是在其最弱的部分上，超過尚未完成的馬奇諾防線的西端。

因為此時倫德斯特集團軍的機械化矛頭正在通過盧森堡和比屬盧森堡向法國前進。在衝過七十哩長的阿登地段之後，擊潰微弱的抵抗，他們就越過法國的國境，並在發動攻擊後的第四天清晨到達了繆斯河的河岸上。

派遣這樣大量的戰車和摩托化車輛通過如此艱險的地區，那實在是一個非常果敢的冒險。傳統戰略家早就認為一個大規模的攻勢，是無法通過這個地區，至於戰車的作戰則更不在話下。但是這種想法卻恰好增加了奇襲的成功機會，而濃密的森林也幫助掩蔽前進的行動和打擊的實力。

不過對於希特勒的成功最有貢獻的還是法國的統帥部。阿登攻擊的驚人威力是大有賴於法國計畫的設計——從德國人眼中看來，那是非常配合他們自己所已經修改了的計畫（即曼斯坦計畫）。並不像一般人所想像的，真正斷送法國老命的，並不是他們的防禦態度，也不是所謂「馬奇諾防線優越感」（Maginot Line Complex），而是他們計畫中攻勢構想太強的緣故。他們把自己的左肩拚命向比利時境內推進，於是也就正中了敵人的下懷，並把自己擠落在一個陷阱之內——這正和一九一四年的第十七號計畫有異曲同工之妙。不過這一次的危險卻更大，因為對方的軍隊是遠較機動化，其運動的速度是要用馬達而不是用腳步來計算的。同時，其所受到的懲罰也更重，因為所推進的左翼是由三個法國軍團和一個英國軍團所組成，在整個聯軍中也是其裝備最現代化和機動性最高的一部分。

當這幾個軍團向比利時的推進每向前一步，則他們的後方對於倫德斯特通過阿登的側面攻擊也就多一分暴露。更糟的是，聯軍前進後的轉軸部分（Hinge）是只由少數幾個素質較差的法國師來防守，他們是由較老的人員所組成，而且對於戰防砲和高射砲都極感缺乏，這又正是兩種最需要的兵器。讓這個轉軸部分只有如此薄弱的掩護，實在是在甘末林和喬治指揮之下的法國統帥部所犯的一個最大錯誤。

德軍通過阿登的前進是一個很技巧的行動，其參謀作業的表現非常優異。在五月十日拂曉之前，有史以來的最大戰車集中在正面對著盧森堡的國界。那是由三個裝甲軍所組成，排列成為縱深三層，前兩層為裝甲師，最後第三層為摩托化步兵師。領先的是古德林將軍，而整個兵團（Group）則由克萊斯特將軍（Gen. Von Kleist）指揮。

在克萊斯特兵團的右方，又有一個獨立的裝甲軍，那是由霍斯（Hoth）所指揮的第十五裝甲軍，其任務為衝過阿登的北部，向吉維特（Givet）和第南特（Dinant）之間的繆斯河岸挺進。

德國的大軍都雲集在國境線上準備向阿登衝入，而這七個裝甲師僅占其中的一小部分而已。差不多有五十個師都密集在一起，構成了一個狹窄而縱深極大的正面。

成功的機會主要就看德國裝甲部隊能否迅速衝過阿登地區，並渡過繆斯河而定。必須要等到他們渡過那一道河川障礙，然後戰車才有運轉的餘地。必須在法國統帥部認清情況真相並調動預備隊來阻止他們之前，就搶先渡過該河。

這次競賽總算是贏了，但卻贏得非常的險。守軍曾依照預定計畫實施爆破而使德軍的進展受到了部分的阻礙，假使守軍能充分利用這種機會，則結果可能會完全不同。對於法國的安全而言，很不幸的是對於這些爆破之點並無適當的防禦部隊來加以支援。法國人甚至於會愚蠢到這樣的程度，想依賴騎兵師以來遲滯侵入者。

比方說，在這個階段若能對德軍前進的側面發動一個裝甲的反擊，也許就可以癱瘓其前進——利用對於高級指揮官的影響。甚至於在並無此種反擊的情形之下，德軍高級當局也曾因為顧慮左翼所受的威脅而暫時發生了動搖。

由於看到進展是那樣的順利，所以在六月十二日，克萊斯特早已贊同古德林的意見：應立即考慮渡過繆斯河，而不必等待步兵軍趕到。但這卻必須安排一次集中的空中攻擊，包括十二個中隊的俯衝轟炸機，以掩護強渡。這些飛機在十三日下午很早就出現在戰場上空，他們猛烈攻擊，投彈如雨，使大多數法國砲兵都躲在掩體裡不敢出頭，直到夜幕低垂為止。

古德林的攻擊是集中在色當正西方的一段長僅一哩半的河岸線上。這個被選中的地區對於強渡要算是一個理想的場地。河流是向北作一個急彎趨向於聖孟吉斯（St. Menges），然後又再向南轉，構成一個口袋式的突出地。在北岸上周圍的高地都是林木密布，可以掩護攻擊的準備，提供良好的砲兵陣地和觀測所。在聖孟吉斯的附近可以一眼看清這個地區的全景，而在對岸上的馬飛森林（Bois de Marfee）就構成這幅圖畫的背景。

突擊是在下午四時開始發動，由乘坐橡皮艇和木筏的裝甲步兵領先。不久就開始渡河，把輕型車輛首先送過河去。河邊的突出地很快就被攻占了，於是攻擊者繼續推進，以進占馬飛森林和南面高地為目標。到午夜時，最深的進展約達五哩，同時在色當和聖孟吉斯之間的格雷爾（Glaire）也已經架好一座橋，於是戰車開始像流水一樣的衝過。

即令如此，德軍的立足點在十四日還是很不安全——只有一個師已經渡河，而一切的增援和補給都必須通過唯一的一座橋。這一座橋已經受到同盟國空軍的猛烈攻擊，因為德國空軍的主力已經轉移到其他方面去了，所以聯軍暫時享有空中優勢。但是古德林軍的高射砲兵團卻能在這座緊要橋梁的上空構成一道濃密的火網，他們一再的擊退聯軍飛機的攻擊，並使後者受到慘重的損失。

到十四日下午，古德林的三個裝甲師都已渡河。在擊退一個遲到的法軍反擊之後，他就突然的向西旋轉。到黃昏時他已經突破最後的一道防線，於是向西的道路——一直通到英吉利海峽的海岸——完全開放在他的面前。

但是那一天的夜間對於古德林卻是很煩惱的，雖然並不是由於敵人的緣故。根據古德林自己的說法：

> 一個從裝甲兵團司令部送來的命令要我停止前進，並把部隊限制在已經獲得的橋頭陣地之內。我不能夠也不願意接受這樣的命令，因為它的意義就是會斷送奇襲的機會和所有一切的初步成果。

經過在電話上和克萊斯特的一番激烈爭論之後，後者終於勉強同意「准許再繼續前進二十四小時——那只是以拓寬橋頭陣地為目的。」

古德林對於這個勉強的許可就立即加以充分的利用，他給予他的裝甲師以盡量前進的全權。當古德林的三個裝甲師正在向西猛進之時，從蒙提梅（Montherme）渡河的雷因哈特（Reinhardt）兩個師，和從第南特附近渡河的霍斯兩個師，也都在各自向前狂奔，如入無人之境。這樣也就使法軍全面崩潰了。

到十六日的夜間，向西前進又已超過了五十餘哩，並已經達到了瓦茲河（Oise）。於是再度受到了制止，這次又是由於上級的命令，而並非由於敵人的行動。

德國方面的高級指揮官對於繆斯河就那樣輕鬆的渡過了，真是感到十分的驚奇，而且簡直不相信他們有那樣好的運氣。他們仍然期待著法軍會向他們的側翼發動強烈的反擊。希特勒本人也有此同感。所以他這次親自命令停止前進——要裝甲部隊坐候兩天，以便讓步兵軍可以趕上，好沿著恩河（Aisne）構成一道側面的防線。

當這個問題被提到高級司令部中去討論時，古德林還是堅持己見，終於獲得了有條件的准許可以執行威力搜索（Strong reconnaissance）。古德林對於這個名詞擅自作一種彈性的解釋。因此在第十二軍團的步兵軍尚未開始沿著恩河構成側面防線，和他尚未被允許用全力再繼續向海峽海岸猛衝之前，他仍能在這兩天之內，維持著相當程度的攻擊壓力。

因為在以前的階段中已經獲得許多時間，並且也已經使對方產生許多的混亂，所以此次在瓦茲河上的暫停對於德國的整個前途並無嚴重的影響。儘管如此，它卻又顯示出在德國方面對於時間意識也有重大差異存在。新舊兩派之間的差距是要比德法兩國之間的差距還要大。

在戰爭結束時，甘末林對於德軍在繆斯河上的戰略擴張曾評論如下：

那是一個傑出的行動。但是否事前即已完全預知呢？我不相信是如此的——最多是不會超過拿破崙對於耶納會戰所能預料的程度，或是毛奇於一八七〇年的色當會戰。那是一種對環境的完美利用。它表現部隊和指揮組織知道如何運用其所長——在戰車、飛機和無線電所能容許的限度之內，盡量採取迅速的行動。也許這是有史以來的第一次，贏得了一個決定性會戰，而並未動用其兵力的大部分。

喬治將軍是法軍敵前總指揮，據他說，原先的估計以為在比屬盧森堡境內有計畫的障礙行動是至少能使德國人在達到繆斯河之前要多花費四天時間。他的參謀長，杜門克將軍（General Doumenc），也說：

因為以為敵人的辦法是和我們自己的完全一樣，所以我們也就幻想著認為他們必須在集中了充足的砲兵之後，才會企圖渡過繆斯河：這樣也就需要有五、六天的耽擱，這樣就可以使我們有充分的時間來增強自己的部署。

值得注意的是這些法國方面的計算和德國方面的高階層的計算是如何的如出一轍。所以看起來法國軍事首長們對於德軍攻勢所作的基本假定並沒有錯——儘管事後卻證明出來他們是大錯而特錯。但是他們在計算中卻遺漏了一個個人因素——古德林這個人。古德林不僅學會了獨立使用裝甲部隊行戰略突穿的理論，而且對於此種理論的實踐具有狂熱的信心，以後又能不顧上級一切的制止而堅決奮鬥到底，這樣才把法軍統帥部的一切計算都推翻了。若非如此，則德軍統帥部本身的成就絕達不到這樣的標準。很明顯的是古德林和他的戰車兵拖著整個德國陸軍向前追奔，這樣才產生了近代史上一次最大的勝利。

在每一個階段，勝負都是決定在時間因素之上。法軍每一次的對抗行動都是一再的不生效力，其主因就是在時機的配合上太慢，無法趕上瞬息萬變的情況。這又由於事實上，德軍前鋒的行動是要比德軍統帥部所想像的還更快。

作為其計畫的基礎，法國人是假定在第九天之前，德軍不可能在繆斯河上發起攻擊。這也正是德軍統帥部原先所預定的時間表。僅僅由於古德林的自作主張，才推翻了這種計算。此後，法軍的情況就每況愈下。法軍指揮官，是在一九一八年慢動作方法之下訓練出來的，所以在精神上是無法適應戰車的速度，因此也就在他們之間產生了日益擴大的癱瘓作用。

當時在同盟國方面只有極少數人認清了這種危險，其中一個就是法國的新總理雷諾先生。在戰前以一個在野批評家的身分，他曾經一再敦促其國人發展裝甲部隊。因為對於裝甲部隊的威力有太清楚的了解，所以他在十五日清晨就在電話裡向邱吉爾先生說：「我們已輸了這場會戰」。

邱吉爾回答說：「所有的經驗都指出一個攻擊在相當時間之後就會自動停止。我還記得一九一八年三月二十一日。在五、六天之後，為了補給，他們就必須停止下來，於是反擊的機會也就出現了。關於這一切我在當時是親自聽到福煦元帥說的。」次日他就飛往巴黎，在那裡他反對在比利時的聯軍作任何撤退。即令他不反對，甘末林的行動太遲緩，也無法將他們撤回。他現在就計畫發動一次一九一八年式的大反攻——使用大量的步兵師。邱吉爾對這一點也繼續寄予信心。那是非常不幸的，甘末林的思想始終跳不出一種落伍的圈套，儘管他在當時的法國是比任何人都有採取較多行動的能力。

就在那一天，雷諾也決定撤換甘末林——他從敘利亞召回魏剛（Weygand），福煦的老助手，直到十九日魏剛才到達，所以在三天之內，聯軍統帥部都是處於一種虛懸的狀況。二十日古德林已到達海峽，切斷了在比利時境內聯軍的交通線。此外，魏剛甚至於比甘末林還要更落伍，他也還是繼續照一九一八年的路線來策定他的計畫。所以一切恢復的希望也就都幻滅了。

總而言之，同盟國領袖們的一切作為不是太遲，就是錯誤，也就終於無補於危亡。一九四〇年英國遠征軍的逃脫大致是應歸功於希特勒個人的干涉。當他的裝甲部隊已經蹂躪法國的北部，並且也從其基地切斷英軍之後，希特勒卻在他們剛好要衝入敦克爾克（Dunkrik）實施掃蕩的時候，命令他們暫停——那個港口也正是英國人所留下來的唯一退路。此時，英國遠征軍的大部分距離這個港口都還在許多哩之外，但希特勒卻讓他的戰車停止達三天之久。

正當沒有任何其他的東西可以挽救他們的時候，希特勒的行動卻保住了英軍的生命，讓他們逃走了，結果才使英國仍能繼續作戰，並保留著足夠的人力以來防守海岸和應付侵入的威脅。所以這也就種下五年之後他本人和德國最後失敗的禍根。因為實際了解這次逃脫的間不容髮，但對於其原因卻一無所知，所以英國人民才說那是「敦克爾克的奇蹟」（The Miracle of Dunkirk）。

希特勒是如何才決定發出這個決定命運的命令呢？他為什麼要這樣做呢？那在許多方面對於德國將軍們本身也都是一個謎；而且也將永遠不可能確實知道他是如何決定的，和其真正動機是什麼。即令希特勒已經給予一個解釋，那也不一定就可靠。居高位的人若犯了一個嚴重的錯誤，通常事後很少會說實話的，何況希特勒並非一位真正熱愛真理的偉大人物。非常可能的是他的證詞將會使審判變得更糊塗。同時也更可能的即令他有此心願，他也還是無法給予一種真實的解釋，因為他的動機也許是非常的複雜，而他的行動又是如此的多變。此外，所有一切人類的回憶又都會受到後來所發生的事情之影響。這是一種天然的趨勢，所以不易避免。

在對於此一重要事實的長期探索中，已經發現了足夠的證據，可以容許史學家不僅能把前後的經過編成一條完整的鎖鏈，而且對於導致這個最後決定的一連串理由也似乎可以得到相當的解釋。

在切斷了比利時境內聯軍左翼的補給線之後，古德林的第十九裝甲軍於五月二十日就在亞布維（Abbeville）附近到達了海岸線。於是他就向北旋轉，直趨沿海峽的各港口和英軍的背面。此時英軍還留在比利時境內，面對著波克集團軍的正面壓力。在這個向北的前進行動中，位置在古德林右側的即為雷因哈特的第四十一裝甲軍，它也是克萊斯特兵團的一部分。

二十二日，他的前進已經孤立了布倫（Boulogne），而次日又孤立了加萊（Calais）。這樣的快跑使他達到了格拉維（Gravelines），距離敦克爾克僅只有十哩——而後者則已成英國遠征軍最後可以逃走的唯一港口。雷因哈特裝甲軍同時也已經達到了亞爾（Aire）——聖阿穆爾（St. Omer）——格拉維之間的運河線。但到了此時，上面的命令叫他們停止繼續前進，命令要他們把裝甲部隊都撤回到運河之線的後面。他們立即紛紛向上級提出緊急的詢問和抗議，但所得到答覆卻說這是「元首的手令」。

在尚未對這個問題的根源作進一步深入研究之前，讓我們先來看看英國方面的情形又是怎樣，並對於這次大規模逃脫行動作一個概述。

十六日英國遠征軍總司令高特勛爵（General Lord Gort）命令英軍從在布魯塞爾（Brussels）前方的最前線上向後撤退一步。但在他們尚未到達須耳德（Scheldt）河上的新陣地之前，由於古德林已在遠較南面的地方切斷英軍的交通線，所以也就再也無法立足了。十九日英國內閣聽說高特正在研判如被迫時將從敦克爾克撤出的可能性。但是英國內閣卻命令他向南退入法國，並突破德軍已在其後方所布置好了的天羅地網——儘管高特早已告訴他們只有四天的補給和僅夠打一仗的彈藥。

這種指示是與甘末林的新計畫相配合，那已經太遲了，儘管命令已在那天上午頒發。當天夜間甘末林即已離職。代替他的魏剛上臺後的第一件事就是撤消甘末林的命令，同時對於情況再作新的研判。這樣一拖又是三天，然後他才作成了一個與其前任所作者頗為相似的計畫。而且事實也證明出來那不過是一個紙上談兵的計畫而已。

在這個時候，高特儘管一方面和內閣爭辯，指出他們的命令實際上是行不通的，但另一方面卻又還是從他的十三個師中抽出了兩個師，加上英國人送到法國去的那一個唯一的戰車旅，嘗試從阿拉斯（Arras）向南發動一次反擊。當這個反擊在二十一日開始發動時，真正進攻的兵力卻只有兩個小型的戰車營，後面跟著兩個步兵營。戰車雖然略有進展，但卻缺乏後援，因為步兵在俯衝轟炸之下發生了動搖。鄰近的法國第一軍團本應合作，在其十三個師的兵力中應使用兩個師來支援英軍，但實際的貢獻也是非常有限。在這些日子裡，德國的俯衝轟炸機和行動迅速的戰車已經一再的對法軍士氣產生癱瘓作用。

不過值得注意的卻是這個小型裝甲反擊對於某些德軍高級將領的心理上已經引起擾亂作用。因為有一段時間曾經使他們想要停止其戰車矛頭的前進。倫德斯特本人曾經形容那是一個「緊急的關頭」（Critical Moment），他說：「有一個短時間大家都害怕在步兵師趕到支援之前，我們的裝甲師有被切斷的危險。」這樣的影響作用可以表示出來，如果當時英軍的反擊兵力是兩個裝甲師，而不僅是那兩個戰車營，則局面可能完全改觀。[2]

在阿拉斯的反擊那樣曇花一現之後，北面的聯軍就不再作任何突圍的努力了，至於魏剛所計畫的從南面救援的攻勢根本上就是有名無實。德國的摩托化步兵師早已迅速的沿著索穆（Somme）河建立了一道防線，可以容許裝甲師向北合圍而不受到任何的干擾。魏剛所指揮的部隊都是行動極為遲緩，所以他的那些慷慨激昂的命令實際上都是廢話。正好像邱吉爾所大聲疾呼的，要軍人們放棄「躲在混凝土防線或天線障礙物後面抵抗攻擊」的觀念，而去用「猛烈不停的攻擊」來恢復優勢的高調，是同樣的不切實際。

當高階層仍在繼續對那些行不通的計畫作無益的辯論時，在北面已被切斷的軍隊就繼續向沿海地帶撤退。他們在正面上所受到的壓力（波克集團軍的步兵軍團）已在不斷的增加——所幸在

---

2 原註：因為預料到一九四〇年所遭遇的這種情況，自從一九三五年起，作者即在英國《泰晤士報》上，以及其他場合中，主張英國的軍事努力應集中用來提供一個較強大的空軍，和兩三個裝甲師，以便當德軍在法國若作成任何突破時，可供反擊之用，而不應派遣一個全由步兵師所組成的遠征軍——因為步兵在法國多的是。在一九三七年底英國內閣曾同意這個建議，但到了一九三九年初又還是決定照一般傳統典型去建立一支遠征軍。到一九四〇年五月，一共有十三個步兵師（包括三個「勞工」師）已被送往法國，而一個裝甲師都沒有，結果證明對於情況毫無補救。

背面上暫時還能夠免受致命的那一刀（裝甲部隊）。

二十四日魏剛嚴厲的指責「英軍不聽命令，擅自向海港方面撤退了二十五哩」。並且說我（法）軍正在從南向北推進，以與盟軍會合為目的。事實上在那個時候，南面的法軍是既無進展，而北面的英軍也還沒有撤退——魏剛所說的話僅只證明了他所生活的環境是如何的脫離現實。

但在二十五日的夜間，高特卻作了一個最後的決定，向敦克爾克附近的海邊撤退。四十八小時以前，德國的裝甲部隊即早已達到運河之線，距離那個港口只有十哩。二十六日英國內閣允許軍政部發一個電報給高特，批准了他的決定，並「授權」他執行這樣的撤退。次日又再用電報告訴他應從海上把部隊撤出。

同一天，在波克的攻擊之下，比利時陸軍的防線在中央被突破了，而他們已經沒有可以用來填塞缺口的預備隊。比利時國王李頗德（King Leopold）早已透過凱斯將軍（Admiral Keyes），一再向邱吉爾提出警告，說情況已經變得毫無希望。在這樣一擊之下，也就希望完全斷絕了。大部分的比利時領土都已遭受蹂躪，其軍隊現在是背面接近海岸，陷在一個狹窄地帶之內，到處也都擠滿了難民。所以在當天的黃昏，比利時國王遂決定向德軍要求休戰——於是在次日清晨就吹起了「停火」號。

比利時的投降增加了英國遠征軍在尚未達到敦克爾克之前就會被切斷的危險。邱吉爾剛剛向比利時國王提出緊急呼籲，希望他再苦撐下去，但他卻私下向高特說，這簡直就是「要求他們為我們而犧牲他們自己」。這也是意料中事，當被圍困的比利時人，早已知道英軍是正在準備撤退時，他們的想法當然不可能和邱吉爾一樣。邱吉爾又曾勸告李頗德在時間尚不太遲時，即應乘飛機逃走。這兩點意見都不為他所接受。這位國王感覺到他「應該和他的軍民共患難」。從遠程的觀點來看，他的決定也許是不智的，但在當時的環境中，那卻是一種光榮的選擇。邱吉爾事後的批評很難算是公正的，而法國總理和報紙所作的強烈責難則更是豈有此理——因為比利時的覆亡實在是法國人在繆斯河上防線崩潰所造成的後果。

現在英國人向海岸的撤退也就變成了一種賽跑，那也就是要趕在德軍合圍之前登上船隻。可以說很僥倖的，一個星期之前在英國即已採取準備措施——雖然那卻是基於一種不同的假定。五月二十日邱吉爾已經批准採取步驟「集結大量的小船並準備送往法國沿岸的港口」，其構想是認為在當時的計畫之下，英國遠征軍是要向南突圍進入法國的領土，但可能會留下若干零星殘部，這些船隻就是準備用來救出他們。英國海軍部立即開始準備，沒有浪費一點時間。在前一天，即十九日，雷姆賽海軍上將（Admiral Ramsay）即已在多佛（Dover）設立指揮所，負責控制一切行動。為了執行這個所謂「發電機作戰」（Operation Dynamo），立即集中了一批渡船、漁船和其他的小型沿岸船隻。從哈維赤（Harwich）到威茅斯（Weymouth），主管海運的官員奉命登記所有一千噸以下的船隻。

在此後的幾天內，情況日益惡化，不久海軍部就已經明白敦克爾克將是唯一可能的退路。二十六日下午「發電機作戰」即正式開始執行——在比利時要求休戰之前二十四小時，同時也在內閣授權撤退之前。

最初所希望的不過是把英國遠征軍的全體人員救出一小部分而已。海軍部告訴雷姆賽將軍說目前是想在兩天之內救出四萬五千人，過此之後敵人即可能會使撤退的行動變為不可能。實際上，到二十八日的夜間，卻只有二萬五千人在英國上岸。很僥倖的，支票兌現的寬限期（Period of grace）卻比原來所想像的要長得多。

在最初五天內，由於缺乏小船來把部隊從灘頭上送到在岸邊等候的大船上去，所以撤運的速度受了很大的限制。儘管雷姆賽早就已經指出了這種需要，但事先還是沒有適當的安排。現在海軍部就傾全力來設法補救，到處搜尋小船和駕駛人員。一大批自告奮勇的平民，也都參加工作以補海軍人手之不足。其中包括著漁民、救生員、遊艇主人以及一切對於駕船有相當經驗的人。雷姆賽的記錄曾經指出倫敦救火隊的救火船員的表現是最為優異的。

最初，在灘頭上的情形也是非常混亂，因為等待上船的部隊缺乏組織——那時大部分都是後勤人員。雷姆賽認為「由於陸軍官兵在制服上幾乎沒有區別，所以也就增加了困難，但海軍軍官的出現卻能幫助恢復秩序，因為他們的制服是不會認錯的。……以後，當戰鬥部隊到達灘頭之後，這些困難也就自然消滅了」。

第一次強大的空中攻擊是在二十九日黃昏時來臨，「而敦克爾克港的水道在這個時候不曾為沉船所阻塞，那是只能歸功於幸運」。這一點非常重要，因為大多數部隊都是從港口上船，而從灘頭上撤出的人數還不到三分之一。

在此後三天內空中攻擊日益增強，而到了六月二日，白天的撤退行動就必須暫停了。英國空軍的戰鬥機，從英國南部的機場起飛，傾其全力來和德國空軍周旋。但由於數量居於劣勢，而且受著航程的限制，不能在上空停留太久，所以也就不可能維持適當的空中掩護。一再來臨的轟炸攻擊使在灘頭上等待的部隊感到極大的痛苦，雖然濕軟的沙土足以減弱其殺傷效力。在海上所造成的實際損失是遠較重大。參加撤運工作的各式英國及同盟國船隻共為八百六十艘——其中損失了六艘驅逐艦、八艘人員運輸船，和二百餘艘小船。那是非常僥倖的，德國海軍不曾企圖加以干擾——既未使用潛艇，也未使用魚雷快艇。此外，異常良好的天氣也幫忙不少。

到五月三十日，已經撤出了十二萬六千人，而所有其餘的英國遠征軍人員也都已到達敦克爾克——除了在退卻過程中被切斷的少數殘部以外。對於敵軍在陸上的包圍進攻，這個橋頭堡的防禦也已經變得堅強得多了。德國人錯過了他們的機會。

所不幸的是在比利時境內的法軍高級指揮官，卻仍然想遵從魏剛的那種不可能的計畫，他們沒有能夠當機立斷，也盡快的跟著英軍一起向海上退卻。這樣延誤的結果，致使法國第一軍團殘餘部分的一半於二十八日在里耳（Lille）附近被切斷了，並終於在三十一日被迫投降。不過他們在三天內所作的英勇抵抗卻幫助了其餘的人員逃脫，連同英國人也在內。

六月二日午夜，英軍後衛也上船了，於是英國遠征軍的撤退就算是已經完成——一共安全的撤出二十二萬四千人，只有兩千人左右在途中因為船沉而損失。同時也撤出大約九萬五千人的同盟國部隊，其中以法國人為主。次日夜間還曾繼續作一切的努力以來撤出所留下來的法國人，儘管困難不斷的增加，但又救出二萬六千人。不幸的是有少數幾千名後衛部隊沒有來得及撤出——於是在法國就留下了一股辛酸滋味。

到六月四日上午，這個作戰完全結束時，一共已有三十三萬八千名英國和同盟國人員在英國上岸。若與最初的希望相比較，可以算是一種驚人的成就，對於英國海軍來說，也是一種偉大的表現。

同時也顯示出若非十二天以前，即五月二十四日，希特勒制止了克萊斯特裝甲兵團的前進，則此種救出英國遠征軍以圖「捲土重來」的工作也就根本不可能成功。

在那個時候只有一營英軍據守從格拉維到聖阿穆爾之間的Aa段，全長約為二十哩；至於向內陸延伸的運河防線其餘部分（約長六十哩）則防禦實力要比較好一點，但也非德軍的對手。許多的橋梁都尚未破壞，甚至於連爆破的準備都沒有。所以在五月二十三日，德國裝甲部隊若要想在運河沿岸獲得幾個橋頭陣地，那應該是毫無困難。誠如高特本人所說的：「在這個側面上，這條運河水道就是唯一的反戰車障礙物」。假使德軍渡過了，就再沒有任何東西可以阻止他們前進。所以若非希特勒叫停，則他們就必然會切斷英軍的退路。

不過，自從突破法國防線之後，希特勒就一直非常的緊張。前進得愈順利，敵方的抵抗愈少，他也就愈感不安——因為一切似乎都太好了，所以也就簡直不像是真的。從德國陸軍參謀總長哈爾德所寫的日記上就可以追蹤這種心理的變化。五月十七日，即法軍在繆斯河上防線戲劇化崩潰的次日，哈爾德曾經這樣記載著：「相當不愉快的一天。元首神經緊張到了可怕的程度。他被自己的成功嚇壞了，他害怕接受任何的機會，並盡量控制我們。」

就在這一天，古德林突然受到制止，不准他在海岸直衝。次日，哈爾德又記載著說：「每一點錯都是寶貴的……元首與統帥部的看法完全不一樣……對於南面側翼的安全不斷的表示憂慮。他大聲怪叫著說我們會把整個戰役都搞垮。」直到那天夜間很晚的時候，哈爾德才能向他們保證，後續的步兵軍團已經開始沿著恩河布防，構成一道側面的屏障，於是希特勒才同意讓裝甲部隊繼續前進。

兩天之後，這些裝甲部隊就已經到達海岸，並切斷在比利時境內的聯軍交通線。此種卓越的成就似乎曾經暫時使希特勒解除了他的疑慮。但當裝甲部隊向北旋轉時，尤其是在英國戰車營從阿拉斯發動了那個小型反擊引起了暫時的驚慌之後，希特勒遂又故態復萌。裝甲部隊，是他一向都很珍惜的，現在正向英軍所占地區前進，而他又一向認為英國人是特別頑強的對手。同時，他對於法國人在南面可能計畫些什麼也很感到不安。

尤其不幸的，希特勒選定了五月二十四日上午去視察倫德斯特的總部——這正是一個緊要的關鍵。倫德斯特是一位謹慎的戰略家，他對於一切不利的因素都總是很小心的絕不放過，他一向都是避免錯在樂觀方面。因為這個原因，他對於希特勒常常是一個很好的幫手，他可以提供冷靜的平衡的研判，而那正是希特勒所缺乏的——但在此時他對於德國獲勝的機會卻是害多於利。在他檢討情況時，他特別提出由於長時間和迅速的行動，戰車的實力已經減弱，並且又指出從南北兩面都有受到攻擊的可能，而尤以前者為甚。

因為他在前一夜已經接到陸軍總司令布勞齊區的命令，告訴他北面合圍的任務應移交給波克去完成，所以非常自然的，倫德斯特現在內心裡所考慮的是在南面次一階段的作戰。

此外，倫德斯特的集團軍總部還是留在色當附近的查理維（Charleville）——在恩河的後方，而也正是對南面德軍戰線的中心。這種位置也就會養成一種重視其正前方的趨勢，至於極右翼方面的情況也就比較不會受到注意，何況那方面又似乎是已經勝利在握。敦克爾克只會在他的眼角餘光裡出現。

希特勒對於倫德斯特的慎重態度表示「完全同意」，並接著也強調保存裝甲部隊，以供未來作戰之用，是非常重要的。

當他下午返回其自己的統帥部時，就立即召見陸軍總司令。這是一次「非常不愉快」的會晤，結果希特勒遂斷然的下了暫停的命令——哈爾德在那天夜間很傷感的把這個命令的效果綜合的記在他的日記上：

> 由裝甲和摩托化部隊所組成的右翼，在其前面已無敵人，現在已在元首直接命令之下停止不進。至於解決被圍敵軍的任務則準備留交給空軍去完成！

希特勒的暫停命令是受到倫德斯特的啟示嗎？假使希特勒已經感覺到他這個命令是受到倫德斯特的影響，那麼在英軍逃走之後，為了替他自己所作的決定找藉口時，也就幾乎必然會提到這一點，因為他最喜歡把一切的過錯都推在旁人的身上。但是在這一次他卻從未在其事後的解釋中，提到倫德斯特的意見是其中因素之一。此種反面的證據是很有重要意義的。

似乎很可能當希特勒前往倫德斯特總部之前，他內心裡早就有一種打算。其目的是想替他自己的想法尋找進一步的合理解釋，以便作為強迫布勞齊區和哈爾德改變計畫的根據。假使說他最先還曾經受到某些人的影響，那麼也許可能即為凱特爾（Keitel）和約德爾（Jodl），他們是希特勒大本營中的主要軍事首長。從華里蒙特的記載中可以找到一點特別有意義的線索，他在那個時候與約德爾的接觸極為密切。當華里蒙特聽到有關暫停命令的謠言時，他深感驚異，於是就去向約德爾詢問其究竟，以下就是他的記載：

約德爾不僅證實了該項命令已經發出，而且對於我的詢問很感到不耐煩。他本人是採取和希特勒一樣的立場，強調希特勒、凱特爾和他本人於第一次大戰時在法蘭德斯（Flanders）平原上作戰的個人經驗。他說此種經驗可以毫無疑問的證明裝甲部隊是不能在法蘭德斯沼地中使用，或無論如何是不免要受到重大的損失——而這種損失都是吃不消的，因為各裝甲軍的實力早已相當的減弱，而在即將發動第二階段對法國的攻勢中，他們又還有其他重要任務。

華里蒙特又補充著說，假使這個命令的主動是出於倫德斯特，則他和OKW[3]的其他人員也就一定會有所聞；而當約德爾在替這個決定辯護時，也就必然不能不指出倫德斯特元帥是發起人之一，或至少是支持那個命令的——因為倫德斯特在所有高級參謀本部軍官之間，是被公認為在作戰問題方面的最高權威，所以提出他的大名足以塞住一切批評之口。華里蒙特又說：

不過在當時，我卻又發現另外一個有關暫停命令的原因——即戈林此時出現了，並向元首保證他的空軍可以從天空封鎖海邊的退路，以來完成合圍的任務。他毫無疑問的是把其自己軍種的威力估計得過高了。

華里蒙特上述的記載與哈爾德二十四日的日記上最後一句話可以互相印證，所以也就特別重要。此外，古德林也說從克萊斯特所轉來的命令中有云：「敦克爾克應交給空軍去解決。假使對加萊的克服有困難，則該要塞也可一併移交空軍處理。」古德林特別指出：「我想促使希特勒作成這個決定的主因之一即為戈林的虛榮心。」

同時又有證據顯示出來甚至連空軍的使用也並未曾發揮其應有的全部實力——某些空軍將領說，希特勒在這一方面又是照樣的加以制止。

所以也就使高階層的人員懷疑在希特勒的軍事理由的幕後是還另有政治動機的存在。當時充任倫德斯特總部作戰處長的布勒孟楚特（Blumentritt），對於希特勒在訪問集團軍總部時所作的驚人談話曾經記錄如下：

> 希特勒的精神非常愉快，他承認這次戰役的過程的確是一個奇蹟，並告訴我們他相信戰爭在六個星期內就可以結束。此後他就想和法國簽訂一項合理的和約，於是和英國達成協議的途徑也暢通無阻了。
>
> 於是他就說到他對於大英帝國的讚賞，其存在的必要，以及英國人對於世界文明的貢獻。這一席話真是使我們都大感驚異。他聳一聳肩膀說，這個帝國在創立時所使用的手段固

3　譯註：即德國最高統帥部。

然並不太光明，但卻也是時勢所迫，無可奈何的。他把大英帝國和天主教會相比較，並且說二者對於世界的安定都是必要的因素，他又說他對於英國要求的不過僅為它應承認德國在歐洲大陸上的地位而已。德國舊殖民地的歸還固所願也，但卻並非必要，他甚至於表示若英國在任何其他地區遭遇困難時，他還願意提供武力的支援。他指出殖民地主要不過是一個威望的問題，因為它們在戰爭中是無法守住的，而且也很少有德國人願意到熱帶去生活。

他的結論是，他的目的是想站在英國認為其光榮所可接受的基礎上，來和英國謀求和平。

布勒孟楚特在其以後的回憶中時常想到這一次談話。他感覺到希特勒之所以突然叫停，並非僅只為了軍事性的理由，而是其政治計畫中的一部分，其目的是為了想使和平可以比較易於達成。假使英國遠征軍在敦克爾克全部被俘，那麼英國人就會認為他們的光榮受了一次嚴重的污染，也就要拚命的雪恥了。讓他們逃走是希特勒想要安撫英國人的一種手段。

德國將領們大都不滿意於希特勒，並都承認他們自己是主張把英軍一網打盡的，所以這種記載也就特別值得重視。他們對於希特勒談話的記錄又和希特勒本人在其所著《我的奮鬥》一書中的說法，有許多地方都是若合符節——此外值得注意的，是他在其他方面的作為也都經常是以這本「聖經」為根據的。在他的內心裡似乎對於英國有一種又愛又恨的複雜感情。在齊亞諾（Ciano）和哈爾德的日記中也可以找到他在此時對於英國的思想趨勢。[4]

希特勒的個性是如此的複雜，所以沒有一個單純的解釋是完全正確的。非常可能的，他的決定是由幾條不同的線索所編織而成的。有三條線索是可以看見的——（一）他想保全戰車的實力以供下次打擊之用；（二）他對於法蘭德斯平原（沼地）一向具有的畏懼心理，這是以其個人在第一次世界大戰時的經驗為基礎；（三）戈林對於空軍威力所作的誇大保證。但更可能的在其內心裡還有某種政治理由的線索存在，那是和軍事線索交織在一起而不易被發現的。因為他這個人對於政治戰略有一種癖好，而且在他的思想中又有許許多多的曲折。

沿著索穆河和恩河的陸軍新戰線要比原有的更長，而可以用來據守的兵力則已經大形減弱。在戰役的第一階段，法國人已經損失了他們自己的兵力三十個師，而同盟國的幫助還在外。（現在仍留在法國的英軍只有兩個師，不過另有兩個訓練尚未完成的師要送過去。）魏剛一共已經調集了四十九個師來掩護這一條新戰線，另外留下十七個師據守馬奇諾防線。由於時間的緊迫，無法構築堅強的工事；而兵力的短少，也無法採用縱深防禦的方法。又因為機械化師的大部分都已損失或殘破不堪，所以也缺乏機動預備隊。

在那方面的德軍，已經利用新運到的戰車將十個裝甲師都補充足額，而他們的一百三十個步兵師也幾乎是原封未動。為了發動新的攻勢，兵力也已經重行調配。兩個新軍團（第二和第

4　譯註：齊亞諾為墨索里尼的女婿，曾任義大利外交部長，並曾任該國駐我國上海的總領事。

九）調撥進來，以增加沿著恩河地段（在瓦茲河與繆斯河之間）的重量。古德林升任兵團司令，指揮兩個裝甲車，也開入這個地區嚴陣以待。克萊斯特兵團還留下兩個裝甲軍，準備從亞眠（Amiens）和皮隆（Peronne）兩地在索穆河上的橋頭陣地中分別衝出，作一個鉗形運動，以在克萊爾（Creil）附近的瓦茲河下游地區會師。其餘的裝甲軍，則在霍斯率領之下，從亞眠與海岸之間的地段向南前進。

攻勢在六月五日發動，最初是在拉恩（Laon）與海岸之間的地區中。頭兩天內法軍的抵抗相當堅強，但到六月七日，最西端的裝甲軍突破防線而達到通向盧昂（Rouen）的公路。於是在混亂中，法軍的防禦遂完全崩潰，因此當六月九日德軍渡塞納河（Seine）時，並未受到任何嚴重的抵抗。但這裡卻不是他們要作決定性打擊的地方，所以遂暫停不進。這對於布羅克將軍（General Alan Brooke）所指揮的一支小型英國部隊而言，又可以說是非常的僥倖，在法軍投降時，他們大多數卻能第二次撤退出來。

克萊斯特的鉗形攻擊並未能依照原定計畫發展。從亞眠前進的右鉗部隊雖在六月八日終於到達了突破的目的，但從皮隆出發的左鉗部隊則在康白尼（Compiegne）以北遭到頑強的抵抗而進退不得。於是德國統帥部遂決定把克萊斯特兵團抽回，讓它轉向東面以支援在康白尼所已經作成的突破。

在那方面的攻擊直到六月九日才發動，但法軍卻崩潰得極快。當大批步兵都已紛紛強渡之時，古德林的戰車就從空隙中掃過，直趨馬恩河上的沙隆（Chalons-sur-Marne），然後再繼續向東奔馳。到了六月十一日，克萊斯特也拓寬了掃蕩的範圍，在沙托特里（Chateau-Thierry）渡過了馬恩河。這種追逐以賽跑的速度前進，越過了蘭格爾高原（Plateau de Langres），直趨柏桑松（Besancon）和瑞士的國界——切斷了所有一切在馬奇諾防線中的法軍。

早在六月七日，魏剛即建議法國政府應立即要求休戰而不可以再拖，次日他宣稱「索穆河之戰是已經輸了。」法國政府，雖然意見分歧，但卻仍不願屈服，遂於九日決定撤離巴黎。由於遷往何地爭論不決，有人主張不列塔尼（Brittany），又有人主張波爾多（Bordeaux），於是終於折衷遷到了都爾（Tours）。同時雷諾向美國總統羅斯福發出了一個求救的呼籲。他慷慨激昂的宣傳著說：「我們將在巴黎的前面戰鬥；我們將在巴黎的後面戰鬥；我們將在某一省內閉關堅守，而假使我們被逐出了，我們將前往北非繼續奮鬥……」

六月十日義大利宣戰。法國曾向墨索里尼表示願意讓與某些殖民地的利益，但卻已經太遲了。為了希望能改善其對希特勒的地位，墨索里尼斷然拒絕了這些條件。不過一直又過了十天，義大利才開始發動一個攻勢，但卻很輕鬆的為微弱的法國守軍所擊退。

六月十一日，邱吉爾飛往都爾想替法國領袖們打氣，結果是徒勞無功。次日魏剛又向內閣致詞，告訴他們仗是已經打敗了，而兩次失敗都應由英國人負責，然後就宣稱：「我有責任必須明白的說非停戰不可。」那是殊少疑義的，在此種軍事情況的研判中，魏剛並沒有錯，因為法國軍隊現在已經四分五裂，這些殘部都已士無鬥志，根本就不想再打，而一心只想向南逃命。此時法國內閣意見仍不一致，有人主張投降，有人主張以北非為基地再繼續打下去，最後只決定了政府遷往波爾多，並命令魏剛在羅亞爾河（Loire）上企圖再建立一道防線。

德軍於六月十四日進入巴黎，而在側面上的進展則更深入。十六日他們達到隆河（Rhone）流域。在這個期間之內，魏剛仍繼續不斷的壓迫政府求和，所有主要的軍事指揮官也都支持他。為了作最後的努力，並保證法國可以在北非立足起見，邱吉爾遂提出一項驚人的建議，主張組成一個「法英聯邦」（Franco-British Union）。這個建議除了製造刺激以外，是毫無其他有利的作用。法國內閣曾對它作了一次表決，結果大多數反對，於是遂急轉直下而決定投降。雷諾辭職，由第一次大戰時碩果僅存的英雄貝當元帥（Marshal Petain）出組新閣。六月十六日夜間向希特勒提出休戰要求。

希特勒的條件在六月二十日送交給法國代表——在康白尼森林中的同一輛火車廂內，即一九一八年德國代表簽署休戰協定的舊地。德軍仍繼續前進，到二十二日法國才接受德國的條件。在與義大利也安排休戰之後，於是在六月二十五日上午一點三十五分休戰正式生效。

第八章　不列顛之戰

雖然戰爭的發動是始於一九三九年九月一日，首先是德軍侵入波蘭，接著在兩天之後，英法兩國就相繼對德國宣戰，但有一件事卻是歷史上所未有的奇聞，希特勒和德國最高統帥部對於如何應付英國的反對，是既無計畫復無準備。更奇怪的是，在德國於一九四〇年五月發動西線大攻勢之前，整整將近九個月的長時間之內，在這一方面也還是一事未做。甚至於在法國已經顯明的被擊敗，其崩潰已成定局之後，德國人還是不曾從事任何計畫作為。

所以似乎非常的清楚，希特勒相信只要他肯給予有利的條件，則英國政府一定會同意接受一個妥協的和平。儘管他是那樣的雄心勃勃，但他卻並不想和英國人拚一個你死我活。因此，希特勒所給予德國將領們的暗示是戰爭已經過去了，對於軍人已經開始准假，一部分飛機也已經移向其他假想有潛在威脅的地區。尤其是在六月二十二日，希特勒又命令把三十五個師的兵力復員。

儘管邱吉爾已經堅決的拒絕任何妥協，並明白宣示其繼續戰爭的決心，但希特勒卻仍然相信

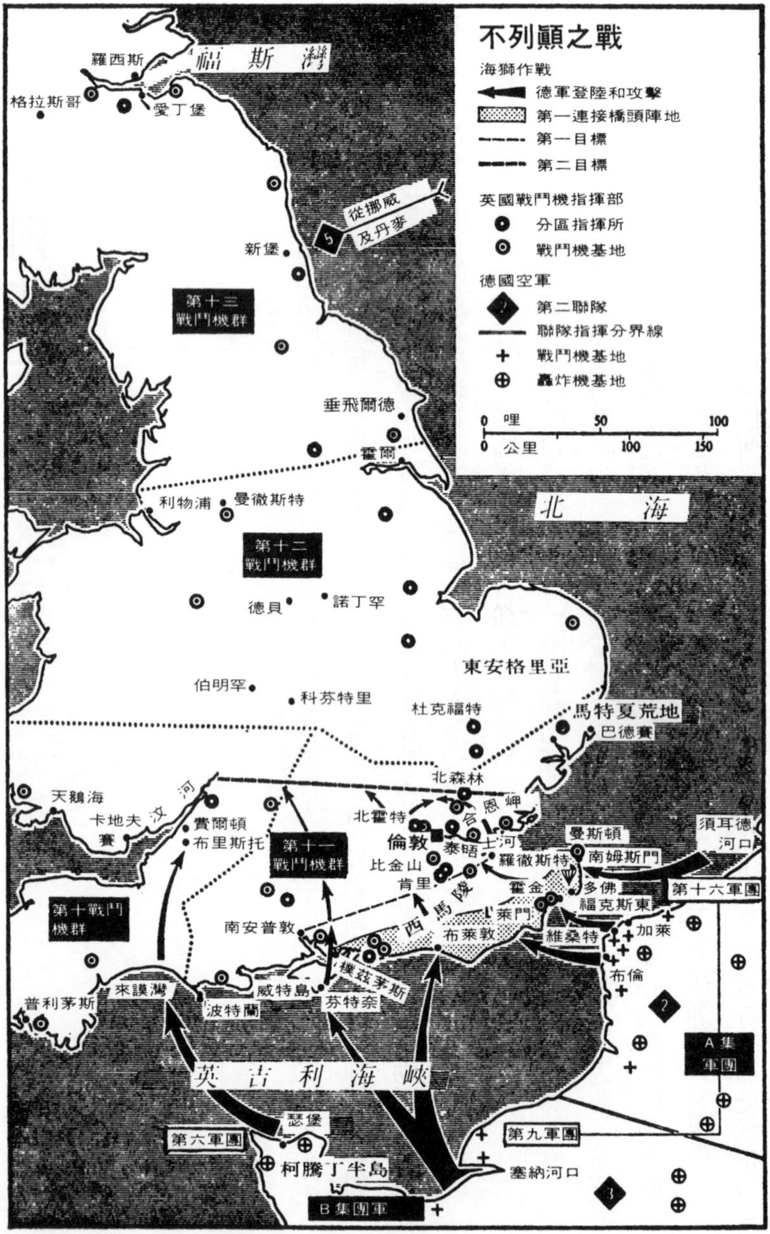
不列顛之戰
海獅作戰
德軍登陸和攻擊
第一連接橋頭陣地
第一目標
第二目標
英國戰鬥機指揮部
分區指揮所
戰鬥機基地
德國空軍
第二聯隊
聯隊指揮分界線
戰鬥機基地
轟炸機基地
0 哩 50 100
0 公里 100 150
福斯灣
羅西斯
格拉斯哥
愛丁堡
從挪威及丹麥
5
新堡
第十三戰鬥機群
垂飛爾德
霍爾
利物浦
曼徹斯特
北海
第十二戰鬥機群
德貝
諾丁罕
東安格里亞
伯明罕
科芬特里
杜克福特
馬特夏荒地
巴德賽
北森林
天鵝海
汶河
卡地夫
賽
費爾頓
布里斯托
北霍特
恩
岬
倫敦
合
泰晤士河
曼斯頓
須耳德河口
第十一戰鬥機群
比金山
羅徹斯特
南姆斯門
肯里
多佛
第十六軍團
霍金
福克斯東
第十戰鬥機群
萊門
西馬陵
南安普敦
布萊敦
維桑特
加萊
機茲茅斯
威特島
布倫
來謨灣
普利茅斯
波特蘭
芬特奈
2
A集團軍
英吉利海峽
瑟堡
第六軍團
第九軍團
柯騰丁半島
塞納河口
3
B集團軍

那不過是故意說大話，他感覺到英國人必然會承認他們自己的軍事情況已經毫無希望。希特勒很久都不肯放棄他這種幻想，直到七月二日，他才開始命令研究用侵入方式來打倒英國的問題；甚至於到七月十六日，又過了兩個星期，當他命令開始準備這個侵入行動時，他對於有無此種需要也仍然表示懷疑。不過，他卻又說，在八月中旬之前必須完成這個「海獅作戰」（Operation Sealion）的一切準備。

七月二十一日，希特勒曾經告訴哈爾德，說他有意想轉過面來先解決俄國問題，如可能也就想在本年秋季發動對俄國的攻擊。由此可以證明他內心裡的猶豫和矛盾。二十九日，最高統帥部的約德爾曾經告訴他的助手華里蒙特，希特勒已經決心對俄國發動戰爭。幾天以後，古德林裝甲兵團的作戰幕僚人員曾被送回柏林去準備在這樣的戰役中如何使用裝甲部隊的計畫。

當法國崩潰時，德國陸軍對於像侵入英國這一類的行動可以說是毫無準備。那些幕僚人員對於這種問題想都不曾想過，更談不上研究，其部隊從未受過海運和登陸作戰訓練；從來不曾因為這種目的而去建造登陸船隻。所以一切能夠做到的準備，就只是匆匆忙忙的去徵集船隻，從德國和荷蘭拖了許多駁船，將它們送到沿海峽的各港口；並給予部隊以若干上船和下船的實習。僅由於在法國喪失了其武器裝備的大部分，而使英國部隊暫時陷於「赤手空拳」的狀況時，這種臨時趕工拼湊的侵入作戰也許才有成功的可能性。

這個作戰的主要部分是賦予倫德斯特元帥和他的A集團軍。他指揮著兩個軍團：布西將軍（General Busch）的第十六軍團在右，斯特勞斯將軍（General Strauss）的第九軍團在左。從須耳德河口到塞納河口之間的各港口上船，海軍部隊將在福克斯東（Folkestone）到布萊敦（Brighton）之間的英格蘭東南海岸上集合，而一個空降部隊則被派前往攻占岩石滿布的多佛—福克斯東地區。在這個「海獅作戰」計畫之下，四天之內應有第一波兵力十個師登陸，以建立一個寬廣的灘頭陣地。約在一星期後，向內陸的主攻前進就應開始；其第一目標為達到沿泰晤士河口（Thames estuary）到樸茲茅斯（Portsmouth）之間一道弧形高地。在次一個階段，就要從西面切斷倫敦對外的交通。

B集團軍的第六軍團，在賴赫勞元帥指揮之下，擔負著一個助攻的任務。其第一波兵力為三個師，從瑟堡（Cherbourg）出發，將在波特蘭（Portland）以西的來謨灣（Lyme Bay）登陸，並向北推進到塞汶河（Severn）口為止。

侵入軍的第二波兵力是用來擴張戰果的機動部隊，包括六個裝甲師和三個摩托化步兵師，分組為三個軍。接著還有第三波兵力，共為九個步兵師；和第四波兵力，共為八個步兵師。雖然在第一波兵力中沒有裝甲師，但卻還是配屬了戰車約六百五十輛，那都是要由其兩個梯隊中的第一梯隊攜帶渡海——在其總兵力二十五萬人之中，領先的梯隊約占了三分之一強。要想把這個分為兩部分的第一波兵力接過海峽，估計需運輸船一百五十五艘，總噸數約七萬噸，此外還需要三千多艘較小型的船隻——一千七百二十艘駁船（Barges），四百七十艘拖船（Tugs），和一千一百六十艘摩托快艇（Motorboats）。

七月下旬開始準備時，德國海軍參謀本部就立即宣稱為了發動「海獅作戰」必須集中的如此大量船隻，至早也要到九月中旬才能準備完成——儘管希特勒已經命令要在八月中旬以前完成一切的準備工作。事實上在七月底，海軍參謀本部甚至於還曾建議想把這個作戰延到一九四一年的春季再執行。

但那些並非唯一的阻礙。德國陸軍將領們對於他們部隊在渡海所冒的危險也是很感憂懼。無論是他們自己的海軍也好，或是空軍也好，他們對其有無確保中途安全的能力，都很少有信心。所以他們力主侵入行動應採取足夠寬廣的正面，從南姆斯門（Ramsgate）到來謨灣，以分散敵方守軍的兵力和注意。德國海軍將領對於英國艦隊攔截更感到惶恐，他們深信自己的兵力薄弱，很難阻止英國艦隊的干擾，所以他們從一開始起就堅持認為陸軍的寬正面侵入計畫是海軍所不可能保護的，並主張渡海的兵力只能限於相當小型的部隊，其路線必須在相當狹窄有水雷掩護的走廊之內。這樣的限制也就更加深了陸軍將領們的疑惑。此外，賴德爾又特別強調在渡海地區上空必須享有空中優勢。

在七月三十一日和賴德爾作了一番討論之後，希特勒採納了海軍的意見，同意在九月中旬以前「海獅作戰」是不能夠發動的。但這個作戰也還不曾確定延期到一九四一年再執行，因為戈林曾向希特勒保證他的空軍能夠阻止英國海軍的干擾，並同時把英國空軍逐出天空以外。海陸兩軍的將領都很願意讓戈林去打頭陣，讓他去嘗試發動一次預備空中攻勢，除非等到這個攻勢已經成功，否則他們也就不必先作任何肯定的承諾。

結果，這一個空中攻勢並未成功，於是在空中的鬥爭也就變成了不列顛決定性會戰的主要特徵——而且的確也是唯一的特徵。

德國空軍所享有的優勢並不像當時一般人所想像的那樣巨大。它並不能使用大量的轟炸機，一波接著一波來維持連續不斷的攻擊，那也正是英國老百姓所深感畏懼的，而它所擁有的戰鬥機在數量上也比英國的多不了太多。

這個攻勢主要的是由第二和第三兩個航空隊（Air Fleet，德文為Luftflotten）來執行，其指揮官分別為凱賽林（Albert Kesselring）元帥和史培萊（Hugo Sperrle）元帥，前者以法國東北部和低地國家，即荷比兩國為基地，後者以法國北部和西北部為基地。每一個航空隊都是一支自成單位的部隊，包括所有不同的組成單位——當在波蘭和西歐與陸軍合作時，這種整體化的編組（Integration）是很有利的，但在完全是空軍的作戰中，就變得不那樣有利了。每個航空隊都策定其自己的計畫，而且各自為政，互不相謀，根本上就沒有一個全盤計畫。

八月十日，當攻勢就要猛烈發動時，這兩個航空隊共有水平（高空）轟炸機八百七十五架，俯衝轟炸機三百一十六架。（這些俯衝轟炸機被證明是太易於為英國戰鬥機所擊毀，所以在八月十二日以後即退出戰鬥，並保留供爾後侵入作戰時之用。）

此外，駐在挪威和丹麥，由斯徒福將軍（General Stumpff）所指揮的第五航空隊也有高水平轟炸機一百二十三架，但它一共只參加了一天的戰鬥，因為損失太重，所以遂再未作這樣遠距離的出擊。不過由於這支兵力的存在，對於英國方面也就多少產生了一些牽制作用，使英國戰鬥機司令部必須在英格蘭的東北部保持一部分兵力。此外，在八月的下半月，它也曾提供大約一百架轟炸機以補充第二和第三兩個航空隊的損失。

在八月十日開始會戰時，德國方面共有可用的戰鬥機九百二十九架。它們大部分都是單引擎的梅塞希密特（Messerschmitt）一〇九式（Me 109），不過也有二百二十七架雙引擎和相當長程的Me 110式。Me 109式的原型是在一九三六年出現，最高速度超過每小時三百五十哩，而其高爬升率也使它對於英國的戰鬥機獲得了更進一步的優勢。但在旋轉和翻滾上，它在和英國飛機交戰時卻是居於不利的地位。此外，和英國飛機不同，它們在會戰開始時，大部分對於駕駛員都沒有提供裝甲的保護，但它們卻有避彈（Bullet-proof）油箱，那卻是英國人所沒有的。

在此次會戰中，有限的航程對於德國單引擎戰鬥機是一個決定性因素。對於Me 109來說，其官方宣稱的巡航距離為四百一十二哩，這是一種非常容易引起誤解的數字。其真正的活動半徑，包括去回距離在內，只能達一百哩強。從加萊或柯騰丁半島（Cotentin Peninsula）起飛，只能剛剛達到倫敦，和在那裡作極短時間的戰鬥。再換一種說法，其全部的飛行時間只有九十五分鐘，其中所能給予的戰術飛行時間（Tactical Flying Time）僅為七十五到八十分鐘。當轟炸機損失慘重之後，遂不得不使用戰鬥機來護航。由於一架轟炸機需要兩架戰鬥機來保護，所以甚至於僅只攻擊在英國南部的目標，每天所出動的轟炸機也不能超過三、四百架。

Me 109在起飛和降落時又都很難操縱，因為它的起落架心較脆弱，而在法國海岸上那種匆忙趕建的飛機場中，這種困難也就更為嚴重。

雙引擎的Me 110，雖然名義上其最高時速為三百四十哩，但實際上卻是相當的慢——通常只有三百哩，甚或還更少——所以很易於被英國的噴火式（Spitfire）所趕上。這種飛機不易加速，而且不靈活。據說德國人的原意是要使它成為戰鬥機中的「一朵奇葩」，但結果卻是一項最令人感到失望的技術失敗——甚至於連它本身都需要用Me 109來加以保護。

但德國戰鬥機的最大弱點還是其無線電裝備的原始化。他們也有無線電話可供在飛行中互相通訊之用，但若與英國人所用的裝備相比較，則是非常的粗劣——而他們也不可能從地面上來加以管制。

在法國損失了四百多架之後，到七月中旬，英國空軍戰鬥機的實力又已經重建到大約六百五十架的數字——這也就是當五月間德國發動攻勢時，他們所原有的實力。他們大部分都是颶風式（Hurricane）和噴火式，不過也還有接近一百架的其他較舊式的飛機。

這種驚人的恢復大部分應歸功於比費布羅克勛爵（Lord Beaverbrook）的努力，他是在五月間邱吉爾內閣成立時，出任新成立的飛機生產部的部長。批評他的人說，由於精力旺盛，遇事干涉，所以對於長期的進步產生了不利的影響。但是戰鬥機司令部總司令，道丁上將（Air Chief Marshal Sir Hugh Dowding），卻在官方記錄上宣稱：「此項任命的效果只能說是奇蹟。」到仲夏時，戰鬥機的生產已經增加了兩倍半，而在全年內英國生產了戰鬥機四千二百八十三架，德國所生產的單引擎和雙引擎戰鬥機總數卻只剛剛超過三千架。

在兵器方面的相對情況就比較難於確定。颶風式和噴火式都只裝有機關槍，一共是八挺，分別裝在機翼前緣。這種機槍是美國白朗寧式（Browning）——所以要選擇此種兵器的理由：一方面是它對於遙控具有足夠的可靠性，另一方面是射速高，每分鐘達一千二百六十發。Me 109戰鬥機通常是在機首整流罩中裝置兩挺固定機槍，而在機翼中則有兩門二〇公厘機關砲——此種兵器是根據西班牙內戰的經驗而發展成功的。那次戰爭被德國空軍用來作為一個試驗場——Me 109就是在那裡試驗出來的，此外還有現在被淘汰的他種較早型式的戰鬥機。

賈南德（Adolf Galland），為德國的一位空戰英雄（ace），在其事後的回憶中，認為Me 109的兵器毫無疑問的比較好。英國方面的意見就不一致，有人認為白朗寧的射速較高，可以在短時間內發揮相當威力，不過也有人認為五六顆砲彈所造成的損害遠超過了大量的機關槍火力——而又有些英國飛行員也抱怨說，儘管確信已經擊中，但對方好像沒有事一樣。值得注意的是在會戰過程中，也有三十多架噴火式裝置了兩門二〇公厘砲，而裝著四門砲的颶風式從十月以後也開始使用了。

德國轟炸機的兵器實在是太差——只有幾挺可以自由旋轉的機槍。那是很清楚的，而且也是一開始就可以證明的。所以若無戰鬥機的保護，他們本身是不可能擊退英國戰鬥機的攻擊。

在戰鬥機駕駛員方面，雙方情況的比較更為複雜，而在會戰的較前階段，英國實居於不利的地位。雖然訓練水準較高，但在數量上卻感到嚴重的缺乏。英國空軍的訓練學校擴張得很慢，而他們的缺點也就影響到戰鬥的進行。消耗被減到了最低限度，甚至於不惜讓某些空襲通過而不加以攔截。所以道丁的主要煩惱不是飛機而是人員。

由於在七月間設法節省其資源，所以到了八月初，道丁居然能夠把他的駕駛員實力增到了一千四百三十四人——而海軍航空隊也還借了六十八個人給他。但一個月後，這個數字降低到了八百四十人，而每個星期的平均損失為一百二十人。在另一方面，英國空軍的作戰訓練單位在一整個月內所能交出的戰鬥機駕駛員還不足二百六十人。九月間的情況是更為惡劣，因為技術優良的人員越來越少，而剛剛加工訓練出來的新人由於經驗不夠所以傷亡率也就特別高。用來代替疲憊不堪單位的新中隊所受到的損失往往比舊單位要高。有許多人員因為過分疲倦，也就士氣頹喪，甚至於變得精神失常。

德國在數量方面最初沒有這麼多的困難。儘管在五、六兩個月內，他們在歐陸上的損失很重，但飛行學校所能生產的駕駛員比前線部隊所需要的數量還要多。但因為戈林和其他的空軍首長一向看不起戰鬥機兵種，認為它只是防禦性的和次要性的，所以在士氣上受到很大的打擊。

此外，由於補充轟炸機和俯衝轟炸機人員的損失，又把戰鬥機單位中的最佳駕駛員浪費了不少，而戈林還不斷批評他們缺乏朝氣，把德國空軍一切失敗的責任都硬加在戰鬥機部隊的頭上——實際上，大部分是由於他個人缺乏遠見，以及在計畫作戰中的錯誤。在另一方面，英國戰鬥機駕駛員的士氣卻不斷的受到鼓勵和增強，在那個緊要關頭上，他們變成了邱吉爾所誇耀的「少數人」（Few），皇家空軍的精華，和整個民族的英雄。

因為他們給護航的任務拖得精疲力竭，所以德國戰鬥機部隊的飛機和人員也就日益感到心力交瘁——通常一天要出擊兩三次，有時會有五次之多。戈林不准他們有休息日，也不准前線單位輪調。所以在慘重的損失之外又再加上此種單純的疲倦。因此到了九月，士氣就已經變得極為低落。同時，那些駕駛員對於德國當局是否真正有意執行侵入戰也開始感到疑惑，他們覺得一切的準備都是近乎兒戲，那麼他們為了這一場假戲而作真正的犧牲實在是太不值得。

轟炸機人員所受到的損失更重，而且他們也感覺到對於英國戰鬥機的攻擊無法抵抗。所以儘管仍繼續英勇的執行命令，但士氣卻早已一落千丈。

總而言之，在會戰的初期，雙方在技術和士氣上大致是勢均力敵，經過了不斷的消耗，英國方面的損失和疲倦固然非常的嚴重，但他們都可以感覺到對方的情形還要更嚴重，這種事實和感覺也就幫助他們逐漸獲得優勢。

在整個會戰期中，德國方面又經常受到另一種障礙，那就是貧乏的情報。在執行攻勢作戰時德國空軍的基本指導就是一種名叫《藍色研究》（*Blue Study*）的戰前手冊，其中包括著英國工業的大致分布情形，以及概括的空中攝影偵察結果。此外德國空軍本身的情報單位，其首長僅為一少校，所以對於此種工作的補充也非常的有限。一九四〇年六月，這位希米德少校（Major Schmid）在其對於英國空軍的調查報告中，把英國戰鬥機生產數字估計得非常的低，認為每月只有一百八十架到三百架——實際上經過比費布羅克勛爵的努力，在八、九兩個月中，颶風式和噴火式戰鬥機的產量實際上已經增到四百六十架到五百架。（此種巨大錯誤所產生的虛偽印象又受到了烏德特將軍〔General Udet〕生產部所作的報告的增強，那是僅只強調颶風式和噴火式的弱點，而未指出他們的優點。）

在希米德少校的調查報告中從未提及英國空軍完整而嚴密的防禦系統，包括其雷達站作戰室和高頻無線電網等在內。但是設在蘇福克（Suffolk）海岸邊巴德賽（Bawdsey）地方的英國雷達研究站，以及沿海岸到處都有的高大雷達天線架，在戰前幾乎開放在良好的情報觀察之下，所以到了一九三九年，若說德國人對於英國警報系統的重要特徵仍然缺乏情報資料，那似乎是不可能的。雖然德國人在一九三八年就知道英國人在進行雷達的試驗，而且甚至於一九四〇年五月在布倫（Boulogne）的灘頭上，還曾俘獲一套機動雷達站，但他們的科學家卻認為這種儀器很粗劣。當德國占領了法國的大部分時，在那裡也可以獲得更多有關英國雷達的資料，因為法國人對於保密一向很隨便。但似乎德國人卻並不曾利用這些機會。戈林本人對於雷達的潛在威力更是絲毫不曾加以考慮。

因此，一直等到七月間德國人沿著法國海岸設立了他們的監聽站之後，才開始了解從英國海岸上那些雷達天線上所發出的奇異訊號是一種非常重要的新東西。即令如此，德國空軍領袖們對於英國雷達的涵蓋範圍和效力還是估計頗低，而且也不曾對它作干擾或摧毀的努力。甚至於當他們已經發現英國戰鬥機在作戰時是受到嚴密的無線電管制時，也還是並不怎樣感到憂慮——他們的結論認為這種系統將使英國戰鬥機司令部喪失彈性，而大規模的攻擊也可以擊潰這種系統。

在激烈空戰中對於敵方的損失估計總是有誇大的趨勢，這原是雙方所共有的毛病，但對於德國方面所產生的不良影響卻比較嚴重。最初，德國空軍的情報對於道丁的實力可以說估計得相當的正確，一共約有五十個中隊的颶風式和噴火式戰鬥機，其作戰實力約為六百架，而在英格蘭南部的最多，為其中的四百到五百架。但自從戰鬥展開之後，因為一方面把英國人的損失估計過高，另一方面又把英國飛機的生產量估計太低，所以也就不斷的計算錯誤而發生混亂。結果使德國空軍駕駛員看到英國戰鬥機在戰場上的實力始終能夠維持時，逐不免大感困惑而影響到他們的士氣。所報告已被擊落的敵機數字要比實際存在的數字還多。

另一個計算錯誤的原因是德國空軍將領有這樣一種習慣，當他們轟炸一個英國戰鬥機基地時，也就順手用紅鉛筆把那個基地上的英國空軍中隊都劃掉了。這又有兩種原因：一方面是空中攝影偵察的不可靠；另一方面是對於偵察結果所作的分析過分樂觀。舉例來說，德國空軍估計到八月十七日為止，已經有十二處機場「永久被毀」（Permanently destroyed）——但事實上，只有在曼斯頓（Manston）的一個機場曾在相當時間之內不能使用。此外，德國空軍又浪費了很多氣力來攻擊英國東南部的機場，那卻並非戰鬥機指揮組織中的一部分。同時，德國空軍首長們又未能認清「分區指揮所」（Sector Station）在戰鬥機指揮組織中的巨大重要性，例如在比金山（Biggin Hill）、肯里（Kenley）和合恩岬（Hornchurch）等地所設立者——德國人更不知道他們的作戰室都是在地面上，很危險的暴露著。八月底德國空軍對於這些分區指揮所雖曾作過一次猛烈的攻擊，但以後就不曾再繼續執行。

另一個對德國人的障礙就是天氣，這又有雙重的意義：英吉利海峽上空的天氣常常都是不利於攻擊方面的，而這種不利的天氣又常是從西邊來的，所以英國人總是可以比較先知道。德國人對於英國人從大西洋上所發來的氣象報告無線電密碼已經能夠譯出，但他們對此卻並不曾好好的加以利用，所以還是常常吃虧。尤其是其轟炸機與戰鬥機在會合時間的配合上經常受到意外雲層和惡劣能見度的破壞。由於轟炸機人員缺乏「盲目」飛行的經驗，所以在法國北部和比利時上空的雲層會使他們老趕不上預定的會合時間；而戰鬥機卻不能浪費燃料，所以無法等候，就只好臨時去支援其他的轟炸機，結果是使某一隊轟炸機獲得了加倍的掩護，而另一隊卻毫無掩護，於是也就自然會受到重大的損失。等到秋季接近時，天氣變得更壞，於是這種差錯的機會也就更多，所造成的損失也就更為慘重。

不過有一點，由於有較好的計畫，德國人卻是比較居於有利的地位。英國的海空救難工作最初非常缺乏效率，一個駕駛員若落在海中，其被救起的機會就只能碰運氣了。因為在八月中旬，幾乎有三分之二的重要空戰都是發生在海面上空，所以這種損失也就變得非常嚴重。德國人卻有較好的組織。他們使用了三十架漢克爾（Heinkel）製水上飛機來從事救難的工作，他們的戰鬥機駕駛員和轟炸機乘員都裝備有可以充氣的橡皮小艇、救生衣、信號手槍和能夠把周圍海水染成一片亮綠色的化學藥品。一位戰鬥機駕駛員若落在海中，他大概可以有四十秒到六十秒的時間來讓他在飛機沉沒之前爬出。假使不是有這種比較良好的救難措施，則德國空軍士氣的崩潰可能還會更快。

除了英國空軍的戰鬥機以外，指派負責防空的英國高射砲部隊也使德國空軍的攻勢受到了強力的反抗。這些單位是由陸軍所提供，也屬於陸軍，但在作戰時卻受皇家空軍戰鬥機司令部的管制（一如配屬給英國的遠征軍一樣）。假使說他們在不列顛之戰中所擊落的德國轟炸機數量是相當的少，但他們的功勞卻還是很大：高射砲的火力使攻擊者在作戰時受到了普遍的擾亂，而尤其是使轟炸命中率大為降低。

英國高射砲兵司令為派爾中將（Lieutenant-General Sir Frederick Pile）。他本是砲兵出身，當一九二三年英國皇家戰車兵種成為一種永久性組織時，他就轉入了這個兵種，而不久就變成了機動裝甲部隊的最活躍提倡者。但在一九三七年，晉升了少將之後，英國陸軍部就派他充任第一防空師（Anti-Aircraft Division）的師長，這個師正負責保護倫敦和英國南部。次年兩個防空師被擴編為五個，然後又增為七個。在一九三九年七月底，即戰爭的前夕，綽號「提門」（Tim）的派爾晉升了中將，負責指揮全部的防砲兵力，包括那些正在編組的輕型防砲兵連在內——這些單位是負責防禦機場以及其他重要據點以對抗低飛敵機的攻擊。

阻滯汽球（ballon barrage）是應付此種攻擊的另一種有價值的工具——一連串臘腸形的汽球，用鋼索將其固定在五千呎的高度上。這是由空軍本身所提供，也在個別控制之下，不過仍在戰鬥機司令部的整個作戰系統之內。

在戰前的幾年間，為了國內防禦而擴充高射砲兵部隊的計畫常常受到陸軍當局的強烈反對，而最好也不過是勉強同意而已。因為照他們看來，增強防空兵力也就無異於暗中減少陸軍的實力。所以當派爾在努力發展這些防空部隊和增進他們的效率時，在陸軍部中不僅遭遇到許多的障礙，而且也使他本人成為不受歡迎的人物——這也就使他喪失了再回到陸軍主流和獲得進一步升遷的機會。但對於國家而言，這又未嘗不是幸事，因為他已經成功的和道丁建立了親密而和諧的關係，那是一位很難相處的人，而他們之間卻合作得至為良好。

當戰爭爆發時，即一九三九年九月初，已被批准的防空司令部編制已經逐步增加到了二千二百三十二門重型高射砲的規模——比兩年前所未通過的「理想」計畫幾乎超過了一倍——此外還有一千八百六十門輕型高射砲，和四千一百二十八具探照燈。不過，由於猶豫和拖延的結果，當戰爭爆發時，實際可以部署的卻只有重砲六百九十五門，和輕砲二百五十三門——即分別僅占批准數字的三分之一和八分之一。但比一年前慕尼黑危機時卻還是進步了不少，那時能立即使用的重高射砲共只有一百二十六門。探照燈的情況比較良好，已經部署的數字為二千七百具，在批准的四千一百二十八具中已超過三分之二。

戰爭一起就帶來了新的問題：海軍部要求二百五十五門重高射砲以掩護其六個艦隊停泊處——在戰前海軍部是從未提出過這一類的要求，他們一直堅信其軍艦能夠憑藉其本身的高射槍砲擊退任何的空中攻擊，而不需要任何外來的協助。現在為了掩護在福斯灣（Firth of Forth）的羅西斯（Rosyth）停泊處，就要求了九十六門砲——這和用來掩護整個倫敦城的數字一樣多，而比用來掩護德貝（Derby）地區的數字要多了四倍。最重要的勞斯萊斯（Rolls-Royce）引擎工廠就位置在德貝地區之內。

一九四〇年四月對於挪威的遠征又帶來了更大的需求，並消耗了許多輕重型的兵器。

於是，在六月間法國淪陷之後，大不列顛本身的防空情況也就急轉直下，因為從挪威到不列塔尼，英倫三島已經被包圍在一個由敵方空軍基地所構成的圈子內。

此時，英國高射砲司令部的實力已經增加到重砲一千二百零四門，輕砲五百八十一門——比之戰爭爆發時的數字，前者增加了差不多一倍，後者則超過了一倍。若非各種不同的消耗，則情況也許還可以更好一點。在以後的五個星期當中，又分別增加了一百二十四門重砲和一百八十二門輕砲，但前者的一半和後者的四分之一卻不能不分配給訓練單位和海外部隊，由於義大利已經參戰，所以某些海外地區現在也開始感受威脅。到了七月底，大不列顛的對空防禦所需的重高射砲還只相當於戰爭爆發時所認為必要的數字之一半，而輕高射砲則僅及三分之一——但戰略環境卻遠比當時所假想的更為惡劣。採照燈的數量比較充足，現在已有者已接近四千具，差不到可以達到標準編制——不過由於環境的改變，現在所需要的數量也已經大增。

在不列顛之戰的序幕階段中，我們所看到的僅為德國空軍對於英國船隻的海峽方面的港口，逐漸展開其攻擊，同時也偶然的企圖引誘英國戰鬥機出來和他們交戰。直到八月六日為止，德國空軍的主要指揮官凱賽林和史培萊對於攻勢的執行都尚未接獲任何明確的指示——所以在最初階段，其作戰型態很令人感到莫測高深。[1]

對船隻的正式攻擊始於七月三日，而翌日由八十七架俯衝轟炸機所組成的部隊，在Me 109的掩護之下，攻擊在波特蘭（Portland）的海軍軍港，但並無太大的效果。七月十日，一支小型的轟炸機部隊，在大批戰鬥機掩護之下，攻擊在多佛附近海中的一個船團。值得重視的是Me 110遠非英國颶風式的敵手，後者是被派往掩護該船團的，七月二十五日，另一船團在同一地區中受到了較重攻擊之後，英國海軍部遂決定只在夜間才讓船團通過海峽，又因為德國空軍對於英國驅逐艦曾作幾次成功的攻擊，於是也就決定把駐在多佛的那些驅逐艦撤到樸茲茅斯。另一個船團在八月七日夜間企圖通過，為維桑特（Wissant）附近岩岸上的德國雷達所發現，於是次日就受了俯衝轟炸機的攻擊。這些俯衝轟炸機在戰鬥機掩護之下分成若干個攻擊波，一次可以多到八十架。他們擊沉了約近七萬噸的船舶——所付出的成本為三十一架飛機。

十一日，在混亂的戰鬥中，英國空軍損失了三十二架戰鬥機。即令如此，在這個從七月三日到八月十一日的階段中，德國人一共損失了三百六十四架轟炸機和戰鬥機，而英國空軍則僅損失了二百零三架戰鬥機——只要一個星期的生產量即可以補充這樣大的損失。

遲到八月一日希特勒才正式命令德國空軍，應「盡可能迅速摧毀敵方的空軍」。戈林與他手下的大將們商討一番之後，就決定大攻勢的開始定為八月十三日——這就是所謂「鷹日」（Adlertag）。在序幕階段對於德國空軍之成功所作的過分樂觀報告，使戈林深信只要天氣良好，四天之內他就可以獲得空中優勢。但到了八月十三日，天氣卻已經變得比較不利。

儘管如此，在「鷹日」這一天，德國空軍對於英國東南部的戰鬥機機場和雷達站發動了第一次轟炸攻擊。在曼斯頓、霍金（Hawkinge）和萊門（Lympne）等地的前進機場都受到很重的損失，有一些雷達站在幾個小時之內也都不能使用。在威特島（Isle of Wight）上芬特奈（Ventnor）地方的一個雷達站完全被炸毀，但利用其他發送機的訊號使德國人始終未能發現這個事實。雷達

1 原註：當時派爾將軍每天都把空襲的情況圖送給我看，希望我能找到一點線索，但我也無法看出其明確的型態或目的。

塔的本身足以使俯衝轟炸機不易炸到其基層附近的操作室，同時德國人也始終誤以為那是安全的設在地下。在這一方面也應歸功於空軍婦女輔助隊的那些女雷達員，她們都是一直留在崗位上工作，直到自己的雷達站被炸時為止。

由於在英國東南部上空有濃密的雲層，所以戈林遂決定等到下午再發動主力攻擊——但因為有幾個部隊接到命令較遲，於是也就在漫無組織的空襲中浪費了他們的力量。等到下午發動大攻擊時，又還是太分散，所以結果也就很令人失望。在那一天，德國空軍共出動了一千四百八十五架次，比英國空軍要多一倍。德國人共付出了八十五架轟炸機和戰鬥機的成本，但卻只擊落了十三架英國戰鬥機——雖然他們宣稱已經擊毀了七十架。

在這個主力攻勢的開始階段，因為攻擊那些並不屬於英國戰鬥機指揮系統的機場，而浪費了德國空軍的很多力量——因為只有戰鬥機機場才應該是他們的主要目標。此外，轟炸機編隊與護航戰鬥機之間的協調也頗為惡劣，所以也就吃了很大的苦頭。

次日，八月十四日，雲層把攻擊的數量減到大約只相當於第一天三分之一的程度；但到了十五日上午天氣好轉之後，德國空軍遂開始發動在全部會戰中一次最大的攻擊——一共是一千七百八十六架次，其中所使用的轟炸機超過了五百架。第一次攻擊是以在霍金和萊門的機場為目標，儘管前者比較重要，但卻未受嚴重的損毀，而後者則有兩天不能使用。

於是在午後不久的時候，就有一百多架來自第五航空隊的轟炸機，分成兩個編隊，飛過了北海攻擊新堡（Newcastle）附近和在約克夏（Yorkshire）境內的機場。較大的一個編隊，約有轟炸機六十五架，從挪威的斯塔凡格起飛，由大約三十五架Me 110護航，但這些戰鬥機都顯得殊少掩護價值。這支部隊受到英國第十三戰鬥機群（Group）的猛烈抵抗，同時再加上高射砲的火力，結果被擊落了十五架，而英國空軍則完全沒有損失。另一支部隊，約為轟炸機五十架，從丹麥的阿堡（Ablborg）起飛，沒有戰鬥機掩護。雖然英國第十二戰鬥機群派了三個中隊去迎擊，但他們大部分卻還是到達了約克夏的垂飛爾德（Driffield）英國轟炸機基地，並造成相當的損失——不過在英國上空損失了七架轟炸機，回航時又損失了三架。

在南面，英國的防禦就比較不那樣成功——攻擊較重，次數較多，航程也較短。過了正午以後，三十架德國轟炸機，在大批戰鬥機保護之下，達到了羅徹斯特（Rochester），並轟炸在該地的蕭特（Short）飛機工廠，差不多在同時，二十四架戰鬥轟炸機的空襲也使在蘇福克的馬特夏荒地（Martlesham Heath）上的英國戰鬥機機場受到重大的損失。空襲的頻繁使雷達發生了混亂，於是英國的戰鬥機中隊只好各自為戰，到處追逐。所幸者是德國空軍的第二和第三兩航空隊在他們的攻擊上並無有效的協調，所以也就喪失了使英國空軍到處亂跑的有利機會。直到下午六時，德國第三航空隊才集中了大約兩百架飛機，飛過海峽去攻擊在英格蘭中南部的機場。在良好的雷達預警之下，負責掩護英國南部的第十和第十一兩戰鬥機群，出動了不少於十四個中隊的兵力，一共約一百七十架戰鬥機，以迎擊這個巨型的攻擊。結果使德國人的攻擊沒有獲得多少成就。不久以後，德國空軍第二航空隊又在東南部發動新的攻擊，共使用了一百餘架飛機，但仍然是立即遭到了強烈的抵抗，而沒有什麼戰果。甚至於當攻擊者到達他們的目標地時，他們也發現英國的戰鬥機都已有良好的疏散和偽裝。

這一天，也許即為整個會戰中最具有決定性的一天，德國人在英國全國的上空，實際損失了七十五架飛機，而英國戰鬥機的損失則僅為三十四架。值得注意的，德國空軍所曾使用的轟炸機數量不及其全部實力的一半——這無異於間接承認其轟炸機的作戰必須有賴於戰鬥機的掩護，後者卻幾乎全部都出動了。此外，這一天的作戰也已經明白證明出來德國的俯衝轟炸機，就是一向令人感到膽戰心驚的「斯圖卡」（Stukas），對於現在所企圖完成的任務是完全不配合——還有Me 110式戰鬥機也是一樣，儘管德國人對於這種型式的飛機曾經寄以極大的希望。

也就是在這一天，邱吉爾才感動得說：「在人類鬥爭的場合中，從來不曾有過這麼多的人對這麼少的人感恩這麼深！」

但是第二天，即八月十六日，德國空軍又作了另一次強大的努力——在幻想中他們以為在十五日這一天英國空軍已經損失了一百多架飛機，所以應該只剩下三百架戰鬥機。儘管第二天的攻擊曾經在幾處地方造成損失，但就其全體而言，還是令人感到失望。十七日儘管天氣良好，但卻未作重大的攻擊。十八日，德國人又重新作了一次較強大的努力，結果使他們損失了飛機七十一架（其中一半為轟炸機），而英國人則僅損失戰鬥機二十七架。此後攻擊就漸成尾聲。事實上，對於肯里和比金山的低飛攻擊曾經造成了相當的損失，而且極難對抗，因為他們來襲時是在雷達屏的水平線之下。但德國人卻不知道這個事實，而只感覺到損失太大，難以為繼。接著惡劣的天氣遂給會戰帶來了一度沉寂。

八月十九日，戈林曾召集其主要執行首長舉行另一次會議，經過了一番討論之後，就決定再繼續發動空中攻勢——用全力來擊滅英國的戰鬥機兵力。

在八月十日以後的兩個星期之內，德國空軍一共損失了一百六十七架轟炸機（包括四十架俯衝轟炸機在內），所以轟炸機的將領也就要求盡量加強戰鬥機的掩護。由於戈林有袒護轟炸機而責備戰鬥機的趨勢，所以也就更增加了兩個兵種之間的緊張和摩擦。

但在英國方面也同樣有摩擦的存在，尤其是兩位主要將領之間：一位是空軍少將派克（Air Vice-Marshal Keith Park），他是第十一戰鬥機群的指揮官，負責防守緊要的英格蘭東南部；另一位是空軍少將李馬洛（Air Vice-Marshal Trafford Leigh-Mallory），他指揮在中部的第十二戰鬥機群。派克強調在目標前方迎擊德軍並擊落其轟炸機的重要，他認為這樣可以迫使他們多用Me 109戰鬥機來擔負密集的護航任務，而那卻是這種飛機所不適宜的。李馬洛則認為這種戰法將使英國戰鬥機駕駛員太吃力，因為他們很容易在地面上受到敵人的捕捉，通常是在補充燃料時，或是還不能達到足夠的高度，即匆忙應戰。

對於所應使用的戰術也有爭論。李馬洛派是提倡「大編隊」（Big Wing）的理論，即集中多數戰鬥機組成巨型的攔截兵力。派克則堅持他的主張，他認為由於有雷達的幫助，英國戰鬥機可以採取較富彈性的戰術——即所謂「稀釋集中」（Diluted Concentration）的戰法。

同時，也有人認為道丁是採納了派克的意見，為了民心士氣之故，而過分故意的維持在東南地區中的前進基地。假使能撤到倫敦的後方，也就是超出了Me 109和他們所護送的轟炸機航程之外，則也許較為合算。

在八月八日到十八日之間，英國戰鬥機司令部一共損失了九十四位駕駛員，另有六十人負傷。但在飛機方面卻並不感到缺乏，儘管在這個階段中已經損失了戰鬥機一百七十五架，外加重傷者六十五架，和在地面上被炸毀者三十架。

當天氣在二十四日好轉時，戈林遂發動其第二次的制空權爭奪戰。這一次有較好的計畫。在凱賽林指揮之下的第二航空隊，經常在海峽那邊的德國上空維持著一些飛行中的飛機，因為雷達並不能辨別轟炸機和戰鬥機之間的差異，所以也就使派克永遠在猜測之中，同時他也不知道在什麼時候，這些飛機會突然的衝過海峽。在這個新階段內，第十一戰鬥機群的前進機場受到了比以前較嚴重的打擊，而曼斯頓基地終於不得不放棄。

新計畫的另一特點是對於倫敦周圍的英國空軍基地和設施加以猛烈的攻擊——這也就使炸彈在無意中會落在倫敦市上。二十四日夜間，有十架左右的德國轟炸機本是以羅徹斯特和泰晤士港（Thameshaven）為其攻擊目標，但在飛行中卻迷失了方向，於是就把他們的炸彈誤投在倫敦的市中心。這個錯誤行動立即引起英國人的報復，次日夜間有八十多架英國轟炸機前往空襲柏林。以後又接著空襲幾次，希特勒向英國發出威脅的警告，但英國當局卻置之不理，於是他也就下令對倫敦作報復性的空襲。

在這次新攻勢發動之前，德國空軍第三航空隊所屬的Me 109戰鬥機大部分都奉命轉交給第二航空隊，以便增強在加萊地區的護航實力。這個政策頗有收穫。英國空軍在想穿透德國戰鬥機的屏障時，已經遭遇到較多的困難，而損失也遠較重大；反之德國轟炸機則已經比較易於達到其目標。此外德國人也發展了一種新戰術，即當大編隊通過了雷達警戒線之後，馬上就化整為零，個別進襲。

在開始的第一天，即八月二十四日，僅賴他們的高射砲防禦，北森林（North Weald）和合恩岬的分區指揮所才倖免於全毀。在德國第三航空隊所作的一次猛烈攻擊中，高射砲也挽救了樸茲茅斯的船塢，不過城市本身卻因為敵機為高砲火力所迫而投彈不準，反而受了嚴重的損毀。此後第三航空隊遂改用夜間轟炸的戰術，從二十八日起，一連四夜都向利物浦（Liverpool）進攻，但因為他們訓練不夠而領航的無線電波又受到英國人的干擾，所以有許多轟炸機都不曾找到梅爾西賽德（Merseyside）地區。不過這幾次空襲也顯示出來英國防禦系統在對抗夜間攻擊時的缺點。

八月的最後兩天對於英國戰鬥機司令部是運氣特別惡劣的日子。值得注意的是敵方轟炸機都是用小編隊，每個編隊十五架到二十架，有數量多到三倍的戰鬥機掩護。三十一日，英國空軍所受的損失是全部會戰中最嚴重的一次，一共被擊落了三十九架戰鬥機，而德方的損失為四十一架飛機。以英國空軍的有限兵力，這樣大的損失率是吃不消的，而且又並未能嚇阻攻擊者。在西南地區中的機場現在大部分都已受到嚴重的破壞，其中有些已經到了不堪使用的程度。

甚至於道丁也在考慮撤退其在東南部的戰線，使其退到Me 109的航程之外。同時他也受到較強烈的批評，因為他一直保留著二十個戰鬥機中隊來掩護北部，但那一方面僅在白天裡受過一次攻擊——以後就一直平靜無事。此外，駐在東安格里亞（East Anglia）和中部地區的第十二戰鬥機群也吵著要直接參加戰鬥——而派克卻認為他們是故意不肯照他所希望要的方式來合作。派克與李馬洛之間，道丁與空軍參謀總長尼華爾（Newall）之間，關係都相當的緊張，所以也就使問題很難獲得順利的解決。

八月間，英國在戰鬥中一共損失了三百三十八架颶風式和噴火式戰鬥機，另外還重傷了一百零四架；而德國方面則僅損失了一百七十七架Me 109，和重傷了二十四架。所以戰鬥機的損失上是成二與一之比。其他的原因也使英德雙方分別損失了四十二架和四十四架戰鬥機。

於是在九月初，戈林很有理由感覺到他的目標已經伸手可及了——即擊滅英國的戰鬥機兵力以及其在東南部基地設施。但他卻沒有把握著對於既得利益應立即擴張的重要性。

九月四日，德國空軍的攻擊方式又有改變，不再集中全力去攻擊英國戰鬥機司令部所屬的機場，而對英國的飛機工廠作一連串的攻擊——在羅徹斯特的蕭特工廠和在布羅克蘭（Brooklands）

的維克斯・阿姆斯壯（Vickers-Armstrong）工廠。此種變化就其本身而言也是很有效的，但它的毛病卻是減低了對英國戰鬥機司令部的壓力。此種壓力卻是比較最有價值，因為英國駕駛員的耐力和神經都已經接近崩潰邊緣，而他們的操作水準也已經顯著的降低了。

道丁是一個識大體的人，命令對於南部的飛機工廠給予最大限度的戰鬥機掩護；兩天之後，當德國空軍再向布羅克蘭進攻時就受到迎頭的痛擊——還有對倫敦周圍五個分區指揮所的攻擊也被擊敗了。

在八月二十四日到九月六日之間的整整兩星期內，英國戰鬥機被擊毀了二百九十五架和重傷了一百七十一架——而新產的和修好的戰鬥機補充總數是二百六十九架。德國空軍在Me 109方面的損失是只相當於英國方面的一半——雖然他們所損失的轟炸機在一百架以上。

德國空軍的損失，以及要求再加強對轟炸機掩護的呼聲，現在就開始對其所作的努力產生嚴重的影響。雖然它過去曾一天出動一千五百架次，而在八月的最後兩天內，又曾再度升高到一千三百到一千四百架次的數字，但在九月的第一個星期中，是從未達到每天一千架次的水準。在這個會戰的頭兩個月內——那已經變成一種消耗戰——德國空軍已經損失了八百多架飛機。充任攻勢主力的凱賽林第二航空隊現在已經大約只剩下可用的轟炸機四百五十架，和Me 109戰鬥機五百三十架。所以到這第三階段結束時，形勢遂終於開始變得對英國人有利。由於德國空軍又改變其努力方向，於是到了第四階段，此種形勢就更為肯定了。

九月三日，戈林在海牙又召開了另一次會議，作一項足以影響命運的重大決定，對倫敦改作日間的轟炸攻擊——凱賽林從一開始就主張如此，現在也已經獲得希特勒的同意。開始的日期定為九月七日。

同時在第三航空隊中所仍可使用的三百架轟炸機則將用來作一次夜間的新攻勢。這也完全合於史培萊的願望，因為他是一向主張轟炸船隻和港口，而對於粉碎英國戰鬥機兵力和擊毀其機場的希望是日益感到懷疑。

九月七日下午，一支由第二航空隊所組成的大約一千架飛機的巨型空中大編隊（Air Armada）——轟炸機三百多架、護航戰鬥機六百四十八架——浩浩蕩蕩飛向倫敦。戈林和凱賽林站在加萊和維桑特之間的布朗克尼茲角（Cap Blanc Nez）危岩上觀看。他們在一萬三千五百呎到一萬九千五百呎之間的高度上，分成若干層，共編為兩波，以密集隊形飛行。德國戰鬥機也採取了新戰術，一批在前面以二萬四千呎到三萬呎的高度飛行，另一批則在附近對轟炸機提供密集的掩護，彼此距離僅約三百呎。

這種戰術被證明出很難應付，但以這第一次而言卻並不太需要。因為在英國第十一戰鬥群司令部中，其控制中心以為敵人將再攻擊在裡面的分區指揮所，所以已經升空的四個戰鬥機中隊，大部分都集中在泰晤士河以北的方面。因此到倫敦的航線暢通無阻。第一波直接飛向倫敦的船塢地區；第二批先飛到倫敦中心區，然後再飛返東端（East End）和船塢地區。轟炸並不像德國人所想像的那樣精確，許多轟炸機沒有炸中目標，但在人口密集的東端地區中，結果使老百姓的損失甚為慘重。在這第一次對倫敦的集中日間攻擊中（同時也是最後一次）炸死了三百多個平民，重傷者在一千三百人以上。

對於戰鬥機司令部來說，那是一個令人沮喪的黃昏。雖然他們的各中隊都是趕到得太遲，而且也因為德國人的新戰術而感到煩惱，但還是使敵人受到了四十一架飛機的損失，而自己則損失了二十八架。使德國人最感到震驚的是從諾索特（Northolt）起飛的第三〇三（波蘭）中隊對他們所作的猛烈攻擊。

在東端所引起的火災對於接著來到的夜間攻擊恰好形成了一支引路的火炬，這個攻擊從下午八時開始，一直到上午五時左右才結束。戈林打電話給他的妻子，得意忘形的向她說：「倫敦已在烈焰之中。」因為缺乏抵抗，所以使他以及他的許多部下，都相信英國戰鬥機兵力已經接近匱竭了。因此他在第二天就命令擴大的在倫敦所應轟炸的地區。

此時，在海峽中所集中的船隻也正日益增多，所以在七日上午英國政府遂發布了一個對侵入的預警。在緊接而來的空襲之後，這個警告也就不脛而走，結果有一部份輔助單位被召集，而某些作為侵入來臨訊號的教堂鐘聲也自動的敲響起來。

因為缺乏適當的夜間戰鬥機，所以倫敦以及其他城市的防禦在這個緊急關頭上就依賴高射砲和探照燈為主。七日的夜間，一共只有二百六十四門高射砲在現場保衛倫敦。但由於派爾能夠立即採取措施，在以後四十八小時之內，這個數字也就增加了一倍。此外，他從十日的夜間起，又採取了「阻塞」（The Barrage）的戰術，他告訴每一門砲都盡量射擊，不管是否已經看到敵機。雖然命中的數字很小，但是這種如雷的砲聲對於平民的士氣卻有巨大的振奮作用，同時也具有一種重要的實質影響，即迫使轟炸機不得不高飛。

凱賽林在九日下午發動其第二次對倫敦的日間攻擊。這一次第十一戰鬥機群已有準備，九個中隊都已各就各位，而第十和第十二兩個群的兵力也來合作迎敵。攔截的行動是那樣的有效，使大多數的德國編隊都是在尚未達到倫敦之前很遠的地方就被擊破了。能通過的還不及半數，而幾乎沒有一架轟炸機能夠成功的炸中目標。

此種德國新攻勢的一個最重要效果即為使英國戰鬥機司令部可以鬆一口氣，由於德國人的集中攻擊，他們的戰鬥機部隊非常的艱苦，損失極為慘重，所以當德國改變戰略攻擊倫敦時，他們實在已經到了全面崩潰的邊緣。因此英國首都和其人民固然是吃了苦頭，但他們的犧牲卻大有代價，因為這樣才保存了國家的防禦力量。

此外，由於九月九日的戰果不佳，也就使得希特勒對於其侵入戰前的十天警告期又再度加以延長——這次是延到十四日，即定在二十四日發動侵入戰。

惡劣天氣讓倫敦的防禦獲得了一些喘息，但在十一日和十四日兩天，仍有一部分轟炸機滲透進來，戰鬥機的攔截是那樣的乏力，於是德國空軍遂又樂觀的報告說，英國戰鬥機部隊的抵抗已經開始崩潰。所以希特勒雖然還是再度延期，但這次卻只有三天，即延到十七日。

凱賽林在十五日（星期天）上午又發動一次大攻擊。這次英國戰鬥機的防禦也有較好的計畫和較精密的時間配合。雖然敵方空中大編隊從一到達海岸線之時起就不斷受到攻擊，英國戰鬥機在每次攻擊中都只使用一兩個中隊，一共有二十二個中隊之多，但仍有一百四十八架轟炸機滲透進入了倫敦地區——不過他們還是不能作精確的轟炸，大多數炸彈都分散得很廣。於是當德國人返航時，第十二群的杜克福特（Duxford）大隊，一共六十多架戰鬥機，從東安格里亞起飛向他們橫掃而下，雖然因為沒有獲得足夠的高度，所以喪失了其效力之一部分，但卻使德國人大吃一驚。下午，雲層幫了攻擊者的忙，大量的轟炸機都順利的到達倫敦，其所投炸彈也造成重大的損失，尤以在東端房屋擁擠的地區中為甚。但在這一整天內，轟炸機差不多被擊毀了四分之一，而被擊傷者更多，機上都有一個或多個的乘員陣亡或負傷，當他們被抬入基地時，對於士氣也就自然引起了不利的影響。

根據以後的核對，那一天德國人的實際損失為六十架飛機。當時英國空軍部所揚揚得意宣布的數字為一百八十五架，實際上卻尚不及這個數字的三分之一。不過若和英國空軍的損失相比較，則英國人又還可以算是大獲全勝，因為他們一共只損失了二十六架戰鬥機，而其中一半的駕駛員也還都已獲救，這是最近幾星期來最有利的一次比較。戈林仍在責備他的戰鬥機人員，仍在繼續作樂觀的談話，並估計英國的戰鬥機兵力在四、五天之內就會完全消滅。但他的部下和他的上級都已經不再同意那種樂觀的看法。

十七日，希特勒同意海軍參謀本部的看法，認為英國空軍並未被擊敗，並強調即將有一個惡劣天候階段來臨，遂決定把侵入延期，等候通知再說。次日他又命令不要再在海峽港口中集結更多的船隻，並同意可能應該開始疏散——運輸船的百分之十二（一百七十艘中的二十一艘），駁船的百分之十（一千九百一十八艘中的二百一十四艘），都已被英軍空中攻擊所擊沉或擊傷。十月十二日，「海獅作戰」遂正式延期到一九四一年春季——而在一月間希特勒又命令除了少數遠程措施之外，所有其他一切的準備都應停止。他的心靈現在已經肯定的轉向東方。

戈林仍堅持其日間攻擊，但結果卻日益令人感到失望，儘管也曾偶然的獲得成功。九月二十五日，在布里斯托（Bristol）附近的費爾頓（Filton）飛機工廠受到嚴重的打擊，次日在南安普敦（Southampton）附近的噴火式工廠也暫時的被破壞。但二十七日對倫敦的大空襲卻是一次慘重的失敗，而在九月三十日最後一次大型的日間攻擊中，只有一小部分飛機到達了倫敦，但損失了四十七架，而英國空軍卻只損失了二十架戰鬥機。

由於九月下半月的戰果極不滿意，同時轟炸機損失慘重，所以戈林遂改用轟炸機在高空作戰，大約在九月中旬，參加會戰的德國戰鬥機單位奉命抽出其實力的三分之一來改裝為戰鬥轟炸機，這樣就一共產生了約二百五十架的總數。但卻沒有足夠的時間來使駕駛員完成再訓練，而他們所攜帶的炸彈又不夠造成重大的損失。這些人員有一種本能的趨勢在一交戰之後，就趕緊把炸彈都投掉。

他們勉強值得一提的是一方面減低德國的損失數字，而另一方面使英國空軍繼續保持緊張的情況。但到了十月底，德國的損失又再度升高到了舊有的比例，而惡劣的天氣也更增加了戰鬥轟炸機人員的痛苦，因為他們所使用的機場都是極為簡陋，已經變成了沼澤。在十月間，德國損失了三百二十五架飛機，遠比英國人的損失重大。

英國人現在所受到的最嚴重損害就是來自一般轟炸機的夜間轟炸。從九月九日起，史培萊第三航空隊的三百架轟炸機就已經定下了一個標準型式，使倫敦一共受到五十七夜的攻擊，每次的平均兵力都是一百六十架轟炸機。

十一月初戈林發布一連串的新命令，那可以代表對政策的一種顯著改變。空中攻擊完全集中在對城市的、工業中心和港口的夜間轟炸上。由於第二航空隊的轟炸機也都全部出動，所以可用的轟炸機已經多至七百五十架，雖然每次使用的兵力差不多都只限於總數的三分之一。因為他們可以飛得較慢和較低，所以也就可以比在日間裝掛較多的炸彈，因此在一夜間所投擲的總重量也就可以多至一千噸，但精確度卻很差。

新攻勢的發動是始於十一月十四日的夜間，以對科芬特里（Coventry）的攻擊為起點。它受到了明亮的月光和一種特殊「先導」（Pathfinder）部隊的協助。但在以後對其他城市的攻擊，其效力卻並不能與第一次相等——例如對伯明罕（Birmingham）、南安普敦、布里斯托、普利茅斯

（Plymouth）和利物浦等城市的攻擊。十二月二十九日，在倫敦曾造成重大的損失，尤其在市中心地區為然，但此後攻擊又暫停了，直到三月間天氣好轉後才再繼續。接著又是一連串的猛烈攻擊，而以五月十日夜間對倫敦的大空襲為其最高峰，那也是一九四〇年在西線上發動閃電戰的週年紀念，造成了相當大的損失。但是在英國的天空中，這種「閃電」在五月十六日就結束了——德國空軍的主力已經東移，準備參加對俄國的侵入戰。

從一九四〇年七月到十月底，德國人的空中攻勢所造成的損失和破壞，其程度是遠超過英國人所公開承認的數字。假使對於主要工業中心的攻擊能夠壓力更增大，次數更頻繁，則所產生的效果也就可能會更嚴重。但就其想要擊滅英國空軍戰鬥機兵力和摧毀英國人心士氣的雙重目的而言，則始終都未能獲得成功。

在不列顛之戰的全部過程中，從七月到十月底，德國人一共損失了一千七百三十三架飛機——而不是英國人所宣稱的二千六百九十八架；對手的英國人一共損失了九百一十五架戰鬥機——而不是其敵人所宣布的三千零五十八架。

第九章 從埃及發起的反擊

當希特勒在西線的攻擊達到某一點——即臨時拼湊而成的索穆河—恩河防線已經發生裂口——顯出法國的失敗已成必然之勢時，墨索里尼也就在一九四〇年六月十日，把義大利投入戰爭，其目的就是希望能夠分得一些勝利的贓物。從他的觀點上來看，這似乎是一個萬全的決定，而對於英國人在地中海和非洲的地位就幾乎足以產生致命的作用。這是英國歷史上最黑暗的時候。因為雖然其在法國的陸軍大部分都已渡海逃回英國，但是所有的兵器和裝備卻幾乎都已完全丟光，所以他們是在無武裝的狀態之下面對著迫在眉睫的侵入威脅。因此，那些駐防埃及和蘇丹的微弱部隊，當面對著在利比亞和義屬東非洲的義大利軍隊所發動的攻擊時，也就更無獲得增援的希望。

因為義大利的加入戰爭，又使得通過地中海的海路太危險而不能再使用，所以情況也就變得更壞：任何增援都必須採取繞道好望角的路線，沿著非洲的西海岸向南走，又再沿其東海岸向北

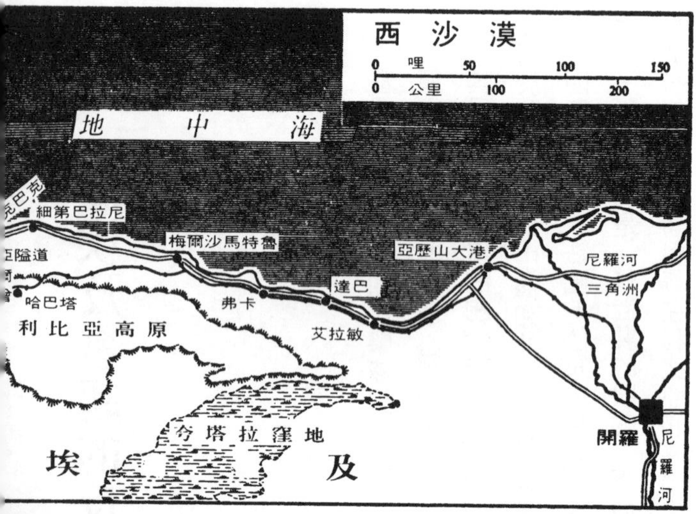
西　沙　漠
0　哩　50　100　150
0　公里　100　200
地　中　海
細第巴拉尼
梅爾沙馬特魯
亞歷山大港
尼羅河
三角洲
達巴
哈巴塔
弗卡
艾拉敏
利比亞高原
夸塔拉窪地
開羅
尼羅河
埃　及

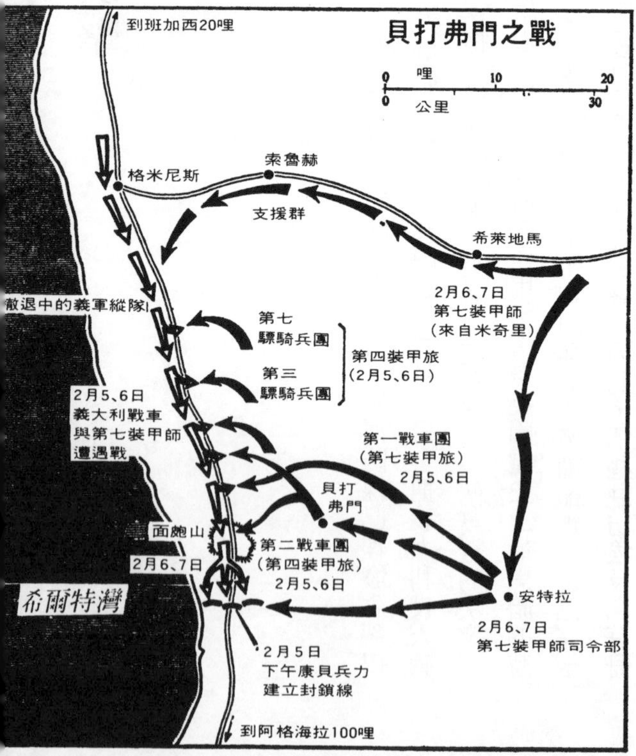
貝打弗門之戰
到班加西20哩
0　哩　10　20
0　公里　30
格米尼斯
索魯赫
支援群
希萊地馬
2月6、7日
第七裝甲師
(來自米奇里)
撤退中的義軍縱隊
第七
驃騎兵團
第三
驃騎兵團
第四裝甲旅
(2月5、6日)
2月5、6日
義大利戰車
與第七裝甲師
遭遇戰
第一戰車團
(第七裝甲旅)
2月5、6日
貝打
弗門
面飽山
第二戰車團
(第四裝甲旅)
2月5、6日
2月6、7日
希爾特灣
安特拉
2月6、7日
第七裝甲師司令部
2月5日
下午康貝兵力
建立封鎖線
到阿格海拉100哩

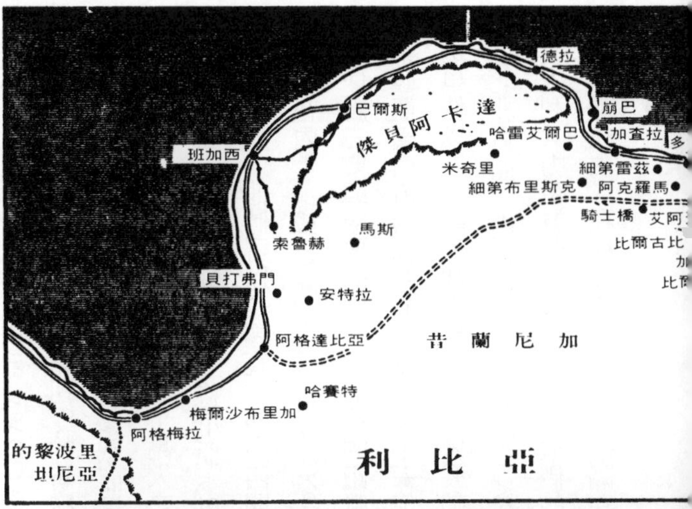
德拉
巴爾斯
傑貝阿卡達
崩巴
哈雷艾爾巴
加查拉
班加西
米奇里
細第雷茲
細第布里斯克
阿克羅馬
騎士橋
索魯赫
馬斯
比爾古比
貝打弗門
安特拉
阿格達比亞
昔蘭尼加
哈賽特
梅爾沙布里加
阿格梅拉
的黎波里
坦尼亞
利比亞

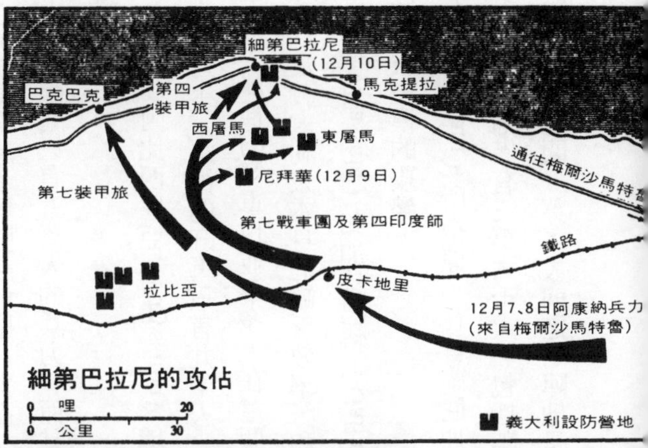
細第巴拉尼
(12月10日)
馬克提拉
巴克巴克
第四
裝甲旅
西屠馬
東屠馬
尼拜華(12月9日)
通往梅爾沙馬特魯
第七裝甲旅
第七戰車團及第四印度師
鐵路
拉比亞
皮卡地里
12月7、8日阿康納兵力
(來自梅爾沙馬特魯)
細第巴拉尼的攻佔
0 哩 20
0 公里 30
義大利設防營地

地中海
德拉
向阿格海拉的躍進
0 哩 100
0 公里 200
巴爾斯
傑貝阿卡達
班加西
(2月7日)
多布魯克(1月22日)
米奇里
巴地亞(1941年1月
卡普左堡
馬斯
細第
巴拉尼
第七
裝甲師
貝打弗門
(2月5日)
昔蘭尼加
安特拉
阿格達比亞
利比亞
埃及
阿格海拉(2月9日)

行以進入紅海。由七千名部隊所組成的一支小型援軍，在一九四〇年五月即已準備出發，但到了八月底才到達埃及。

以數量而言，義大利陸軍是享有壓倒性的優勢。對抗他們的那些微弱英國部隊現在是在魏菲爾將軍（Greneral Sir Archibald Wavell）的指揮之下，他是由陸軍部長賀爾貝利夏先生推薦，於一九三九年七月被派出任中東總司令的新職，這也就是為了增強該地區兵力而採取的第一個步驟。但是甚至於到現在（即指義大利參戰而言），英國還只有五萬人的兵力，而其對方的義大利陸軍和義大利殖民地部隊總數則有五十萬人之多。

在南面，義大利駐在厄立特里亞（Eritrea）和阿比西尼亞（Abyssinia）境內的兵力已經超過了二十萬人，他們可以長驅直入的向西開入蘇丹——那裡的守軍只有九千人，包括英國和蘇丹的部隊都在內——或是向南進入肯亞（Kenya），那裡的守軍也並不多。在這個危險的階段中，蘇丹的保護主要靠險惡的地形和遙遠的距離，以及義大利人本身的缺乏效率，和他們在新近征服的衣索匹亞國內所遭遇到的困難。除了在卡沙拉（Kassala）和加拉巴特（Gallabat）的兩次小型的犯邊事件以外，義大利人根本就不曾發動任何大規模的攻勢。

北非方面，由格拉齊亞尼元帥（Marshal Graziani）所指揮，在昔蘭尼加（Cyrenaica）境內的義大利兵力更為強大，而面對著他們的埃及守軍則僅有三萬六千人，包括英國、紐西蘭和印度的部隊都在內。在埃及境內的西沙漠隔在雙方軍隊之間。英軍最前進的陣地是設在梅爾沙馬特魯

（Mersa Matruh），這是在埃及的境內，距離國境線一百二十哩，同時也在尼羅河三角洲以西約二百哩。

但是魏菲爾並不採取消極坐待的態度，他只有一個不完全的裝甲師，他卻用了其中的一部分來作為一種攻勢掩護兵力，在沙漠的正前方大肆活動。那種攻勢精神非常的旺盛，他們越過國境對義大利的據點發動一連串的突襲，使義大利部隊深感困擾。所以從戰役一開始起，克雷將軍（General Creagh）的第七裝甲師就已經對於敵人獲得了一種心理優勢——這個師不久就以「沙漠之鼠」（Desert Rats）聞名於世。魏菲爾對於第十一裝甲騎兵團（Hussars）是特別稱讚有加。他說這個由康貝中校（Lieutenant-Colonel J. F. B. Combe）所率領的裝甲車團在這整個階段中經常在第一線，而且更時常進入敵後作戰。

六月十四日，一個由考恩特准將（Brigadier J. A. C. Caunter）指揮的機動縱隊對卡普左堡（Fort Capuzzo）作了一次奇襲，並攻占這個重要的邊防要塞。不過英軍卻並無意作永久性的占領，因為他們的戰略要經常保持機動，這樣才能做「沙漠的主人」，並引誘敵人集中兵力以來構成目標。到九月中旬為止，義軍所公布的三個月來死傷總數達三千五百人，而英軍方面則只有一百五十多人——儘管他們還時常受到空中的轟炸和掃射，因為數量優勢的義大利飛機在那裡幾乎是鮮有對手。

一直到了九月十三日，義大利人在集中了六個師以上的兵力之後，才開始小心謹慎的向西沙漠前進。在前進了五十哩之後，即距離梅爾沙馬特魯英軍陣地還不到中點的地方，他們就在細第巴拉尼（Sidi Barrani）停下來不走。然後就在那裡建立了一連串的設防營地（Fortified Camps）——但各營地之間又隔得太遠，所以彼此並不能互相支援。這樣一個星期又一個星期的過去了，他們都毫無前進的模樣。此時魏菲爾已經獲得了一點新的增援，包括從英格蘭用三艘快速商船趕運來的三個裝甲團，這應歸功於邱吉爾的果斷和主動精神。

魏菲爾現在就決定，既然義大利人不前來，那麼他就應該前去打擊他們。這個打擊居然產生了驚人的效果，導致整個義軍的毀滅，也使義大利在北非的根據地幾乎崩潰。

但如此戲劇化的結果卻並非始料所及。這個打擊的設計，並非一種持續性的攻擊，而只是一種大規模的突襲而已。魏菲爾的想法是只想用猛烈的一拳將侵入者暫時打昏，以便抽調其一部分兵力到蘇丹去擊退在那方面的敵軍。很不幸的，因為缺乏適當的準備，所以對於實際已經獲得的壓倒性勝利，即無法加以擴張。

在攻擊計畫擬就後，接著就作了一次演習，發現其實際可行性頗有疑問，於是又作了一次徹底的修改，這也許即為後來制勝的主因。原有的計畫是要作一次正面的攻擊，那是很可能會失敗的，尤其是因為敵人在進路上布有雷陣，所以失敗的機會也就更大。修改後的計畫是採取間接路線，從後面襲擊敵營。這個改變是出自多爾曼・史密士准將（Brigadier Dorman-Smith）的建議，他是一位參謀軍官，奉魏菲爾之命去參加這次演習。但西沙漠兵力的指揮官，阿康納將軍

（General O'Connor），也能立即認清此種觀念的優點，以後一切的勝利主要都應歸功於他的執行能力——因為較高級指揮官，像魏菲爾和威爾遜中將（Lieutenant-General H. M. Wilson）都距離現場太遠，對於這樣一個快速行動的會戰是不能發揮積極影響的。不過他們卻有一種重要的、消極的、也是不幸的影響作用——這在下文中將會有所解釋。

阿康納的兵力為三萬人，其對方的敵軍則為八萬人——但他有二百七十五輛戰車而敵人卻只有一百二十輛。第七皇家戰車團（Royal Tank Regiment，簡稱RTR）的五十輛重裝甲「馬提達」（Matilda）戰車，使敵方大多數戰防武器都喪失了作用，在這次和爾後的戰鬥中都扮演著一種具有特殊決定性的角色。

十二月七日的夜間，這支部隊從馬特魯陣地前進，跨越沙漠，踏上長達七十哩的征程。次日夜間，他們就從敵方一連串設防營地之間的一個空隙中溜過去，於是到了九日的凌晨，由比里斯福德．皮爾斯將軍（General Beresford-Peirse）所指揮的第四印度師中的步兵旅就從後方向尼拜華（Nibeiwa）營地發動猛烈攻擊，而第七戰車團則充任他們的矛頭。守軍受到了奇襲，被俘者達四千人之多，而攻擊者的損失極為輕微——戰車兵只損失了七個人。

於是重戰車向北領先前進，直趨號稱「西屠馬」（Tummar West）的營地，在下午將其攻克，而到了這個勝利日結束時，「東屠馬」（Tummar East）也已被攻陷。當此之時，第七裝甲師也已經向西急駛，達到了海岸道路，於是也就切斷了敵軍的退路。[1]

次日，第四印度師向北進攻在細第巴拉尼周圍的一大群義大利營地。現在敵人已有戒備，而強烈的沙暴（Sandstorms）也成為前進的障礙。但在第一次頓挫之後，第七裝甲師又送回兩個額外的戰車團來增援，於是英軍在下午遂發動一個兩面夾攻，到那天結束時，細第巴拉尼義軍陣地的大部分都已被克服。

第三天，第七裝甲師的預備旅奉命向西作更進一步的迂迴，達到了巴克—巴克（Buq-Buq）以西的海岸，並截住了一個正在撤退中的一個大的義軍縱隊。在這裡俘獲了一萬四千人和八十八門砲，使總收接近四萬名戰俘和四百門砲。

義大利侵入軍的殘部，在退回他們自己的疆界之後，就躲入海岸要塞巴地亞（Bardia）避難。在那裡他們很快就為第七裝甲師所包圍。所不幸的，手邊缺乏作為後盾的步兵師，因此遂未能乘著敵人士氣頹喪的機會，一鼓作氣將其一網打盡。英國的高級指揮官所計畫的是在細第巴拉尼攻克之後，就要立即把第四印度師撤回埃及，然後把它送往蘇丹去。由於他們距離戰場太遠，所以很難認清阿康納已經贏得一個具有決定性的勝利，以及其所呈現出來的機會有多大，因此他們依然堅持其撤回第四印度師的命令。

所以在十二月十一日，即會戰的第三天，當被擊潰的義軍正在向西倉皇逃竄時，獲勝的英軍也有一半向東行進——雙方背道而馳！這是一項奇觀，而也是一個決定命運的日子。因為一直又過了三個星期，才有第六澳洲師從巴勒斯坦趕來，幫助英軍繼續前進。

一九四一年一月三日，英軍才發動其對巴地亞的攻擊：第七戰車團的二十二輛「馬提達」式重戰車領先來充任「開罐器」。義軍的防禦迅速崩潰，到第三天全部守軍就都投降了——英軍俘獲了四萬五千人，火砲四百六十二門，和戰車一百二十九輛。澳洲師的師長，馬凱少將（Major-General L. G. Mackay）說，對於他而言，每一輛馬提達式戰車其價值相當於一個完整的步兵營。

巴地亞一經攻克之後，第七裝甲師就立即西進以孤立多布魯克（Tobruk），以便等候澳洲師趕上好向這個海岸要塞發動突擊。一月二十一日，英軍進攻多布魯克，次日該要塞即已陷落，英軍並俘獲三萬人、火砲二百三十八門及戰車八十七輛。只有十六輛馬提達式重戰車參加這次突擊，但他們還是再度作了具有決定性的突破。那天夜間，有些戰車團人員收聽新聞廣播，當他們聽到評論員說：「我們猜想這個突擊是由某一著名騎兵團來領先的。」一位戰車兵非常的憤怒，用腳狠狠的踢那架收音機並且大聲的喊著說：「除非你是殖民地的、黑人的，或是騎兵的單位，在這個戰爭中才能立功！」這是一種很合理的反應。因為在戰史上從來沒有一個單獨的戰鬥單位能像第七戰車團那樣在一連串的戰鬥中（順次為細第巴拉尼、巴地亞和多布魯克）扮演如此具有決定性的角色。

1 原註：在這次戰鬥中，第七裝甲師是由考恩特准將指揮，因為其師長克雷將軍因病臨時請假。

英軍向昔蘭尼加境內的前進，因為又已經遭遇到另一種新的障礙，所以其迅速的進展也就更值得稱讚。本來應該派往阿康納方面的增援部隊、運輸車輛和飛機，都被扣留在埃及，而且還有一部分部隊從他的手中被收回。因為邱吉爾先生的幻想又正在追逐另外一隻野兔子。一方面是追尋其在第一次世界大戰時的舊夢，另一方面是看到希臘能夠奮起抵抗義大利而大感興奮，邱吉爾幻想到創立一個強大巴爾幹同盟以對抗德國的可能。那固然是一種很引人入勝的理想，可惜不切實際，因為原始的巴爾幹軍隊是絕無法對抗德國的空軍和裝甲部隊的，而英國所可能給予他們的援助也是非常的有限。

一月初，邱吉爾決定壓迫希臘人接受英國的援助，同意讓一批英國戰車和砲兵部隊在薩羅尼加（Salonika）登陸，並且也命令魏菲爾立即派遣這樣一支部隊——儘管明知其意義即為減弱阿康納的那支已經很小的兵力。

但是當時身為希臘政府首長的梅塔卡斯將軍（General Metaxas）卻拒絕了這個建議，他認為英國所能提供的兵力適足以挑撥德軍的侵入，而又不能夠具有對抗德軍的實力。此外，希臘的總司令，巴巴果斯將軍（General Papagos），更認為英國人若是比較聰明的話，應該首先完成其對非洲的征服，再來從事任何其他新的企圖，以免分散了實力。

希臘政府這個有禮貌的拒絕恰好與阿康納克服多布魯克同時，於是英國政府現在就決定讓他前進一步，以攻占班加西（Benghazi）為目的。這樣也就可以完成對昔蘭尼加的征服，也就是整個義屬北非的東半部。但是英國首相卻仍舊念念不忘於他的偉大巴爾幹計畫，所以他告訴魏菲爾不要給予阿康納以任何增援，以免妨礙了為那個戰場建立一支兵力的準備工作。

在接獲准許其向前推進的命令之後，阿康納又再度獲得了意想不到的勝利，與其渺小的部隊簡直不成比例。他的唯一機動部隊，即第七裝甲師，已經只剩下五十輛巡航戰車（按即中型戰車），另外加上九十五輛輕戰車——其裝甲很薄而且也無有效的穿甲火砲。由於發現敵人已在海岸道路上的德拉（Derna）占領了一個堅強的陣地，所以他決定等到補給和補充的巡航戰車來到之後，即採取一個迂迴運動來迫使他們自動放棄其陣地。這些就是他準備在二月十二日繼續前進時所將要採取的腹案。

但是在二月三日，空中偵察顯示出敵人正在準備放棄班加西這一角之地，而退到阿格海拉（Agheila）瓶頸地帶，在那裡他們也許可以塞住從昔蘭尼加進入的黎波里坦尼亞（Tripolitania）的道路。空中偵察已經看到有龐大的縱隊早已在路上行動。

阿康納遂立即計畫作一個勇敢的打擊以來攔截敵軍的撤退，他只用兵力已經減弱的第七裝甲師，他命令該師師長克雷將軍率領所部越過沙漠，以達到班加西遠後方的沿海岸道路為目的，從其在米奇里（Mechili）現有的位置前進，差不多要走一百五十哩——這是第一次越過如此極端險惡地區的長途行軍。他們出發時只攜帶了兩天的口糧和勉強夠用的燃料——在軍事史上的一切冒險窮追的行動中，這要算是最勇敢的一次。

考恩特的第四裝甲旅在二月四日上午八時三十分開始出發，前導的是第十一裝甲騎兵團的裝甲車。其他的一個裝甲旅，即第七旅，現在已經減弱到只有一個單位，即第一皇家戰車團。正午時，空中偵察報告說撤退中的敵軍已到達班加西以南的地方。於是為了加速攔截起見，克雷命令考恩特用摩托化步兵和砲兵組成一支全摩托化縱隊，趕上前去與康貝中校所指揮的第十一裝甲騎兵團一同前進。考恩特卻反對這個辦法，他認為從縱隊的後段去調動部隊，再加以編組，一定不免發生混亂和耽擱。而且到了午後就要遇到最惡劣的地形，在那種情況之下，戰車往往可以趕上輪型車輛。考恩特拚命的向前爬行，一直到深夜還在月光之下繼續奔馳，而不讓其戰車人員停下來休息幾個鐘頭。

到了五日上午，地形比較良好，於是「康貝部隊」（Combe force）也就進展得較快。下午他們就橫跨著敵人的兩條退路，在貝打弗門（Beda Fomm）以南建立了一道封鎖線。那天黃昏時，就有一支由義大利砲兵和平民所組成的縱隊在非常驚異的表情中落入了陷阱。

此時，緊跟在後面的考恩特戰車部隊也大約在下午五時到達了敵人通過貝打弗門的退卻線上。他們在黑夜來臨之前，擊潰了兩個由砲兵和運輸車輛所組成的義大利縱隊。他們實際上在三十三個小時之內走了一百七十哩——這就裝甲兵的機動性來說，還是一項從未被打破的紀錄。而道路的缺乏和地形的險惡使得這種成就更為驚人。

次日上午（二月六日），敵軍的主力縱隊，在戰車護衛之下，開始上場了。一共有一百多輛新式義大利中型戰車，而考恩特所有的中型戰車卻僅為二十九輛。所幸的是義大利戰車並非集中成一整體，而是分批來到，並且緊靠著道路，而英國戰車卻早已利用地形的掩蔽各就有利的射擊位置。在一整天當中發生了一連串的戰車戰鬥，在英國方面首當其衝的就是第二戰車團的十九輛中型戰車，到了下午就只剩下七輛。此時，另一裝甲旅的第一戰車團也趕到了，但也只帶來十輛中型戰車。第三和第七兩個裝甲騎兵團，也勇敢的使用其輕戰車以分散和擾亂敵人。

當夜幕低垂到戰場上的時候，六十輛義大利戰車已被擊毀，而在上午又發現另有四十輛已被丟棄，英國戰車實際上被擊毀的只有三輛。當義大利的步兵和其他部隊看到保護他們的戰車都已被擊毀，和他們自己是完全處於暴露的地位，於是大夥也就投降了。

作為最後一道關口的康貝部隊，捉住了一些漏網之魚，即逃過了第四裝甲旅那一關的義軍殘部。在日出不久之後，義大利人即對於這最後一道封鎖線作了一次最後的突圍努力，由十六輛戰車領先，但卻為步兵旅的第二營所擊退。

在這次貝打弗門會戰中，一共俘獲了二萬名戰俘，連同火砲二百一十六門和戰車一百二十輛。英軍全部兵力僅為三千人。當巴地亞連同其守軍在一月四日投降時，艾登恰好做了七個月的軍政部長又回到其外長的舊職位上，他在那時就套用了邱吉爾的名言，這樣稱讚著說：「從來沒有這麼多的人向這麼少的人作過這麼快的投降。」上述的評語對於貝打弗門的勝利似乎是頗為恰當。[2]

但是此種勝利的光輝不久就黯淡了。格拉齊亞尼的全軍覆沒本來已經使英國人可以一路暢通無阻從阿格海拉瓶頸以達的黎波里（Tripoli）。但正當阿康納和他的部隊希望向那裡奔馳，並鏟除敵人在北非的最後立足點時，他們卻因為英國內閣的命令而終於停止下來。

十二月十二日，邱吉爾發了一份冗長的電報給魏菲爾，在對於班加西能比預計的時間提早三個星期克服深表快慰之後，他就命令魏菲爾停止前進，只留下最低限度的兵力據守昔蘭尼加，而準備盡可能把最大量的兵力送往希臘。阿康納的空軍幾乎是立即全部被撤走，只留下一個中隊的戰鬥機。

這個變化是如何產生的呢？一月二十九日，梅塔卡斯將軍突然逝世，新繼任的希臘總理是一個性格比較不那樣堅強的人。邱吉爾認為這是使他所嚮往的巴爾幹計畫復活的良機，並決定立即採取行動。他遂再度的向希臘政府威脅利誘——而這一次他們卻上鉤了。三月七日，在魏菲爾同意和參謀首長批准之下，第一批英軍共五萬人在希臘登陸。

四月六日，德軍侵入希臘，於是英國人又迅速的被迫作第二次的「敦克爾克」。他們幾乎全軍覆沒，經過了極大的困難，才從海上勉強撤退出來，但是德軍仍然俘獲了一萬二千人，與他們所有的戰車，以及其他裝備的大部分。

阿康納和他的幕僚都深信他們能夠攻占的黎波里。這樣一個前進需要利用班加西為基地港，並動用一部分為希臘賭博所預備的運輸船隻。這些安排都是可以辦得到的。後來充任蒙哥馬利參謀長的裘剛德將軍（General de Guingand）也曾透露當時在中東的聯合計畫機構都深信在春季之前，可以攻占的黎波里並把義大利人趕出非洲之外。

華里蒙特將軍是希特勒統帥部的高級人員之一，也透露出德國最高統帥部的看法正是與此相同。他說：

> 當時我們很不了解為什麼英國人不利用義大利人在昔蘭尼加的困難而乘勝窮追，直撲的黎波里。沒有任何東西擋住他們的前進。留在那裡的少數義大利部隊是已經驚慌失措，士無鬥志，隨時都在害怕英國戰車的出現。

---

2 原註：這一次的驚人勝利大部分又應歸功於一個並不曾參加此一會戰的人——何巴特少將（Major-General P. C. S. Hobart）。當這個裝甲師於一九三八年在埃及最初成立時，他就被任命為它的師長，在他的訓練之下，這支部隊才養成了其高度的機動能力。但是何巴特本人對於裝甲部隊應如何運用的想法，也就是說應如何使其獲得戰略獨立性，卻和那些思想比較保守的上級長官大相逕庭。結果，他的「異端」（heresy）思想，加上其不妥協的態度，遂使他在一九三九年秋季被免除了師長的職務——那也就是在德國裝甲部隊應用這同一觀念，並證明了其實際可行性的六個月之前。

二月六日，也就是格拉齊亞尼在貝打弗門全軍覆沒之日，一位德國的青年將領，厄文隆美爾（Erwin Rommel），得到希特勒的召見，並被指派指揮一支小型的德國機械化部隊，前往非洲援救義大利人——在法蘭西戰役中，隆美爾是第七裝甲師的師長，曾有卓越的表現。這支部隊只包括兩個小型的師——第五輕裝師和第十五裝甲師。但前者的運輸要到四月中旬才能完成，而後者則更要遲到五月底，那是一種很慢的計畫——所以英國人還是可以暢行無阻。

二月十二日，隆美爾飛到了的黎波里。兩天之後有一艘德國運輸船到達，載來了一個偵搜營和一個戰防營，這也就是第一批德軍。隆美爾馬上把他們送上第一線，並使用他所迅速製造的假戰車（Dummy Tank）來虛張聲勢。這種假戰車是裝在福斯汽車，或所謂「國民車」（Volkswagens）的上面，那是德國所大量生產的一種廉價汽車。一直到三月十一日，第五輕裝師的戰車團才運到了的黎波里城。

在發現英國人已經不再前進時，隆美爾就想憑著他手中所有的這一點兵力來嘗試發動一次攻擊。他的最初目標只是占領阿格海拉瓶頸。這個目標在三月三十一日很輕易的就達到了，於是他決定再繼續進攻。他感覺到英國人對於他的實力估計得太高——那也許是受到了假戰車的欺騙。此外，德國人在空中也享有優勢，這一方面可以幫助掩飾其在地面上的弱點，使不易為英國指揮官所發現；另一方面也使英國空軍在爾後的戰鬥中常作錯誤的報告。

在時機上，隆美爾也是非常的幸運。二月底第七裝甲師已經送回埃及去休息和整補。代替它的是新到的和缺乏經驗的第二裝甲師的一部分——其餘的部分則已送往希臘，而代替它的第七澳洲師則訓練和裝備都很感缺乏。阿康納也正在休假，代替他的人是尼門（Neame），也是一位尚未經過考驗的指揮官。此外，魏菲爾後來也承認他並不相信德軍即將發動攻擊的報告。數字可以證明他的判斷並沒有錯，錯就錯在他萬想不到會有這樣一個隆美爾。

上級的命令要他等到五月底再動，隆美爾卻不理會，在四月二日就繼續前進了，只帶領著五十輛戰車，後面才緩緩地跟著兩個新的義大利師。他利用機動和詭計，來替他這一點弱小兵力虛張聲勢。在隆美爾的第一次突擊使英國人吃了一驚之後，他的影子也就被放得很大，於是他的兩支細長的指頭，在一百哩以外，也就顯得像巨無霸一樣的可怕。

這次大膽的進攻也就產生了像魔術一樣的效力。英軍倉皇逃竄，於四月三日撤出班加西。在這個緊急關頭上，阿康納被送往前線去幫助尼門指揮，但在撤退時，他們的沒有護衛的座車卻衝入了一支德軍矛頭部隊的背面，於是在六日的夜間，他們兩位都做了德軍的戰俘。此時，一個英國裝甲旅在長距離的匆忙撤退中已經幾乎喪失了其戰車的全部；而在次日，第二裝甲師的師長，率領著新到達的一個摩托化旅和其他的單位，在米奇里被圍，接著也就投降了——隆美爾的人員利用長列的卡車，造成濃厚的塵霧，以來掩飾他們在戰車方面的弱點，使對方不知虛實，以為德軍包圍兵力是很強大的。義大利的兩個師還落後得很遠。

四月十一日，英軍已被逐出昔蘭尼加，並且逃過了邊界，除了還有一小部分部隊被包圍在多布魯克要塞之內。隆美爾的這個成就正像英軍當初征服昔蘭尼加一樣的驚人，而且時間還要更快。

英國人現在若想再肅清北非，則必須從頭做起，而且所將遭遇到的困難是比過去遠為重大——尤其是有了隆美爾的出現。由於坐失了一九四一年二月的良機，英國人所要付出的代價實在是非常的巨大。

第十章　義屬東非洲的征服

當一九四〇年六月法西斯義大利在墨索里尼主使之下進入戰爭時，其在義屬東非洲（自一九三六年以後已經把被征服的衣索匹亞包括在內）的兵力，也正像在北非一樣，遠比英國人在那方面的兵力多，依照義大利方面的記錄，在那個地區中的兵力總計約有白種人部隊九萬一千人，和接近二十萬人的土著部隊——不過後者卻似乎大部分都是紙面上的數字，所以比較合理的估計對於上述的數字應該以對折計算。在一九四〇年初，即義大利尚未投入戰爭之前，英國方面在蘇丹的實力僅有白人和土著部隊共約九千人，而在肯亞（Kenya）則另有英屬東非部隊八千五百人。

在這個廣大的和雙重的戰場上，義大利人的遲遲不曾採取主動，也正像他們在北非的情形一樣。一個主要的理由就是由於英國的封鎖，他們知道很難獲得燃料和彈藥的補給。不過這個理由實在是很不高明；正因為如此，義大利人就更應該乘著英國人在非洲的兵力尚未能獲得適當增援之前，搶先發揮其在兵力上的絕大優勢。

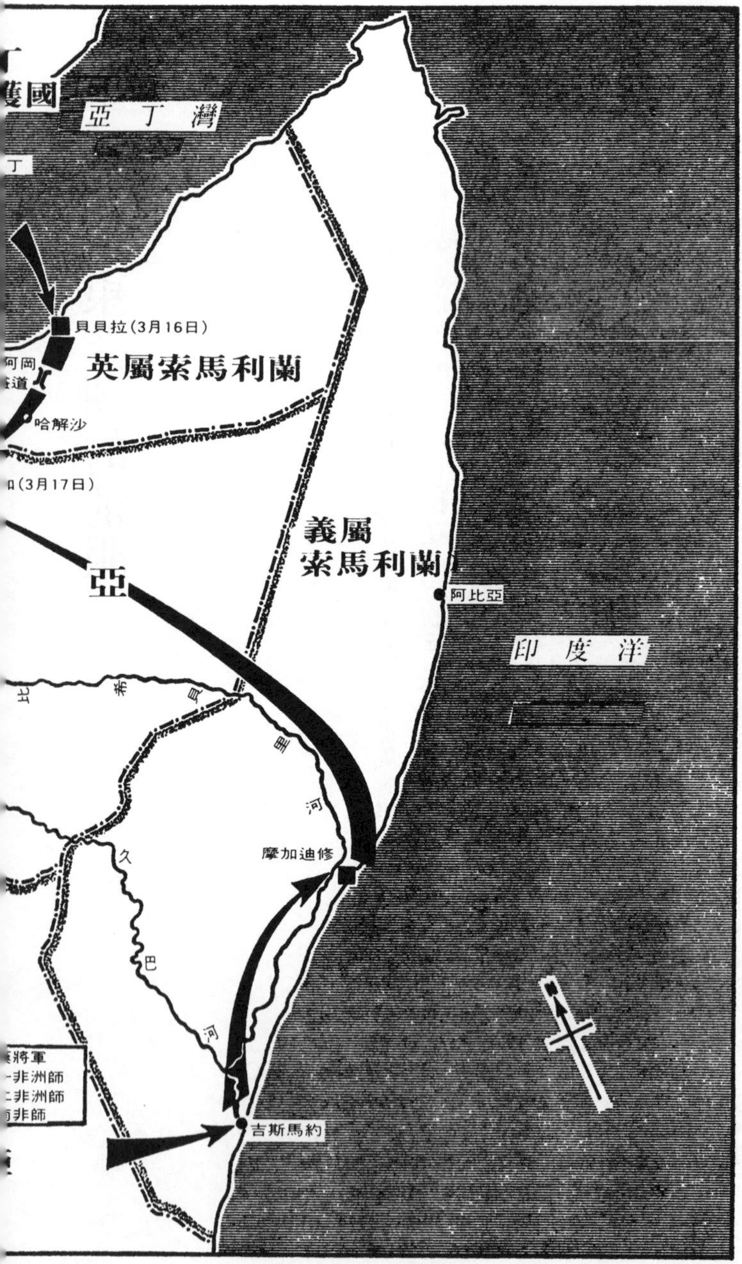
護國
亞　丁　灣
丁
貝貝拉(3月16日)
英屬索馬利蘭
阿岡
道
哈解沙
(3月17日)
義屬
索馬利蘭
阿比亞
亞
印　度　洋
比
希
貝
里
河
摩加迪修
久
巴
河
將軍
非洲師
非洲師
非師
吉斯馬約

到蘇丹港
100哩
紅 海
厄立特里亞
馬沙瓦(4月8日)
克倫
阿斯馬拉(4月1日)
阿特巴拉
尼羅河
阿特巴拉河
阿哥達
克魯
卡沙拉
巴倫吐
普拉特將軍
第四印度師
第五印度師
蘇丹防禦兵力
法屬索馬利
安巴阿拉吉
奧斯塔投降
(5月19日)
喀土木
藍尼羅河
白尼羅河
公達爾
加拉巴特
米特馬
德布拉塔坡
坦拉湖
地賽
義軍停止抵抗
(11月27日)
衣
英埃屬蘇丹
阿迪斯阿貝巴
(4月6日)
吉門比
吉馬
夏夏馬拉
加納
亞巴羅
盧多湖
義屬東非帝國的淪陷
0 哩 100 200 300
0 公里 200 400

七月初義大利人才很猶豫的從西北方的厄立特里亞開始行動，進入了蘇丹的國界約十二哩，占領卡沙拉鎮。其所使用的兵力為兩個旅，四個騎兵團，和二十四輛戰車，共約六千五百人，而卡沙拉不過是由一個連（約三百人）的蘇丹防禦部隊所據守的小型前哨據點。在蘇丹負指揮全責的普拉特少將（Major-General William Platt）在此時對於這廣大地區一共只有三個英國步兵營，分別駐在喀土木（Khartoum）、阿特巴拉（Atbara）和蘇丹港（Port Sudan）。他很聰明，並不立即把他們投入戰鬥，一定要等到他可以明白的看出義大利人的侵入動向時才來採取適當的對策。義大利人卻並不向前推進，在占領了幾個邊界據點之後，例如在衣索比亞西北方的加拉巴特和肯亞北邊國境上的莫亞爾（Moyale），就停止不動。

一直到八月初，義大利人才再度發動一個比較認真的攻勢行動，而那也是對著一個最容易的目標——英屬索馬利蘭（Somaliland），那是在亞丁灣方面一條沿著海岸的領土。甚至於此種非常有限的行動也只是具有防禦的動機。因為墨索里尼已經命令在東非的義軍只准採取守勢。不過當時的衣索比亞總督奧斯塔公爵（The Duke of Aosta）並兼任這個地區的義大利軍最高指揮官，卻認為法屬索馬利蘭的吉布地港（Djibouti）是可以使英國人獲得一條進入衣索比亞的捷徑，同時他也不信任義法之間的休戰協定，所以他決定占領鄰近的和較大的英屬索馬利蘭地區。

在那裡的英國駐軍是在卡特准將（Brigadier A. R. Charter）指揮之下，一共只有四個非洲和印度營，另有一個英國營則尚在運輸途中。義大利的侵入軍共有二十六個營，並有砲兵和戰車的支援。但是小型的索馬利蘭駱駝部隊卻很有效的遲滯了敵人的前進，等到侵入者剛剛達到通向海港首都貝貝拉（Berbera）的道路上的圖格阿岡隘道（Tug Argan Pass）時，高德溫．奧斯丁少將（Major General A. R. Godwin-Austen）也就恰好趕到了現場並接管了英軍的指揮權。在那個隘道上英軍作了非常頑強的抵抗，使敵軍在四天的苦戰中一點進展都沒有。不過由於英軍不可能獲得進一步的增援，而且除了這個隘道以外，也無險可守，所以決定從貝貝拉港由海上撤出——大多數人員都運往肯亞，因為英國人正在那裡增建兵力。他們使敵軍損失了兩千人以上，而自己卻只付出了二百五十人的成本，並且使義大利人獲得一種深刻的印象，這對於他們未來的行動也就足以產生非常遠大的戰略效果。

一九四〇年十一月，康寧漢中將（Lieutenant-General Sir Alan Cunningham）接管了在肯亞全部英國部隊的指揮權。最初的兵力只有第十二非洲師，師長就是高德溫．奧斯丁少將，所包括的有第一南非旅、第二十二東非旅和第二十四黃金海岸旅。不久又獲得了第十一非洲師的增援。

到了秋天，在肯亞的兵力已經增到了大約七萬五千人——南非人二萬七千，東非人三萬三千，西非人九千，外加英國人約六千。已經成立了三個師——第一南非師，和第十一及第十二非洲師。在蘇丹境內現在也有兵力二萬八千人，包括第五印度師，至於第四印度師，在參加了初期的北非反擊之後，現在也正向蘇丹移動。從第四戰車團中也已經送去了一個戰車連，此外還有蘇丹的防禦部隊。

邱吉爾感覺到既然已有這麼多的兵力，實在也就有加強活動之必要，所以他一再要求採取過去所從未考慮過的積極行動。充任中東地區總司令的魏菲爾，就和康寧漢聯名建議，從肯亞向義屬索馬利蘭的進攻應在春雨之後，即五、六月間開始發動。十一月間，普拉特首次在北面進攻，曾經遭遇到義軍的頑強抵抗，於是也就使魏菲爾更加深了他的疑慮。這次進攻是以加拉巴特為目標，所用的部隊是第十印度旅，其旅長為史林准將（W. J. Slim），以後變成了這次戰爭中的名將之一。對於加拉巴特的攻擊最初是已獲成功，但再向鄰近據點米特馬（Metemma）進攻時卻受到了阻止，對方為實力大致相等的一個義大利殖民地旅。英軍未能成功的主因是上級不聽史林的忠告，把一個英國營插在這個印度旅中間，以為它可以產生加強作用，結果卻適得其反。以後的事實也證明出來在這個北部地區中的義大利部隊，戰鬥力是比任何其他地區中的都要更為頑強。

在冬季中唯一有希望的插曲是桑德福准將（Brigadier D. A. Sandford）的活動。他是一位退役軍官，戰爭爆發後才被重行徵召，並被送入衣索比亞去設法在公達爾（Gondar）周圍的山區中鼓動酋長們的叛變。接著又有一位非正規的溫格特上尉（Captain Orde Wingate），率領著一個蘇丹營以及他的「特種部隊」（Gideon Force），也參加和擴大這種活動。一九四一年一月二十日，流亡出國的衣索比亞皇帝賽拉西（Haile Selassie）經由空運被帶回國——僅僅在三個月之後，他就在五月五日，由溫格特護送著，重返他的國都阿迪斯阿貝巴（Addis Ababa）——甚至於比邱吉爾所幻想的還要快得多。

在邱吉爾的不斷逼迫之下，而且又加上史末茲（Smuts）在南非方面的壓力，於是魏菲爾和康寧漢遂不得不決定在一九四一年二月發動從肯亞對義屬索馬利蘭的攻擊。吉斯馬約（Kismayu）港的攻占出乎意料之外的容易，這樣就使補給問題大為簡化。從那裡康寧漢的部隊就渡過了久巴河（Juba River），向大約二百五十哩以外的摩加迪修（Mogadishu）前進。那是義屬索馬利蘭的首府，也是一個較大的港口，僅僅一個星期之後，於二月二十五日就把它占領了。在那裡他們俘獲了大量的汽車和飛機燃料，因為進展得太快，所以義大利人也像在吉斯馬約一樣，沒有來得及照計畫實施破壞。良好的空中支援對於此次迅速的前進也是另一重要因素。

康寧漢的部隊再轉向內陸，進入衣索比亞南部，三月十七日第十一非洲師經過四百哩的前進，占領了吉吉加（Jijiga），接近省會哈拉爾（Harar）。這樣也就使他們非常逼近舊英屬索馬利蘭的邊界，而一支從亞丁（Aden）出發的小型部隊也早已於十六日在那裡登陸。三月二十九日，克服了一些比較頑強的抵抗之後，英軍占領了哈拉爾，於是康寧漢遂揮師西進，直趨三百哩外，位置於衣索比亞中心的首都阿迪斯阿貝巴。僅在一個星期之後，即四月六日，康寧漢各部就占領了該城——比賽拉西皇帝在溫格特護送之下的還都，還早了一個月。義大利人之所以如此願意趕快的投降，與他們所聽到的衣索比亞游擊隊對義大利婦女所作暴行的報導具有密切的關係。

不過在北部的抵抗卻遠較頑強，那是從一開始就如此。這裡的指揮官是弗魯希將軍（General Frusci），他在厄立特里亞地區的前線上約有裝備良好的義大利部隊一萬七千人，在其後方又還有三個師以上的兵力。普拉特的進攻是在一月的第三週中開始發動，由強大的第四和第五兩個印度師來執行。奧斯塔公爵已經命令在厄立特里亞境內的義大利部隊在英軍尚未進攻之前即自行撤退，所以第一次的認真抵抗是在克魯（Keru），那是在卡沙拉以東約六十哩，已經進入了厄立特里亞的邊界四十哩。

在巴侖吐（Barentu）和阿哥達（Agordat）兩處山岳陣地上，兩個印度縱隊遇到了較堅強的抵抗，那是分別在克魯以東四十五哩和七十哩的地方。僥倖的是第四印度師，在比里斯福德將軍指揮之下，首先到達較遠的目標（阿哥達），遂使第五印度師對巴侖吐的前進變得比較容易。

魏菲爾於是才認清有擴大其目標的可能性，即征服整個厄立特里亞，因此也就給予普拉特將軍新的命令，但是首府阿斯馬拉（Asmara）距離阿哥達還在一百哩以外，而馬沙瓦（Massawa）港則更遠。中間夾著克侖（Keren）山地要塞，那是東非洲防禦最堅強的一處天險，也是到達阿斯馬拉和義大利海軍基地馬沙瓦的唯一門戶。

二月三日上午，英軍第一次企圖衝過這一道難關，結果失敗了，以後接著好幾天，又是累次都被擊退。在該地的義軍指揮官，卡尼米奧將軍（General Carnimeo），表現出優異的戰鬥精神和戰術技巧。經過了一個多星期的努力仍然無效之後，英國遂放棄了攻擊，於是接著就是一個長期的休息。直到三月中旬才又繼續進攻，此時第五印度師也已加入了。但依然還是發展成為長期的苦鬥，而義大利還發動了一連串的反擊，使攻擊者一再的被逐退，但最後到了三月二十七日，第四皇家戰車團的一個重裝甲「步兵」戰車連突破了封鎖線並貫穿了義軍的正面——這正像第七皇家戰車團一樣，同一種因素（即馬提達重戰車）在北非的累次戰鬥中，從細第巴拉尼到多布魯克，都發揮了決定性的作用。

這樣就結束了克侖之戰，前後共歷時五十三天。弗魯希將軍的部隊向南退入衣索比亞，而英軍則於四月一日占領阿斯馬松。於是他們再向東對五十哩外的馬沙進攻，經過了一戰之後，這個港口也就在四月八日投降。於是也就結束了整個厄立特里亞戰役。

此時，殘餘的義大利部隊，在奧斯塔公爵統率之下，已經向南退入衣索比亞，計畫在阿斯馬拉以南約八十哩的安巴阿拉吉（Amba Alagi）山地中去作最後的抵抗。他手上一共只有七千人，四十門砲，和僅夠三個月之用的補給。此外，義大利人的士氣也已經極為低落，這與有關衣索比亞人虐待戰俘的報導具有相當的關係。所以奧斯塔公爵雖然是一位很英勇的軍人，他也還是寧願同意在「光榮的條件」之下向英軍投降。五月十九日，簽訂了降約，於是使義大利戰俘的總數增到了二十三萬人。不過在衣索比亞的西南部還有賈齊拉將軍（General Gazzera）所率領的一部分孤立的義大利部隊；而在西北部公達爾附近也還有納西將軍（General Nasi）麾下的部隊。這些殘餘的義軍在一九四一年夏季和秋季也終於受到圍剿和肅清。於是墨索里尼的短命非洲帝國遂告完全結束。

第四篇

蔓延（一九四一）

第十一章　巴爾幹和克里特島的蹂躪

有人說英國當局把威爾遜將軍的兵力派往希臘，雖然結果只是匆忙的撤出，但這個行動卻還是有道理的，因為它已經使侵俄戰役的發動延遲了六個月。許多熟悉地中海情況的軍人——其中最顯著的一位就是裘剛德將軍，他後來做了蒙哥馬利的參謀長，當時正在開羅的聯合計畫機構中工作——都反對這種說法，並且譴責這次冒險實為一種政治賭博。他們認為由於把不適當的兵力送往希臘，遂犧牲了一個「黃金」機會。英軍本應乘義大利人在昔蘭尼加慘敗機會，一鼓作氣在德國人的援兵尚未趕到之前，就把的黎波里攻占下來。但他們卻坐失良機，反言之，在希臘方面他們根本就沒有擊敗德國人和使該國免受侵入的可能。

事實的經過也可以證明後述的看法不錯。不出三個星期，希臘就受到了蹂躪，英軍也被逐出了巴爾幹，同時留在昔蘭尼加已經減弱的英國部隊，在德國非洲軍（Afrika Korps）在的黎波里登陸之後，也同樣很快的被逐出了。這些失敗對於英國的威望和前途都是重大的損失，並且也加

奧地利
匈
牙
利
布達佩斯
希臺里亞
卡林提亞
盧布拉納
查格里布
阜姆
第二軍團
多
瑙
河
提米索拉
克魯
拉西
蘇
俄
羅馬尼亞
普洛什蒂
布加勒斯特
貝爾格勒
南斯拉夫
摩拉瓦河
克萊斯特
安科那
斯普勒
薩拉耶佛
亞德里亞海
尼斯
索非亞
杜布洛克
保加利亞
伐爾那
斯徒馬河
第十二軍團
斯科普勒
義大利
阿爾巴尼亞
愛第尼
伊斯坦堡
巴利
那不勒斯
蒙納斯替
瓦達河
雷斯
色
土
大蘭多
薩羅尼加
德地加赫
奧林帕斯峯
梅塔卡斯防線
義希兩軍戰線
(4月6日)
希臘
愛琴海
耳
色摩皮利
依茲米爾
雅典(4月27日)
其
卡拉馬
巴爾幹的蹂躪
軸心及軸心同盟國
德軍的攻擊1941年4月6日～4月28日
1941年9月的國際界線
0 哩 300
0 公里 200
卡里亞
馬里門
(5月20日)
德國傘兵部隊著陸
克里特島

速使希臘人民受到蹂躪的痛苦。即令後來發現希臘戰役的確已經延緩了對蘇俄的侵入，但這也還是不足以證明英國政府的決定是合理的，因為當他們在作決定時，根本就沒有考慮到那個問題。

不過為了歷史的興趣，此次戰役是否真正已經產生那樣的效果，卻又還是值得研究的。足以支持這種說法的唯一最具體證據就是下述事實：希特勒本已命令對於攻擊俄國的一切準備，都必須在五月十五日以前完成，但到了三月底，這個預定的日期卻又被順延約一個月，然後才決定改為六月二十二日。倫德斯特元帥曾經說過，他那個集團軍的準備是由於裝甲師的遲到而發生了延誤，那些裝甲師都是巴爾幹戰役中所使用的，所以這也就是延誤的一個主要因素，此外又還要再加上天氣的因素。

在倫德斯特之下，直接指揮裝甲部隊的克萊斯特所說的話就更為明顯。他說：「誠然，那些用在巴爾幹的兵力在我們的總兵力中所占比例並不大，但以戰車的比例而言卻很高。由我指揮準備在波蘭南部向俄國發動攻擊的裝甲部隊，大部分都是曾經參加巴爾幹戰役的。那些戰車需要大修，人員也需要休息。他們中間有許多人都是一路長驅南下，遠達伯羅奔尼撒（Peloponnese），現在也就必須把他們從原路撤回來。」

倫德斯特和克萊斯特二人的意見自然是受到他們自己地位的影響，因為他們所負責的方面是要依賴這些裝甲師來發動攻勢。其他的德國將領對於巴爾幹戰役的影響就比較不那樣重視。他們強調指出對俄攻勢的主要任務是指派給在波蘭北部的中央集團軍，那是由波克元帥指揮，一切成敗都是以這一方面的進展為關鍵。倫德斯特的南面集團軍所擔負的本是一種次要的任務，所以他的兵力即令減少一點，也還不會影響到勝負的決定，尤其是俄國方面的兵力部署一向缺乏彈性，是很不易調動的。甚至於這一方面的兵力較少還是一種好處，因為那可以阻止希特勒要在侵入的第二階段把主力移向南面的想法——如我們所知的，德軍未能在冬季來臨之前，進入莫斯科，實深受他這種決定的影響。總之，不必等到倫德斯特集團軍獲得巴爾幹方面所撤回的裝甲師之前，就可以發動對俄國的作戰。不過，地面是否夠乾燥，足以容許提早發動攻勢，那卻的確是一個疑問。哈爾德認為在實際發動侵俄戰役之前，天氣的條件事實上都是不太適合的。

設若無巴爾幹的併發症，則希特勒將作何種決定，僅憑德國將領們事後的看法，並不能獲得一項確實的結論。不過若一旦為了這個原因而決定延期，則等到用在那一方面的兵力調回來之後再動手的觀念也就自然是比較合理。

但是決定延期的原因卻並不是希臘戰役。當侵入希臘的觀念被納入一九四一年的計畫中時，希特勒早已考慮到把它當作侵俄行動的一個序幕。改變時間表的決定性因素是三月二十七日所突然發生的南斯拉夫政變：希摩維區將軍（General Simovich）和他的聯邦黨人推翻了不久以前剛剛和軸心國家簽訂了條約的政府。希特勒大為震怒，就在消息傳來的同一天決定對南斯拉夫發動一個壓倒性的攻勢。為了要作這樣一個打擊，於是所需要的陸軍和空軍兵力，也就遠超過原有的估計。（那是只以希臘為對象，而且假定南斯拉夫是可以假道的。）這樣也就迫使希特勒不能不決定延遲其發動對俄攻勢的日期。

促使希特勒侵入希臘的原因不是英軍登陸的事實，而是他對於這種登陸的畏懼心理，必須把英軍逐出他才放心。英軍的登陸也並不能阻止南斯拉夫政府和希特勒簽訂條約，它卻鼓勵著希摩維區去發動政變，而終於使巴爾幹人民飽受戰禍的煎熬。

更具有啟發性的是格萊芬堡將軍（General von Greiffenberg）對於巴爾幹戰役的作戰概述。他是李斯特元帥的參謀長，而執行巴爾幹戰役的就是李斯特的第十二軍團。

格萊芬堡的記載強調說明，由於還記得聯軍在一九一五年占據薩羅尼加之後，到一九一八年九月終於發展成為一個具有決定性的戰略打擊，所以希特勒在一九四一年也就很害怕英國人會再度在薩羅尼加或色雷斯（Thrace）的南岸登陸。那麼當南面集團軍向東攻入俄國的南部時，他們也就會居於足以威脅其側翼的地位。希特勒假定英國人還是會像過去一樣的嘗試進入巴爾幹——並且也回憶到在第一次世界大戰末期，聯軍在巴爾幹的兵力對於勝負的決定是如何的具有實質貢獻。

所以他決定在開始對俄作戰之前，應首先占領在薩羅尼加到德地加赫（Dedeagach）之間的那一段南色雷斯海岸。第十二軍團被指派擔負這個任務，並包括克萊斯特的裝甲兵團在內。這支部隊首先在羅馬尼亞集中，越過多瑙河進入保加利亞，然後從那裡突破希臘的梅塔卡斯防線（Metaxas Line）——其右翼指向薩羅尼加，而左翼則指向德地加赫。[1] 一旦已經達到海岸線之後，留守的任務就交由保加利亞部隊來接替，德國人將只留下極少量兵力以作支援而已。於是第十二軍團的大部分，尤其是克萊斯特的裝甲兵團，就應向北撤回，經過羅馬尼亞，去參加東戰場南區的作戰。原定計畫並未考慮要占領希臘的主要部分。

當這個計畫送給保加利亞國王波里斯（King Boris）看的時候，他說他不敢信任南斯拉夫，它也許將會威脅第十二軍團的右側翼。德國代表遂向他保證說，由於南斯拉夫在一九三九年已與德國簽訂條約，所以他們認為在那一方面不會有危險發生。但他們所獲得的印象是波里斯並不太相信這種看法。

他的想法被證明出來沒有錯。當第十二軍團正要從保加利亞依照計畫開始行動時，政變就突然在貝爾格勒（Belgrade）爆發，迫使南斯拉夫的攝政王保羅（Prince Paul）退位。倫德斯特的作戰官，布勒孟楚特，曾經這樣分析著說：

似乎在貝爾格勒有某些人反對保羅攝政王的親德政策，並想要加入西方國家那一邊。這次政變是否事先曾獲西方國家或蘇俄的支援，我們軍人是無法猜度。但無論如何卻絕不是希特勒所發動的！反之，那卻是一次非常不愉快的奇襲，並且幾乎使在保加利亞的第十二軍團的全部作戰計畫都受到破壞。

舉例來說，克萊斯特的裝甲部隊現在必須從保加利亞向西北前進，以貝爾格勒為目標。另外一個臨時拼湊的行動就是組成一個第二軍團，由魏克斯（Weichs）指揮，迅速集中以卡林提亞（Carinthia）和希臺里亞（Styria）為基地的部隊，向南攻入南斯拉夫。在巴爾幹這一次突發的政變迫使俄羅斯戰役展期，從五月延到六月。所以，就這一點來說，貝爾格勒的政變是的確影響了希特勒對俄國攻擊的發動時間。

不過天氣在一九四一年又還是一個重要因素，但那卻是偶然性的。在布格河—桑河之線以東的波蘭，直到五月為止，地面上的行動都極受限制，因為大部分的道路都是泥濘不堪，而整個地區則幾乎是一個大泥潭。許多無規律的河川造成了廣泛的氾濫。愈向東走則情況也就愈惡劣，尤其是以在普里皮特（Pripet）和柏利及那（Beresina）的沼澤森林區域中為然。即令在正常的時候，五月中旬以前的運動一向都是非常受限制的，但一九四一年卻是一個很不正常的年頭。冬季特別長，一直遲到六月初，布格河都是在氾濫的情況中。

在遠北方面，情況也差不多。當時曼斯坦將軍正在東普魯士指揮一個充任矛頭的裝甲軍，他說五月底到六月初之間，在那裡是下著苦雨。所以若是提早發動攻擊，其成功機會可能會更差，也許誠如哈爾德所說的，即令沒有巴爾幹的阻礙，也還是不可能提早的。一九四〇年的天氣太有

1　譯註：德地加赫就是亞歷山大城（Alexandropolis）。

利於對西方的侵入戰，但一九四一年的天氣卻是對東方的侵入戰大為不利。

當德軍在一九四一年侵入希臘時，那是在一支小型英軍在薩羅尼加登陸之後。希臘陸軍所防禦的主要地區為從保加利亞進入希臘時所必經的山地隘道。但是德軍從斯徒馬河（Struma）下游的前進卻正掩護另一個比較間接的行動。德國人的機械化縱隊向西從斯徒馬河上進到與國界平行的斯徒米查（Strumitza）河谷，然後越過山地進入南斯拉夫那一端的發達河（Vardar）谷。從那裡就刺穿了希臘與南斯拉夫兩軍之間的交點，並用一個向薩羅尼加的迅速猛衝以擴張戰果。這也就切斷了在色雷斯地區中希臘軍的大部分。

接在這個打擊之後，德軍又不採取從薩羅尼加通過奧林帕斯峰（Mount Olympus）直接向南的進攻路線，因為在那裡英軍設有防禦陣地。他們另外轉向，從遠在西端的蒙納斯替（Monastir）缺口南下。這樣沿著希臘西海岸的前進，就切斷在阿爾巴尼亞境內的一部分希臘部隊，迂迴英軍的側翼，並截斷所有一切殘餘聯軍的退卻線，結果也就使希臘境內的一切抵抗都迅速的趨於崩潰。英軍及其同盟國部隊的殘部都由海上撤到克里特島（Crete）。

純粹憑藉從空中侵入兵力以來攻占克里特島，可以算是戰爭中的一次最驚人和最大膽的表演。同時這也是大戰中最引人注意的一次空降作戰。它是用英國人來作為表演中的犧牲品——這也留下了一種極有意義的警告，告訴未來的人類對於任何這一類奇襲的危險都絕不可以輕視。

一九四一年五月二十日上午八點，差不多有三千名德國傘兵從天空降落在克里特島上。這個島是由二萬八千六百名英國、澳洲和紐西蘭部隊所據守，此外還要再加上兩個師的希臘部隊，其總數也幾乎與上述者相等。

作為是德軍征服巴爾幹的尾聲，這個攻擊是在意料之中，而留在希臘的英國諜報人員對於其一切準備情形也都早已提供了良好的情報資料。但是對於空降的威脅卻並不曾受到其應有的重視。在邱吉爾的指示之下，弗里堡將軍（General Freyberg）已被指派為克里特島的指揮官。據邱吉爾的記載，他在五月五日曾報告說：「大可不必神經緊張，對於空降攻擊更是不必憂慮。」他表示比較可慮的還是海上的侵入——但英國海軍卻已能解除這種威脅。

邱吉爾對於「尤其是從空中來的威脅」卻仍然很感憂慮，所以他力主至少應再加送一打「步兵」戰車去增援，因為在那裡現有的數量只有一半。而更嚴重的基本弱點是完全缺乏空中支援——以來對抗俯衝轟炸機和攔截其空降部隊。甚至於高射砲也都很缺乏。

到了第一天黃昏時，在島上的德軍人數已經增到不止一倍，而且還在繼續增強中——首先是利用降落傘和滑翔機，從第二天黃昏起，就開始使用載運部隊的運輸機了。這些飛機冒險在已經被攻占的馬里門（Maleme）機場降落，儘管當時還仍受到守軍火砲和迫擊砲的掃射。最後由空中侵入的德軍總數大約達到了二萬二千人。許多人在降落時送命或負傷，但所留下來的都是最強悍的鬥士，而他們的對手雖然占有數量上的優勢，但訓練水準卻差得很遠，而且其中有許多人對於在希臘被逐出的經驗尚有餘悸。更重要的是他們在裝備方面的缺乏，尤以短程無線電通信工具為最。儘管如此，許多部隊是作了艱苦的奮鬥，而他們的頑強抵抗也產生了一些重要的效果，那又是到了以後才被人發現的。

有一度，英國高階層還是繼續保持樂觀的態度。根據其所接獲的報告，邱吉爾在第二天還告訴英國下議院說空降的侵入者「大部分」都已被消滅。而在以後兩天之內，中東英軍總部仍繼續在說是正在「掃蕩」德軍中。

但到了第七天，即五月二十六日，英軍在克里特島的指揮官卻報告著說：「照我看在我指揮之下的部隊已經達到了其耐力的極限……我們在這裡的地位已經毫無希望了。」弗里堡是一位心如鐵石的軍人，這些話出於他的口中，也就表示此項判斷是毫無疑問。撤出的行動從二十八日的夜間開始，到三十一日的夜間才結束——因為拚命的想盡可能多撤出一點部隊，所以英國海軍在敵人優勢空軍攻擊之下受到了嚴重的損失。一共救出了一萬六千五百人，包括大約二千名希臘人在內，其餘的人不是死了就是做了德軍的戰俘。海軍死了兩千多人。一共有三艘巡洋艦和六艘驅逐被擊沉。另外還有十三艘其他的船隻受到了重傷，包括兩艘戰鬥艦和地中海艦隊唯一的一艘航空母艦在內。

德軍也大約死了四千人和傷了二千人。撇開希臘人和當地克里特島的民兵不算，德軍的真正損失大約還不到英軍的三分之一。不過所損失的卻大部分都是德國唯一傘兵師的精華，所以對於希特勒產生了一種意想不到的心理影響，而那卻又變得是對英國有利的。

不過就目前而言，克里特島的慘敗所產生的心理打擊是異常的沉重。對於英國人民而言，因為它是緊跟在上兩次慘敗的後面，所以其打擊也就顯得更不好受。在四月間，英軍已在十天之內被隆美爾趕出了昔蘭尼加；而在希臘方面，從德軍開始侵入之日算起，三個星期之內，英軍也全部被逐出。魏菲爾在冬季裡雖曾從義大利人手中奪得昔蘭尼加，但那個成功卻不過是曇花一現而已。當在德國人手下這樣再三的吃敗仗之後，又加上德國空軍在春季裡已經對英格蘭重新發動空中的「閃擊」，所以前途的黑暗甚至於比一九四〇年還有過無不及。

但是出乎英國方面的一切料想之外，希特勒對於其在地中海地區的第三次勝利卻並不會加以擴張——躍向塞浦路斯、敘利亞、蘇彝士或馬爾他。一個月之後他就發動了侵俄戰役，而從那個時候起，他也就漠視一切可以輕鬆的把英國人逐出地中海和中東的大好機會。這固然是因為他專心致力於對俄國的作戰，但他在克里特島勝利之後的心理反應也是主因之一。由於所付出的成本太高，使他很感到傷心，於是他對於這次征服的成功也就不那樣起勁，他過去的一切成功都是成本遠較低廉而收穫也遠較豐富，所以在對比之下，他就感到相當的失望。

在南斯拉夫和希臘，他的裝甲新軍也還是像在波蘭和法蘭西平原上一樣縱橫無敵，儘管在那裡他們曾經遭遇到山地的障礙。他們蹂躪了那兩個國家像秋風掃落葉一樣的順利。

從以後的記錄上顯示出來，李斯特元帥的第十二軍團一共俘獲了九萬南斯拉夫人，二十七萬希臘人和一萬三千英國人，而其所付出的成本是死傷總數尚不及五千人。當時英國的報紙估計德軍損失在二十五萬人以上，甚至於英國官方的聲明也說「大約為七萬五千人」。

希特勒在克里特島勝利後的遺憾不僅是成本較高，而且也使其手中的這種新型陸上戰鬥兵力暫時嚴重的減弱。英國海軍雖已受到重大的損失，但卻仍繼續控制著海洋，希特勒只有使用這種兵力，才能越過海面攻占陸地，而不害怕英國軍的攔截。所以希特勒在克里特島已經扭傷了他的手腕。

戰後德國空降部隊司令司徒登將軍曾經透露：很令人感到驚奇的，希特勒對於攻擊克里特島的計畫本來就不願意採用。司徒登說：

在達到了希臘南部之後，他就想結束巴爾幹戰役。當我聽到這個消息之後，就飛往見戈林，並提出僅用空降兵力來攻占克里特島的計畫。戈林這個人是很容易說服的，而且他也很快認清了這種構想的可能性，於是要我去見希特勒。我在四月二十一日見到他。當我首次向他解釋這個計畫時，希特勒卻說：『那說起來是很有道理，但我認為在實際上是不可能的。』但我終於還是把他說服了。

在這個作戰中，我們用了一個傘兵師，一個滑翔機團和第五山地師，後者在過去並無空運的經驗。

空中支援由李希托芬（Richtofen）第八航空軍（Air Corps）的戰鬥機和俯衝轟炸機來負責，在一九四〇年打開進入比利時和法蘭西的門戶時，他們也一再表現出其作為決定性工具的價值。司徒登又說：

沒有任何部隊是海運過去的。但原來卻有這樣的打算，不過所能使用的海運工具就是一些希臘的小船。於是所安排的是把這些小船組成一個船隊，載運較重的裝備——高射砲、戰防砲、其他火砲以及少許戰車——和第五山地師的兩個營……據報英國艦隊尚留在亞歷山大港，但實際上他們是正在前往克里特島的途中。當這支運輸船隊駛往克里特島時，也就正好撞上英國艦隊，於是全部都被擊沉。德國空軍也立即予以報復，使英國海軍受到重創。但我們在克里特島上的作戰卻因為缺乏重武器而遭到嚴重的障礙……

在五月二十日這一天，我們並未能完全占領飛機場。在馬里門機場上，最珍貴的突擊團正在和紐西蘭的精銳部隊苦戰。五月二十日到二十一日之間的夜間對於德軍指揮部是一個最緊急關頭。我必須作下一個重大的決定，於是我決心使用手中仍控制著的傘兵預備隊，去完成對馬里門機場的攻占。假使敵軍在這個夜間或次日的上午發動一個有組織的反擊，那麼突擊團的殘部在兵疲久戰之餘即可能會被擊潰——尤其是他們對於彈藥感到異常缺乏。

但是紐西蘭部隊卻只作了一些孤立的逆襲。事後我聽說英軍指揮部認為在空降攻擊之外，一定還會有德軍的主力從海上侵入，所以他們把大量的兵力都展開在馬里門與卡里亞（Canea）之間的海岸線上。甚至於到這樣危急的時候，英軍指揮官都還不敢冒險把這些部隊轉用到馬里門。二十一日，德軍的預備隊已經成功的占領馬里門機場和村落。到了當天黃昏時，第一山地營，也就是第一批空運部隊，已經在機場著陸了——於是德國人也就已經贏得這一場克里特島之戰。

但是勝利的代價卻比原先提倡這個計畫的人所想像的要高得多——一部分是因為在島上的英國兵力比所假定的數量多了三倍，但卻也還有其他的原因。

> 損失的大部分都是由於在惡劣狀況下著陸——克里特島上很少有適當的地點，而一般的風向都是由內地吹向海洋。因為害怕把部隊投在海裡，所以駕駛員也就有把他們向較深入內陸投下的趨勢——有些實際上是落在英軍戰線之內。包裝的兵器往往落在距離部隊太遠的地方，這只是造成過度傷亡的第一種障礙。在那裡有少數的英國戰車，最初曾經把我們嚇了一大跳——但很僥倖的，他們的數量並沒有超過兩打。步兵，大部分是紐西蘭人，雖然受到了奇襲，但卻仍能作頑強的戰鬥。

元首對於傘兵單位所遭受的重大損失大感震驚，並且獲得一個結論，以為他們的奇襲價值已經成為過去了。此後，他常常對我說：「傘兵的時代已經過去了……」。

當我說服希特勒採納克里特島計畫時，我同時也曾建議在這個作戰成功之後，就應繼續從空中攻占塞浦路斯島，然後再從那裡向前躍進，以攻占蘇彝士運河。希特勒似乎並不反對這個觀念，但卻不曾明確的批准這種計畫——因為他內心裡所盤算的大事還是即將發動的侵俄戰役。自從克里特島的慘重損失使他吃驚之後，他也就拒絕再企圖作另一次大規模的空降作戰。我雖然曾一再向他進言，結果卻還是無效。

所以英國人，澳洲人和紐西蘭人在克里特島的損失也並非毫無代價的。除非隆美爾在非洲的裝甲部隊也已經獲得強大的增援，否則司徒登的攻占蘇彝士運河計畫也許是不可能的，但馬爾他（Malta）的攻占卻是一項輕而易舉的任務。在一年以後，希特勒曾被說服採取這個計畫，但後來又改變了他的決心而終於把它打消。司徒登說：「他感覺到假使英國艦隊一出場，所有的義大利船隻都會躲在他們的國內港口中不敢出頭，於是將留下德國空降部隊在那裡孤掌難鳴。」

第十二章　希特勒轉向俄國

當希特勒在一九四一年六月二十二日侵入俄國時，戰爭的整個局勢也就隨之而發生了革命性的改變——這恰好比一八一二年拿破崙侵俄紀念日要早一天。那個步驟被證明出來對於希特勒也正像對於拿破崙是同樣具有致命的效果，儘管這一天的結束沒有上一次那樣的快。

拿破崙在年底之前就被迫從俄國撤退，而俄國人在其侵入後次年四月就進入了拿氏的首都（巴黎）。希特勒一直過了三年才被逐出俄國，而直到第四年四月俄國人才進入了希氏的首都（柏林）。他曾經侵入俄國達到拿破崙所曾經到達的深度的二倍，不過他卻不曾進入莫斯科，未能重演拿破崙幻影式的成功。他之所以能夠侵入較深是由於有了較優越的機動工具。但這卻還不足以達到其理想目的。空間使他受到了第一次挫折，於是也就造成了他的失敗。

在侵略者自殺步驟的副作用方面，歷史也是自動的重演，英國的情況從其島國以外的多數人眼裡看來似乎是早已絕望，但此一步驟對於英國卻發生了起死回生的作用。從大多數局外人眼裡

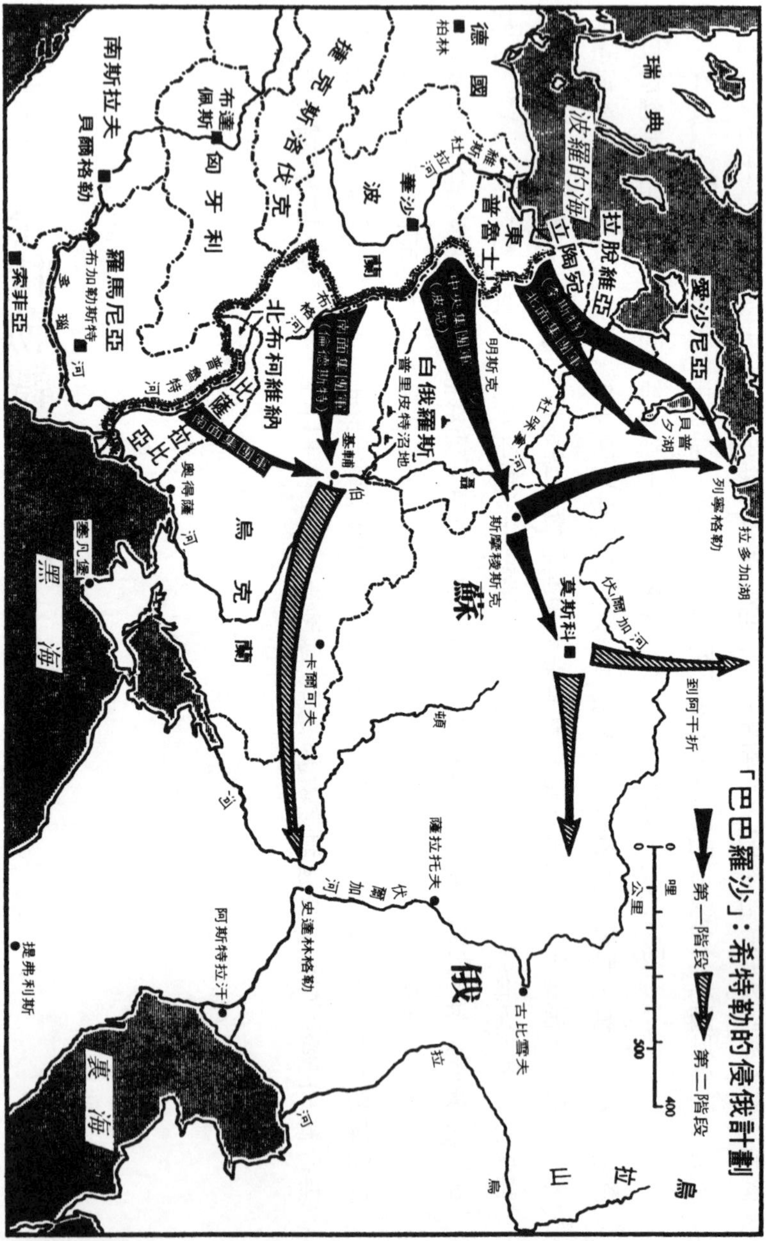
「巴巴羅沙」：希特勒的侵俄計劃
第一階段
第二階段
哩
公里
瑞典
波羅的海
拉脫維亞
愛沙尼亞
立陶宛
東普魯士
德國
柏林
維斯杜拉河
華沙
波蘭
捷克斯洛伐克
布達佩斯
匈牙利
羅馬尼亞
南斯拉夫
貝爾格勒
布加勒斯特
索菲亞
多瑙河
北布柯維納
比薩拉比亞
普魯特河
布格河
北面集團軍
中央集團軍
南面集團軍
白俄羅斯
普里皮特沼地
明斯克
杜味拿河
貝普夕湖
列寧格勒
拉多加湖
斯摩稜斯克
莫斯科
伏爾加河
阿干折
基輔
伯
奧得薩
烏克蘭
卡爾可夫
塞凡堡
黑海
頓河
薩拉托夫
史達林格勒
阿斯特拉汗
提弗利斯
古比雪夫
蘇
俄
裏海
烏拉山

看來，這個掛在歐陸邊緣上的小島，其情況是如何的絕望實至為明顯，而這一次比拿破崙時代還要更壞。由於空權的發達，海洋天塹的價值已經大為減低。這個島國的工業化已使它必須依賴輸入才能活命，於是也就增大了潛艇的威脅作用。因為拒絕了一切的和平試探，英國政府似乎也就已經把這個國家帶上了一條死路——即令希特勒不想用侵入的手段來達到迅速征服的目的，從邏輯上看來，英國也還是注定了會油盡燈熄，而終於難逃滅亡的命運。不妥協的路線即無異於慢性自殺。

美國也許會「打氣」使英國繼續浮著不沉，但不過是苟延殘喘，而並不能起死回生，尤其是邱吉爾在仲夏時所作的決定，又幾乎引起了大禍。他決定要傾英國那一點渺小的全力去轟炸德國。這樣的轟炸只能算是「針刺」（Pin-pricks），但卻有阻止希特勒把注意力移向其他方面的效果。

英國人對於他們情況的真相卻是漠不關心。他們在直覺上是頑固的，而在戰略上則是無知的。邱吉爾那種慷慨激昂的演說幫助矯正了敦克爾克所帶來的沮喪心理，補充了那些島國人民所需要的精神糧食。他那種挑戰性的口氣使英國人如醉如狂，所以也就不會冷靜的去考慮是否在戰略上有根據。

比邱吉爾的影響更深的還有希特勒的影響。自從他征服法國和接近英國人的海岸之後，其所給予英國人的刺激也就達到了空前未有的程度，其過去的一切暴政和侵略等項證據所能構成的刺激比較說來只能算是渺乎其小。於是英國人也就再度產生了他們那種傳統的心理反應——不惜付出任何成本來和希特勒拚命到底。英國人的集體民族性像一隻「牛頭狗」（Bull dog），若是給牠咬著了就會寧死都不鬆口。此種不可及的「愚行」在此也就獲得了最明顯的表現。

這是第二天一位西歐的征服者碰到了一個不認為他們自己已經被擊敗了的民族。從《我的奮鬥》這本書上顯示出來，希特勒對於英國人的了解要比拿破崙深入，所以他曾經採取非常特殊的步驟以求避免傷害他們的自尊心。但他卻相信英國人具有現實感，所以當他看到英國人居然對於其前途的無望完全無動於衷時，也就感到大惑不解。同時他也認為在那樣的環境之下，他所提出的和平條件實在是異常的寬大，因此英國人的拒絕也實出其意料之外，在這種困惑之中，他對於所應該採取的次一步行動也就感到猶豫不決了，於是也就終於像拿破崙一樣轉向另一方向——想先征服俄國來作為最後解決英國的準備。

他的心理並非突然轉向的，而是分了好幾個階段。其原因也極為複雜——比拿破崙的更為複雜——那不是任何一個單純的因素或理由可解釋的。比之一八〇五年，法國艦隊在芬利斯特角（Cape Finisterre）的受阻，德國空軍在英格蘭南部上空的重大損失，在戰略方面所具有的決定性比較小，儘管在戰術方面所具有的決定性卻較大。因為費侖紐（Villeneuve）的退卻在拿破崙的心理上立即產生了巨大的影響，而戈林的失敗卻並不曾對希特勒的心理產生同樣重大的影響。希特勒仍繼續努力打擊英國的意志，所改變的只是戰術的形式而已——本來是企圖毀滅英國的空中防禦力量，現在就改為對工業城市的夜間轟炸。壓力的間歇放鬆，除了天氣的影響以外，就是由於希特勒內心裡的舉棋不定。假使他還可能說服英國人接受和平條件，則他似乎也就不願意對英國人下毒手，但他雖然緊抓著這個希望不放，其追求目標時所採取的手段又顯得很笨拙，不能得心應手。

同時，受到其經濟需要、恐懼和偏見的影響，他心理又不斷的向另外一個方向移動。雖然他和史達林所簽訂的條件已經替他在西方的勝利作了鋪路的貢獻，他在那裡的征服也大體都是此種環境的產物，但他卻始終在想打倒蘇俄。對於他來說，思想並不是一種實現野心的工具，反共主義是他最誠摯的信仰。

此種東向的衝動受到英國抵抗的強烈影響，但在他內心裡的復活卻是從英國拒絕其和平試探之時起就已經開始了。

早在一九四〇年六月，當希特勒正在忙於法國的戰役時，史達林就抓著這個機會占領了立陶宛、愛沙尼亞和拉脫維亞三個小波羅的海國家。希特勒固然已經同意這些波羅的海國家應屬於蘇俄的勢力範圍，但卻並未同意它們可由蘇俄實際占領，所以他感覺到他已受到史達林的一次愚弄，儘管他的大多數顧問都很現實的認為俄國人的進入波羅的海國家是一種自然的預防措施，因為他們害怕希特勒在西方得勝之後就會轉過頭來對付他們。希特勒對於俄國具有一種深入的不信任心理，在西歐戰役的過程中，因為他只留下十個師在東線，面對著一百個師的俄軍，所以他經常感到不安，即為其一種明證。

於是到了六月二十六日，俄國人又事先未通知德國人，就向羅馬尼亞提出一份最後通牒，要求它立即歸還比薩拉比亞（Bessarabia），並且還要再割讓北布柯維納（Northern Bukovina）——其理由是因為羅馬尼亞在一九一八年「搶去」了俄國的領土，所以要另外加上這一小塊，以來作為「補償」。蘇俄限羅馬尼亞政府在二十四小時之內答覆，當後者在此種威脅之下表示同意時，俄國部隊就立即從地面和空中湧入這些地區。

對於希特勒而言，這比挨一記耳光還難過，因為那已經使俄國人非常的接近羅馬尼亞的油田，現在因為海外補給線已被切斷，這個油田也就被希特勒認為是他的唯一補給來源。在以後的幾個星期之內，他為了這件事一直神經都很緊張，並且憂慮其對英國空中攻勢的影響。同時他對於史達林的意圖也很感到懷疑。七月二十九日，他曾經和約德爾談到假使蘇俄嘗試奪占羅馬尼亞的油田時，德國就有和它開戰的可能性。幾個星期之後，作為是一種對抗行動，他又開始把兩個裝甲師和十個步兵師調往波蘭。九月六日，他在給予反情報機構的一項命令中指出：「在未來的幾個星期之內，對於東線的兵力要加強。但這種調整卻又不可在俄國方面造成一種印象使他們以為我們準備在東線發動攻勢。」德國部隊也應經常移動其駐地以偽裝其實力。命令中指出：

一方面，要讓俄國人知道我們在波蘭、東德各省和各保護國中都已駐有強大和高度訓練部隊。另一方面，又要使他們相信我們只想保護既得的利益，以防蘇俄的奪取，而尤以在巴爾幹地區為然。

這個命令的精神是以防禦為主。它的目的只想嚇阻俄國的侵略，而並非替德國的侵略作先聲。因為德軍的防線距離其所想要保護的油田太遠，所以希特勒認為要給予直接的保護很困難，因此才考慮到在波蘭方面作一種牽制性的攻勢行動的姿態。此種觀念不久就發展成為一種大規模的侵入戰——為了預防某一特殊的冒險，反而使全體都面臨危險。

九月中旬，從俄國傳來的情報說蘇俄宣傳機構已在紅軍組織之內採取反德的宣傳路線。這表示俄國人對德國東線兵力的首次增加已經發生了疑懼的反應，所以開始使其部隊作對德戰爭的心理準備，但從希特勒眼中看來，這也就是他們具有攻勢野心的證據。於是他開始感覺到他已經不能再等待——也就是說不能等到完成和鞏固其在西方的勝利之後再來對付蘇俄。他的畏懼、野心和偏見互相發生作用，促使他改變其思路。在這樣的心理狀況之下，他的疑心也就極易於激發。當他對於英國人的不認輸感到大惑不解時，於是也就向俄國方面去尋求解釋。在這個階段中，他曾經一再的向約德爾等人說，英國人一定在希望俄國人的介入，否則他們早就應該投降了。他們之間可能早已有了秘密協定的存在。克里普斯爵士（Sir Strafford Cripps）的奉命訪問莫斯科，他和史達林的談話都是證據。所以德國必須馬上動手，否則就不免要兩面受敵了。希特勒似乎不曾想到俄國人也同樣可能是在害怕他的侵略。

當包拉斯將軍（General Paulus）在九月初接任德國陸軍副參謀總長時，對俄國的攻擊計畫即早已完成了其大綱。他奉命負責研究其可能性。所擬定的目標為：（一）首先擊滅在西俄羅斯的俄軍，（二）然後向俄國內部推進，其深度以使德國能免於從東面受到空中攻擊的危險為限，即大致為從阿干折（Archangel）到伏爾加河（Volga）之線。

到了十一月份，這個計畫的細節即已完成，於是就作了兩次兵棋演習來進行測驗。希特勒現在對於來自俄國的攻擊已經不那樣著急，相反的，卻對於向俄國發動攻擊的問題愈來愈感到興趣，大型戰略計畫的準備和構想經常可以使他感到陶醉。當他發表他內心裡的想法時，每逢其將領們表示懷疑，結果就只會使他更堅定。過去當他們懷疑他是否有成功可能時，他不是每一次都證明了他自己的看法是對的嗎？他必須再度證明他自己是對的，而他們都是錯的——因為他們的懷疑表示儘管他們表面上是恭順有加，但內心裡對於他這樣一位業餘者（外行）總還是不敢信任的。此外，他的海陸軍將領對於渡海攻英的行動都頗感驚懼——但他卻不能消極無為。他固然也曾計畫假道西班牙以攻擊直布羅陀（Gibraltar），並封鎖地中海的西端，但這個行動卻還是太小，不足以滿足其偉大的雄心。

十月底的一項新發展對於他的決定也具有影響作用——而從其最後結果上來看，也是一種很大的影響。那就是墨索里尼並未先行通告，就突然發動了其對希臘的侵入行動。希特勒對於這件事深表震怒，其原因有三點：（一）痛恨他的二流夥伴，不聽他的指導；（二）這破壞了他自己的計畫；（三）義大利有在他有所企圖的地區中建立其本身勢力範圍的可能。雖然由於義大利人的無能和挫敗而使最後那一種危險不久就完全消失了，但墨索里尼的輕舉妄動卻還是促使希特勒不得不加速其本身在巴爾幹方面的行動。這也構成了一項新的向東移轉的理由。當他在控制巴爾幹的競賽中，後來居上的勝過了墨索里尼之後，他也就決定第二步應先解決俄國問題，而把英國問題留待以後再談。甚至於直到此時，那還不能算是一個明確的決定，不過這種想法卻已在他內心裡居於最重要的地位。

十一月十日，莫洛托夫來到柏林討論廣泛的問題，包括德國要求蘇俄也應正式加入軸心組織的建議在內。在會談結束時發表了一個聯合公報，其中有云：「意見的交換是在一種互信的氣氛中進行，並且對於一切有關德俄兩國利益的重要問題都已獲得一種共同的諒解。」那些參加會談的德國代表們，私下也表示對於結果感到相當滿意，那是可以綜述如下：

> 就目前而言，暫不簽訂具體的條約。在幾個更進一步的問題獲得澄清之後，俄國似乎即將願意加入三國公約……德國方面曾把將在巴爾幹採取行動以支援義大利的計畫告訴莫洛托夫，後者並未表示反對。他建議應為蘇俄在保加利亞的勢力創造一種適當的條件，那正和德國在羅馬尼亞的勢力相似，但德國方面並未把此項建議列入記錄。不過，德國方面卻表示

不贊成土耳其支配韃靼尼爾海峽，並同情俄國在那裡尋求基地的願望。……

但是所謂「互信」者卻是完全缺乏，而外交詞令雖然冠冕堂皇，但毫無內容可言。十二日，希特勒的第十八號戰爭命令中曾經這樣說：

為了澄清蘇俄目前的態度，政治談判已在進行。不論政治談判結果如何，一切對東線的準備工作，仍應依照過去已經下達的命令繼續進行。

當外交家談判的時候，軍事計畫仍繼續進行。希特勒本人對於談判的結果並不像其他的人那樣感到滿意。他認為俄國對三國公約所提出的進一步問題完全是一種遁詞，他現在是一心想發動攻勢。賴德爾曾在十四日謁見他之後記載著說：「領袖有向俄國挑戰的傾向。」在莫洛托夫離去之後，希特勒曾召見一批高級執行人員，並向他們說明他是正在準備征俄。他們曾企圖說服他放棄這種冒險，結果都是徒費口舌。他們說這個意義就是兩面戰爭，在第一次世界大戰時已經證明了這種情況足以致德國的死命。希特勒就反駁著說：除非英國的抵抗已經崩潰，否則不可能希望俄國永遠按兵不動。而要擊敗英國則必須擴充海軍和空軍，於是也就必然的要削減陸軍，但當俄國威脅仍然存在時，這種削減又是不可行的。在巴爾幹國家中的證據已經顯示出俄國的不可信賴，所以情況也就已經改變。因此「海獅作戰」必須暫時擱置。

十二月五日，希特勒接受了哈爾德對於東線計畫所作的報告書，於是在十八日就頒發了「第二十號訓令——巴巴羅沙案」（Directive No.21-Case Barbarossa）。這個訓令一開始就採取了下述具有決定性的詞句：

德國武裝部隊應準備在對英戰爭結束之前，在一個快速的戰役中擊滅蘇俄。

為了這個目的，陸軍將使用其所有一切可以調動的單位，唯一的保留就是在占領國家中仍應嚴防奇襲的攻擊。海軍的主力仍應集中對付英國！

假使機會到來，我將在開始行動之前八個星期命令集中部隊以發動對蘇俄的攻擊。準備需要較多的時間，若現在還沒有開始，就應立即開始工作，並必須在一九四一年五月十五日以前全部完成。（就適合的天氣條件而言，這是被認為最早可能的日期。）必須非常的小心以免洩露攻擊的企圖……

在俄國西部的俄軍主力，準備由四個戰車深入突破所構成的勇敢作戰來予以殲滅，並且應阻止敵方有戰鬥準備的部隊退入俄國的廣大空間。

訓令中又說假使這些結果還不足以打垮俄國，那麼其在烏拉山（Ural）區的最後工業中心也可以用空軍來予以消滅。紅軍艦隊將由於波羅的海基地的攻占而癱瘓。羅馬尼亞將協助牽制在南面的俄軍，並在後方提供輔助勤務——關於參加對俄攻擊的問題，希特勒已在十一月間向羅馬尼亞的新獨裁者，安東尼斯古將軍（General Antonescu），徵詢其同意。

「假使機會來到」（If Occasion arises）一語雖然具有一種不肯定的語氣，但希特勒的意圖是已經確定而不容置疑。這句話的解釋可以在訓令中的一段內找到。它說：「各高級指揮官根據這個訓示所頒發的一切命令，都應說明這是一種預防措施，以備俄國改變其現有對我們的態度時之用。」為了掩蔽這個計畫又作了大規模的欺敵計畫，很自然的希特勒本人在這一方面扮演著一個領導的角色。

而且所欺騙的又不僅限於他的敵人，連自己人也在內。當他和他的部下討論到這個問題時，其中許多人對於征俄的危險都很感到憂懼，而尤以兩面戰爭的威脅為然，所以希特勒也就認為最好表面上裝作尚未作最後決定，以免爭論的麻煩。同時這樣可賦予他們時間好來見風轉舵，而且可以讓他自己有時間來對俄國的敵對意圖提供一些更足以令人信服的證據。希特勒對於其將領們的「心不在焉」感到很焦急。雖然根據效忠的宣誓，那些人對於他是不能不服從，但這卻不足以堅定他們的決心，而那卻是成功的必要條件。因為他必須要把他們當作一種職業性的工具來使用，所以也就有必須使他們心悅誠服的必要。

一月十日德俄之間簽訂了一項新的條約，那也把十一月間莫洛托夫會談中有關疆界和經濟等問題的結論都包括在內。所以在表面上已經顯得比較平靜。但希特勒私下卻批評史達林是一個「冰冷的敲詐者」（Ice-Cold Blackmailer）。同時從羅馬尼亞和保加利亞所傳來有關俄國人活動的報導也都是令人感到不安的。

十九日墨索里尼來訪問希特勒，在這次會晤中希特勒曾談到他與俄國人之間的困難。他並不曾洩漏他自己的攻擊計畫，但他卻很有意義的提到由於德國部隊集中在羅馬尼亞，他已經接到了俄國的強烈抗議。在下述的一段談話中也可以暗示出他自己的想法：「在過去，俄國可以說是毫無危險的，因為它根本就不足以威脅我們；但在現在的空權時代中，從俄國對地中海所發動的空中攻擊可以把羅馬尼亞的油田變成廢墟，而整個軸心的生命卻是寄托在這些油田之上。」這同時也就是他用來駁斥那些將領們的理由之一。那些人曾認為即令俄國人有侵略的意圖，德國人只要加強邊界的防禦即可以應付這種威脅，實無發動對俄攻擊的必要。

二月三日，希特勒在貝希特斯加登（Berchtesgaden）的山中別墅內召開軍事會議，向他的高級將領宣布了其計畫的概要，然後就對於「巴巴羅沙」計畫的最後定稿作下正式的批准。凱特爾在會議中對於在西俄地區中敵軍的實力發表了下述的估計：大約為一百個步兵師，二十五個騎兵師，和相當於三十個機械化師的裝甲兵力，這個估計相當的正確，因為當侵入戰發動時，俄國人在西俄所能動用的兵力實際上是八十八個步兵師，七個騎兵師，和四十四個戰車及摩托化師。凱特爾接著就說，德國兵力數量沒有這樣大，但素質卻較優越。實際上侵入軍共有一一六個步兵師（其中十四個為摩托化步兵師），一個騎兵師，和十九個裝甲師——此外還有九個交通線師（Lines-of-Communication divisions）。此種兵力的比較絕非設計用來安撫那些將領們的不安，因為它明白的指出在發動此一大攻勢時，並無他們所一向喜歡的數量優勢，而且更顯示在決定性因素——裝甲部隊——方面是居於相當不利的劣勢。很明顯的計畫作為者是把很重要的賭注都押在素質優勢之上。

凱特爾又繼續說：「俄國人的作戰意圖是不可知的。在邊界上無強大兵力。任何撤退都只會是小幅度的，因為波羅的海國家和烏克蘭在補給方面對於俄國有極重大的價值。」這在當時似乎是一種很合理的研判，但後來卻證明出來實在是一種過分樂觀的假定。

侵入軍分為三個集團軍，他們的作戰任務也已概略的規定。北面集團軍，由李布（Field-Marshal R. von Leeb）指揮，其任務為從東普魯士，通過波羅的海國家，而攻入列寧格勒（Leningrad）。中央集團軍，由波克指揮，以華沙地區為起點，沿著莫斯科公路，攻向明斯克（Minsk）和斯摩稜斯克（Smolensk）。南面集團軍，由倫德斯特指揮，要從普里皮特沼地以南進攻，並向下伸入羅馬尼亞，以聶作河（Dnieper）和基輔（Kiev）為其目標。主力是集中在中央集團軍方面，所以也給予優勢的兵力。預定在北面的實力以和敵人相等為原則，而在南面則將僅以劣勢兵力為滿足。

在他的報告中，凱特爾又指出匈牙利的態度頗有疑問，並強調說為了保密的原因，和那些國家之間的合作安排應該在最後五分鐘才去完成。不過羅馬尼亞對於這一條規則卻是例外，因為該國的合作實在太重要。（希特勒最近曾與安東尼斯古再度會晤，要求他允許德軍假道以支援在希臘的義大利軍，但安東尼斯古仍然猶豫不決。他說這樣一來可能會促使俄國人侵入羅馬尼亞。在第三次會晤時，希特勒向他提出諾言，不僅要把比薩拉比亞和北布柯維納歸還羅馬尼亞，還讓它占有南俄的土地直到聶伯河之線為止，作為協助攻擊的報酬。）

凱特爾又補充說明，直布羅陀的作戰已經不再有可能性，因為德國砲兵的大部分都已送往東線。而「海獅作戰」也必須暫時擱置，但卻應盡可能造成一種印象使「我們」部隊認為對英作戰仍在進一步的準備中。為了散布這種觀念，在海峽海岸上和挪威的某些地區應突然宣布封閉，而作為一種雙重的欺騙，向東線的集中應偽裝為一種對英國登陸的演習。

與軍事計畫相配合的還有一個大規模的經濟計畫：那個被稱為「奧登堡計畫」（Plan Oldenburg）的計畫是以對征服後的蘇俄地區實施榨取為目的。另外成立了一個經濟參謀本部，那是與軍事參謀本部完全分開的。這個經濟參謀本部在研究了它的問題之後，就在五月二日提出一份報告，一開頭就這樣說：「除非在戰爭的第三年，所有一切的武裝部隊能由俄國供養，否則戰爭將無法繼續。那是毫無疑問的，當我們從那個國家把我們需要的東西都拿走時，就一定有幾百萬俄國人民會餓死。」我們不知道這種說法是否僅為一種冷血的科學計畫，抑或是故意想對於過分誇大的目標和要求提出一種暗示性的警告。該報告又接著說：「奪取和運走油籽和油餅最重要，穀物還在其次。」以前，OKW的戰爭經濟處長湯瑪斯將軍（General Thomas），也曾提出一項報告。並曾指出只要運輸問題能夠解決，則征服了整個歐俄，也許即可以解決德國的糧食問題，但其經濟問題中的其他重要部分還是不能解決——像橡膠、鎢、銅、鉑、錫、石棉和馬尼拉大麻等原料的補給，必須在與遠東的交通可以有保障時然後才能解決，這些警告對於希特勒並不能產生任何約束作用。但另一個結論，即認為「高加索的燃料補給對於占領區的榨取是必不可少的」，這卻對於希特勒產生了非常重大的影響作用，遂促使他前衝到了喪失平衡的地步。

一個事先的挫折不僅產生了很大的延誤，而且也使「巴巴羅沙」計畫受到最重的擾亂。由於受到了英國的支持，希臘和南斯拉夫在外交上給予希特勒以雙重的打擊，這使他在心理上產生了嚴重的反應。

在尚未攻擊俄國之前，希特勒希望他的右肩能夠自由——不受英國的干涉。他希望不必經過嚴重的戰鬥即能確實獲得對巴爾幹的控制——即使用武裝外交（Armed diplomacy）的手段也在所不顧。他感覺到在西歐獲得了勝利之後，也就應該比過去任何時期都更容易成功。俄國人的侵略使羅馬尼亞自動的投入希特勒的懷抱。第二步很容易，三月一日保加利亞政府接受了他的賄賂，自願和德國簽訂一項條約，同意德軍可以通過該國領土，並在對希臘的邊界上建立陣地。蘇俄政府的廣播指責這是破壞中立行為，但卻不曾採取任何更強烈的措施，所以也就使希特勒更相信俄國對於戰爭尚無準備。

希臘政府對於希特勒的外交攻勢反應就比較不合理想，自從希臘遭受其軸心夥伴（義大利）的侵略之後，這也是十分自然的趨勢。希臘政府對於他的威脅也並不屈服。由於抵抗墨索里尼侵略的成功，希臘人民的精神已經大為振奮。在一月間又接受了英軍增援的安排，後者在德軍進入保加利亞之後幾天內，也開始在希臘登陸。

這種挑戰促使希特勒決定攻擊希臘，那是在一個月後發動的。對於他的主要路線而言，這是一種不需要的耽擱。因為英國所能提供的兵力實在小得可憐，對於他的右肩最多也只能產生一點輕微的刺激，至於希臘人則正在忙於應付義大利的攻擊，所以更不足為患。

此種對其征俄計畫的不利影響又因為南斯拉夫事件的發生而更形增強。在這裡開頭很順利。在德國壓力之下，南斯拉夫政府已經同意以一種折衷方式與軸心方面合作，即南斯拉夫可以免除軍事上的義務，但根據祕密的條件允許德國的部隊可以使用通往希臘國界的貝爾格勒—尼希（Nish）鐵路線。南斯拉夫的代表在三月二十五日簽署了條約。兩天之後，南斯拉夫空軍總司令希摩維區將軍，率領著一批青年軍官，在貝爾格勒發動了一次軍人政變。他們控制了無線臺和電話中心，推翻了政府，在希摩維區領導之下建立了一個新政權，並拒絕履行德國的要求。英國的特務人員曾經幫助製造這次陰謀，而當其成功的消息傳到倫敦時，邱吉爾在其講詞中這樣高興的宣布著說：「我有一個重大的新聞要告訴你們諸位和全國同胞，今天清晨南斯拉夫已經尋獲了它的靈魂。」他接著就宣布南斯拉夫新政府將接受英國所提供的一切可能的救援和幫助。

這次政變使巴爾幹的情況發生革命性的變化。希特勒不可能容忍這樣一種侮辱，而邱吉爾的喝采更使他惱怒。他立即決定侵入南斯拉夫和希臘兩國。一切必要的準備進行得極為迅速，所以僅只在十天之後，即四月六日，他就已經能夠發動攻勢。

這次巴爾幹反抗的直接結果非常的悽慘。在一個星期之內，南斯拉夫就遭到蹂躪，而它的首都在一開場的空中攻擊之下即化為廢墟。希臘一共只支持了三個星期多一點的時間，英軍經過了很少戰鬥的長距離退卻，匆匆的逃上了他們的船隻。在每一個退卻階段，他們都遭受到敵人的迂迴。這種結果反映出邱吉爾判斷的錯誤，而在當時還有許多人支持他，宣稱這種軍事介入行動有成功的可能。事實上，英國人不僅喪失了他們的信用，而且也更對不起南斯拉夫和希臘兩國的人民。這種怨恨具有持久的效力。最後南斯拉夫終於被赤化，更是歷史上的一大諷刺。

但是這個插曲的間接效果是尤其重要的，而它們卻從希特勒的判斷中反映出來，即令用數量乘質量來作為計算的標準，他所享有的優勢也還是極為有限，所以當他進行巴爾幹戰役時，也就不可能同時再發動征俄之役。尤其重要的是他在戰車數量上比俄國人居於劣勢。要迅速征服巴爾幹，則勢必要使用裝甲師；所以他必須要等到每一個師都調回來之後，才敢冒險發動對俄國的攻勢。因此，在四月一日不得不決定「巴巴羅沙」展期——從五月中旬延到六月半。

希特勒能夠那樣迅速征服南、希兩國，使他可以趕上新定的侵俄日期，要算是一項驚人的軍事成就。的確，他的將領們認為如果英國人能成功的守住希臘，則「巴巴羅沙」可能就根本上無法執行。事實上只延遲了五個星期，但使他喪失了擊敗俄國的機會，這卻是重要因素之一。除此以外，他在八月間的猶豫不決，和那年冬季來得特別早也都是重要因素。

到了五月一日，除了已被切斷和俘虜的人員之外，所有的英軍都已從希臘南部灘頭上了船。在那同一天希特勒也確定了「巴巴羅沙」的日期。他的命令在綜述了對方強弱形勢之後，又這樣補充著說：

對於作戰過程的估計——在邊界上將有猛烈的戰鬥，可能會長達四個星期。在以後的發展中，抵抗就會比較減弱。每一個俄國人會在其所指定的位置上死戰到底。

六月六日，凱特爾對於這次冒險行動頒發了詳細的時間表，除了列舉用於侵入戰中的兵力以外，它也指出面對著英國，德國人在西歐還留下四十六個步兵師，但其中卻只有一個是摩托化師，此外還有一個唯一的裝甲旅。在接獲命令十天之後，他們還可以有能力執行「阿提拉」（Attila）作戰，即攻占法屬北非；或「依薩貝拉」（Isabella）作戰，即對抗英國人在葡萄牙的可能行動——但二者卻不能同時兼顧。第二航空隊已經調往東線，對不列顛空戰的執行現在就由第三航空隊負其全責。

這些命令也暗示出來，為了尋求他們的合作，在五月二十五日已經開始和芬蘭參謀本部談判。羅馬尼亞人的合作早已確定，預定在六月十五日才把最後的安排通知他們。在六月十六日也應暗示匈牙利人，要他們對於邊界作較堅強的防禦。次日在德國東部的一切學校都開始停課。德國商船應離開俄國，但都應盡量避免引起注意，至於準備前往的船隻都應一律停駛。從六月十八日起，攻擊的企圖就毋須再偽裝了。因為到那時，俄國人即使想要採取大規模的增援措施也都會來不及。若欲取消攻擊，最近的可能時間定為二十一日十三點鐘。取消的代字為「阿托拉」（Altona），而開始攻擊的代字則為「多特蒙」（Dortmund）。預定越過國界的時間為二十二日的上午三時三十分。

儘管德國人使用一切預防措施，但英國的情報機構在很久以前對於希特勒的企圖就已獲得相當良好的情報資料，並且也已把它轉送給俄國人。它甚至對於侵入的正確日期都能作精確的預測——那是比德國人在作最後決定時還早了一個星期。當俄國人接到這樣一再的警告時，他們所表現的是一種根本不相信的態度，反之對於俄德條約則繼續表示信任。英國人感到俄國人的不相信並非是假裝的——從邱吉爾在希特勒發動攻勢之後所作的廣播中即曾反映出這種看法。所以當俄軍在初期遭到慘敗時，英國人遂認為那是由於遭受了奇襲之故。

若把俄國的報紙和廣播加以研究，即可以發現此種印象並不太正確。從四月開始，他們的報紙和廣播中就經常包含著有預防措施的跡象，並且表示已經注意到德國軍隊的調動。同時他們又特別提到德國對於條約的嚴格遵守，並指責英國人和美國人正企圖在德俄之間挑撥是非，尤其是故意散播德國準備攻擊俄國的謠言。六月十三日一項廣播曾經以明顯的史達林語氣這樣說：「德國部隊的調入德國東部和東北部地區應假定是由於和俄國無關的動機。」這樣一個聲明也許又適足以鼓勵希特勒假定他的欺敵計畫已經相當的成功，足以在俄國人的心中產生理想的印象。對於外國記者所報導的俄國已在召集預備役人員的消息，這同一廣播也有解釋說，那僅是夏季演習慣例之前的教育召集而已。六月二十日，莫斯科對於正在普里皮特沼地附近舉行的軍事演習曾作一種誇耀的報導，那也許是為了增強國內的信心。它同時也宣稱莫斯科的防空組織在二十二日（星期天）要在「現實條件之下」接受測驗。儘管如此，外電對於德國即將發動侵入戰的報導又還是再度被指為「對俄國不友好的勢力所故意散布的謠言」。

對於英國人警告俄國人的努力，德國人也都知道。事實上，在四月二十四日他們在莫斯科的海軍武官曾經這樣報告：「英國大使預測六月二十二日是戰爭爆發之日。」但這卻並未使希特勒改變日期。他也許以為俄國人對於英國方面所供給的任何情報不會相信，但也更可能是感覺到實際的日期並無太大的關係。

究竟希特勒是否相信俄國人對於他的攻擊毫無準備，這是很難斷言的。誰都不知道希特勒內心裡是怎樣的想法，因為他對於親信的人也都不肯說老實話。他派駐莫斯科的觀察員曾經報告他，自從春季起蘇俄政府顯然很消極而一心只想安撫他；所以只要史達林還活著不死，就絕不會有俄國攻擊德國的危險。遲到六月七日，德國駐俄大使還報告說：「一切的觀察指出史達林和莫洛托夫（俄國外交政策完全由他們二人負責）正在傾全力以求避免和德國發生衝突。」俄國人對於貿易協定所規定的一切貨物，都按期交付，並且又撤消了對南斯拉夫、比利時和挪威三國的外交承認——這都足以表示他們有討好希特勒和避免衝突的決心。

相反的，希特勒卻時常宣稱納粹德國派駐莫斯科的外交官是全世界最惡劣的情報人員。他同時又總是把性質相反的情報告訴他的將領們——俄國人正在準備大舉進攻，所以必須先發制人。他也許自己並不相信這一類的情報，而是故意欺騙那些軍人，因為他和他們一直都意見不一致，而他們也正在列舉各種理由來反對他的侵俄計畫。等到以後，希特勒終於認清了俄國人並非像他所希望的那樣毫無準備，於是遂又反轉過來使他假定俄國人的企圖也是和他自己的相似——即故意欺騙一切的人。在越過國界之後，那些將軍們發現在戰線的附近，很少有俄國人作攻擊準備的跡象，於是他們也就認清了希特勒已經把他們引入迷途。

第十三章　俄國的侵入

在俄國決定勝負的因素，戰略和戰術尚在其次，最主要的卻是空間、後勤和機械。雖然某些作戰上的決定也非常重要，但它們的影響卻還是趕不上機械方面的缺點和廣大空間的配合，而它們的效果也必須以這些基本因素的關係來加以衡量，只要看一看俄國的地圖便可以很容易了解空間因素的意義，但對於機械因素卻必須作較深入的解釋。要想了解一切的發展經過，則這種初步的分析也就是一個必要的基礎。

正像希特勒過去所發動的一切侵入作戰一樣，所有一切的問題都是決定在機械化兵力之上，儘管他們在兵力總數中僅占一個極小的比例。在德國和其附庸所能動員的兵力總數中，十九個裝甲師僅為十分之一而已。在其餘的龐大兵力中又只有十四個摩托化師可以在行動中趕得上裝甲矛頭。

雖然德國陸軍在一九四一年有二十一個裝甲師，而在一九四〇年卻只有十個。表面上雖然增

瑞典
芬蘭
拉多加湖
波羅的海
塔林
列寧格勒
愛沙尼亞
貝普夕湖
伊耳曼湖
里加
拉脫維亞
立陶宛
杜味拿河
地文斯克
北面集團軍
（李布）
包括第四裝甲兵團
（霍普納）
東普魯士
德國
中央集團軍
（波克）
考那斯
維特斯克
斯摩稜斯克
耳塞夫
克林
莫斯科
佛雅馬
柏利及
明斯克
格羅德諾
畢亞里斯托
斯羅林
穆基來夫
奧爾沙
羅斯拉夫勒
羅加契夫
布里安斯克
0 哩 200
0 公里 300

南面集團軍
（倫德斯特）
包括第一裝甲兵團
（克萊斯特）
匈牙利
南斯拉夫
羅馬尼亞
比薩拉比亞
烏
克
蘭
基輔
聶伯城
羅斯托夫
馬立坡
頓河
奧得薩
黑
海
克里米亞
塞凡堡
對俄國的初期攻擊
德軍主要攻擊
1941年9月1日戰線
1941年12月5日戰線
被包圍的俄軍口袋
史達林防線

加了一倍，而實際上卻並不如此。在西歐戰役中，每個德國裝甲師的核心是由兩個團所組成的戰車旅——每個團有一百六十輛戰車。但在發動侵俄戰役之前，每個裝甲師都被抽去了一個戰車團，新的裝甲師就是以抽出的戰車團為核心而組成的。

最有地位的某些戰車專家都反對此種決定，他們指出這種辦法的真正效果只是在所謂裝甲兵力之內，增加了幕僚人員和非裝甲輔助部隊的數量，而真正的裝甲部隊總收卻絲毫沒有增加，結果也就減少了每一個師的打擊力量。在一個師的一萬七千人當中，現在只約有二千六百人是真正的「戰車兵」（Tank men）。但希特勒卻非常的固執，面對著廣大的俄羅斯空間，他希望能有較多的裝甲師番號來虛張聲勢，同時他也認為俄國兵力的技術劣勢足以對這種數量的減少發生補償作用。此外，他又強調下述的事實：由於新推出的三號（Mark III）和四號（Mark IV）戰車已經產量大增，所以現在每一個師的裝甲兵力有三分之二都已由中型戰車所組成——不僅火砲較大，而且裝甲也加厚了一倍——在西歐戰役時，則三分之二都是輕型戰車。所以儘管數量減少了一半，但打擊力卻可能還增加了。這種辯論不能說沒有理由，不過卻有其一定的限度，而且即令適用於目前，但並不一定就能適用於未來。

戰車數量的減少，也強調指出德國「裝甲師」的一項基本弱點——即其中大部分單位都是非裝甲的，也缺乏越野機動性。戰車在戰爭中所產生的最偉大發展就是它具有離開路面活動的能力，比恢復裝甲的使用還更重要，換言之，它不必依賴光滑和堅硬的現成路面。輪型車輛共能加速行軍的速度，和用更富有彈性的方式產生火車一樣的效力，但戰車卻使機動性發生了革命。因為它自備履帶，所以也就可以不必跟著固定的道路線行駛，這樣也就使一度空間的運動變成了二度空間的運動。

當初在英國提倡機械化戰爭觀念的人早已認清此種潛力的重要性。在第一次大戰終了時，他們所建議的裝甲部隊典型是所有一切的車輛，包括載運補給在內，都應一律是履帶越野型的。甚至於在德國的陸軍中，他們這種理想也還是沒有實現，儘管他們對於裝甲觀念的應用已經超過了任何其他的國家。

在一九四一年改組後的德國裝甲師內，所有一切的履帶車輛還不到三百輛，而輪型車輛卻有三千輛之多，絕大部分都是只能在道路上行駛的。這一類車輛的數量最過多，在西歐戰役中並沒有引起太多的問題，因為守軍防禦部署的失當所以產生了全面的崩潰，而攻擊者又可以利用良好的公路網來擴張他們的戰果。但在東戰場上，由於良好的道路非常稀少，所以在長距離的前進中也就產生決定性的困難。德國人實際上比他們所用以制勝的理論要落後二十年，因此也就受到很重大的懲罰。

他們之所以還能獲得有限度的成功，主要原因是他們的對手在裝備方面比他們還要落後。因為俄國人在戰車方面雖然享有數量優勢，但他們的摩托化車輛總數卻是如此的有限，以至於連他的裝甲師都沒有充分適當的摩托化運輸工具。在應付德軍的裝甲攻擊時，這也就成為行動上的一種嚴重障礙。

在這次攻勢中，德國裝甲實力共為戰車三千五百五十輛，比他們在西歐發動侵入時只多了八百輛。（但是俄國人卻宣稱他們在八月間已經擊毀德軍戰車八千輛。）依照一九四一年七月三十日史達林致羅斯福的電文，蘇俄戰車的總數為二萬四千輛，其中有一半以上都是在西俄地區。

六月二十二日（星期天）的清晨，德軍分成三道平行的洪流，在波羅的海與喀爾巴阡山脈之間，湧入了蘇俄的國境內。

左邊，李布的北面集團軍越過東普魯士的界線，進入俄軍所占領的立陶宛。在中央偏左的方面，波克的中央集團軍向俄軍戰線在波蘭北部所構成的突出部分側面上作一種巨大的鉗型攻擊。在中央偏右的部分，有一段六十哩長的平靜地帶，在那裡德軍的洪流為普里皮特沼地的西端所隔斷。在右邊，倫德斯特所指揮的南面集團軍向喀爾巴阡山脈附近，俄軍在加里西亞（Galicia）防線上所構成的羅佛（Lwow）突出部分的北部進攻。

在波克之右和倫德斯特之左故意留下一段空隙，以便兵力可以集中，和進展可以加快。在第一階段，德軍的前進固然因此而加速了不少，但因為普里皮特地區原封未動，所以也就讓俄軍獲得了一個庇護所，其預備隊可以在這種掩護之下集中，然後向南發動一連串的側擊，而使倫德斯特向基輔的攻擊前進受到阻礙。不過假使波克在普里皮特沼地以北的前進能夠成功的達到其在明斯克附近捕捉俄軍的目的，那麼這種側擊也就不會有太多的價值。

德軍攻擊的重心是放在中央偏左的方向上，這是由波克負責的。在西歐戰役中，主攻的任務本來也是指定由他擔任，以後才決定轉交給倫德斯特。因為他的任務是具有決定性的，所以大部分的裝甲部隊都是分配給他，共為兩個裝甲兵團，分別由古德林和霍斯指揮，而其他兩個集團軍就都只有一個裝甲兵團。波克還有第四和第九兩個軍團，每個軍團都轄三個步兵軍。

每一個裝甲兵團（Panzer Group）有四到五個裝甲師，和三個摩托化師——後來才改稱為裝甲軍團（Panzer Army）。

雖然所有的德軍領袖們一致同意認為勝負是由這些裝甲兵團來決定，但對於他們應如何使用，卻又發生了意見上的衝突。此種「論戰」（battle of theories）具有極大的重要性。某些資深的指揮官想要在一種傳統包圍典型的決定性會戰中來擊滅俄軍，並且希望一越過邊界就盡可能提早實施這樣的會戰。在擬定這樣的計畫時，他們是採取正統的戰略理論，那也就是由克勞塞維茨（Clausewitz）所主張，而由毛奇（Moltke）所建立，和希里芬（Schlieffen）所發展的理論。因為他們不願意在俄軍主力尚未被擊敗之前，冒險向俄國內部深入，所以也就特別擁護這種理論。為了確保此種計畫的成功，他們堅決的要求在會戰中裝甲兵團必須與步兵軍合作，由它們從兩側向內旋迴，構成鉗形，切斷敵軍的補給線來完成合圍的任務。

以古德林為首的戰車專家們卻有不同的見解。他們主張裝甲兵團應以最高的速度，長驅直入，達到最大的深度——這也就是在法國所曾經用過的老辦法，並且已經證明出來那是具有決定性的。古德林認為他和霍斯的兩個裝甲兵團應一直朝著莫斯科方向衝去，中途不應浪費一分鐘的時間，並且至少要達到聶伯河之線才可以向內旋轉。他們達到那一線的時間愈早，則俄軍的抵抗趨於全面崩潰的可能性也就愈大（那是和法國人一樣的），而利用聶伯河來當作鐵砧（anvil）的機會也就同樣的增大（像一九四〇年的英吉利海峽一樣）。照古德林的想法，在兩支裝甲突擊兵力之間的空間內，包圍俄軍的任務應留給步兵軍去執行，裝甲兵團在一直向前奔馳之際，最多只能容許相當小型的支隊向內旋迴以來協助他們。

在這個「論戰」中，結果是正統派的戰略家獲得了勝利——這是由於希特勒的決定。因為雖然他相當的勇敢，但卻還是不夠；他不敢把他的全部命運都賭在一張牌上，儘管這張牌曾經替他贏得上一次的勝利。他對保守主義者的讓步所產生的後果比一九四〇年更為不利。雖然戰車專家們的地位已經比一九四〇年提高了不少，但他們卻並未能獲得實現其理想的機會。影響希特勒決定的因素不僅是他對於戰車專家們的意見表示懷疑，而更是由於他本人有一種幻想——對於用大包圍的方式圍捕大量紅軍的景象感到非常的有興趣。

這種幻想也就變成了一種若隱若現的鬼火，引誘著希特勒向俄國境內愈陷愈深。因為最初的兩次企圖都沒有成功。第三次雖然捕獲了較多的戰俘，但卻使他越過了聶伯河。第四次雖然一網捉到了五十萬人以上，但冬季天氣的來臨，又阻止了德軍擴張戰果。在每一個階段的會戰中，為了放開和緊縮鉗形部分，浪費不少的時間——換言之，為了嘗試完成這樣的戰術構想，結果反而失掉戰略目的。

古德林的方法是否比較能夠成功，那固然也是一個疑問。但即令在那個時候，在德國參謀本部中也有一些最優秀的分子，儘管他們本身並不是屬於戰車學派，還是支持古德林的意見，而且在事後的回顧中，他們的判斷對於古德林的戰略更表示由衷的讚許。他們也承認對於這樣孤軍深入的前進，增援和補給的確會有許多的困難，不過他們卻又認為這種困難並非絕對沒有辦法克服：一方面對於所能使用的空運能力應加以盡量的發揮，另一方面盡量減輕裝甲部隊的包袱——即推進他們的戰鬥單位，並集中全力來維持他們的攻勢前進，至於其他附屬的摩托化縱隊就讓他們慢慢地跟上來好了。但這種薛曼（Sherman）式的輕騎疾駛的觀念太不合於歐洲戰爭的慣例，所以在這個階段也就很難獲得普遍的接受。[1]

在「論戰」中既已決定採取正統派的戰略，於是計畫的設計就是要在達到聶伯河之前，造成大包圍的形勢，以求把俄軍的主力一網打盡。為了增強這種機會，在波克集團軍方面的計畫是分為內外兩個包圍圈，第四和第九兩個軍團的步兵軍負責短距離的內圈包圍，而裝甲兵團則作較長距離的外圈包圍，即深入到相當程度再向內旋迴。這種像望遠鏡套筒的型式使古德林、波克和霍斯的想法都可以獲得某種程度的滿足，但卻又都不能盡如理想。

1　譯註：薛曼為美國內戰末期北軍名將，其用兵以輕快神速為主，曾深入敵後獲致大勝。

前進的軸線是沿著直達明斯克和莫斯科的大公路。這條軸線通過克魯格第四軍團的地段，而古德林的裝甲兵團也就是配屬於這個軍團的。其進口受到布勒斯特里多夫斯克（Brest-Litovsk）要塞的阻塞，而這個要塞又受到布格河的掩護。所以第一個問題就是要在布格河的對岸確實占領一個橋頭堡，然後再肅清這個要塞的障礙，以便爾後的前進可以利用公路而加速。

在考慮這個問題時就產生了兩案應加以選擇：裝甲師是等待步兵師打開缺口之後再前進呢？還是在突破時與步兵師協力，一同前進呢？結果是採取第二案，這樣也就有助於時間的節省。當步兵師用來攻占要塞時，裝甲師就位置於其兩側翼上。在強渡了布格河之後，裝甲部隊就繞過布勒斯特里多夫斯克，而集中在其後方的公路上。另一個簡化的措施就是所有一切參加突破行動的部隊都暫時由古德林統一指揮。等到突破完成之後，裝甲兵團就獨立的向前加速衝進——好像一顆砲彈從砲口中射出一樣。

由於正面的寬廣和他們所使用的迂迴戰術，再加上奇襲的作用，波克所部在許多點上都已作深入的貫穿。第二天在其右翼上的裝甲部隊達到了柯布侖（Kobryn），距離布勒斯特里多夫斯克已在四十哩以外，而他的左翼則已占領格羅德諾（Grodno）要塞和那裡的鐵路中心。俄國人在波蘭北部的突出地區——即畢亞里斯托突出地區（Bialystok Salient）——在形狀上已經大變，其腰部已有被折斷的危險。在以後幾天之內，這種危險更日益嚴重，因為德軍兩翼正在向巴蘭諾維契（Baranovichi）集中，使在此前進地區中的所有一切俄軍部隊都受到被切斷的威脅。俄軍戰車部隊的數量雖然很強大，但戰鬥效率卻很差，這也使德軍的進展受到莫大的幫助。

但是俄國人的頑強抵抗卻又還是使德軍的進展受到很多的障礙。德國人機動的靈活通常都是其對手所望塵莫及的，但是戰鬥上卻並不那樣容易擊敗他們。被包圍的俄軍雖終於是難免被迫投降，但在投降之前，他們卻還是會作困獸之鬥，而且要拖延很多的時間才會停止抵抗——他們這種對於明知絕望的戰略情況，所作的頑固遲鈍反應，使攻擊者的計畫受到嚴重的延誤和擾亂。在一個交通不便的國家中，其關係尤為重大。

在布勒斯特里多夫斯克展開攻擊的序幕時，就已經首次看到這樣的效果。在其舊城中的守軍，面對著強烈的空中轟炸和砲兵射擊，還是苦守了一個星期，並使攻擊者付出極高的代價。這樣的經驗在其他的地點也一再重演，真是使德國人有大開眼界之感，這是他們在過去所從未遭遇過的困難。在許多道路中心上，德軍都曾經遇到此種頑強的抵抗，其戰鬥單位固然可以繞道前進，但其補給縱隊卻受到了道路的限制，仍然無法通過，因此整個作戰的速度也就受到很大的影響。

當侵入者一路攻擊前進時，周圍的景色也就日益加深了他們內心裡的憂慮。有一位德國將軍對於此種印象曾經作過非常恰當的描寫如下：

這個空間似乎是無限的，真是一望無涯。景色的單調，森林、沼澤、平原的廣大都使我們在心理上感到壓迫。良好的大路極少，到處都是惡劣的小徑，一場大雨就把地面迅速的變成了泥潭。村落是既窮又醜，所看到的盡是木屋草棚。天然環境的艱苦也使人類變得麻木不仁——他們對於氣候、饑渴，甚至於生死、天災、人禍都同樣的沒有感應。俄國人民是堅強的，俄國軍人則更堅強，他們似乎有無限的服從性和忍耐力。

第一次的包圍企圖在斯羅林（Slonim）附近就達到了高潮，這距離原有的最前線已在一百哩以外。當時在畢亞里斯托突出地區中已集結了兩個俄國軍團的兵力，德軍的內鉗（步兵）在這裡幾乎已經把他們包圍。但德軍行動還是不夠快，所以終於未能合圍，以至於約有一半的被圍部隊勉強的逃走了，儘管他們已經潰不成軍，分成許多小型而無聯絡的集團。在德國第四和第九兩個軍團中，大部分都是非機械化的部隊，這也就是計畫未能徹底實現的主因。

在兩翼上的裝甲部隊又已深入一百多哩，越過了一九三九年的俄國舊國界，然後才在超過明斯克的地方向內旋迴——該城是在六月三十日，第九天，被攻克的。那一天夜裡，古德林的一支衝得最遠的矛頭在波布魯斯克（Bobruisk）附近達到了具有歷史意義的柏利及那河（Beresina）——那是在明斯克東南方九十哩外，距離聶伯河已不到四十哩。但是合圍的努力又還是失敗了，在他們的大包圍計畫失敗之後，希特勒想要獲得迅速決定性勝利的美夢也隨之而幻滅。突然的一場大雨救出了重壓之下的俄國人——那也正是前一年夏天法國人所沒有能夠得到的運氣。大雨把沙土變成了爛泥。

這在俄國是一個比在法國遠較惡劣的障礙，因為它不僅妨礙戰術性的越野運動，而且也阻止戰略性的道路行動。在這整個地區中只有一條良好的柏油路，那就是通過明斯克直達莫斯科的新公路，但它對於希特勒的計畫只有一部分的貢獻——因為這個計畫的構想並非直搗莫斯科，而是要作大包圍運動，所以也就必須要使用兩側的鬆軟道路。在七月初的暴風雨之後，這些「流沙」（Quicksands）陷住了侵入者所有車輛的機動性，增加了俄軍的抵抗力。在這整個地區之內，還有許多由俄國部隊所構成的孤立口袋（Isolated Pockets），當德軍去掃蕩他們的時候，也就會遭遇到極頑強的抵抗。雖然在這個分別以畢亞里斯托和明斯克為核心的雙重包圍會戰中已經捕獲了三十萬以上的戰俘，但在魚網還沒有收緊之前所已經溜走的人數也大致與此相等。對於第二道防線的加強而言，他們的逃脫是很重要的——這一道防線是設在聶伯河的前面和其後面。

在這個緊要的階段中，地理情況也變成一個更重要的障礙。在明斯克的東南是一大片森林和沼澤，而柏利及那河並非一條明確的河川線，而是一大堆的溪流從一個黑泥沼地中通過。德國人發現只有兩條道路有可以載重的橋梁——一條是通過奧爾沙（Orsha）的主要公路，另一條則通往穆基來夫（Mogilev）。在其餘的道路上都只有簡陋的木橋，使重型車輛無法通過。雖然德軍的行動很快，但他們卻發現俄國人已經把最重要的橋梁都炸毀了。侵入者同時也第一次碰上了地雷區，並且因此而受到很嚴重的延誤，因為他們現在的前進是受到道路的限制。柏利及那河之阻止希特勒的前進，是正像當年阻止拿破崙的後退同樣的有效。

德國人的本意是想在聶伯河以西的地區中完成對俄軍的包圍，但由於這種種因素的阻力，使他們未能如願以償。

大包圍計畫的落空，現在就逼迫德軍必須越過聶伯河繼續前進，這卻是他們所希望能夠避免的。他們進入俄國早已超過了三百哩的深度。現在為了要想執行一個新的包圍計畫，所以鉗頭又必須再度放開，這一次的目的是要在俄軍聶伯河防線的後方，並且超過斯摩稜斯克的要點上去合圍。但是七月一日和二日，德軍並未能繼續前進，一方面是為了要封閉明斯克的口袋，另一方面是為了好讓第四和第九兩個軍團的步兵軍可以兼程趕上。他們為了趕來幫助突破「史達林防線」（Stalin Line），有些部隊每天行軍二十哩，一連走了兩個半星期。

但是對所謂「史達林防線」的攻擊卻比德軍統帥部所預料的遠較容易，因為一路潰敗的俄軍沒有足夠的時間來作適當的重行編組，而對於尚未完成的防禦工事也來不及加以改善。聶伯河本身雖是一個最大的障礙，但古德林的裝甲師在主渡河口之外的若干點上發動了快速的奇襲，在混亂中終於克服了這一道難關。到七月十二日，德軍已在羅加契夫（Rogachev）和維特斯克（Vitebsk）之間的寬廣正面上，突破了「史達林防線」，並正在向斯摩稜斯克奔進。這次突破的輕鬆也暗示出來，若能照古德林所希望採取的戰略，容許裝甲部隊一開始就盡量的猛攻前進，則其收穫可能多於冒險。

驟雨的來臨，往往增加了地形的困難，這要比喪失了組織的抵抗更是一種較大的阻力。在這樣的環境中，為了過去所浪費的時間也就遭到重大的懲罰。每一次的陣雨都要使侵入者暫時完全喪失其機動性。從空中看來那真是一種奇觀——許多車輛大擺長龍，前後距離超過一百哩以上。

戰車也許仍能繼續前進，但戰車以及其他的履帶車輛在每個所謂裝甲師中只占一個極小的部分。他們的補給和步兵單位都是用大而且重的輪型車輛來載運，那是不能離開道路活動的，當道路變成泥潭時，它們也就寸步難移。等到太陽再出來之後，這種沙土的道路倒也乾得很快——於是大隊車輛方可繼續前進。不過這種累積的延遲對於戰略計畫卻構成嚴重的妨礙。

最初尚不為人所注意，因為古德林裝甲兵團沿著通往斯摩稜斯克的主要公路前進，速度還相當的快——他在七月十六日就進入了該城。在聶伯河與得斯那河（Desna）之間的一百多哩距離是在一個星期之內就越過了。但北翼方面的霍斯裝甲兵團在途中就到了沼澤和暴風雨的耽擱。由於他的進度較慢，也就自然影響到希特勒包圍計畫的執行，並使俄國人有較多的時間來增強其在斯摩稜斯克周圍的兵力。在包圍戰的最後階段，兩翼方面都遭遇到堅強的抵抗。這次的抵抗真可說是太頑強，據德國人的估計已有五十萬俄軍被關入口袋。雖然有許多人逃脫了，但到八月五日還是收容了三十萬的俘虜。

這個不完全的勝利給德國人留下一個很難解決的難題。莫斯科還在二百哩以外，在他們的進路上仍然還有相當強大的俄國守軍——並有新近動員的部隊不斷的前來增援。同時，德軍發動新攻勢的能力卻已經相當的減弱，因為道路太壞，所以援軍很難趕上。

這當然會造成一種無可避免的延遲，但德軍實際延擱的時間卻又遠超過應有的限度。因為到了十月他們才繼續向莫斯科前進。所以當波克的大軍停頓在得斯那河上時，夏季中最好的兩個月就白白的浪費了。其原因是由於希特勒本人舉棋不定，再加上倫德斯特集團軍在普里皮特沼澤以南地區的進展。

在南線方面，德軍最初並未享有兵力的優勢。實際上，從紙面上看來，對方的兵力是非常強大。布登尼元帥（Marshal Budenny）指揮之下的俄國西南集團軍，在波蘭南部和烏克蘭一共有三十個戰車及摩托化師，五個騎兵師，和四十五個步兵師。其中有六個戰車及摩托化師，三個騎兵師，和十三個步兵師是駐在比薩拉比亞，面對著羅馬尼亞。以裝甲兵而論，那是比面對著德軍主攻方向的提摩盛科元帥（Marshal Timoshenko）的西面集團軍要多了差不多一倍的數量。總計起來，布登尼共有各種不同型式的戰車約五千輛，而構成倫德斯特集團軍裝甲主力的克萊斯特兵團卻只有戰車六百輛。而且其中有許多都是曾經參加希臘戰役，在來不及大修的情況之下，就被匆匆地投入這次更大的冒險。

倫德斯特所依賴的有利因素是奇襲、速度、空間——還有對方的指揮官。布登尼，雖然是俄國內戰時代的著名騎兵老英雄，但誠如他自己部下所云，是一位「鬍子很大而頭腦很小的人」。蘇俄高級將領中能力較佳的都已在戰前的大清算中被殺光了，所以留下來的幾乎都是庸才。這些人雖然在政治方面是很安全的，但在軍事方面卻很不高明。僅當那些老將在戰爭的考驗下被淘汰之後，年輕的一輩才有出頭的機會。

倫德斯特的主力是沿著布格河，集中在其左翼上。這個計畫對於其有限的兵力作了最大的使用，而下述的事實也使他坐享很大的地利——他的發起線在加里西亞俄軍所構成的羅佛突出地側面的後方。所以他的攻擊是從一塊天然的「楔子」（Wedge）上來發動的，只要前進一小段距離，就可以威脅在喀爾巴阡山脈附近所有一切俄國部隊的後方交通線。在賴赫勞的第六軍團強渡了布格河之後，克萊斯特的裝甲部隊就從缺口中直趨魯克（Luck）和布魯地（Brody）。

奇襲不僅有助於最初突破的順利完成，而且也消除了俄國人可能會採取任何對抗行動的潛在危險。因為知道俄軍有二十五個師面對著匈牙利在喀爾巴阡山方面的國界，倫德斯特原以為當他趨向魯克時，這支部隊可能會轉過身來打擊他的右側背。那知事實上他們卻撤退了。（此種反應，再加上在俄軍前線地區中所發現的缺乏準備情形，也就使倫德斯特和其他的德國將領都認為希特勒所宣稱的俄國人即將發動攻擊的說法實在是無稽之談。）

雖然起步如飛，但倫德斯特的兵力還是不能像波克所部在中央偏左方面進展得那樣神速。古德林認為最重要的就是要使俄國人都在跑個不停，即不容許他們有重行整頓的機會。他深信若不浪費時間，則他一定可以達到莫斯科，而這樣一刀刺在史達林權力的神經中樞上，即可以使整個俄國的抵抗都隨之而癱瘓。霍斯的意見與他相同，而波克也贊成他們二人的主張。但是希特勒在七月十九日為了次一階段的作戰所發布的命令仍堅持其原來的構想。他要從中央波克集團軍中抽出裝甲部隊，把他們分配到兩翼上去——古德林裝甲兵團應向南旋迴，以幫助克服在烏克蘭和倫德斯特對抗的俄軍；而霍斯裝甲兵團則應向北旋迴，以幫助李布進攻列寧格勒。

布勞齊區又再度採取拖延政策，而不敢立即表示反對。他說在任何進一步作戰尚未開始之前，裝甲部隊必須先休息一下，他們的機械需要修護，人員也需要補充。希特勒也同意此種休息是必要的。在這個空檔中，高階層就繼續討論未來的作戰線問題，一直到裝甲部隊可以再度前進時，他們還在爭論未決。

在這樣的討論中度過了幾個星期之後，陸軍參謀總長哈爾德，就催促總司令布勞齊區，提出向莫斯科加速前進的建議。希特勒卻在八月二十一日下了一個更明確的新命令以來作為反駁。這個命令一開頭就這樣說：

> 我不同意八月一日陸軍總部對於東線作戰問題所提出的建議。在冬季來臨之前，最重要的任務不是攻占莫斯科，而是占領克里米亞，占領頓內次（Donetz）盆地的工業和煤礦區，切斷俄軍來自高加索油田的補給線……

因此，他命令立即向這些南面的目標掃清進攻的路線。波克集團軍的一部分，包括古德林的裝甲部隊在內，應向南移動，以幫助克服在基輔附近正在和倫德斯特對抗的俄軍。

當接到這個命令之後，哈爾德就嘗試勸說布勞齊區和他聯名辭職。布勞齊區卻說這是一種無用的姿態，因為希特勒會乾脆的拒絕他們的辭職。至於說到爭辯，希特勒會用下述的理由把它推開，這也就是他常說的話：「我的將軍們對於戰爭的經濟方面是一無所知。」他所肯讓步的就只是在基輔地區的俄軍被肅清了之後，波克將仍准繼續向莫斯科前進，而古德林的裝甲部隊為了這個目的也將再回到他的集團軍內。

基輔包圍戰就其本身而言是一個偉大的成功，並且也引起樂觀的期盼。古德林由上向下打擊在俄軍的後背上，而克萊斯特則由下向上攻擊其正面，兩個鉗頭在基輔以東一百五十哩的地方會合，依照德國人所公布的數字，一共包圍了六十萬人以上的俄軍。但直到九月下旬才結束這場會戰，因為惡劣的道路和多雨的天氣減緩包圍行動的速度。勝利的光輝已被冬季的陰影所遮掩，對於侵入俄羅斯的人這是一種歷史性的威脅。由於浪費了夏季中的兩個月，對於達到莫斯科的希望也就構成了致命傷。

九月三十日德軍開始再度向莫斯科前進。當波克的大軍在佛雅馬（Vyasma）附近又用大包圍捕獲了六十萬戰俘之時，前途也就顯得極為光明。德軍在通向莫斯科的道路上幾乎暫時是暢通無阻了。但佛雅馬會戰一直到十月底才完全結束，到那個時候德軍也已經疲憊不堪，由於天氣越來越壞，所以原野也已經變成泥潭，而俄國的生力軍又已在莫斯科的前面出現了。

大多數德國將領都希望能停止進攻，並採取一條適當的「冬季戰線」（Winter-line）。他們記得拿破崙大軍的遭遇，許多人開始重讀高蘭考特（Caulaincourt）對一八一二年的冷酷記載。但在較高階層的看法卻又不同。這一次並不能全怪希特勒，他對於日益增加的困難和冬季的情況已經感到有一點動搖。在十一月九日，他很鄭重的說：「雙方若都承認無法消滅對方，結果就可以獲得一種妥協的和平。」但波克卻力主德軍應繼續進攻。布勞齊區和哈爾德也同意他的見解——在十一月十二日的一次高級參謀會議中，哈爾德表示有良好的理由可以相信俄國的抵抗已達到崩潰的邊緣。

布勞齊區和哈爾德，再加上波克，他們三個人自然不願意在此時叫停，因為當初力勸希特勒應繼續向莫斯科前進，而不要追求南面目標的人就是他們。所以當十一月十五日天氣暫時好轉時，德軍遂又立即向莫斯科推進。經過了兩個星期在泥地雪天中的奮鬥，終於停止在距離莫斯科還有二十哩遠的地方。

甚至於波克也都開始懷疑再嘗試繼續推進的價值，儘管剛剛不久以前，他還在宣稱著說：「最後的一營將決定勝負。」但布勞齊區因為他本人遠在後方，所以仍堅持應不惜一切犧牲繼續前進。他已經是一個病夫，對於希特勒因為戰果太差而大發雷霆，感到異常的苦惱。

十二月二日，德軍作了最後一次努力，有些支隊已經滲入到莫斯科的郊區，但整個的前進卻還是被滯留在莫斯科前面的森林中。

接著俄軍就發動了一個大規模的反擊，那是由朱可夫（Zhukov）所準備和指導的。他們逐退了筋疲力盡的德軍，威脅他們的側翼，並造成了緊急的情況。自將官以下，侵入者的內心裡都充滿了拿破崙從莫斯科退出的恐怖幻覺。在這個緊急關頭上，希特勒毅然禁止任何撤退（除了最短距離的局部性調整以外），在此種情況之下，他的決定是正確的。雖然由於他的決定，德軍停留在面對著莫斯科的前進陣地中，所遭受的痛苦真是難以形容——因為他們缺乏俄羅斯冬季戰役中所必需的一切被服和裝備——但假使他們一旦開始發動全面的撤退，結果就會很容易變成恐怖的潰散。

因為希特勒在八月間決定暫停前進，而轉向南俄方面，所以也就喪失了攻占莫斯科的機會。儘管德軍在南面頗有收穫，但因此而沒有攻下莫斯科，究竟還是得不償失。在贏得了基輔大包圍會戰之後，倫德斯特也就乘勝蹂躪了克里米亞和頓內次盆地，但因為沒有古德林裝甲部隊的協助，在其對高加索油田的前進中終於受到挫折。他的部隊雖然已經達到了頓河（Don）上的羅斯托夫（Rostov），但卻已成強弩之末，不久終於為俄國人所逐出。他於是希望能夠退到米亞斯河上（Mius River）去建立一道良好的防線，但希特勒卻禁止作這樣的撤退。倫德斯特就回答他說礙難遵命，並要求立即解除其指揮權。希特勒於是立即將其免職，並由賴赫勞來接任集團軍總司令。但在倫德斯特一離去之後，整個正面也就破裂了，於是連希特勒也被迫承認有撤退的必要。這是在十二月的第一個星期——與莫斯科方面的受挫幾乎是同時。

在同一星期內，布勞齊區以病為理由要求解職，在次一個星期中，波克也採取了同樣的態度，而不久以後，由於希特勒不准在列寧格勒附近的北面戰線撤退，李布也隨之而辭職。於是四個最高級的指揮官都已經離去了。

侵入失敗的主因之一是德軍計算錯誤，不知道從俄國的大後方史達林可以動員那樣多的預備兵力。就這一方面而言，參謀本部和情報機構都不能辭其咎，他們是和希特勒一樣的受騙了。哈爾德的日記在八月中旬曾經這樣的記著：「我們把俄國人估計得太低了，我們以為只有兩百個師，但現在卻已經發現了三百六十個師。」

這樣也就把初期的驚人成就都大致抵銷掉了。不特不能肅清前進道路上的守軍，而且還要一再的去應付趕到現場的俄國生力軍。在德國鞭長莫及的地區中，蘇俄的巨大動員機構都能夠順利的工作，所以從一九四一年的冬季起，德國人在俄國戰場上就經常居於數量的劣勢。由於德國人的技術和訓練都遠較優良，所以才能在一連串的大包圍戰中擊滅了大量的敵軍——但終於又被陷在秋季的泥濘中。等到冬季的冰霜凍硬了地面時，他們又發現俄國的主力軍正擋住進路，而他們自己卻已經太困乏，無力向目標奮鬥了。

僅次於他們對俄國人力資源的計算錯誤，第二個致命的因素就是希特勒和他的高級將領們，為了反覆辯論下一個行動的問題，而白白的浪費了八月整整一個月的時間——在德國統帥部的最高階層中，那些人的猶豫不決實已達驚人的程度。

在他們的下面，古德林對於他所想做的事情特別的具有定見——他一直就希望能向莫斯科用最高的速度前進，而讓那些步兵團去掃蕩他所已經切開的敵軍殘部。在一九四〇年他就是這樣贏得法蘭西之戰。這固然不免要冒巨大的危險，但卻可能趕在俄軍第二線兵力完成戰備之前攻下莫斯科。德國統帥部沒有接受他的建議而採取另一種路線，結果是所冒的危險更大，並終於產生了致命的結果。

俄國之所以能倖保其生存，主要的原因是其國家所具有的傳統落後情況，而不是自從蘇俄革命之後所已經獲得的技術發展。這又不僅是指其人民和軍隊的頑強成性而已——他們那種忍苦耐勞的能力都是西方人所不能及的。一個更大的資本就是俄國道路的原始化情況。其中大部分都不過是沙土的小徑，只要一下雨，馬上就會變成無垠的泥沼，這種情況要比紅軍的一切英勇犧牲都更足以阻止德軍的前進。假使蘇俄統治者若已在俄國建立了一個大致與西方國家相當的道路系統，則它可能就會像法國那樣迅速的遭到蹂躪而被征服。

但這個結論又有其相反的一面。希特勒之所以會喪失其勝利的機會，主要是因為其陸軍的機動性是以車輪為基礎而不是以履帶為基礎。在俄國的泥路上，輪型車輛會受到坑陷，但戰車卻還是可以繼續行動的。假使德國裝甲部隊備有履帶式的運輸工具，則儘管是泥濘載道，他們在秋季裡也還是可能早已到達俄國的主要心臟部分。

第十四章　隆美爾進入非洲

一九四一年，戰爭在非洲的過程經過一連串的驚人變化，輪流打破雙方的期待，但卻沒有決定性的勝負。那是一種快速運動的戰爭——但卻是蹺蹺板式的運動，不斷的上上下下，時高時低。在這一年開始時，首先是英國人把義大利人趕出了昔蘭尼加，但接著在隆美爾將軍（General Erwin Rommel）領導之下，德軍開入了非洲，僅僅在兩個月之後，英軍也被逐出了昔蘭尼加，不過在多布魯克那個小港內還保留了一個立足點。隆美爾曾經兩次連續進攻多布魯克，但均被擊退，英軍也曾兩次連續企圖救援被困的守軍，但都受到了重大的損失，勞而無功。經過了五個月的沉寂，英軍在增強了兵力之後，遂在十一月作了一次較大的努力，結果產生了為期一個月之久的拉鋸戰，雙方各有勝負，終於因為久戰力竭之故，德軍遂被迫再退回到昔蘭尼加的西部邊境上。儘管如此，在那一年最後一個星期內，隆美爾又還是作了一次邊境上的突擊，這暗示出英軍的前進不久就會受到另外一次戲劇化的挫折。（閱讀本章時請參看第九章的地圖。）

隆美爾在一九四一年三月底所作的第一次突擊，加上其對於戰果的盡量擴張，所產生的心理震盪作用空前的強大，因為英國方面絕未想到敵人有提前反攻的可能。三月二日，魏菲爾曾向在倫敦的參謀首長們提出一項情況研判報告。在對於德國部隊已經開始到達的黎波里的事實提出了警告之後，魏菲爾遂又強調著說，他們可能要把兵力增加到兩個師以上時，才會企圖發動一個認真的攻擊，於是他的結論就這樣的指出，由於這些困難，德軍在夏季終了之前，極不可能發動大規模的攻擊。相反的，邱吉爾的回信卻顯示出他的擔心德國人不會照正統想法，可能不等到兵力充足就會動手打擊；他也強烈的主張應採攻擊性的對抗行動，不過他對於英軍的實力卻未免感到太樂觀。三月二十六日，他給魏菲爾的電報如下：

> 我們對於德軍向阿格海拉的迅速前進自然是很表關切。他們的習慣是乘虛而入。我猜想你是在等候烏龜把頭伸到夠遠的時候才會一刀砍下去。讓他們早一點嘗到我們的厲害，似乎是非常的重要。

但是無論就技術或戰術而言，英軍的素質都不高明。雖然位置在前進地區甚為薄弱的第二裝甲師有三個裝甲單位（團），而隆美爾卻只有兩個，並且在「砲」戰車（Gun-Armed Tank）的數量上也是占有優勢；但這些戰車中有許多都是俘獲的義大利M13式。因為英國的巡航戰車

（Cruiser Tank）已經極感缺乏，所以不得不利用它們來充數，事實上這些義大利戰車都已磨損得很厲害，情況頗為惡劣。又因為魏菲爾的指示是「若受攻擊，則應行遲滯作戰而退卻」，所以也就斷送了這支殘破部隊的一切前途。因此在三月三十一日，當隆美爾一發動攻擊時，他們就放棄在阿格海拉以東的瓶頸陣地，於是也就無異於打開大門歡迎他進入廣大的沙漠地區。在這個沙漠中隆美爾可以任意選擇前進路線和攻擊目標，使英軍感到莫知所措，而他們自己的能力卻不適宜於作這樣的靈活運動。在以後的幾天之內，隆美爾根本不讓他們有喘息的機會。英軍喪失了其戰車的大部分，這並不是由於戰鬥的原因，而是因為在一連串的長時間混亂撤退中，機件發生故障或是燃料耗盡所致。

在不到一個星期的時間當中，英軍已經從昔蘭尼加的西部邊境上退回了兩百多哩的距離。在兩個星期之內，他們已經退回了四百哩，達到昔蘭尼加的東部邊境，也就是埃及的西部邊境——除了那支在多布魯克被圍的部隊之外。英軍決定堅守這個小港，並把它當作一根插在敵人背上的芒刺來看待，這對於以後十二個月內的非洲戰役發展具有很深遠的影響。

這樣迅速的崩潰，在英軍方面自然足以動搖指揮官和部隊的信心，並且使他們易於誇大敵軍的實力。但在距離較遠的地方，卻比較易於認清敵軍的實力限制和戰略障礙。在倫敦的邱吉爾於四月七日用電報把他的判斷告訴魏菲爾：

你必須守住多布魯克，利用義大利的現成永久性防禦工事，至少應能守到敵人運來強大砲兵部隊時為止。似乎很難相信他們能夠在幾個星期之內辦到這一點。敵人若一面圍困多布魯克，而一面又向埃及前進，那麼也就會冒著極大的危險，因為我們可以從海上增援並威脅其交通線。所以多布魯克似乎是一個應該死守的據點，而絕不應考慮撤退的問題。我很想知道你的意見。

魏菲爾本已決定盡可能堅守多布魯克，但他在四月八日從開羅飛往那裡視察之後，卻報告說情況已經大為惡化，認為該地的防禦可能性已經頗有疑問。邱吉爾在和參謀首長們密商之後，就擬了一個措詞比較嚴厲的覆電，其中有一句話是：「認為多布魯克要塞應予放棄的想法，似乎是不可思議。」在這個覆電尚未發出之前，魏菲爾又有報告送來，說明他已經決心對多布魯克作一段時間的堅守，並將在邊界上集結一支機動兵力以來分散和減輕敵人的壓力，但同時又企圖在兩百哩後方的梅爾沙馬特魯地區照原定計畫建立一道防線。以後應感謝多布魯克守軍的英勇抵抗，結果遂使英軍並未作更進一步的撤退，儘管是差不多又過了八個月的時間，多布魯克才終於解圍。

多布魯克守軍的主要部隊為莫希德將軍（General Morshead）所指揮的第九澳洲師，他們是從班加西地區安全撤出的。此外，屬於第七澳洲師的第十八步兵旅也已從海上進入該港增援，接著又還有來自第一和第七兩個皇家戰車團的幾個小部隊，一共湊成了一支五十多輛戰車的小型裝甲部隊。

隆美爾的攻擊開始於四月十一日，也是聖金曜日（Good Friday），最初僅為試探性的突擊。主力攻擊則到星期一（復活節）上午才開始，打擊在全長三十九哩的周邊南面中段上，距離港口約為九哩。德國突破了單薄的防線，其領先的戰車營向北奔馳了兩哩遠，才被守軍的砲火所阻，最後終於又從其已經作成的狹窄袋形地區中被擠了出來。在參加戰鬥的三十八輛戰車之內，一共損失了十六輛——這個總數可以顯示隆美爾的實力是如何的弱小。義大利部隊在十六日也企圖發動一次攻擊，但他們的努力卻迅速的崩潰了，當一個澳洲營開始逆襲時，幾乎有一千人投降。

在羅馬的義大利最高統帥部，對於隆美爾的孤軍深入早已感到不安，現在就要求德國最高統帥部制止他的「輕舉妄動」，以及其想要攻入埃及的意圖。德國陸軍參謀總長哈爾德對於任何海外的行動，都一律想要加以限制，因為德軍現在正在傾全力準備侵俄的作戰，所以他不願意對海外作任何的增援，以免影響到德軍在主戰場的實力。希特勒對於活力充沛的將領，像隆美爾這一類的人，有一種寵愛的趨勢，而哈爾德卻非常討厭他們，因為他們的思想行為都是不合於參謀本部的傳統典型。所以哈爾德的副手，包拉斯將軍（General Paulus），被派前往非洲視察，哈爾德在他的日記上很刻薄的寫著說：「去阻止這位軍人發瘋。」包拉斯到了非洲之後，雖然對隆美爾告誡了一番，但卻還是批准他再向多布魯克發動一次新的攻擊。

這次攻擊是在四月三十日發動的，到了此時，第十五裝甲師的一些先頭部隊——但並非其戰車團——已經從歐洲運到，可以用來增強第五輕裝師。這一次的攻擊以防區的西南角為目標，並且利用黑夜的掩護。到了五月一日拂曉時，德國的步兵已經打開一條寬達一哩以上的缺口，於是第一波戰車就從這裡衝入，直趨十哩以外的多布魯克。但前進了一哩之後，他們卻意想不到的撞進了一個新埋設的雷區，其四十輛戰車就有十七輛暫時喪失了行動能力——不過其中除了五輛以外，德軍終於在敵火之下把履帶修好，又都安全的逃脫了。第二波德國戰車和步兵就向西南旋迴沿著周邊的背面去席捲防禦部隊。但他們橫向前進了約三哩的距離時，卻又被阻止了。這應歸功於下述三種力量的結果：部署在雷區後方的砲兵火力，二十輛英國戰車所作的逆襲，以及幾個孤立澳洲部隊據點的繼續抵抗。至於義大利的支援部隊進展得很慢而退卻得很快，所以毫不發生作用。

次日，最初出動的七十餘輛德國戰車就只剩下三十五輛可以行動，所以攻擊只好暫停。三日夜間，莫希德用他的預備步兵旅發動了一個反擊，但卻也失敗了，於是情況變成了兩敗俱傷的僵局。周邊的西南角仍握在隆美爾的手中，但很顯明的他的實力還不足以攻克多布魯克，於是包拉斯在啟程返國之前，遂禁止隆美爾再作任何新的企圖。因此就發展成為圍城戰的型態，直到年底才結束——魏菲爾接著也作了兩次努力以求趕走隆美爾和救援被困的守軍，但卻也都失敗了。

第一次努力是在五月中旬，其代字為「簡短作戰」（Operation Brevity），這也適足以表示其行動的簡短性。第二次努力是在六月中旬，代字為「戰斧作戰」（Operation Battleaxe），那不僅給予以較大的重量，而且也寄予以較大的希望。為了想確保作功，邱吉爾決定不惜甘冒重大的危險——這個時候希特勒尚未轉向攻擊俄國，防禦英國本土兵力的裝備極為缺乏，但他卻仍然把大量的戰車送往埃及增援；而且這些增援所必經的地中海航線，又有受到敵方空軍狙擊的危險。雖然邱吉爾有孤注一擲的豪情，但所獲得的結果卻還是令人失望。

為了想在非洲爭取成功和確保英國在埃及的地位，邱吉爾不惜甘冒雙重的危險，表現出來的是相當果敢有為。這與希特勒和哈爾德的態度恰好成一強烈對比，因為哈爾德他們是想要限制德軍在地中海戰場上的作為。十月間，托瑪將軍（General von Thoma）奉命前往昔蘭尼加作一次考察的訪問。他回來報告說，需要四個裝甲師的兵力，即足夠保證侵入埃及行動的成功，但希特勒卻不願意提供這樣巨大的兵力，而墨索里尼也不願意接受這樣大規模的德國援助。隆美爾的小型兵力（僅為兩個師）僅在美大利人慘敗之後才勉強派往非洲，其目的只是為了保存的黎波里而已。甚至於當他已經用事實證明出來如此小型的裝甲兵力都還可以作巨大貢獻之後，希特勒和哈爾德還是不願意再多給他一點少數的增援，否則他也許就可能已經決定勝負了。因為他們拒絕增援隆美爾，結果才坐失了乘著英國實力尚弱時，征服埃及和把英國人逐出地中海的良機。這個機會錯過之後，德國人在非洲遂終於在將來被迫花費更多的努力，和忍受更多的犧牲，而仍然不免於失敗。

但在英國，儘管其資源還是十分缺乏，在四月間就已經集中一支護航船團，準備載運大量的裝甲部隊前往埃及及增援。當這個船團正要開航之際，英國當局在四月二十日又接到魏菲爾所發來的一份電報，電文內容強調情況的嚴重，並說明他對於較多裝甲部隊的迫切需要。邱吉爾遂立即提議，並且也獲得參謀首長們的支持，命令裝載戰車的五艘快船到直布羅陀後即向東轉，採取捷徑通過地中海——這樣也就可以提早六個星期到達。他同時又堅持增援的數量還應增大，並把最新的巡航戰車一百輛包括在內，儘管英國的陸軍參謀總長狄爾將軍（General Dill）力表反對，因為他害怕這樣會使英國本土的防禦力量過分減弱，以至於將無法應付可能來臨的春季侵入。[1]

自從一月間德國空軍在地中海上空出現之後，這個「老虎作戰」（Operation Tiger）是想把一支船團送過該水域的第一次企圖。由於受到有霧天氣的幫助，船團並未受到空中攻擊而順利的通過。只有一艘船，裝載著五十七輛戰車，在通過西西里水道時，因為觸雷而沉沒。其餘的四艘快船在五月十二日都安全的進入亞歷山大港，帶來了二百三十八輛戰車。（其中一百三十五輛為「馬提達」重戰車，八十二輛為巡航（中型）戰車，二十一輛為輕型戰車。）這比魏菲爾為了埃及的防禦而已經搜羅得來的戰車總數要多了四倍。

不過魏菲爾卻並未等待這一批巨大增援到達，即決定利用其在邊境地區所已經集中的殘部先來嘗試發動一次攻擊，其原因有二：一方面是利用隆美爾在多布魯克被擊退的機會，另一方面是根據情報得知他在補給方面已極感缺乏。這就是上文中所已經說過的「簡短作戰」，由葛特准將

（Brigadier Gott）負責指揮。魏菲爾的原始目的只想奪回靠近海岸的邊境陣地——他知道敵軍的防守兵力非常的單薄——準備在敵人援兵趕到之前，就把那些守兵趕走。不過他所希望的卻又不僅此而已，誠如他在五月十三日致邱吉爾的電文中所說的：「若能成功，將考慮由葛特部隊和多布魯克守軍立即採取聯合行動來驅逐在多布魯克以西的敵軍。」

為了對葛特的部隊提供打擊力量，就動用了兩個戰車單位——第二皇家戰車團，裝備著二十九輛改裝的舊式巡航戰車；而第四皇家戰車團則只有二十六輛「馬提達」式戰車。這種戰車是裝甲頗重，行動相當遲緩，英國官方的分類稱之為「步兵戰車」。第二戰車團，連同一個由摩托化步兵和砲兵所組成的支援群，繞著敵方陣地在沙漠方面的側翼前進並直趨細第阿齊（Sidi Azeiz），以封鎖敵人的增援和退卻路線。第四戰車團則在直接突擊中作為第二十二近衛旅（Guards Brigade）的矛頭。

在黑夜中前進了三十哩之後，哈法亞隘道（Halfaya Pass）頂端由義大利部隊所據守的據點，於五月十五日的清晨遭受了英軍的奇襲，在攻克之後俘獲了幾百人，不過有七輛「馬提達」

1　原註：邱吉爾在寫給參謀首長們的私人便函中曾經這樣慷慨激昂的說：「中東戰爭的命運，蘇彝士運河的得失，在埃及已經集中的兵力的前途，與美國合作的希望——都完全寄托在這少數幾百輛戰車之上。只要可能則應不惜一切的代價將它們送去。」

戰車為守軍砲火所擊毀。其他兩個據點，比爾維德（Bir Waid）和莫賽德（Musaid），也都相繼被攻下，但在到達卡普左要塞之前，奇襲之利即已完全喪失，當一個德國戰鬥群採取側擊行動之後，英軍的攻勢即開始頓挫。雖然要塞被攻占了。但不久又還是自動撤出。此時，趨向細第齊的迂迴運動也在敵軍反擊的威脅之下折回。不過在另一方面，敵軍在邊境上的指揮官對於此次攻擊方面實力的強大也獲得了深刻的印象，於是他也開始撤退。

所以到了夜幕低垂之時，雙方都在撤退。但是德義軍的撤退卻立即受到隆美爾的制止，他迅速的從多布魯克方面抽出了一個戰車營來增援。另一方面，在較遙遠的高級司令部要他固守的命令尚未到達之前，葛特即已決定退到哈法亞（Halfaya），而其部隊則早已開始行動。等到天亮之後，德軍發現戰場上已無敵人的蹤影，使他們有如釋重負之感——因為那個趕來增援的戰車營已經在中途用盡了他們的燃料，一直等到當天下午加油之後才能繼續行動。

英軍的撤退又並未以哈法亞為終點，不過在那裡留下了少許守軍。德國人迅速的利用其暴露的位置，從幾個方面發動向心的攻擊，於二十七日收復了這個隘道。這對於他們是一項非常有價值的收穫，因為這個隘道對於英軍下一次較大的攻擊，即「戰斧作戰」，成為一種嚴重的障礙。此外，在這個中間階段內，隆美爾也就在哈法亞以及其他前哨據點上為英國戰車安排陷阱，他的辦法是把「八八」砲（88 mm gun）埋伏在防禦工事之內，這種本來是防空用的高射砲，在這種安排之下，也就變成了一種極有效的戰防火器。

此種緊急措施對於即將來臨的戰鬥，被證明出來是一個非常重要的因素。在這個時候，德軍所有的戰防砲幾乎三分之二還是老式的三七公釐口徑（37 mm），那是在戰爭前五年就已經發展成功的，比英國的兩磅（2-Pounder）戰車砲和戰防砲都要差得太多。它們對英國巡航戰車已不能產生太大的作用，而對於「馬提達」則更是毫無辦法。甚至較新式的五〇公釐口徑戰防砲（50 mm）也只有在最近的射程才能穿透「馬提達」的厚裝甲——現在隆美爾一共只有五十餘門。但是輪型的「八八」砲在二千碼的射程即能穿透「馬提達」的前裝甲（厚77 mm）。隆美爾現在一共有這樣的砲十二門，他把其中的四門（一連）位置在哈法亞，另外四門則位置在哈費德山脊（Hafid Ridge）上——這兩點也正是英軍在一發動攻擊時就立即想要攻占的目標。

對於隆美爾來說實在是太僥倖，因為在許多方面，當攻擊發起時他都是居於嚴重的不利地位，尤其是在戰車的數量上——那是在這種沙漠戰鬥中的主要兵器。由於德國已經不會再有增援來到，當戰鬥開始時，他手裡只有一百輛「砲」（gun-armed）戰車，其中又約有半數以上是隨著圍困多布魯克的部隊，那是在八哩遠的後方。在英軍方面，由於「老虎」船團的到達，已經使他們可以展開大約二百輛「砲」戰車——所以在開始的階段，也就享有四比一的優勢。勝負的關鍵就要看他們能否在隆美爾從遙遠的多布魯克把其餘的戰車（第五裝甲團）調來增援之前，就利用此種優勢將邊境地區的德軍先行擊滅。

對於英國人來說，那是很不幸的，因為在對攻擊作計畫時是深受「步兵心理」（infantrymineded）的影響。這種趨勢又受到戰車類型混雜的加強，結果終於使數量優勢發揮不出來。

「老虎」船團的到達已經使魏菲爾能夠重編兩個裝甲旅，來發動新攻勢。但由於五月中旬「簡短」攻擊的失敗，使所剩餘的原有戰車已經寥寥無幾，所以總數也就只夠在每旅三團之內裝備其中的兩個團。邱吉爾曾主張為了使每個旅可以裝備其第三團，應仍採取地中海航線再送一百輛戰車去，但是英國海軍部卻很不想再冒那樣的危險。邱吉爾在他的回憶錄上很挖苦的說：「若非魏菲爾將軍對於此一點並不太堅持，而且甚至於還幫對方說話，否則我將會採取內閣決議的方式來貫徹我的主張。他實際上是幫我的倒忙。」結果是船團改道繞著好望角航行，直到七月中旬才到達蘇彝士。

此外，新到的巡航戰車只夠裝備一個團，而原有較舊式的巡航戰車則勉強夠裝備第二個團。另外一個旅的兩個團就只好裝備「馬提達」即所謂「步兵戰車」。這又強烈的影響到指揮官的決心——一開始就用這個旅去協助步兵對敵方邊境陣地作直接攻擊，而不曾考慮到集中所有一切能夠動用的戰車力量來擊碎對方在前進地區內的裝甲部隊。這個決心的後果對於攻勢發展產生了嚴重的不利影響。

照邱吉爾所假定的，「戰斧作戰」的目的是具有極大的雄心——在北非贏得一個「決定性」的勝利，並「擊滅」隆美爾的部隊。魏菲爾對於如此完全成功的可能性表示一種謹慎的懷疑，但卻也說他希望這次攻擊能夠成功的把敵人逐退到多布魯克以西去。他下給比里斯福德．皮爾斯將軍的作戰訓令中所確定的目標就是如此。後者為西沙漠部隊（Western Desert Force）的指揮官，負責攻擊的實施。

攻擊計畫分為三個階段：（一）在開始時，由第四印度師負責進攻哈法亞—索倫—卡普左之線的要塞化地區，由第四裝甲旅（裝備著「馬提達」戰車）加以協助。至於第七裝甲師的其餘部隊則掩護在沙漠中的側面。（二）在第二階段，第七裝甲師應使用其兩個裝甲旅向多布魯克擴張前進。（三）在第三階段，這個師應與多布魯克的守軍會合，一同向西推進。這是一個含有失敗種子的計畫。因為在第一階段就已經把裝甲部隊的一半用來協助步兵，所以要想乘敵方從多布魯克調來援兵之前即先擊毀其在邊境地區的裝甲團，機會也就最多只剩下一半了。這樣也就使第二和第三階段的計畫更難有成功的希望。

要想到達敵軍在邊境上的陣地，攻擊軍必須先作長達三十哩的前進運動，那是在六月十四日下午開始的。最後一次的躍進長八哩，是在十五日凌晨的月光之下完成的，於是右翼方面最先開始戰鬥，攻擊敵軍在哈法亞隘道的前哨陣地。但防禦者比在五月間已經有較好的準備，因為英軍的計畫是必須等待砲兵有了足夠的亮光能夠射擊時，戰車始准開始突擊，所以也就坐失奇襲的機會。又因為指派支援哈法亞攻擊的一個砲兵連被陷在沙土中不能行動，所以這個決定也就更壞了。在光天化日之下，「馬提達」戰車連才剛開始領先攻擊。第一個傳回來的消息就是其指揮官在無線電裡說：「他們正在把我的戰車撕成碎片。」這也是他的最後通信。一共十三輛「馬提達」，從隆美爾用四門「八八」砲所構成的戰車陷阱中生還的卻只有一輛，無怪乎英國部隊把「哈法亞隘道」諧音的喊作「地獄火隘道」（Hellfire Pass）。

當此之時，中央縱隊正在越過沙漠高原向卡普左要塞挺進，由一整團的「馬提達」充任矛頭。在這一方面德軍沒有「八八」砲，所以在如此強大壓力之下，守兵的抵抗迅速崩潰。這個要塞被英軍攻占之後，接著又還擊敗了兩次逆襲的企圖。

但是領導左縱隊的巡航戰車旅，本想要迂迴敵軍的側翼，結果卻衝入了隆美爾在哈費德山脊上所布置的戰車陷阱，於是也就在那裡受阻。下午再度進攻，結果只是陷入陷阱更深，所受損失也更重。此時，德軍在邊境地區的那個戰車團幾乎全部都趕到了現場，他們從側面發動一次反擊，迫使殘餘的英國戰車緩慢的退回到邊境線。

到第一天入夜之後，英軍已經喪失其戰車總數一半以上，主要都毀在兩個戰車陷阱之內，而隆美爾的戰車實力則幾乎完全無恙，再加上其在多布魯克的另一戰車團也已經趕到，所以他顯然是已經占了優勢。

第二天隆美爾就發揮了他的主動精神，使用其第五輕裝師的全部從多布魯克包圍英軍在沙漠中的左翼，而其第十五裝甲師則對卡普左發動一次強烈的反擊以為配合。德軍對卡普左的反擊被英軍所擊退——因為他們在那裡據有堅強工事和良好掩蔽的防禦陣地。但是正面和側面同時進攻的威脅打消了英軍準備在那一天再發起攻擊的計畫，到了夜間，德軍的包圍行動也已有重要的進展。

為了擴張這種有利的態勢，到第三天清晨，隆美爾就把他的全部機動部隊都移動到沙漠側面上，目的在橫掃哈法亞隘道，和切斷英軍的退路。當這個威脅在上午還剩一半時間變得非常明顯之際，英軍較高級指揮官在匆匆會商之後，即下令迅速撤退。在卡普左的先頭部分幾乎沒有能夠逃出，但由於英國的殘餘戰車拚命抵抗，才能獲得讓卡車載運步兵勉強衝出的時間。到第四天上午，英軍退回到原有的攻擊發起線——即退回了三十哩。

在這三天的「戰斧作戰」中，生命的損失是很輕微的——英軍方面傷亡和失蹤的總數還不到一千人，而德軍方面也差不多。但英軍損失了九十一輛戰車，而德軍則僅損失十二輛。因為戰場是為他們所控制，所以大部分損毀的戰車也就都可以修復再用。反之，英國人在匆匆撤退時，必須把損毀的戰車都丟在半路上，那些僅因為機件發生故障而不能行駛的車輛，只要有時間都可以修復，但卻都完全損失掉了。此種不成比例的戰車損失可以強調這次攻勢的失敗，對於原有的目標和希望是完全沒有達到。

多布魯克、「簡短作戰」和「戰斧作戰」都一致顯示出戰爭的戰術趨勢已經有了新的變化。在第一次世界大戰時以及以前的半個世紀都是防禦居於優勢的地位，到了第二次世界大戰的初期，此種趨勢幾乎完全反轉。自從一九三九年九月，在所有的戰場上，由快速裝甲部隊所發動的攻擊幾乎是無戰不勝，無堅不摧，於是一般平民和軍人的意見遂開始認為防禦具有一種先天的弱點，而攻擊是必然獲勝的。但上述幾次經驗卻顯示出來，甚至於在一個像北非沙漠那樣開放的地區中，只要能夠了解近代工具的性質，則對於防禦仍可巧妙運用而使其發揮極大的效力。從此時起，跟著戰爭的延續和經驗的累積，於是也就日益證明了採取較機動化形式的防禦已經重獲其在第一次世界大戰中所享的有利地位，除非有巨大的兵力優勢，或非常高度的技巧，足以顛覆對方的平衡，否則攻擊是絕難獲逞的。

很不幸的，當英國人下一次再企圖擊敗隆美爾和肅清北非時，對於「戰斧」的教訓往往都是誤解或忽視，這也就大大的影響了他們的前途。最重要的一點就是英軍較高級司令部的報告中都不曾注意到「八八」砲在防禦戰中的巨大貢獻。一直到秋季，又遭受一次慘重損失之後，才勉強認清了這一點，但他們卻仍然堅信像這樣龐然大物的兵器只能用在已經挖掘好了的陣地中。所以當隆美爾的防禦戰術有了新的進步時，即對「八八」砲作機動化的使用，他們又還是受到了奇襲而未能事先預見到這種發展而準備對策。

英國戰鬥部隊和他們的較高級指揮官也忽視了另外一種重要發展——那就是敵人不僅在防禦中，而且也在攻擊中，對於其正常戰防砲與戰車的密切配合作了日益勇敢的運用。在未來的戰鬥中，這種配合是一個決定性的因素，其對於勝負影響之大甚至於還超過了「八八」砲。事實上根據分析，英軍戰車損失慘重的主要原因就是由於德國人對於「五〇」戰防砲有了一種新的用法：他們把這種相當輕便的小砲推進到距其本身戰車很遠的前方，隱藏在有掩蔽的位置上。英國戰車乘員不知道有這樣的埋伏，當他們的裝甲板被一顆砲彈擊穿時，他們也不可能知道那是發自戰車還是戰防砲——因此也就很自然的總是歸咎於比較容易看見的對手（戰車）。這樣也就使他們誤以為他們自己的戰車和戰車砲是不如敵人的——於是也就足以造成喪失信心的普遍趨勢。

在他們檢討夏季的作戰經過時，除了忽視了上述兩點以外，又還有一個重要的誤解，那對於英軍下一次攻擊計畫也產生了極嚴重的影響。在「戰斧」之後約三個月，魏菲爾在他的報告中作結論說：「我們失敗的主因毫無疑問的是巡航戰車和『I』（步兵）戰車在行動上的難於配合……」但事實上卻根本不曾嘗試加以配合，而且也沒有測驗過其可能性。兩團「馬提達」戰車是從裝甲師內抽出來，在開始發動攻擊時就交給步兵師長直接指揮，而且在整個戰鬥過程中，他都緊抓著這些戰車不放手，並未依照預定計畫在第一階段之後，就把它們歸還裝甲師的建制。在合理的配合之下，「I」戰車在裝甲戰鬥中也仍可扮演一個很有價值的角色，對於巡航戰車的活動構成一種強力的攻擊樞軸。「馬提達」的速度比A10舊式巡航戰車差不了多少，後者在第一次利比亞作戰中以及這次「戰斧作戰」中都曾和較快速的新式巡航戰車合作無間。德國人在這一次以及以後的戰鬥中，對於各種不同類型的戰車常能作巧妙的配合，而不感到太多的困難。那些不同類型的德國戰車之間的速度差異正像英國巡航戰車和「馬提達」之間的差異一樣巨大。

很不幸的，由於未經試驗即假定此種配合太困難，於是在下一次英國的攻擊中，巡航戰車旅和「I」戰車旅遂被分割為兩種完全分開的編組——結果英國人的戰鬥也就同樣的被分割成為兩個隔絕的部分。

第十五章　「十字軍」作戰

一九四一年仲夏努力的失敗使英國既未能在非洲獲得決定性的勝利，又未能把敵人逐出非洲之外，於是也就使邱吉爾更一心想達到那個目的。他決定要在最短期間用更強大的兵力來作再度的努力。為此，他盡量向埃及方面增援。他的軍事顧問們提醒他遠東的防務決定已經拖延了太久，尤其是新加坡，其重要性僅次於不列顛本土，而遠超過中東，邱吉爾卻一概置之不理。陸軍參謀總長狄爾爵士，曾嘗試忠告邱吉爾對於兩個區域的利害安危應作慎重合理的考慮，但他這個人的個性太溫和，不是邱吉爾那種強人的對手。

但是在遠東的危險現在已經變得很嚴重，而英國人在那一方面的兵力卻依然薄弱得可憐。雖然日本一直到此時還不曾投入戰爭，但羅斯福和邱吉爾在七月間所採取的切斷日本經濟資源的步驟必然會引起它的反噬。日本在行動上的遲疑容許美英兩國有四個多月的時間可供發展他們在太平洋地區的防務，但他們卻並不曾好好的加以利用。在英國方面，主要的原因就是邱吉爾的興趣和努力都完全集中在北非一隅之地。所以隆美爾間接的造成了新加坡的陷落——一方面是他個人對於英國首相所構成的強烈印象；另一方面是他對於尼羅河谷和蘇彝士運河所構成的潛在威脅。

為了在非洲再興攻勢，其代字為「十字軍」作戰（Operation Crusader），英軍數量已經大形增加，裝備也已經重換。由四個戰車單位（團）增到十四個，所以已經可以有四個完整的裝甲旅用作攻擊部隊，每個旅都是三個團。多布魯克守軍也獲得了一個旅（包括兩個戰車團和一個額外的連），那是從海上運來，以便突破敵軍包圍線並和攻擊部隊相會合。這些裝甲旅的主要部分都是裝備著新型的巡航戰車，或是新的美國「斯圖亞特」（Stuart）式戰車，那是比任何其他已有戰車的速度都要快，但卻還是有四個單位的「I」戰車，即「馬提達」式或「法蘭亭」（Valentines）式。摩托化步兵師增加了三個，使總數一共為四個；在多布魯克也換了一個新的師——英國第七十師代替了一直在圍城中苦撐的第九澳洲師。

在另一方面，隆美爾從德國所能獲得的增援非常的有限，也從未有新的戰車單位被調來擴充其原有的四個團。第五輕裝師雖然已經改名為第二十一裝甲師，但是其戰車數量卻並未獲增加，他唯一能夠用來擴充其兵力的辦法就是把一些額外的砲兵和步兵單位，勉強拼湊編成了一個非摩托化步兵師，最先稱之為「非洲師」，以後才改稱為第九十輕裝師。義大利的兵力本為三個師（其中一個為裝甲師），現在又增加了三個較小的步兵師——但因為他們的裝備太陳舊和缺乏摩托化運輸工具，所以價值頗為有限；他們只能用來擔負靜態的任務，對於隆美爾的戰略行動自由是一種莫大的障礙。

在空軍方面，英國人現在享有巨大的優勢。他們能夠立即用來支援攻擊的實力已經快要達到飛機七百架，而對方則僅有德國飛機一百二十架和義大利飛機二百架。

在裝甲方面，英國人的優勢更為巨大。當攻勢發起時，英國人所有的「砲」戰車超過了七百一十輛，其中約有二百輛為「I」戰車；而敵方則只有德國「砲」戰車一百七十四輛，義大利的一百四十六輛——後者是並無太多價值，因為那都是已經落伍的型式。所以就總量而言，英國人享有遠超過二比一的優勢，而專以對德國戰車而言，則更是超過了四比一的標準。德國的兩個裝甲師，每個師都有兩個戰車單位（團），被英軍總司令認為是「敵軍的骨幹」。此外，隆美爾除了少數正在修理中的戰車以外，就再沒有其他的預備隊；而英國方面在預備隊中或在航運途中的戰車還有五百餘輛之多——所以他們可以比較經得起長期的消耗。事實上，以後扭轉戰局的也就終於還是依賴這些預備部隊。

隆美爾的最大本錢，足以抵銷其在戰車方面嚴重劣勢的，就是到了秋天其一般性的戰防砲已有三分之二都換了新型長砲管的「五〇」型——那比他原有的「三七」口徑在貫穿能力方面增加了百分之七十，而比英國的「兩磅」砲也占有百分之二十五的優勢。所以他在防禦上已經不再像夏季時那樣依賴極少數的「八八」砲。

除了把大量的援軍，和大部分英國新製造的裝備都送往埃及以外，邱吉爾也給那裡的攻擊部隊換了一批新指揮官。在「戰斧作戰」失敗後的第四天，魏菲爾即被解除了指揮權，他的遺缺由印度軍總司令奧欽列克爵士（Sir Claude Auchinleck）繼任。其他部隊指揮官和裝甲師師長不久也都換了新人。邱吉爾對於魏菲爾的慎重作風早已感到不耐，所以「戰斧」的失敗也就使他毅然決定換一位新的總司令。但是他不久就發現新總司令奧欽列克又再度的使他感到非常不愉快，因為後者堅決的拒抗其一切壓力，不肯提早發起攻勢，並認為必須要有充分的準備和足夠強大的實力，始足以保證決定性的成功。所以下一次的攻勢，即所謂「十字軍」作戰直到十一月中旬才開始發動，距離「戰斧」已有五個月之久。在此階段內，數量已經大肆擴充的部隊就改名為第八軍團，其司令一職由康寧漢中將來充任——他曾經肅清義屬索馬利蘭，並由此攻入衣索比亞，促成了義大利東非帝國的總崩潰。這個新軍團分為兩個軍：第十三軍由高德溫・奧斯丁中將（Lieutenant-General Godwin-Austin）指揮；第三十軍（裝甲軍）由羅理中將（Lieutenant-General C. W. M. Norrie）指揮。除了羅理以外（他是一位騎兵出身的軍官），其他所有的新指揮官都沒有運用戰車和對裝甲部隊作戰的經驗。本來派往指揮裝甲軍的人倒是一位戰車專家，但他在攻勢快要發動之前，卻在一次空難中送了命，所以才臨時由羅理來代替他。

第十三軍轄有紐西蘭師和第四印度師，另外加上一個旅的步兵戰車。第三十軍含有第七裝甲師，它又分為兩個裝甲旅（第七和第二十二），第四裝甲旅群（Brigade Group），第二十二近衛（摩托化）旅，和第一南非師。第二南非師則充任預備隊。

這次攻擊計畫的基礎是用第十三軍牽制據守邊境陣地的敵軍，而以第三十軍繞過敵方陣地的側翼去尋求隆美爾的裝甲部隊而擊滅之——然後再與多布魯克（在邊境後約七十哩）的守軍合會，守軍須同時突圍以來迎接第三十軍。所以照這個計畫，兩個軍連同其獨立的裝甲部隊，分別在相隔頗遠的地區中作戰——而並不曾考慮到統一攻擊的效果。英國裝甲部隊中威力最強的部分，即使用「馬提達」式和「法蘭亭」式重戰車的旅，對於裝甲戰鬥不曾作任何貢獻，而只是分成許多小隊去幫助步兵作戰。等到前進之後這種兵力的分配也就很快的變成了兵力的分散，使英軍戰車到處都是，而到處薄弱。

當英軍開始作戰略性的迂迴運動時，敵人已經受到奇襲，並且也暫時發生混亂，但他們卻坐失了這個良機。不久英軍的攻擊即開始脫節——而且大部分都是自己脫節的。誠如隆美爾所譏諷的：「假使你有二輛戰車而我只有一輛，但你卻把它分開好讓我有各個擊破它們的機會，那麼二與一又有什麼差異呢？結果你把三個旅逐次送到我的面前。」

這種困難的根源是深藏在古老的準則中，那就是說在一切官方的典令中和參謀大學的教材中，都認為主要的目標即是「在戰場上擊滅敵軍的主力」。對於一位軍事指揮官而言，這也成為一種唯一的合理目標。在兩次大戰之間的時代，這種傳統觀念更受到步兵心靈的指揮官們所激賞：當他們在考慮應如何使用他們所指揮的戰車時，就會這樣的說：「擊毀敵人的戰車，於是我們就可以展開戰鬥了。」在上級給予第八軍團和其裝甲軍的指示中，對於這種習慣的想法是太明顯了：「你們當前的目標就是擊滅敵人的裝甲部隊。」但裝甲部隊的本身根本不適合於當作一個眼前目標。因為它是一種機動性的部隊，通常不像步兵那樣的易於固定。要想達到擊滅它的目的，最好是採取間接路線，即攻擊或防守某些要點以來引誘它自投羅網。想嘗試用一種太直接的方法來擊滅隆美爾的裝甲部隊，結果使英軍本身的裝甲部隊不僅延伸和分散得太遠，而且更使他們自己太容易被吸入了隆美爾的戰車陷阱。

十一月十八日清晨英國第三十軍的部隊越過了邊境，然後開始向右旋迴奔向九十哩以外的多布魯克。這是在一把「空傘」（air umbrella）的掩護之下前進的，但此種對被敵發現和干擾的掩護在目前卻並不需要，因為夜間的一場暴雨已經把敵人的機場變成了沼澤，使其所有的飛機都不能起飛。由於同一原因，前進的遲緩也就沒有太多的關係。隆美爾根本就不會想到英軍會大舉反擊。他一心忙於準備進攻多布魯克，他的攻擊部隊已經調往那一方面，不過他在沙漠中向南面還是留置了一個強大的掩護部隊以防英軍的干擾。

到了十八日入夜的時候，英軍裝甲縱隊已經跨越阿布德小徑（Trigh el Abd），次日上午再向北繼續推進——在逐退隆美爾的掩護部隊時，他們原長三十哩的正面也就逐漸延伸到了五十哩。此種過分延伸的不良影響不要好久就發展到頗為嚴重的程度。

在中央方面，第七裝甲旅兩個領先的團攻占了在細第雷茲（Sidi Rezegh）峭壁頂上的敵方機場——距離多布魯克的周邊只有十二哩。但是這個旅的其餘部分以及師屬的支援群都是直到次日（二十）上午才趕上來，那時，隆美爾已經派了非洲師的一部分部隊，帶著大量的戰防砲，扼守著峭壁頂部的邊緣，並阻塞了道路。沒有更多的增援到來以增強英軍在那裡的兵力。因為其他兩個裝甲旅都出了麻煩，一個在東一個在西，都還相隔得很遠，而第一南非師也同樣的作向了西方。

在西面所發生的事故是第二十二裝甲旅已經衝入義大利的戰車群，在把他們逐退了之後，該旅就乘勝進攻在比爾古比（Bir el Gubi）的義軍設防陣地。這個第二十二旅是由義勇騎兵團（Yeomanry regiments）所編成，這些部隊乘坐戰車的時間並不久，而對於沙漠作戰更是缺乏經驗。那是一個太英勇突擊，充分表現出在巴拉克拉伐（Balaclava）「輕騎兵旅衝鋒」（Charge of Light Brigade）的不朽精神。結果在義軍埋伏砲火之下受到了重創，在他們一百六十輛戰車中一共損失了四十餘輛。第三十軍的軍長還以為攻擊進行得非常順利，遂命令南非師也向那個方向前進以便占領比爾古比。[1]

在東面的第四裝甲旅群為了追逐一個德軍的搜索部隊，已經拉開了二十五哩的距離，卻突然發現有一支強大的德國裝甲部隊在其後方附近出現，在其先頭部隊中的一兩個單位還來不及回頭救援時，其殿後的單位即已受到了慘重的損失。這個打擊也就是隆美爾第一天對抗行動的尾聲，

1 譯註：「輕騎兵旅衝鋒」是克里米亞戰爭中的一段故事，充分表現英國軍人有勇無謀和視死如歸的精神。

它是由一個強大的戰鬥群來執行的（包括第二十一裝甲師的兩個戰車單位）。

很僥倖的，在這個側面上的英國裝甲部隊次日上午卻並未受到整個非洲軍的集中攻擊。由於情報的錯誤，該軍軍長克魯威爾（Cruewell）以為英軍的最危險前進是沿著北面的路線，即卡普左小徑（Trigh Capuzzo）。所以他把該軍的兩個裝甲師都向卡普左移動——但卻發現在那個地區中空無一物。[2]

由於缺乏空中偵察，德國人是仍在「戰爭之霧」（fog of war）中作盲目的摸索。更糟的是其第二十一裝甲師在這次向東的奔馳中已經把燃料燒光，所以暫時不能動彈。在那一天只有第十五裝甲師可以調回，下午就遭遇到仍然孤立在加沙雷（Gabr Saleh）的英軍第四裝甲旅——所以這個旅在第二天一連受到了德軍的反擊，損失頗為重大。雖然英國較高級指揮官對於敵人的行動有良好的情報，但他們對於非洲軍暫時離開現場而呈現出來的機會卻並未能迅速的掌握並加以利用。他們也沒有立即採取步驟來把他們三個分散的裝甲旅集中在一起。快到中午時，因為第四裝甲旅所面臨的威脅已經很明顯，於是第二十二裝甲旅奉命向東前進以來增援，不再照原定計畫去和在細第雷茲的第七裝甲旅會合。但是由於從這個側面上調到那個側面上，第二十二旅要行軍很長的一段距離，直到入夜才到達目的地，所以已經太遲而對於戰鬥毫無幫助。

在所有這些時間當中，第十三軍的紐西蘭師和「I」戰車旅卻一直都停留在僅僅只隔七哩遠的比爾吉布尼（Bir Gibni）。他們都渴望前進和熱烈的想能助戰。但是他們不特不曾被邀參加裝甲戰鬥，而他們自願助戰的好意也都受到了拒絕。這真是一件奇事足以顯示出在這次會戰中對於「兩個間隔」（two-compartment）的觀念在執行時是如何的徹底。

到了十一月二十一日上午，在加沙雷的兩個英國裝甲旅發現敵人已經在他們的面前失蹤了。這一次德軍卻並沒有撲空——因為隆美爾現在對於英軍的形勢已經有了明白的認識，所以他命令克魯威爾集中其兩個裝甲師，對於在細第雷茲的英軍前進部隊作一次決定性的攻擊。

羅理剛剛告訴這支部隊應向多布魯克挺進，同時也已經通知了多布魯克守軍準備突圍，但當它尚未前進之時就已經出了毛病。上午八時遠望著兩支德國裝甲縱隊，分別從南方和東方馳來。於是在細第雷茲的三個英軍裝甲團就匆匆地分出了兩個團去抵擋他們。這樣就只留下了一個團（第六皇家戰車團）繼續向多布魯克進發，他們不久就被德軍位置良好的砲火擊成了碎片，因為火力能夠集中在這個部隊之上，所以毀滅威力也就非常的可怕。這又是另一次「輕騎兵旅衝鋒」——只是這個旅卻實在是太輕了。其他的兩個裝甲部隊則受到了非洲軍的痛擊。其中的一個，第七驃騎兵團，幾乎全部為第二十一裝甲師所殲滅。另外一個，第二皇家戰車團，則勇敢的向第十五裝甲師反撲，並在運動中巧妙的運用其火力，遂終於迫使敵軍自動撤退。但到了下午，德軍又再度發起攻擊，並巧妙的運用把戰防砲推進到戰車前方去的新戰術，結果遂使其敵人受到極嚴重

2 譯註：此時隆美爾已升任非洲裝甲軍團司令，其非洲軍的遺缺由克魯威爾繼任。

的損失。若非第二十二裝甲旅終於從加沙雷姍姍來遲的趕到了，否則第七裝甲旅的殘部就會全部被殲滅——至於第四裝甲旅是直到次日才趕到。從多布魯克突圍的英軍，在深入德義軍的包圍陣地四哩之後，因為聽到第三十軍已經挫敗的消息遂暫時停止不進——已經突出的部隊就留置在一個狹窄的危險突出地區之內。

到第五日拂曉時，非洲軍又再度失蹤了——這一次只是為了補充他們的燃料和彈藥。甚至於連這樣一個短暫的休息，都是隆美爾所不容許的，大約在正午的時候，他到了比較接近戰場的第二十一裝甲師的師部，命令它發動一個間接路線的攻擊：通過細第雷茲北面谷地向西前進，然後繞過來攻擊英軍陣地的西側面。乘那兩個剩餘的英國裝甲旅措手不及之際，德軍衝過了斜坡，攻入機場，並擊潰了支援群的一部分。那兩個裝甲旅的逆襲不僅太遲而且也不協調，所以到了天黑時就以一片混亂的情況作為結束。但對於這個不利的一天卻還不能算是已經結束。因為第十五裝甲師，在告假一天之後，到了黃昏又回到了戰場，攻擊在第四裝甲旅的後面，並包圍了它的停車場，那是其司令部、預備隊和第八驃騎兵團所在的地點。因為受到了奇襲，所以大部分的人員、戰車和無線電聯絡工具都被俘了。該旅旅長恰好在細第雷茲指揮反擊，得以倖免於難——但到了二十三日拂曉時，他卻發現他的部隊已經殘破不堪，而且他也已經沒有辦法可以把那些殘部加以收拾和整頓。所以在這個更緊要的一天當中，他的行動是完全被癱瘓。

不過在二十三日的清晨，非洲軍的司令部也遭遇到了類似的命運，這多少是可以產生補償作用，儘管其效果不是立即可以顯示出來。那是由於康寧漢已經命令第十三軍開始前進——雖然也還只是有限度的。二十二日，紐西蘭師攻下了卡普左，於是其中的一旅（第六）遂奉命向細第雷茲挺進。在二十三日拂曉後不久，它就撞上了非洲軍的司令部，克魯威爾僅以身免，因為他恰好已經出發去指揮次一階段的戰鬥。但由於損失了作戰幕僚和無線電聯絡，以至於在此後幾天之內，都使他受到了很嚴重的障礙——不過英國人卻並不太了解這種障礙的嚴重，因為他們自己的困難太多，所以無暇及此。

十一月二十三日是一個星期天——在英國它是耶穌降臨節（Advent）前的第二個星期天，在德國那卻是被稱為「死亡的星期日」（Totensonntag）。若以沙漠中的戰鬥情況來說，則德國人的定名似乎是很巧合的。

在夜間，英軍在細第雷茲的部隊已經略微向南撤退，並等待第一南非師的增援。但這兩支部隊卻始終未能會合。因為在晨霧之中，德軍的兩個裝甲師發動了一個集中的突擊，使英國人和南非人都受到了奇襲。他們不僅被分開，而且運輸車輛也損失頗重。若非克魯威爾在此時發出了叫停的訊號，則英軍的損失可能還會更大——克魯威爾因為對情況還不太清楚，所以希望與義大利的阿里提師（Ariete Division）會合之後再來作決定性的攻擊。[3]但是義大利部隊的前進卻是非常

3 譯註：義大利師都是用動員地區來命名。

謹慎遲緩，所以一直等到下午，克魯威爾才開始發動其攻擊。那是從南面打擊在羅理前進部隊的主要部分上，即現在被孤立的第五南非旅和第二十二裝甲旅——某些較小的殘部則已在這空隙中溜出了陷阱。等到克魯威爾攻擊時，英軍已經組織好了一個良好的防線。他的集中攻擊終於突入英軍的陣地並壓倒了防禦者——其中約有三千人被俘或被殺。但非洲軍所剩餘的一百六十輛戰車中卻損失了七十輛以上。

在這一次對防禦陣地作直接攻擊時所損失的戰車數量足以抵銷在前幾天內各種巧妙運動所獲得的一切物質利益的總和而有餘。這個戰術性成功所付出的代價實在太大，在整個「十字軍」作戰中，在戰略上要比任何其他的東西所給予德國人的損害都還更大。誠然，第三十軍所受的損失是還要慘重——在其開始進攻時的五百輛戰車中現在只有七十輛左右還能行動——但英國人有大量的儲備物資可以恢復其戰車實力，而隆美爾卻沒有。

十一月二十四日，戰鬥又發生了另一次戲劇化的轉變。隆美爾現在決定率領其所有的機動部隊，越過邊境，向第八軍團後方深入，以擴張他的戰果。為了節省時間，他不等到全體部隊都完成集結的準備，就率領第二十一裝甲師先走，告訴第十五裝甲師緊跟上來，同時又命令義大利機動軍，包括阿里提裝甲師和的港（Trieste）摩托化師在內，為德國裝甲師的後援，封閉起環繞英國的包圍圈。

從其前一夜對柏林和羅馬的報告中所指示出來的，隆美爾最初的意圖是只想利用英軍的分裂狀況，以救出在邊境上的德義守軍。但到了夜間他的目標又擴大了，依照其主要參謀軍官的證詞，也就是他們記載在司令部戰爭日記上的話，那就是：「總司令決定使用他的裝甲師，來恢復在索倫（Sollum）前線上的情況，同時也向英軍在細第阿馬爾（Sidi Omar）地區的後方交通線前進……這也就是說他們不久就會被迫放棄鬥爭。」

隆美爾不僅攻擊對方部隊的後方和補給線，而且也同時攻擊對方指揮官的心理。在那個時候，這樣一個攻擊所能具有的成功希望超過了隆美爾所料想的程度。因為在前一天，看到裝甲戰鬥的結局那樣悲慘，康寧漢已經考慮到要退守國境，僅僅由於奧欽列克的趕到才制止了這個行動——他從開羅飛來前方，堅持再繼續撐下去。但是由於隆美爾衝向國境，使擋在路上的英軍都望風披靡，所以自然在第八軍團司令部中產生了更大的驚惶。

到了下午四點，隆美爾已經在比爾希弗曾（Bir Sheferzen）到達了國境線——在沙漠中五小時的奔馳已經越過了六十哩的距離。一到達之後，他就立刻派一個戰鬥群越過邊境上的鐵絲網向東北方向前進，以哈法亞隘道為目標，以求掌握第八軍團沿著海岸走的退路和補給線，並威脅其後方。在領導這個戰鬥群走了一段距離之後，隆美爾才又折回，但在沙漠中卻因為車輛引擎發生了故障而進退不得。總算是非常幸運，克魯威爾恰好坐著他自己的指揮車路過此地，就順便把他帶走。但是夜色已深，他們無法找到鐵絲網上的缺口。於是兩位德軍最高指揮官，連同他們的參謀長在一起，就在一個到處都是英國和印度部隊的地區中過夜——因為一般士兵在夜裡都有懶得找麻煩的天性，所以這也就是他們安全的唯一保障。又因為克魯威爾的指揮車是從英國人手中俘虜來的戰利品，所以天一破曉，也就幫助了他們順利的溜走，並安全的返回了第二十一裝甲師的師部。

經過了十二小時的「拘留」，當隆美爾一回來之後，就發現第十五裝甲師還沒有能夠到達國境線，至於阿里提師則更是早已停在半路上——因為它發現第一南非旅的位置合好擋住進路，就不敢再向前進了。運輸燃料補給的縱隊也沒有到達。這樣的延誤不僅妨礙了隆美爾的反攻計畫的實現，而且也縮小了它的發展。他無法照原定計畫派一個戰鬥群向東前往哈巴塔（Habata），那是英國鐵路線的終點。他也不可能另派一個戰鬥群向南，沿著經過馬達里拉堡（Fort Maddalena）的小徑，直趨賈拉布綠洲（Jarabub Oasis），那也正是第八軍團前進指揮所的駐地——這一行動將足以增大那裡的混亂和恐懼。甚至於在邊境地區之內，這一天也是浪費掉了，除了第二十一裝甲師的一個早已減弱的戰車團曾向細第阿馬爾作了一個代價很高的夭折攻擊之外，更無其他有收穫的行動。當較強的第十五裝甲師終於到來時，其沿著國境近邊向北的攻擊也只不過是擊毀了英軍的一個野戰修理工廠——當時有十六輛英國戰車正在那裡修理。

前一天的來勢那樣凶猛，而這一天的發展卻又是如此的輕鬆，所以也就使英國人獲得了一個喘息和恢復平衡的機會。此外，在第三天（十一月二十六日）的上午，康寧漢已被免除了第八軍團司令的職務，他的遺缺由奧欽列克的副參謀長李奇（Neil Ritchie）繼任——這是一種緊急措施，目的就是要保證不惜一切的冒險必須繼續作殊死戰。對於英國人來說，可以算是運氣太好，當敵人前進時並沒有發現在阿布德小徑以南的兩座巨大補給堆棧，對於英軍他們繼續戰鬥和再度前進的可能性，這實在是一個重大的關鍵。德國裝甲師由細第雷茲向東南方的前進是從那些堆棧的北面經過，所以不易發現；但是義大利部隊的路線卻距離那裡極近，若是他們繼續向前推進，則那些物質即可能早已落入隆美爾的手裡。

儘管隆美爾的攻擊已經喪失了銳氣，但在二十六日的上午，英軍的情況依然還是非常的危急。第三十軍已經如此的分裂，所以在一整天之內，都不曾設法去解除敵人對第十三軍後方的威脅——這些部隊除了分散得很遠以外，而無線電聯絡的破壞更增強了他們的孤立感。不過德軍方面，也同樣因為無線電聯絡的喪失，而發生嚴重的通信困難，這對於他們的危害程度是有過於英軍方面。因為他們的前途主要有賴於迅速和協調，必須如此始能威脅英軍的後方。而英國人所能採取的最佳對策就是一方面堅守其在邊境上的陣地，另一方面讓第十三軍的前進部分繼續向西推進，以與多布魯克守軍會合，而在隆美爾的後方去造成雙重的威脅。此種威脅現在已經開始發生作用，留在艾阿登（El Adem）的非洲裝甲兵團司令部已經一再發出電訊，要求調回裝甲師來解除這個壓力。

這種後方傳來令人困擾的呼喚，加上前線地區中的無線電不通和燃料缺乏，遂使隆美爾的反攻計畫難於繼續執行。在二十六日上午，他曾命令克魯威爾迅速肅清索倫地區——同時使用第十五和第二十一兩個裝甲師作一次向心的攻擊。但使他感到失望的是第十五裝甲師一清早就已經返回巴地亞去補充燃料和彈藥，等到該師重返戰場時，他又發現第二十一裝甲師，因為命令的誤譯，已經從哈法亞撤出，而且現在也正在返回巴地亞補充途中。所以那一天是一事無成，而到了夜間隆美爾也只好勉強決定讓第二十一師繼續向多布魯克方面轉進。第二天，第十五裝甲師發動了一次拂曉攻擊，把最後方的紐西蘭旅司令部和支援單位都搗毀了之後，遂在隆美爾命令之下，也隨著第二十一師撤退。這就是轟轟烈烈大反攻的一個最後秋波，臨去一瞥。

事後的批評自然是受到已知這次攻擊失敗的事實之影響。戰術心靈的批評家認為隆美爾應該集中全力對於其在細第雷茲的成功作一種比較局部化的擴張：消滅第三十軍的殘部，或擊滅在前進陣地中的紐西蘭師，又或是攻占多布魯克——於是也就解除了其側面和補給線的威脅。但這些戰術性的路線對於英軍產生決定性戰略效果的機會都不太大，而且還含有較多的危險，足以使他浪費時間，和在無益的攻擊中消耗兵力。從一開始起，隆美爾在數量上就居於非常不利的地位，所以在一個長期的消耗戰中，他是注定了要吃敗仗。假使他嘗試追逐和殲滅第三十軍的剩餘戰車，則後者經常可以逃避戰鬥——因為英國戰車的速度比較快。其他的路線也就是說必須攻擊位置在防禦陣地中的步兵和砲兵。因為他根本上不能打消耗戰，所以假使還有較好的希望存在時，若採取這些戰術性的途徑那才實在是太不聰明。他所選擇的路線，即集中所有的機動部隊來作深入的戰略性突擊，照理說是頗有希望。尤其是他已經說服了墨索里尼把義大利機動軍也交給他指揮，所以機會也就變得更大。

事後的批評常常指責隆美爾好大喜功。但戰爭的歷史卻證明出來這一類的攻擊已經成功的往例是不勝枚舉——透過其對於敵方部隊的心理作用，尤其是透過其對於敵方指揮官的心理作用。同時，隆美爾本人的經驗也是強力的證據。在四月和六月，他已經兩次使英軍敗退（而第一次簡直是崩潰），其所使用的也就是這一類的戰略性突擊，只不過是兵力較少，而且不曾達到這樣威脅的地步而已。兩個月後——在一九四二年一月——他又曾作了第四次的深入突襲，使敵軍發生了另一次崩潰——雖然他那一次沒有像十一月間深入到足以切斷英軍退卻路線的程度。何況當他發動十一月的突擊時，敵軍分裂潰散的程度是要比其他三次成功的情況都更厲害。

隆美爾這次失敗的原因在上文的敘述中都已經提到，現在再把它們綜述如下：（一）在支援隆美爾所親自率領的第二十一裝甲師的前進時，第十五裝甲師的行動遲緩，和義大利機動軍的畏縮不前；（二）銳氣和衝力的逐漸消蝕；（三）在邊境上行動的勞而無功，原因為缺乏正確的情報，無線電失靈，和命令的誤譯；（四）英軍對於其後方所造成的威脅；（五）奧欽列克的決定繼續戰鬥，拚命反擊而不撤退；（六）在緊急關頭上第八軍團的易長。康寧漢的繼任者，是在這樣的環境中被指派的，也就注定了他必須不惜一切犧牲，冒險抗戰到底——而這也證明出來是一種幸運的決定，儘管有時也會誤事。（兩個月以後，這位後任者對於一個較小的威脅所作的反應卻又恰好與其前任在十一月間所作的相似。）

在對這段故事及其教訓作任何軍事性的分析時，又還有另外一個因素特別值得注意和強調。假使隆美爾所造成的潰散現象若是蔓延得更廣，則奧欽列克雖有繼續戰鬥的決心也還是沒有用處，甚至於只會招致更惡劣的災難。但是第三十軍的大部分「殘部」只要不是正擋著隆美爾進路的，就都還是繼續留在其原有陣地或其附近，即令是已經被孤立，但卻還是沒有潰散。第十三軍的情形也差不多。因為他們感覺到停在原地比較安全，即令補給能否繼續都是沒有把握的。

當隆美爾的戰略性反攻未能達到其目的之後，於是他就面臨著兩個問題：（一）他是否能夠恢復其元氣？（二）他是否仍能捲土重來？很令人感到驚奇的，儘管他的實力是那樣微弱，但他對於這兩個問題的答案卻都是成功的。不過他對於其所重獲的優勢又還不能得到真正的利益，最後由於累積的消耗效果，終於還是難免撤退。此種最後的結局也適足以證明他在十二月二十四日嘗試使用那種似乎是狂妄的戰略性深入突擊手段是完全正確的——因為只有那樣一個行動才能扭轉戰局使其變得對他具有決定性的利益。

當非洲軍掉頭向西進發時，其所剩下來的戰車只有六十輛，其中三分之一又都是輕戰車。因為自己的情況似乎是已經如此的惡劣，所以採取直接行動以來挽救多布魯克方面的機會，看起來實在是很渺茫。紐西蘭師的向西前進，是有接近九十輛的「馬提達」式和「法蘭亭」式重戰車的支援，並於二十六日夜間突破了隆美爾的包圍圈，而與多布魯克的英軍會合——後者也有七十多輛戰車，不過其中有二十輛是輕戰車。此時從基地送來的新裝備已經使第七裝甲師的戰車實力快要增到了一百三十輛，所以在戰車總數上英軍現在已經占有五比一的優勢，專以「砲」戰車而論，則更達到七比一。他們若能充分的集中使用，則非洲軍要想逃生的機會也就變得十分的渺茫，僅憑第七裝甲師的實力即能夠粉碎它。

在撤退的第一階段，非洲軍的情況很糟，尤其是第二十一裝甲師在途中為一個阻塞陣地所耽擱，所以當十一月二十七日下午，第十五裝甲師受到英軍第七裝甲師的攔截時，它不能給予任何協助。英軍的戰車多了三倍，其一個旅（第二十二）堵住進路，另一個旅（第四）則從側面對德軍的縱隊進行攻擊，使其運輸車輛發生了嚴重的混亂。雖然經過了幾小時的搏鬥，德軍終於制止了這次攻擊，但其沿著卡普左小徑的西向運動卻暫時停頓。入夜以後，英國戰車就向南撤入沙漠中，照他們的慣例圍成一個保護圈式的「車陣」（leaguer）過夜。這也就容許德軍在黑夜的掩護之下繼續西進。次日，英國裝甲旅又再度攻擊，但卻為敵人所布置的戰防屏障所阻——到了夜間德軍遂又能安全的運動無阻。

到了二十九日上午，非洲軍即已與隆美爾其餘的部隊會合，並解除了他們所受的壓力。次日，隆美爾就集中全力來攻擊孤立在細第雷茲山坡上的第六紐西蘭旅，並使用阿里提師掩護其側翼，以防位置在南方的英國裝甲部隊干擾其作戰。他的戰車繞到英軍陣地的遠側方，從西面進攻，而其步兵則從南面進攻。到了十二月六日黃昏時，紐西蘭旅即已完全被趕下了山坡，不過有一部分殘餘部隊卻重新加入了在下面谷地中的貝哈米德（Belhamed）附近的紐西蘭師主力。英國裝甲部隊雖然又已經獲得了新戰車的補充，並集中在第四裝甲旅內，卻並不曾努力突破隆美爾的掩護「幕」（Curtain），以來救援紐西蘭部隊。英國裝甲部隊的指揮官因為已經一再上當，被誘入陷阱，在敵方戰車和戰防砲巧妙配合之下受到慘重損失，所以現在行動也就變得過分謹慎。

十二月一日清晨，隆美爾的部隊開始包圍在貝哈米德的紐西蘭師，並切斷其與多布魯克部隊之間的「走廊」（Corridor）。大約在上午四時三十分，第四裝甲旅奉到命令，要它一見天亮就以「全速」向北奔馳，並不惜一切代價以與敵方戰車交戰。該旅大約於上午七時出發，上午九時到達了細第雷茲機場，下了山坡之後就和紐西蘭部隊取得聯絡。於是開始計畫對敵方戰車（估計約為四十輛）發動一次反擊。但到了此時，一部分紐西蘭部隊已經被擊潰，並且也已經發出全面撤退的命令。紐西蘭師所剩下來的部隊向東撤退到查弗南（Zaafran），然後再在夜間撤回邊境線，至於第四裝甲旅則向南撤退二十五哩，到達了比爾貝拉尼布（Bir Berraneb）。

這個第三回合會戰的結果，對於德軍而言的確是一項驚人的成就，因為在這一回合剛剛開始時，其在戰車方面是居於一比七的劣勢，而即令到了結束時，他們仍然是處於一比四的劣勢。

奧欽列克現在又飛往第八軍團司令部。他對於隆美爾部隊的內在弱點有很正確的研判，並決定再繼續戰鬥，因為他有的是生力軍和儲備的戰車，足以容許他達到這個目的。在邊境上的第四印度師由第二南非師來替換，前者則奉令前進與第七裝甲師會合，以求使用一個迂迴運動去切斷隆美爾的補給線和退路。

當隆美爾聽到了有關這個強大新威脅的消息之後，他就決定再向西撤退，並集中其剩餘的戰車以求在一擊之下瓦解對方的迂迴行動。所以在十二月四日的夜間，非洲軍放棄了其對多布魯克的圍攻，而向西溜走了。

那天上午，第四印度師的先遣旅已經對細第雷茲以南二十哩處的比爾古比義軍陣地進攻，但是在防禦者的火力之下，攻擊被擊退。次日上午再度進攻，結果又還是被擊退。在這些作戰過程中，英國裝甲部隊也已經掩護著攻擊者的北方側面，以防止隆美爾的干擾。但很不幸的，在十二月五日的下午卻退回到沙漠中，並企圖試驗一種構成車陣的新方法。下午五點三十分，隆美爾的裝甲部隊突然在比爾古比的戰場上出現，擊潰了在無掩護狀況中的印度旅之一部分——其餘的部分則乘著黑夜勉強逃脫。

在這次挫敗之後，第三十軍的軍長羅理將軍遂決定暫時放棄向阿克羅馬（Acroma）側進的企圖——這樣也就喪失了切斷隆美爾退路的機會。在決定再繼續前進以前，他先命令第四裝甲旅去尋找並擊毀敵人的裝甲部隊。但這個目標卻並未能達成，而且根據過去的記錄來看，那也是殊少有可能性的，儘管新送來的戰車已經使該旅的實力達到了一百三十六輛的總數——約為非洲軍剩餘實力的三倍。在以後兩天之內，這個旅一直在比爾古比附近徘徊，曾經數度作短距離的運動以來引誘敵人進入第四印度師直接砲火所能射擊的地區，但卻都未能如願。

十二月七日，隆美爾決定撤退到加查拉（Gazala）之線，因為他已經接獲通知，知道在年底之前不會再有增援到來。那天夜間非洲軍開始脫離接觸。英國人很久都不知道是發生了什麼事情，一直到十二月九日，他們的裝甲部隊才開始向「騎士橋」（Knights bridge）追擊，那是在阿克羅馬以南的一個道路交叉點。距離「騎士橋」還有八哩，他們就受到敵軍後衛的阻止——這可以證明英軍只注意自保，而並不熱心於追擊。到了十一日，隆美爾的部隊已經安全的退回到了加查拉，作為一條預備防線，在那裡早已有了防禦工事的準備。

十二月十三日，高德溫．奧斯丁的第十三軍，現在已經接替了追擊的任務，開始向加查拉防線發起攻擊。正面的攻擊雖被擊退，但掩護隆美爾內陸側翼的義大利機動軍團在壓力之下就很快的被迫讓開，而使英軍的左翼達到細第布里斯克（Sidi Breghisc），那是在加查拉防線後方十五哩處。不過德軍作了一次裝甲的反擊，遂使那個包圍行動暫時停頓下來。

十四日，在尚未再度進攻之前，高德溫．奧斯丁派遣第四裝甲旅去作一次更大的側面迂迴行動——以哈雷艾爾巴（Halegh Eleba）為目標，那是在加查拉與米奇里（Mechili）之間的一個小徑交叉點。這個想封鎖隆美爾後路的行動在下午兩點三十分開始，而這個旅在向南緩慢移動了二十哩之後，就停下來過夜。第二天上午七時才開始再前進，一共走了六十哩，由於地面太壞，直到下午三時才達到了哈雷艾爾巴，比預定的時間表已經遲了四個小時——所以也就太遲了，不能夠照預定計畫去吸引隆美爾的裝甲預備隊，以來幫助正面上的主攻。而且這個旅到了那裡之後就坐著不動，並沒有採取任何行動以來施展它的壓力，所以敵人甚至於到次日上午才知道它的存在。

此時在十五日所發動的主力攻擊早已失敗。英軍在海岸附近進攻，並在加查拉陣地中占據了一個立足點，但到中午，德軍裝甲部隊發動一次反擊，擊敗了英軍的包圍企圖，並擊破了攻擊部隊的先頭部分。

英軍較高指揮部仍在希望送到敵人後方去的那個強大裝甲旅到第二天應能產生決定性的效果。但到了十六日上午，這個旅全部又向南退回了二十哩，以便在完全安全的條件之下補充燃料，等到下午它再返回原地時，就在接近正面的某一點上受到了敵方戰防砲陣地的攔截——於是又再度向南撤退，以便在沙漠中圍成車陣過夜。根據記錄，雙方只在遠距離交換射擊，並無任何傷亡損失。從分析者的眼光看來，這個旅的主要願望似乎就是只想放敵人逃走——於是敵人也就毫不客氣，大搖大擺的走了。

儘管非洲軍在十五日所發動的裝甲反擊中損失輕微，但它現在卻只剩下了三十輛戰車，而英軍在現場上的戰車總收卻接近二百輛。眼看著這樣的情況，隆美爾遂認為他不可能在加查拉之線作長期的固守，於是就決定向後退一大步，退到敵人所達不到的距離，再來等待增援的到來。他決定退到的黎波里邊境上的梅爾沙布里加（Mersa Brega）瓶頸部分，那是一個理想的防禦陣地。同時那也曾經是其第一次攻勢的跳板，今後也仍可用來達到這同樣的目的。所以在十二月十六日的夜裡他就開始撤退——非洲軍和義大利機動軍採取沙漠路線，而義大利的步兵師則沿著海岸道路退卻。

英軍的追擊發動得太慢。第四裝甲旅到次日下午一時才開始前進，走了兩個小時就停下來準備過夜，那距離其原來已經到達了的哈雷艾爾巴還有十二哩。十八日它沿著一條沙漠路線前進，到達了米奇里以南的某點，但當它向北旋轉時，卻已經來不及抓著敵軍縱隊的尾巴。

第四印度師，乘著摩托化運輸工具，由「步兵」戰車隨伴著，通過傑貝阿卡達（Jebel Akhdar）的崎嶇丘陵地，向海岸附近壓迫。十九日上午占領了德拉——但敵軍徒步行軍的縱隊卻大部分都已安全通過這個瓶頸部分。英軍雖企圖在更向西進的地方去攔截敵人，但由於地形的困難和燃料的缺乏，所以也未能成功，只不過捉住了少數的殘部而已。現在追擊部隊的大部分都因為缺乏燃料而耽擱在路上。

越過班加西大弓形的沙漠弦線上，是由摩托化步兵領先追擊。他們在十二月二十二日到達了安特拉（Antelat），發現敵軍的裝甲部隊（只有三十輛戰車）還留在貝打弗門附近，以掩護義大利徒步部隊沿著海岸路線的撤退。英軍就停下來不敢前進，直到二十六日為止，而隆美爾的後衛又退回三十哩，到了阿格達比亞（Agedabia）。此時，已經再裝備的第二十二裝甲旅也趕上來增援追擊部隊。於是近衛旅向阿格達比亞發起了一個正面攻擊（並未能成功），而第二十二裝甲旅則通過哈賽特（El Haseiat）向沙漠中作了一個三十哩的深入迂迴。這一個行動受到了意想不到的挫折。在二十七日，其本身的側翼突然遭到德軍裝甲部隊的攻擊，結果被圍困達三日之久。雖然有三十多輛英國戰車勉強逃走了，但卻已經損失了六十五輛。在作此一反擊時，隆美爾受到了兩個新的戰車連（三十輛戰車）的支援，這兩個連是在十九日在班加西上陸，恰好趕在那個港口被放棄之前。這也是自從「十字軍」作戰開始以來，隆美爾所獲得的第一次增援。

英軍在哈賽特的挫敗，對於這個長距離追擊而言，是一個令人感到失望和惱怒的結束。雖然多布魯克周圍的戰鬥最後終於成功是值得慶賀，但這種失敗卻無異於澆一盆冷水。不過由於隆美爾被迫撤退，英國人還是獲得了一些實質的收益。被留置的孤立德義守軍都已無望。巴地亞於一月二日投降，另有其他兩個據點則在十七日投降。這樣使在邊境地區中所收容的戰俘總數達到了兩萬人，包括以前在細第阿馬爾所俘獲的在內。至於軸心方面的損失總數則約為三萬三千人，而英國方面卻尚不及一萬八千人。不過軸心方面所損失約有三分之二都是義大利人，而在一萬三千名德國人當中又有相當部分是行政（後勤）人員。反之，英國人在六個星期的戰鬥中，所損失的大多數均為戰鬥部隊，並且包括許多有高度訓練的沙漠老兵在內，那是很難於補充的。

依賴沒有經驗的部隊往往是很不利的，而尤以在沙漠中為然，在下一次的戰鬥中將會獲得再度的證明。下一次的戰鬥是在一月的第三個星期就來臨——當大家都以為隆美爾已經被打垮的時候，他突然又出其不意的發動了另一次攻擊，而其所獲致的成功也正像他在一九四一年開始攻擊時一樣的驚人。

第十六章　遠東的漲潮

自從一九三一年起日本人就積極的擴大其在亞洲大陸上的地盤，這不僅是以中國為犧牲，而且也侵犯了美英兩國在那個地區中的利益。在那一年他們侵入了中國的東北（滿洲），並把它改變成一個日本的附庸國。一九三二年他們又侵略中國的本土，而從一九三七年就更進一步企圖征服那個巨大的地區，結果引起了中華民族的神聖抗戰，使他們愈陷愈深不能自拔。最後為了想對中國問題尋求解決，遂決定再向南作更大的擴張，並以切斷中國的外來補給線為目的。

在希特勒征服了法國和低地國家之後，日本人利用法國無能為力的情況，向其提出威脅，並獲得了准許日本對法屬印度支那作「保護」占領的同意。

於是羅斯福總統遂於一九四一年七月二十四日，要求日本從印度支那撤出其部隊——為了使其要求更有力量，他又於二十六日下令凍結所有日本人在美國的資產，並禁止石油輸往該國。邱吉爾先生也採取了同樣的行動，兩天之後，在倫敦的荷蘭流亡政府也被說服採取同樣的政策——

誠如邱吉爾所云：「日本是在一擊之下被剝奪了其主要石油供應來源。」

自從一九三一年起，就有許多人在其議論中認清了，像這樣一個癱瘓的打擊將會迫使日本作困獸之鬥，因為日本除了自動放棄其侵略政策之外，就只有坐以待亡。值得注意的是它還再拖了四個多月才動手攻擊，而在這個期間之內仍繼續努力談判以求解除石油的禁運。美國政府卻堅持除非日本人不僅從印度支那而且還從中國撤退，否則決不解禁。對於任何政府都不可能期待它會吞下這樣屈辱的條件和如此的喪失面子——而驕橫不可一世的日本人則更不在話下。所以自從七月的最後一個星期起，就已有一切的理由應認為戰爭在太平洋方面隨時都可能爆發。在這樣的環境中，美英兩國在日本發動攻擊前還能容許有四個月的寬限期，那實在可以說是一大幸事。但可惜的是他們並不曾好好的利用這段期間來從事防禦的準備。

一九四一年十二月七日，一支由六艘航空母艦所組成的日本海軍兵力對美國在夏威夷群島上的海軍基地珍珠港（Pearl Harbor），作了一次凶猛的空中攻擊。這次打擊是在正式宣戰之前，正像一九〇四年的往例一樣：日本人先攻擊旅順港，然後才對俄國宣戰。

直到一九四一年初為止，日本對於美國的戰爭計畫還是準備把它的主力艦隊用在南太平洋方面，以配合對菲律賓群島的攻擊，並迎擊越洋而來的美國援軍。美國人所期待的也正是如此，由於日本最近占領印度支那的行動，也就更增強了他們對於這種研判的信心。

但這個時候，日本的聯合艦隊總司令山本五十六大將，正在構想一個新的計畫——即對於珍珠港作一次奇襲攻擊，這支攻擊兵力採取一種非常迂迴的路線，從千島群島南下，在完全不被發覺的情況下到達夏威夷附近，在日出之前，從距離珍珠港約三百哩的海面上，用三百六十架飛機發動攻擊。八艘美國戰鬥艦中有四艘被擊沉，一艘擱淺，其他的也都受了重傷。在不過一小時多一點的時間之內，日本人已經控制了太平洋。

憑這一擊，也就掃清了一切進路障礙，日本人對於美國、英國和荷蘭在太平洋中的一切領土，都可以自由的從海上侵入，而不怕任何的干擾。當日本的攻擊主力向夏威夷群島進發之際，其餘的海軍兵力也已經紛紛保護著載運部隊的船團進入西南太平洋。差不多在空襲珍珠港的同時，日軍也已經開始在馬來半島和菲律賓群島登陸。

前者以新加坡的英國大海軍基地為目標，但卻並不企圖從海上來攻擊它——而此種攻擊卻正是當初作防禦計畫的人所想像的。日本人所採取的路線非常的間接化。一方面用一支兵力在馬來半島東北海岸上的新高打（Kota Bharu）登陸，其目的為攻占飛機場並分散敵人的注意；另一方面其主力卻在半島的暹羅頸部（即馬泰兩國交界之處）登陸，那是在新加坡北面約五百哩以外。在這個極東北的地方登陸之後，日軍就沿著半島的西岸南下，一路勢如破竹，並不斷的迂迴英軍所企圖建立的防線。

使日本大獲其利的，不僅是這種困難路線的選擇出乎敵人意料之外，而且一路上都是厚密的叢林，也使他們獲得意想不到的滲透機會。幾乎連續的撤退了六個星期之後，英軍在一月底就被迫從大陸上退入新加坡島。二月八日夜間，日本人開始越過一哩寬的海峽進攻，不僅在許多點上登陸成功，而且還沿著寬廣的正面到處滲透。二月十五日，守軍投降，於是英國人也就喪失了西南太平洋的鎖鑰。

在一個較小型的獨立作戰中，日本人也已於十二月八日進攻香港的英國基地，並迫使該殖民地，連同其守軍在內，於聖誕節那一天投降。

在菲律賓的主島呂宋，日本首先在馬尼拉以北登陸，接著又迅速的在這個首都的後方登陸。在這樣的威脅之下，美軍放棄該島的大部分，在十二月底以前，退入小型的巴丹（Bataan）半島。在那裡他們可以在一條縮短的正面上，接受正面的攻擊，因此一直苦撐到來年四月底才被擊敗。

在此之前，甚至於在新加坡都尚未陷落之前，日本的征服狂潮即已經向東印度群島湧流。一月十一日，日軍在婆羅洲和西里伯斯（Borneo and Celebes）登陸，二十四日又運來了較大的兵力。五個星期之後，即三月一日，日本人對爪哇（Java）島已用迂迴行動將其孤立之後，就開始發動直接攻擊——這也正是荷屬東印度的核心。僅僅在一個星期之內，整個爪哇就像一顆熟透的李子落入他們的手中。

對於澳洲所構成的嚴重威脅，尚未發展下去。日本的主要努力現正指向另一個方向，即向西去征服緬甸。從泰國對仰光的直接寬正面進前，對於其在整個亞洲大陸上的主要目標而言，卻又正是一種間接路線──那也就是想癱瘓中國的抵抗力。因為仰光是一個入口港，美英的補給物資都由此經過滇緬公路而運入中國。

同時，這個行動還有另一種微妙的目的，即完成對太平洋西方門戶的征服，在那裡建立一道堅強的障礙物，即可以切斷英美從陸上反攻的主要路線。三月八日，仰光陷落，而在以後兩個月內，英軍被完全逐出緬甸，越過山地而退入印度。

所以日本人現在也就占穩了一種天然形勢極為堅強的陣地，任何想要收復失地的企圖都一定非常的艱難，而且必然的也是一種非常緩慢的程序。

經過一段很長久的時間，同盟國才建立了足夠的力量可以企圖收復日本人所已征服的地區──從東南端開始。在這一方面由於澳洲的保存遂使他們大受其利。澳洲的位置接近日本前哨線的邊緣，足以對同盟國提供一個大規模的反攻基地。

在歐洲和北美洲之外，日本是唯一的先進工業國家──因為自從一八六八年明治維新以來，日本即已開始迅速的向現代化的途徑邁進。但其心地裡，日本社會卻還是「封建化」（Feudal）的，受人崇拜的是武士，而不是商人。天皇居於神聖的地位，統治階級握有一切的權力。此外軍人的影響力也極為巨大。他們具有愛國狂熱，和激烈的仇外心理，希望其國家能夠支配整個東亞，尤其是中國。自從三〇年代開始，日本軍人利用威脅和暗殺的手段，事實上已經控制了日本的政策。

自從日本開始現代化以來，它不曾遭受過失敗，日本人對政治和戰略問題的看法深受這個事實的影響。在一九〇四年的日俄戰爭中，無論在陸上還是在海上，日本兵力都已顯示了他們的優異，並且也證明歐洲人對於世界上其他人民的支配地位是可以推翻的。自然那次戰爭之後，日本人也就大體都相信日本是無敵的。

自從一九〇二年起，日本就是英國的盟國，在一九一四年八月，日本也憑這個身分，奪取了青島和膠州灣（那是德國人在中國的租借地），以及太平洋中的馬紹爾（Marshall）、加羅林（Caroline）和馬里亞納（Mariana）等島群，那也都是德國的殖民地。在第一次世界大戰結束之後，一九一九年的凡爾賽和約對於日本人的這些收穫一律予以承認——這樣就使日本變成西太平洋的支配者。儘管如此，日本人對於在戰爭中的收穫卻並不感到滿足，反而覺得日本和義大利一樣，同為「沒有」（Have-not）的國家。所以日本才開始自動的對義德兩國表示同情。

一九一五年，日本向中國提出「二十一條」，結果由於美國的抗議，遂又不得不撤回。此種想要控制中國的企圖失敗之後，更使日本人感到惱怒。值得注意的是自從一八九五年中日戰爭以來，中國就一直是日本陸軍的一個主要目標。雖然在第一次世界大戰結束之後，由於採取了海軍的觀點，日本帝國的國防政策開始以美國為其主要假想敵，但日本陸軍卻還是經常對於蘇俄保持著高度的戒懼心理，他們認為蘇俄在遠東的強大陸軍兵力對於日本的大陸政策是一種遠較嚴重的威脅。

一九二一年到一九二四年之間，日本在國際關係中受到一連串的恥辱。首先是英國很客氣的拒絕和日本續訂同盟條約。此種關係的破裂，一部分是由於受到日本在太平洋地區擴張計畫的影響；但最後的決定又還是在美國強大壓力之下才作成的。日本人認為這是一種侮辱，並且也相信白種人已經聯合起來對付他們。接著美國又採取一連串的立場步驟來限制日本的移民，這更激起了他們的憤怒，等到一九二四年的法案完全禁止亞洲人入境時，這種怒火也就升到了頂峰。這樣雙重的面子喪失使日本人感到非常的怨恨。

當此之時，英國人又宣布在新加坡建立一個遠東海軍基地，其規模足以容納一支戰鬥艦隊。這顯然是具有克制日本的意圖，而日本人則認為那是一種挑戰。

所有這一切的反應都是對日本政治領袖不利的，自從他們接受一九二一年華盛頓海軍限制條約，同意把英美日三國戰鬥艦的噸位限制在五：五：三的比例之後，也就開始不斷受到國內各方面的攻擊。此外，日本政治家又同意把膠州半島歸還中國，並在一九二二年簽署九國公約來保證中國領土主權的完整，所以也就更引起日本人的憤恨。

實際上，很諷刺的，華盛頓條約卻幫助了日本爾後的擴張行動。因為這個條約減弱了在太平洋中可以克制它的力量——美英兩國原先設計要在那個地區中建立的海軍基地，不是延緩了就是只有輕微的設防。但是在日本公開廢除這個條約之前的十三年當中，它卻發現要規避那些對於火砲和噸位的限制條款，實在是太容易。

一九二九年，世界經濟危機發生，也使日本那些比較開明的政治領袖受到另一種打擊，因為日本在這個危機中經濟損失頗為嚴重，影響到人民生活，而引起廣泛的不滿，於是軍閥遂乘機鼓吹他們所主張的用擴張手段來解決經濟問題的理論。

一九三一年九月，「瀋陽事變」給予當地日本陸軍領袖一種藉口和機會，來向中國的東三省地區擴張，並把該地區變成他們的傀儡國家，即偽滿洲國。根據條約，南滿鐵路本是由日本關東軍加以保護的，於是他們就以自衛為藉口，攻擊瀋陽和鄰近地區的中國駐軍並解除其武裝。事實完全是虛構的，而日軍卻繼續使用武力，在幾個月之內就攻占整個滿洲。雖然此種占領不曾受到國際聯盟或美國的承認，但抗議和批評卻促使日本人在一九三三年退出國際聯盟。三年以後，它就和納粹德國及法西斯義大利共同締結了反共公約。

一九三七年七月，「盧溝橋事變」發生，於是日本關東軍遂開始侵入華北。在以後兩年之內，日軍雖繼續前進，但在蔣委員長領導之下的中華民國國軍仍能英勇奮戰，而使他們在中國大陸上愈陷愈深。尤其在一九三七年夏天，當他們進攻上海時，曾經受到嚴重的挫敗。不過就長期的觀點來看，這個教訓對日本人還是有利的，使他們得以矯正戰術錯誤和發源於日俄戰爭的過分自信的趨勢。此外在一九三九年八月，他們在一次有關西滿邊界糾紛的衝突中，也曾在蘇俄陸軍手中受到另一次教訓。在諾門罕（Nomonhan）地區，一支人數約一萬五千人的日本部隊受到包圍，全部損失達一萬一千人以上，而蘇俄方面也出動了五個機械化旅和三個步兵師。

在這同一個月當中，納粹德國與蘇俄簽訂互不侵犯條約的消息也傳到了日本，使日本深感驚懼和憤懣，於是日本政府的溫和派遂又再度登場。但這種反動卻只持續到希特勒於一九四〇年征服西歐時為止，到了一九四〇年七月，在陸軍的支持之下，一個由近衛文麿公爵組成的親軸心內閣接管了政權。於是日本一方面加速在中國大陸上的擴張，另一方面在九月底與德義兩國簽訂了「三國公約」（Tripartite Pact）。在這個條約之下，三國承諾反對任何新加入西方同盟的國家——這個條約的目的顯然是以對抗美國的干擾為主。

一九四一年四月，日本為了再保險起見，又與蘇俄簽訂了一項中立條約。這也就使日本人得以抽調兵力來從事南進的擴張作戰。不過因為對於蘇俄始終不敢放心，所以用於南進的兵力只有十一個師，而在滿洲卻保留了十三個師。此外在中國大陸上則有二十二個師。[1]

七月二十四日，在法國維琪政府（Vichy Government）的勉強同意之下，日軍進占法屬印度支那。兩天之後，羅斯福總統凍結所有日本人在美國的財產，英國和荷蘭政府也迅速採取同樣的行動。於是這些國家與日本之間的貿易遂均告中斷，尤以石油為主。

日本平時的石油消費量有百分之八十八是仰賴輸入。而在美國宣布禁運時，其所保有的儲存量還足夠正常消費三年之用，但以全面戰爭的消費量來計算，則僅能維持一年半的時間。此外，

1 譯註：由這個兵力分配的比例上看來，即可以知道中國的抗戰對於同盟國的貢獻是如何巨大。

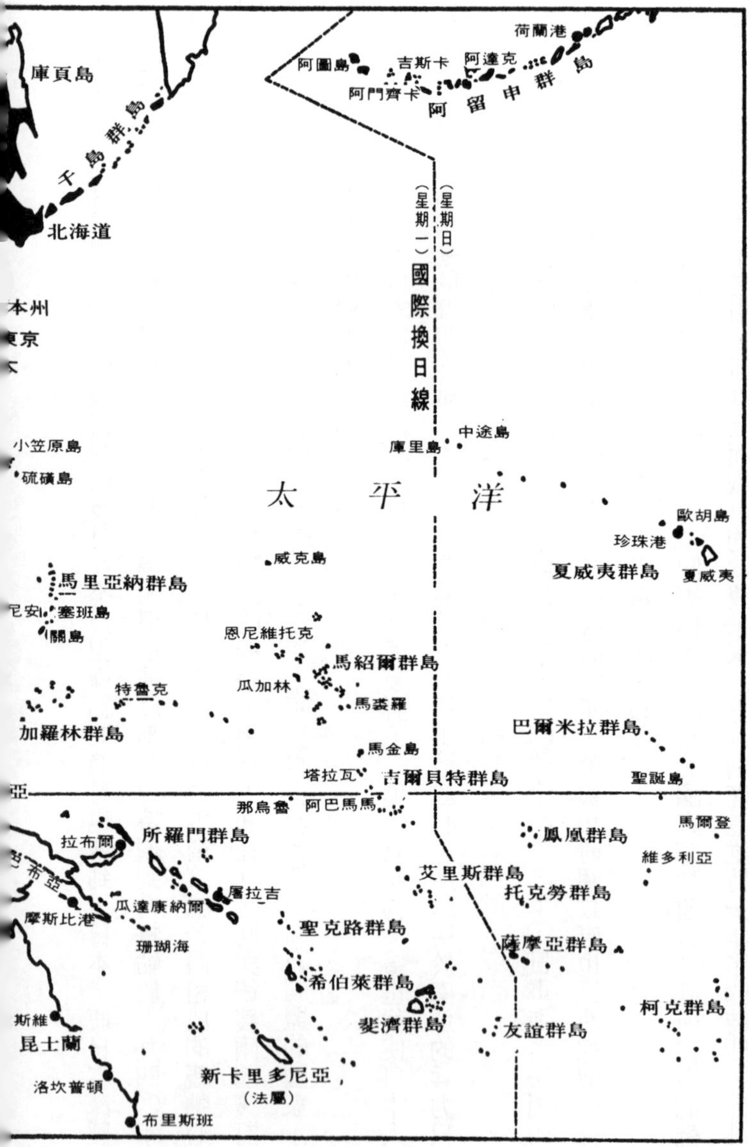

庫頁島
千島群島
北海道
本州
荷蘭港
阿圖島
吉斯卡
阿達克
阿門齊卡
阿留申群島
(星期一)
(星期日)
國際換日線
中途島
庫里島
小笠原島
硫磺島
太平洋
歐胡島
珍珠港
夏威夷群島
夏威夷
威克島
馬里亞納群島
塞班島
關島
恩尼維托克
馬紹爾群島
瓜加林
特魯克
馬婁羅
加羅林群島
巴爾米拉群島
馬金島
塔拉瓦
吉爾貝特群島
聖誕島
那烏魯
阿巴馬馬
馬爾登
鳳凰群島
維多利亞
拉布爾
所羅門群島
艾里斯群島
托克勞群島
屠拉吉
瓜達康納爾
摩斯比港
聖克路群島
珊瑚海
薩摩亞群島
希伯萊群島
柯克群島
斯維
斐濟群島
友誼群島
昆士蘭
洛坎普頓
新卡里多尼亞
(法屬)
布里斯班

貝加爾湖
伊爾庫次克
蘇
俄
庫倫
蒙古
巴爾喀什湖
迪化
塔什干
黃
北平
旅順港
中華民國
河
青島
南京
上海
阿富汗
印
度
河
西藏
德里
拉薩
重慶
阿格拉
恆
河
阿薩姆
雲南
喀拉蚩
孟加拉
滇緬
加爾各答
台灣
印度
緬
甸
香港
海南島
孟買
仰光
法屬
呂宋
阿拉伯海
孟加拉灣
泰國
印度支那
馬德拉斯
曼谷
馬尼拉
河
西貢
亭可馬里
錫蘭
蘇祿海
新高打
可倫坡
汶萊
馬來亞
塔拉干
吉隆坡
沙勞越
馬爾地夫群島
西里伯斯
赤道
蘇門答臘
新加坡
婆羅洲
亞都珊瑚礁
巴里巴板
荷
屬
東
雅加達
爪哇
印度洋
太平洋：1941年12月8日
1941年12月日本所佔領地區

根據日本陸軍省的研究，想結束在中國的戰爭還要三年的時間，而在此以前日本的存油將早已消耗完畢，所以在那一方面的勝利是極為重要。唯一可供利用的來源就只有荷屬東印度的油田，儘管荷蘭人有在油田被攻占之前破壞其設施的可能。但那卻是可以修復的，而且也可能在國內儲存尚未完全用光之前恢復生產。所以只有來自爪哇和蘇門答臘的石油才能挽救日本的危機，並使其能早日完成對中國的征服。

征服了這個區域，連同馬來亞在內，可同時占有全世界橡膠產量的五分之四，和錫礦產量的三分之二。這不僅對於日本是一種非常有價值的收穫，而且對於其敵人的打擊也比石油的損失還要厲害。

當日本領袖們面對著石油禁運時，以上所云就是他們所考慮的主要因素。除非能夠說服美國開放禁運，否則日本人就只有兩種不同的選擇：（一）放棄其征服野心，但在國內接著就會發生軍人政變；（二）奪取石油並與西方國家作戰。這是一種殘酷無情的選擇。此外，假使日本人仍繼續其在中國的作戰，但卻撤出印度支那並停止南進，則對於禁運問題也許可以獲得某種程度的緩和，但日本本身卻會變得更軟弱，以後對於美國的進一步要求也就更難有抵抗的能力。

要作這樣孤注一擲的選擇自然是很困難的，所以日本人才會猶豫不決的又拖了四個月。同時軍事領袖們也有一種自然的本性，希望能有充分的時間來完成準備，並對於所應採取的戰略作冗長的辯論。有一派思想甚至於還這樣的樂觀，希望並認為假使日本的行動僅限於奪取荷蘭和英國的領土，則美國也許會繼續抽手旁觀。

八月六日日本要求美國解除禁運。在這同一個月當中，美國決定一旦戰爭爆發，美國將據守整個菲律賓群島；而日本也正在此時要求美國停止對該地區繼續增援。結果美國給予它以一個堅定的答覆，並警告它不要再企圖作進一步的侵略。

經過了兩個多月的內部爭吵，東條英機終於代替了近衛公爵出組新的內閣——這也就可以算是最後的決定。儘管如此，在東條上臺之後還是繼續作冗長的討論，一直到十一月二十五日才終於作了開戰的決定。使局勢急轉直下的因素是由於一份報告書上顯示出來，在四月到九月之間，日本的存油已經消耗了其總量的四分之一。

即令到下令給日本聯合艦隊總司令山本五十六要他照計畫進襲珍珠港時，還說假使在華盛頓的談判若仍能成功，則此項攻擊應立即取消。

一九四一年十二月太平洋水域中各國海軍的實力可由下列附表來加以綜述：

值得注意的要點是雙方大致上雖接近平衡，但日本人在航空母艦方面卻占有巨大的優勢，而這也正是最重要的兵種。此外，像這樣的表列數字並不能表現雙方素質上的差異。日本的兵力是組織嚴密和具有良好的訓練的，尤其以夜間戰鬥為然；它也不像同盟國方面，沒有任何指揮和語文上的困難。在同盟國兩大主要基地，珍珠港和新加坡之間，是隔著六千哩遠的海洋。以物質而論，日本海軍也較優。它有許多較新的艦隻，而其中大部分都是裝備較佳或速度較快。在主力艦方面，只有英國皇家海軍「威爾斯親王」號（HMS Prince of Wales）才有資格和日本較佳的戰艦相比擬。

在陸軍實力方面，日本的總兵力為五十一個師，但對於西南太平洋的作戰，他們卻只使用了十一個師。那就是說戰鬥部隊在二十五萬人以下，若加上後勤部隊，則總數可能約為四十萬人。同盟國方面的數字則頗難確定。當日本人決定進攻時，其所作的估計是英國在香港有一萬一千人，在馬來亞有八萬八千人，在緬甸有三萬五千人——一共為十三萬四千人。美國在菲律賓有三萬一千人，另有菲律賓部隊約十一萬人。荷蘭在其殖民地有正規部隊二萬五千人和民兵四萬人。從表面上看來，以如此渺小的數量發動如此廣泛的攻勢，似乎是一種冒險的賭博。實際上，那卻是一個有良好計算的賭博，因為對海洋和空中的控制通常都可以使日本人獲致局部性的數量優勢，而經驗和優良的訓練（尤其是在兩棲登陸、叢林戰和夜間攻擊等方面）對於此種優勢更能發揮乘積的作用。

在空中實力方面，其陸軍有第一線飛機一千五百架，但卻僅使用了七百架，不過他們卻得到了海軍飛機的增強——基地設在臺灣的第十一海軍航空隊，有飛機四百八十架，另外還有三百六十架專供襲擊珍珠港之用。最初為了掩護南進作戰，準備動用航空母艦，但在十一月間，僅僅在開戰前的四個星期，「零」式戰鬥機（Zero Fighter）的航程已被設法延長了，他們可以從臺灣飛過四百五十哩達到菲律賓再飛回來。所以航空母艦也就可以完全抽出來去從事於珍珠港的襲擊。（零式機的性能在當時超過了所有一切同盟國的戰鬥機。）

面對著這樣強大的日本空中武力，美國在菲律賓有三百零七架作戰飛機，包括三十五架長程的**B-17**轟炸機在內，至於其他的飛機則素質都較低劣。英國在馬來亞有第一線飛機一百五十八架，大部分都是落伍的舊貨。荷蘭人在他們的領土中也有飛機一百四十四架。在緬甸英國人此時只有戰鬥機三十七架。日本人的數量優勢又應乘以素質優勢——尤其是以「零」式機的素質為最。

對於這樣一個遍布島嶼和港灣的海洋地區，日本人對於兩棲戰術的發展也使他們自己受惠無窮。他們唯一的嚴重弱點就是其商船數量較少——只比六百萬噸的總數多一點——不過這到戰爭的後期，才開始變成一種決定性的障礙。

總而言之，日本人在發動戰爭時是享有無比的全面優勢，而尤以在素質方面為然。在開始的階段，其唯一真正的危險就是美國太平洋艦隊有立即採取干涉行動的可能——但是他們對珍珠港的襲擊卻足以預防此種危險。

情報也是一個重要因素，但是在一般比較雙方實力的分析中，對於這一點卻很少有足夠的考慮。概括言之，日本人在這一方面是很內行的。尤其對於作戰地區事先都有長期和縝密的研究

——但同盟國方面也享有一種重大的便利，那就是在一九四〇年夏季，美國人已經能夠破譯日本的外交電報密碼——這是佛瑞德曼上校（Colonel William F. Friedman）的一項成就。從那以後，美國人對於日本外務省或大本營的一切秘密電文都能獲知其內容，在戰前的談判過程中，甚至於在日本代表尚未提出其最後通牒前，美國人早已完全知道了。只有攻擊的正確日期和作戰內容日本當局不曾事先告訴日本大使。

雖然美國人在珍珠港還是不免受到了奇襲，但是他們對於日本密碼的知識就本身而言還是一項極大的利益，尤其是他們以後對於它的利用越學越精，於是獲益也就愈大。

日本人的戰略是同時配合防禦和攻擊雙重目的：一方面要獲致石油的源源供應以使其能早日擊敗中國；另一方面又要用切斷補給線為手段來減弱中國的抵抗力。由於美國是一個潛力遠比日本巨大的國家，當日本領袖決心冒險挑戰時，他們私下感到唯一可以對他們發生鼓勵作用的就是歐洲情勢的發展：軸心國家現在差不多已經支配了整個歐洲大陸，而蘇俄正受到希特勒的猛烈攻擊，根本已經無力過問遠東的事務。假使日本人能實現他們的夢想，北起阿留申群島（Aleutian Islands），南達緬甸，建立起一個同心的防禦圈，那麼美國人將來在企圖突破這個圈子勞而無功之後，就不得不承認日本的征服和所謂「大東亞共榮圈」的建立是一項既成事實。

這個計畫與希特勒想在俄國境內從阿干折（Archangel）到阿斯特拉汗（Astrakhan）之間，建立一道進可以攻退可以守的防線，其觀念是頗為相似的。

最初，日本人的計畫是想在攻占菲律賓之後，就坐待美國人的反攻行動。他們料想美國兵力會採取通過託管島嶼地區的前進路線，於是日本人就將集中他們自己的兵力來與之對抗。（在三個階段的戰爭計畫之下，日本人估計在五十天之內可以完成對菲律賓的征服，一百天之內可以完成對馬來亞的征服，一百五十天之內可以完成對荷屬東印度全部領土的征服。）但在一九三九年八月，山本五十六被任命為日本聯合艦隊總司令，而他卻是一個對航空母艦的價值具有熱烈信仰的人。他認為美國的太平洋艦隊是一把「直指日本咽喉的匕首」，必須使用奇襲，首先使其癱瘓，然後才能安全的進行其他的作戰。日本海軍軍令部雖然終於接受了他的意見，但卻頗感疑惑和勉強。

開始攻擊的問題由於時間表的安排而變得頗為複雜——在夏威夷為十二月七日，星期天，而在馬來亞卻是十二月八日，星期一。但終於安排好了，即所有一切主要作戰都是開始於格林威治標準時間（Greenwich Mean Time）一七一五時與一九〇〇時之間，而所有一切的突擊都應在當地時間的凌晨發動。

在美國方面，從政治的觀點來看，絕對不應該放棄菲律賓，但軍人方面的意見卻認為菲律賓與珍珠港相距五千哩，要想堅守實無可能。最後還是軍人的意見獲勝，所以美國的計畫只想在那裡維持一個立足點——在首都馬尼拉的附近，已經要塞化的巴丹半島上。不過在一九四一年八月，計畫又改變了，仍然決定防守菲島的全部。

促成此種改變的因素之一就是麥克阿瑟將軍（General Douglas MacArthur）的壓力，自從一九三五年起他就出任菲律賓政府的軍事顧問，而到一九四一年七月底，美國陸軍恢復他的現役，並派他為遠東區總司令。羅斯福總統對於麥克阿瑟的意見一向頗為尊重，在一九三四年他曾親自把麥克阿瑟的陸軍參謀長四年任期額外延長一年，可以想見他對這位將軍的推崇。另外一個因素是羅斯福總統認為希特勒已在俄國被糾纏得不能脫身，所以他覺得美國對於日本可以採取較堅定的路線——正好像他已經實行石油禁運一樣。第三個因素是由於長程B-17轟炸機的出現所帶來的樂觀想法——希望它不僅能夠攻擊臺灣，甚至於還能夠攻擊日本本土。可是在任何大量的B-17增援在菲律賓的美國航空軍之前，日本人卻已經動手攻擊。最後，美國參謀首長也從未認真考慮過日本有襲擊珍珠港的可能。

第十七章　日本的征服狂潮

襲擊珍珠港計畫的執行，也正像該計畫的被採納，同樣應歸功於山本五十六的推動。一連在許多個月內，許多的資料，尤其是有關於美國軍艦調動的情況，都不斷從潛伏在日本駐檀香山領事館內具有高度訓練的海軍情報軍官手中湧入東京的海軍軍令部。在日本艦隊之內，軍艦和飛機乘員都在為這次作戰而接受最精密的訓練，尤其是要在各種不同的天候條件之下進行；轟炸機乘員至少都曾作五十次的訓練飛行。

上文早已說過，由於「零」式戰鬥機的航程在最近已經設法增加，所以使這個計畫獲得很大的幫助，因為它可以使航空母艦艦隊不必再分散兵力去協助西南太平洋方面的作戰。一九四〇年十一月，英國海軍在大蘭多（Taranto）的攻擊經驗也使其獲益不少。在那次攻擊中，英國海軍只使用了二十一架魚雷轟炸機，就擊沉了位置在堅強設防軍港中的三艘義大利戰鬥艦。大蘭多港的平均水深不過七十五呎，當時即已認為不可能使用空投魚雷的攻擊方法，所以水深僅三十呎

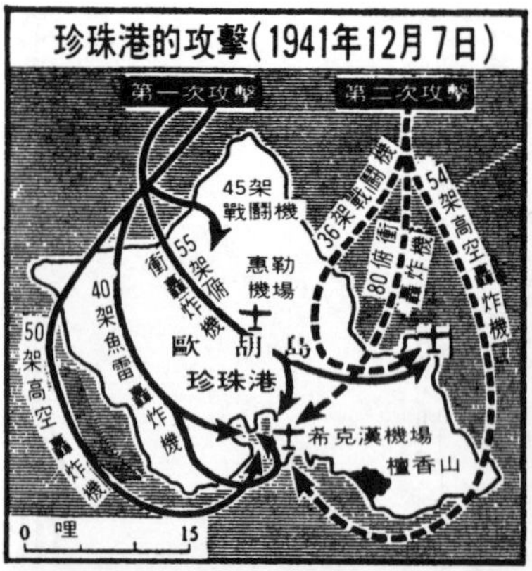
珍珠港的攻擊(1941年12月7日)
第一次攻擊
第二次攻擊
45架戰鬪機
55架俯衝轟炸機
36架戰鬪機
80架俯衝轟炸機
54架高空轟炸機
40架魚雷轟炸機
50架高空轟炸機
惠勒機場
歐胡島
珍珠港
希克漢機場
檀香山
0 哩 15

香港的侵入(1941年12月8～26日)
中國大陸日軍佔領區
金德林克斯防線
新界
九龍
南大澳島
維多利亞
香港
0 哩 10

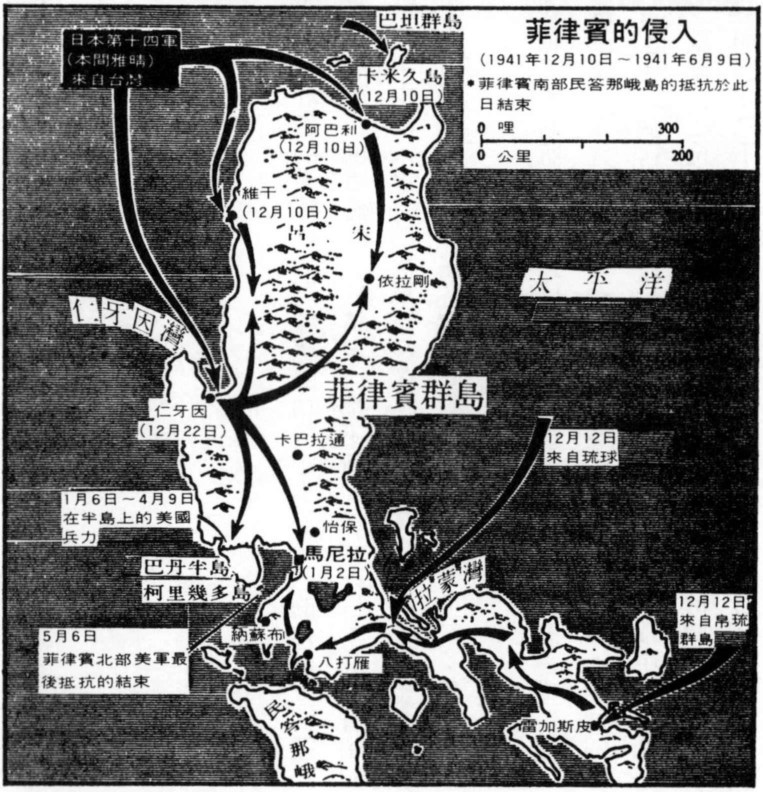
菲律賓的侵入
(1941年12月10日～1941年6月9日)
＊菲律賓南部民答那峨島的抵抗於此日結束
0 哩 300
0 公里 200
巴坦群島
日本第十四軍
(本間雅晴)
來自台灣
卡米久島
(12月10日)
阿巴利
(12月10日)
維干
(12月10日)
依拉剛
太平洋
仁牙因灣
菲律賓群島
仁牙因
(12月22日)
卡巴拉通
12月12日
來自琉球
1月6日～4月9日
在半島上的美國兵力
怡保
馬尼拉
(1月2日)
巴丹半島
柯里幾多島
拉蒙灣
12月12日
來自帛琉群島
5月6日
菲律賓北部美軍最後抵抗的結束
納蘇布
八打雁
雷加斯皮
民答那峨

到四十五呎的珍珠港，對於這一類的攻擊更可以說是具有免疫性。但是到一九四一年，英國人利用其在大蘭多的經驗，已經能在深度僅四十呎的水中施放魚雷，其方法是在魚雷上加裝木鰭（Wooden fins），以防它撞著淺水的海底。

從他們駐羅馬和倫敦的大使館中獲得了這些詳情之後，日本人也就決定積極從事於類似的試驗。此外，為了使他們計畫中的攻擊更有效，他們的高空轟炸機又裝備著十五吋和十六吋的穿甲砲彈，也裝上安定翼，使其可以像炸彈一樣的往下投。這種砲彈垂直投下去，任何軍艦上的甲板都無法抵抗。

美國太平洋艦隊還是有辦法對抗「大蘭多」式的危險，那就是對於較大的軍艦都裝上反魚雷網——這也正是日本人最擔心的一種可能性。但是其總司令金默爾上將（Admiral Husband E. Kimmel）和美國海軍部都一致認為那種反魚雷網太笨重，足以妨礙軍艦的迅速調動，以及小艇的來往交通。以後的事實證明出來這個決定斷送了在珍珠港的美國艦隊。

攻擊的日期是由許多因素來綜合決定的。日本人知道金默爾總是習慣在周末把他的艦隊都調回珍珠港，於是船員也就有一部分休假離船，因此更足以增強奇襲的效果。所以星期天就成為一個當然的選擇日期。在十二月中旬之後，天氣條件就變得對在馬來亞和菲律賓的兩棲登陸行動比較不利，因為那個時候，季風將達到最強，同時對於襲擊珍珠港的兵力在海上補充燃料的行動也同樣不方便。東京時間的十二月八日，在夏威夷為星期天，而且又沒有月光，所以黑暗的掩護將有助於航空母艦秘密接近珍珠港。潮流對於登陸行動也是有利的，這是最初所曾經考慮過的一個觀念，不過以後由於部隊運輸船隻的缺乏，和這種侵入兵力的接近有被發現的可能，所以終於打消了。

在選擇海軍襲擊部隊的前進路線時，有三種不同的考慮。其一是經過馬紹爾群島的南線，另一是經過中途島的中線。這兩條路線雖然都較短，但均未被採用，所採用的卻是以千島群島為起點的北線，這也就是說必須中途補充燃料，不過其優點是可以避免為其他船隻遇見，而且也不易為美國偵察巡邏飛機發現。

日本人也利用了一種所謂「跛腿」（Unequal Leg）的攻擊方法。那就是利用黑暗的掩護，航空母艦在最接近目標之點，一見天亮就把飛機送上天空，然後再退駛到一個較遠的地點來等候飛機的返航。這就是說日本飛機所飛的路線是一短一長，而追擊他們的美國飛機卻必須來回都採取較長的航線。這種不利的條件是美國防禦計畫人員所不曾考慮過的。

以重要性為順序，日本人所要攻擊的目標是：美國的航空母艦（日本人希望在珍珠港內最多可能有六艘，而最少也會有三艘）；主力戰鬥艦；油庫和其他港埠設施；在惠勒（Wheeler）、希克漢（Hickham）和比羅斯（Bellows）等主要機場上的飛機。日本人用來作此種攻擊的部隊為六艘航空母艦，載有的飛機總數為四百二十三架，其中在攻擊中使用的為三百六十架——一百零四架高空轟炸機、一百三十五架俯衝轟炸機、四十架魚雷轟炸機、八十一架戰鬥機。護航兵力有兩艘戰鬥艦、三艘巡洋艦、九艘驅逐艦和三艘潛艇，另外還有八艘運油船隨行。全部兵力由南雲忠一中將指揮。此外又曾計畫乘著混亂的情況，同時發動一個袖珍潛艇的攻擊。

十一月十九日，潛艇部隊離開日本吳港海軍基地，並拖著五艘袖珍潛艇。艦隊主力於二十二日在千島群島的單冠灣集合，到二十六日開航。十二月二日，艦隊獲得了攻擊命令已經確定的消息，於是所有的艦隻都開始管制燈火；但即令到此時還是決定如果艦隊的行動在十二月六日以前被發現，或是在華盛頓的談判最後一分鐘能獲得解決，則這次任務還是要放棄。十二月四日作了最後一次的海上加油，於是時速也就開始由十三節增到二十五節。

從檀香山領事館不斷有情報由東京轉來，其內容非常令人感到失望，因為在十二月六日，即襲擊的前夕，在珍珠港內並未發現美國航空母艦。（實際上，一艘正在加州海岸，另一艘運送轟炸機前往中途島，還有一艘剛把戰鬥機運到威克〔Wake〕島尚未返回。其他三艘則留在大西洋方面。）不過據報有八艘戰鬥艦正留在珍珠港，而且並無防雷網，所以南雲中將遂決定進攻。飛機預定在次日上午（夏威夷時間）〇六〇〇時與〇七一五時之間起飛，地點為珍珠港正北面約二百七十五哩之處。

兩次最後的警告都不曾發生效力，否則結果也許會大不相同。第一是日本潛艇的接近，自從〇三五五時以後，就曾一再被發現；其中有一艘在〇六五一時為美國驅逐艦所擊沉，而另外又有一艘在〇七〇〇時為美國海軍飛機所擊沉。此時美國人在島上已設有六個雷達站，其中最北面的一個在○七○○時不久之後，發現有大批的飛機，超過一百架以上，正向夏威夷飛來。但是資料中心卻以為這是預定要從加州飛來的一批B-17——事實上，這簡直是胡鬧，因為那批B-17只有十二架，並且是應該從東面飛來，而不可能是從北面飛來。

第一波的攻擊從○七五五時開始，一直持續到○八二五時為止；然後又來了第二波，由俯衝轟炸機和高空轟炸機所組成，在○八四○實施攻擊。但是決定因素卻是第一波內所使用的魚雷轟炸機。

在八艘美國戰鬥艦之內，被擊沉的有「亞歷桑納」號（Arizona）、「奧克拉荷馬」號（Oklahoma）、「西維吉尼亞」號（West Virginia）和「加利福尼亞」號（California），而「馬里蘭」號（Maryland）、「內華達」號（Nevada）、「賓夕法尼亞」號（Pennsylvania）和「田納西」號（Tennessee）也都受到了重傷。（「內華達」號擱淺，而「加利福尼亞」號以後又被浮起。）此外被擊沉的還有三艘驅逐艦和四艘較小的船隻，而另有三艘輕巡洋艦和一艘水上機修護艦也受到了重傷。美國飛機被毀者一百八十八架，受傷者六十三架。日本方面的損失僅為二十九架飛機被毀和七十架飛機負傷——至於五艘袖珍潛艇則在一次完全失敗的攻擊中全部損失。在人員方面，美國人共死傷了三千四百三十五人；而日本人的數字則不太清楚，死者可能尚不及一百人。

返回的日本飛機在一○三○時到一三三○時之間全部降落在航空母艦上。十二月二十三日，這支艦隊的主力回到日本。

此次襲擊給日本帶來了三大利益：（一）美國太平洋艦隊實際上已經暫時完全喪失活動能力。（二）日本在西南太平洋的作戰可以安全的不受美國海軍的干擾，而珍珠港任務部隊也可以轉用來支援那些作戰。（三）日本人現在可以有較多的時間來擴張和建立他們的防禦圈。

但主要的缺點是這次襲擊錯過了美國的航空母艦——那本是預定的主要目標，而且對於未來而言也是最重要的關鍵。它同時也沒有擊中油庫和其他若干重要設施，假使它們被毀滅，就一定能使美國恢復的速度大為減緩，因為珍珠港是美國在太平洋中唯一能容納整個艦隊的基地。以奇襲的姿態來臨，並且顯然的是在任何正式宣戰之前，所以也就在美國引起了普遍的怒火，這樣也幫助統一美國的公眾意見，使其一致支持羅斯福總統，而要求對日作戰到底。

很諷刺的，日本人的原意是想盡量不超出合法的限度之外，而又能同時發揮奇襲的利益——換言之，就是盡量在時間上作精密的計算。他們對於美國在十一月二十六日所提出的要求之答覆是預定在星期六夜間才送達日本駐華盛頓大使手中，並指定他應在次日（星期天）十三時正送交給美國政府——那也正是夏威夷時間的上午〇七三〇時。這樣將只給美國以半小時的時間去通知其在夏威夷和其他地區的軍事指揮官說戰爭已經來到，但卻可以使日本有理由宣稱其襲擊並未違反國際公法。但因為日本覆電太長（五千字），在日本大使館中譯電時發生了延誤，直到華盛頓時間一四二〇時，才準備妥善由其大使去親自遞交——那已是在珍珠港攻擊發動約三十五分鐘之後了。

美國人痛斥珍珠港事件是一種野蠻行為，對於此種奇襲發生極強烈的反應，從歷史上看來這實在很令人感到驚奇。因為日本人對於珍珠港的襲擊和他們過去攻擊在旅順的俄國艦隊實在是極為類似，而且那種行為也早就應能使美國人有所警惕。

一九〇三年八月，日俄兩國為了想要解決他們在遠東的利益衝突已經展開談判。但經過五個半月之後，日本政府獲得了一個結論，認為依照俄國的態度根本不可能獲得滿意的解決，於是在一九〇四年二月四日，就已暗中決定使用武力。六日談判決裂，卻並未作任何戰爭的宣告。但日本艦隊在東鄉平八郎元帥領導之下，祕密駛向旅順港，那也就是俄國的海軍基地。二月八日夜間，東鄉用他的魚雷艇攻擊碇泊在港內的俄國艦隊。在奇襲之下，他使俄國的兩艘最佳戰鬥艦和一艘巡洋艦喪失作戰能力——於是也就使日本從此在遠東建立了海軍優勢。一直到二月十日，日本才正式宣戰，而俄國也在這同一天宣戰。

在日俄戰爭之前兩年，英國即已和日本締結同盟，那個時候它對於日本的態度，與三十七年之後，附和美國譴責日本的行為，恰好成一個諷刺的對比。一九〇四年二月，英國《泰晤士報》有一段評論可以節錄如下：

> 由於日本天皇和他的顧問們所作的英勇決定，日本海軍已經發揮主動精神，以一種冒險的行動揭開了戰爭的序幕……因為俄國艦隊停泊在外港中，所以也就自動的暴露在攻擊之

> 下。於是我們英勇的同盟國海軍就乘機獲得了高度的榮譽……這一次勝利的士氣影響非常巨大，也許足以影響到整個戰爭的前途……採取這種勇敢的行動，日本海軍已經充分利用其政治家所賦予他們的主動權，並且也已對情況掌握了一種士氣的優勢。

一九一一年版的《大英百科全書》在「日本」這一條中也稱讚該國選擇戰爭的行動，並說它是為了反對「軍事獨裁和自私政策」而戰。

一九〇四年十月二十一日——即特拉法加（Trafalgar）會戰的九十九週年紀念日——約翰費歇爾（Admiral Sir John Fisher）做了英國的海軍參謀總長（First Sea Lord）。他立即開始向英王愛德華七世（Edward VII），以及其他有權力的人士，展開遊說，認為應用「哥本哈根」（Copenhagen）的手段，來解決德國艦隊日益強大所帶來的威脅——即不必經過任何宣戰手續而發動一次突然的攻擊。他甚至於到處大肆宣傳。他這種態度自然會引起德國政府的注意，而後者對於它的看法遠比英國政界人士為認真。

我們很難斷言費歇爾的這種建議是否受了日本突擊旅順港成功的影響。無論如何，納爾遜在哥本哈根未經宣戰即突襲丹麥艦隊的故事是英國海軍史中著名的一頁，而且也是每個海軍軍人都知道的往例。東鄉曾以青年海軍軍官的身分在英國學習他的專業達七年之久。所以納爾遜的哥本哈根突擊對於一九〇四年東鄉主動的影響，也許不亞於東鄉本人對於費歇爾思想的影響。

對於美國人而言，儘管有歷史教訓存在，一九四一年的珍珠港襲擊還是使他們受到了極大的震動，這不僅使他們對於以羅斯福為首的美國當局發出了廣泛的批評，而且也更使許多人懷疑對於這種災難應負責的不是盲目和混亂而是更深入的陰謀。尤其是羅斯福的批評者和他的政敵更是堅持這種看法，歷久不衰。

儘管羅斯福本人的確老早就希望能找到一個藉口來把美國投入對希特勒的戰爭，但是那些愛做翻案文章的美國史學家的看法卻還是拿不出有力的證據。造成此次災難的主因是美國陸海軍當局的夜郎自大和計算錯誤。羅斯福並不曾設計一個珍珠港事變以來達到把美國投入戰爭的目的。

香港的淪陷

這個英國在遠東的前哨淪陷得那樣快，可以當作一個最明顯的例證，來說明為了表面的威望，戰略和常識會如何的受到徒然的犧牲。甚至於連日本人也都不曾像英國人這樣的「死要面子」。香港是英國在戰略形勢上的一個弱點，就本質而言，遠比新加坡更難防守。這個島港和中國海岸相連接，與日本在臺灣的空軍基地相隔只有四百哩，而距離英國在新加坡的海軍基地則在一千六百哩以外。[1]

在一九三七年初所作的情況檢討中，英國參謀首長們把日本當作一個僅次於德國的假想敵，認為新加坡和不列顛本身一樣的重要，是帝國存亡之所繫，所以也就強調表示英國在地中海的任何安全利益都不應影響到派遣一支艦隊前往新加坡的決定。在討論香港問題時，他們認為香港必須要能支持九十天的時間，才會有援軍趕到，而即令增強後的守軍能守住這個殖民地，但港埠本身仍可能會被從臺灣飛來的日本飛機所中和。但是他們的結論卻比較不現實的，認為基於威望的理由，和對於中國抗日戰爭應給以鼓勵的需要，香港守軍不應撤退。他們在文字是這樣說的：「香港應視為一個重要（Important）但卻並非主要（Vital）的前哨據點，其防禦時間應盡可能延長。」這樣的結論也就注定了香港守軍的命運。

兩年以後，即一九三九年初，一次新的情況檢討還是產生了相同的概括結論，但卻是一個非常重要的改變，即認為在優先次序上，地中海安全應放在遠東前面。這也就自然的使香港的防禦變得更無希望。尤其是此時，日本的遠征軍已經控制香港南北兩面的中國大陸，所以也就使這個英國屬地在形勢上益陷於孤立，並暴露在陸上攻擊之下。

1　原註：一九三五年三月，狄爾將軍被任命為「作戰及情報處長」（Director of Military Operations and Intelligence），他要我到軍政部來和他對於最近和未來的國防問題作一次談話。這次討論是以遠東為焦點，而尤其是一旦與日本發生戰爭時，應否嘗試據守香港的問題。依照我個人在那天夜間對於討論所作的筆記：「我認為，而他也似乎同意，寧可讓防禦太輕而使它有喪失的危險，而不應對其作太重的增強，使其在精神上變成一個『凡爾登』或『旅順港』，因為那樣若再喪失了，則會使我們的威望喪失更大。」

一九四〇年八月，在法國淪陷之後，新任的參謀首長們又對情況作再度的檢討——現在代表陸軍的就是狄爾，他現在已經榮任陸軍參謀總長的新職。這一次他們承認香港無防守可能的事實，並建議撤退駐軍。他們的意見也已為戰時內閣所採納，現在的首相已經是邱吉爾先生。但對於這個決定卻並未加以執行。而且到了一年以後，他們又改變了態度，勸告邱吉爾接受加拿大政府願意提供兩營兵力以來增強香港守軍（原為四營）的建議。此種建議以及政策的反轉，是受到某一個人的樂觀看法的影響。這個人就是加拿大籍的格拉賽少將（Major-General A. E. Grasett），他最近曾任香港英軍指揮官，當他返回英國時曾順道謁見加拿大的參謀首長，告訴他說如能對兵力作這樣的增加，即可以使香港的防務增強到足以對攻擊作長久抵抗的程度。為了勸告邱吉爾接受這種建議，他們在表示意見時又說即令在最壞的情況下，這樣也可以使守軍對於該島維持一種「比較有價值」（More Worthy）的防禦——這又是另一種「威望性」的辯論。一九四一年十月二十七日，就把這兩個加拿大營運往香港，於是也就使冤枉犧牲的人數憑空又增加了百分之五十。

日本人從中國大陸對香港的攻擊在十二月八日清晨發動，所使用的兵力在一個師以上（十二個營），不但訓練精良，還享有充分的空中掩護和砲兵支援。到了次日，英軍已經退到九龍半島上的所謂「金德林克斯防線」（Gindrinkers Line）。而到了十日清晨，在這道防線上有一個重要的堡壘為一支日軍所攻占。這也就使英軍匆匆的放棄了這一道防線，而撤回到香港本島。日軍甚至於還不知道，所以仍在繼續計畫如何進攻那一道防線。

當日軍最初企圖渡過海峽時，他們被擊退了，但這樣也就分散了守軍的兵力。於是到十八日至十九日之間的夜晚，日軍主力開始在東北角上登陸，並集中全力進攻，不久即滲入到南面的深水灣，切斷防禦部隊。其中一部分在聖誕節之夜投降，而另一部分則在次日上午也投降了，儘管已經有了增援，香港還是只守了十八天——只相當於預計時間的五分之一。日本損失不到三千人，而守軍約近一萬二千人均全部被俘。這個島的淪陷正當英國占領它的一百年，也是中國正式割讓它的九十九週年紀念。

菲律賓的淪陷

十二月八日〇二三〇時，日本人攻擊珍珠港的消息已經傳到在菲律賓的美軍總部，並立即開始備戰。此時由於臺灣有晨霧，所以使日本人對菲律賓的空中攻擊計畫未能照預定時間進行。但這個阻礙反而使日本人獲得一項巨大利益。由於在美國方面，為了是否應立即派**B-17**轟炸機前往臺灣作報復轟炸，發生意見上的爭執。於是那些飛機奉命暫時繞著呂宋島飛行，以免在地面上為敵人所捕捉。到一一三〇時，他們才再降落到地上去準備出擊——而起飛延誤了的日本飛機此時卻恰好到達他們的上空。由於美國的警報系統效率太差，所以美國飛機的大部分都在第一天被擊毀，尤其是**B-17**轟炸機和現代化的**P-40E**戰鬥機為最多。於是日本人遂掌握了空中優勢，其一百九十架陸軍飛機和三百架海軍飛機都是以臺灣為基地。十七日，剩餘的十架B-17被徵往澳洲，而所謂亞洲艦隊的幾艘水面軍艦也同時撤出，在菲律賓地區只留下二十九艘潛艇。

至於陸軍方面，雖然由於麥克阿瑟的堅持，新的決定要求據守整個菲律賓，但事實上，他很冷靜的把正規軍三萬一千人的大部分（包括美軍和菲律賓的較優秀部隊）都集中在馬尼拉附近，至於綿長的海岸線則只用素質低劣的菲律賓部隊加以掩護，在名義上他們大約有一萬人。雖然以戰略而言，這是聰明的部署，但它卻容許日本人可以在任何地點登陸，而不會遭遇到困難。

這個攻擊由日本第十四軍負責，其司令為本間雅晴中將。他在最初的登陸和作戰中共使用了五萬七千人。比較說來，這個數字不算大，所以奇襲和空中支援也就變得更重要。同時日軍也需要攻占某些外圍小島和防禦薄弱的沿岸地區，以便迅速建築機場以供其短程陸軍飛機的使用。

第一天，他們就攻占了巴坦（Batan）島群中的主島，那是在呂宋以北一百二十哩；十日又向卡米久島（Camiguin）躍進，那是在呂宋正北方。同一天兩個其他的支隊在呂宋北海岸上，分別在阿巴利（Aparri）和維干（Vigan）登陸，而十二日又有一個支隊來自帛琉（Palau）群島，在呂宋最南端的雷加斯皮（Legaspi）登陸，幾乎完全沒有受到抵抗。這些行動都是為主力登陸作準備，那是選定在馬尼拉北面距離僅一百二十哩的仁牙因灣（Lingayen Culf），開始於十二月二十二日，由八十五艘運輸船運著本間的四萬三千名部隊。二十四日又另有一支部隊，約七千人，來自琉球群島，在東岸上面對著馬尼拉的拉蒙灣（Lamon Bay）登陸。所有這些部隊都不曾遭遇到任何嚴重的抵抗，因為菲律賓的陸軍都是訓練裝備極為惡劣的新兵，一看到敵人就望風而逃，尤其害怕戰車，而美國人對於他們的援助也來得太慢。直到此時為止，日軍一共只損失不到兩千人。

麥克阿瑟原來是希望能在敵軍尚未在岸上站穩腳跟之前就把他們擊潰，現在知道這個計畫已無實現的可能，於是早在二十三日就決定仍照舊有計畫，把其所餘的兵力全部撤到巴丹半島上，由於情報的誇張，把日軍的兵力加大了一倍，而他自己的菲律賓部隊又實在太差，所以更加速了麥克阿瑟的決定。二十六日，馬尼拉本身被宣布為開放城市。儘管最初階段混亂不堪，但麥克阿瑟的部隊，在敵軍壓力之下，卻終能作步步為營的撤退，並於一月九日在巴丹半島上建立了陣地——事實上，日軍兵力僅為他的一半，也使他獲得了很大的幫助。

但是一退入了這個半島之後——那是長約二十五哩和寬約二十哩——美軍就遭遇到另一種困難，那就是有十萬人要供養，包括平民在內，而並非如原定計畫中所假定的四萬三千人。此外在這半島上瘧疾極為流行，所以不要很久的時間，美軍留下能戰鬥的兵力就只為原數的四分之一了。

日軍對於這個半島陣地的第一次攻擊曾被擊退，而其所企圖採取的兩棲迂迴攻擊也失敗了。二月八日，經過一個月的努力，日軍遂暫停攻擊，因為他們自己的兵力也已經變得太弱——有一萬人患瘧疾，而其第四十八師又已調往協助攻擊荷屬東印度群島。到了三月初，日軍最前線上只留下三千人，但美國人卻不知道這種情況，所以也就不曾企圖轉移攻勢，同時美軍的有效兵力現在也已經降到其總數的五分之一，尤其是自從三月十日麥克阿瑟被召前往澳洲之後，士氣更受到極大的打擊。因為他們都知道不可能會有援兵來到——這個決定是華盛頓當局在一月初即已作成的。

到了三月底，日本人已經獲得生力軍二萬二千人的增援，以及較多的飛機和更多的火砲。於是從四月三日起，他們就再度發動攻擊，把美國人向半島的頂端驅逐。直到四月九日由美軍尚留在半島上的指揮官金恩將軍（General King），向日軍作無條件的投降以避免「集體屠殺」。

戰鬥現在又移到要塞化的柯里幾多島（Corregidor）上，那裡有守軍約一萬五千人，包括鄰近三個小島上的兵力在內。但它和巴丹半島之間只隔了一條兩哩寬的海峽，所以日軍可以用重砲不斷的加以轟擊，再加上連續的空中攻擊。這樣一連打了幾個星期，美軍的防禦工事遂逐漸崩潰，大部分的火砲均已不能發射，而且蓄水庫也被擊中。五月四日轟擊的強度達到了一萬六千發砲彈。到了五月五日午夜之前，兩千名日軍渡過海峽並在島上登陸。他們遭遇到猛烈抵抗，在上岸之前即損失兵力一半以上，但由於戰車的登陸，遂使局勢改觀，戰車把守軍衝散了——雖然實際參加戰鬥的只有三輛戰車。次日（五月六日）上午，柯里幾多島上的美軍指揮官韋銳特將軍（General Wainwright），從廣播中宣布投降，以求避免無謂的犧牲。

本間最初拒絕接受此種局部性的投降，因為美國和菲律賓的殘餘部隊還繼續在南部各島上從事游擊戰，甚至於在呂宋島上較偏遠的地方也是如此。於是韋銳特同意下令作全面投降，因為害怕現在已經被解除武裝的柯里幾多守軍會遭受屠殺。但有些部隊仍然不服從命令，他們效忠於麥克阿瑟從澳洲所發出的號召，直到六月九日，所有的抵抗才完全停止。

美國人在這個戰役中損失部隊約三萬人，而其菲律賓同盟國則損失了十一萬人。後者中有許多都是逃亡潰散的，在巴丹半島上投降的美菲部隊總數約八萬人，在柯里幾多島上再加上一萬五千人。日本人的損失雖然比較難於確定，但似乎大約僅為一萬二千人，患病的人數在外。

儘管如此，雖然最初不免崩潰，但菲島的守軍卻要比其他地方支持得較久——在巴丹半島上抵抗了四個月，而全部抵抗長達六個月——並且他們不曾從菲律賓以外獲得任何的支援和補給。

馬來亞與新加坡的淪陷

在日本的計畫中，征服馬來亞、新加坡的任務是分配給山下奉文中將的第二十五軍，該軍轄有三個師及一些支援部隊——戰鬥部隊約為七萬人，總人數則達十一萬人之多。但所能動用的海上運輸船隻卻只夠載運全部兵力的四分之一直接越過暹羅灣——即戰鬥部隊一萬七千人，總數二萬六千人。這個先頭部隊以攻占北部機場為目的。山下奉文全軍的主力則從陸上前進，由印度支那經過泰國，進入克拉地岬（Kra Isthmus），以最快的速度增援海軍的兵力，並繼續沿著馬來半島的西海岸南下。

從表面上來看，對於這樣一個遙遠的目標，這實是一支太小的遠征軍——的確比波西瓦將軍（General Percival）所率領的馬來亞防禦兵力還要少一點。後者共為八萬八千人，其中英國部隊一萬九千人，澳洲部隊一萬五千人，印度部隊三萬七千人，和馬來部隊一萬七千人。他們是一支混合兵力，其裝備和訓練都很低劣。反之，山下奉文的三個師——近衛師，第五師和十八師——都是日本皇軍中最精銳的部分。他們有二百一十一輛戰車，英國人在馬來亞卻一輛也沒有；又有飛機五百六十架，差不多比英國人在馬來亞所有的總數多了四倍，而素質也遠較優良。此外，日本人也考慮到從十一月到三月之間，強烈的季風足以妨礙英軍的對抗行動，因為在那樣惡劣的天氣中，只有較佳的道路才能通過，他們同時也考慮到馬來亞的中央山脈高達七千呎，並且為厚密的叢林所掩蓋，足以分割敵人的防禦，並幫助他們從東岸轉向西岸。

英國方面的部署實在是令人有啼笑皆非之感：其地面部隊分散得非常廣泛以保護那些飛機場，但是那些機場上並未駐有適當的空軍部隊，而建立那些飛機場的目的本是為了保護一個海軍基地（新加坡），但在這個海軍基地中又並無艦隊存在。日本人在將來反而變成了這些機場和海軍基地的主要受益者。

日本的主要登陸地點是在馬來半島泰國頸部上的宋卡（Singora）和北大年（Patani），另外沿著泰國的海岸再向北上，還有四個輔助登陸點。還有一支部隊則在馬來亞境內的新高打（Kota Bharu）登陸。這支部隊的目的是在攻占英軍飛機場之後，就繼續沿著東海岸前進，以分散敵人

緬甸的侵入
1941年12月～1942年5月
0 哩 300
0 公里 400
馬來亞及新加坡的侵入（1941年12月8日～1942年2月15日）
0 哩 100
0 公里 100 200
暹羅灣
六坤
日本第二十五軍（山下奉文）來自海南島
泰國
克拉地岬
宋卡
北大年
新高打
吉打
吉特拉
檳榔嶼
丁加奴
霹靂河
怡保
康坡
馬來亞
林河
關丹（1月6日）
雪蘭峨
吉隆坡（1月11日）
淡邊
占馬士
恩都（1月21日）
麻六甲
柔佛
新山
英軍抵抗結束（2月15日）
新加坡
蘇門答臘
印度
阿薩姆
柯希馬
淡牡
密支那
中國
滇緬公路
到重慶
伊洛瓦底江
瓦城
阿瓦
臘戍
薩爾溫江
緬甸
仁安羌
勃郎
西湯河
庇古
仰光（3月8日）
比林河
日軍發動主攻
毛淡棉
泰國
曼谷
土瓦
日本第十五軍（飯田祥二郎）
坦沙里 12月中旬
蒼坡
克拉地岬
六坤
宋卡

的注意力，以便掩護日軍主力沿著西海岸進攻。這些登陸行動預定在十二月八日（當地時間）的清晨執行——日軍五千五百人在新高打的登陸實際上比珍珠港的襲擊提早了一個多鐘頭。經過一個短時間的戰鬥，那裡的機場即為英軍所自動放棄。至於那些在泰國境內的行動就更容易達成。英國人本來擬定了一個所謂「鬥牛士」作戰（Operation Matador）的計畫，即準備進入泰國境內來阻止日軍的登陸，但因為不願意在日軍破壞泰國中立之前先越過國界，所以也就發動得太遲。十二月六日，英國人的空中偵察已經發現一支日本艦隊在暹羅灣中出現，但因為天氣惡劣，無法辨識其進一步的動向和目標。對於「鬥牛士」攻擊作戰所採取的準備行動結果反而使英軍的防禦部署受到擾亂作用。到十二月十日上午，日軍第五師早已從東岸轉移到西岸，並越過了馬來亞的邊界，沿著兩條道路進入吉打（Kedah）。

那一天英國人在海上又遭到一個具有決定性的災難。在七月間決定跟著美國的後面切斷日本的石油補給線之後，邱吉爾慢慢地終於認清了此種禁運行動所具有的「可怕」後果，於是一個月之後，在八月二十五日，主張派遣一支他所謂的「嚇阻」（deterrent）海軍兵力到東方去。英國海軍部的計畫是準備派遣「納爾遜」號（Nelson）、「羅德尼」號（Rodney）和四艘較舊式的戰鬥艦，連同一艘巡洋戰艦和二到三艘航空母艦。邱吉爾則寧願使用「最少量的最好船隻」，所以他建議派一艘最新式的「喬治王五世」（King George V）級戰鬥艦，連同一艘巡洋戰艦和一艘航空母艦。他在八月二十九日告訴英國海軍部說：

我認為日本不敢對抗美、英、俄等國的聯合戰線……尤其是若有一艘喬治王五世級的戰艦出現，則必定會使它更感到躊躇。這將是一種真正具有決定性的嚇阻力量。

結果是戰鬥艦「威爾斯親王」號（Prince of Wales）和巡洋戰艦「卻敵」號（Repulse）一同駛往新加坡——但卻沒有任何的航空母艦。原來指定的那一艘在牙買加（Jamaica）擱淺，現在已經進入船塢修理。實際上在印度洋中還有一艘航空母艦，駛往新加坡也很近，但卻並無命令要它駛往該港。所以這兩艘大船都必須依賴陸上基地的戰鬥機保護，而這種戰鬥機數量卻很有限——即令北部的飛機場不提早喪失也不中用。

「威爾斯親王」號和「卻敵」號於十二月二日到達新加坡，次日菲立普爵士（Admiral Sir Tom Phillips）也到達該地並接管「遠東艦隊」的指揮權。誠如上文中所說過的，十二月六日即已發現有大隊的日本運輸船隻從印度支那向馬來亞的方向行駛。到了八日中午，菲立普就聽到他們已正在宋卡和新高打登陸的消息，並至少有一艘戰鬥艦、五艘巡洋艦和二十艘驅逐艦的保護。那一天下午，菲立普勇敢的率領著所謂「Z部隊」（Force Z）向北行駛——包括著他的兩艘大船和四艘驅逐艦——以攻擊日軍的運輸船團為目的。不過由於北部的飛機場現在都已喪失，所以連岸上基地的空中掩護也完全沒有。

九日夜間天氣轉為清明，所以菲立普也就喪失了天然的掩蔽。他的Z部隊已被敵方飛機發現，所以遂轉向南方再駛回新加坡。但那天夜間又接獲一個錯誤的報告，說日軍正在關丹（Kuantan）登陸，那裡也是馬來半島東海岸的中點。因為覺得還是有奇襲的可能，所以菲立普認為冒險是合理的，遂又改變航向向關丹行駛。

日本人對於Z部隊的任何攔截行動已有良好的準備，因為它的到達新加坡經過廣播已經世人皆知。日本第二十二航空戰隊，由其海軍航空隊最優秀的駕駛員所組成，正以西貢附近的機場為基地，擔負著空中掩護的任務。此外又有一條由十二艘潛艇所構成的巡邏線，掩護著從新加坡到新高打和宋卡之間的航路。所以早在九日下午，Z部隊的北上行動即已被這一道屏障最東端的潛艇所發現。當時第二十二航空戰隊正在準備對新加坡發動一次空襲，於是在一接獲這個報告之後，即趕緊把炸彈調換魚雷，並立刻企圖對Z部隊作一次夜間攻擊。但因為菲立普已經向南回航，所以他們沒有找到目標。次日剛剛在拂曉之前，這支航空部隊又再度出擊，這一次就在關丹附近找到了Z部隊。日本人一共使用三十四架高空轟炸機和五十一架魚雷轟炸機，前者在上午十一時剛過不久就開始攻擊，而後者也接踵而來。兩種攻擊都非常準確——儘管所攻擊的船隻都是在高速運動中，而並非像珍珠港內的美國軍艦是在靜止不動的狀況中受到奇襲。尤其是「威爾斯親王」號上有一百七十五門高射砲，每一分鐘可以射出六萬發砲彈，其對空火力不能說不強。但兩艘大船卻都被擊沉，「卻敵」號沉於一二三〇時，而「威爾斯親王」號則沉於一三二〇時。隨護的驅逐艦在兩艘船上的全體乘員二千八百人當中救起了二千多人，但菲立普本人卻已經失蹤。

日本人並未干擾救難的工作。他們一共只損失三架飛機。

在戰前英國海軍當局痛恨人家談論戰鬥艦可以被飛機擊沉的理論，而邱吉爾對於他們的看法也有支持的傾向。這種錯誤的想法一直被堅持到一九四一年十二月為止。此外，又誠如邱吉爾所云：「當時我們自己和美國人對於日本人在航空戰中的效率實在是估計過低。」

這一個打擊也就決定了馬來亞和新加坡的命運。日本人現在可以繼續登陸而不受到任何的阻力，並且可以在岸上建立他們的空中基地。面對著英國人在馬來亞的微弱空軍實力，他們空中兵力的優勢也就成為一項具有決定性的因素：足以粉碎英軍的抵抗，使他們的部隊一路向馬來半島長驅而下，並打開了進入新加坡的後門。新加坡的淪陷實為過去疏忽和失策的後果——主要應由倫敦當局負責。

自從十二月十日以後，英軍幾乎是沿著西海岸連續不斷的撤退。一切道路上的阻塞陣地，不是被日本戰車和砲兵直接突破，就是受到日本步兵從鄰近叢林中的滲透所迂迴。在馬來亞北部的英軍指揮官希斯將軍（General Heath）希望能在霹靂河（Perak River）上站定腳跟，但這一線卻為從北大年斜進的日軍縱隊所迂迴。以後在康坡（Kampar）的另一個堅強陣地又為從海上用小艇登陸的日軍所迂迴和攻克。

十二月二十七日，包納爾中將（Lieutenant-General Sir Henry Pownall）從空軍上將布羅克波罕（Air Chief Marshal Sir Robert Brooke-Popham）手中接替了遠東英軍總司令的職務。

一月初英軍退到了史林河（Slim River）上，這一道防線掩護著雪蘭峨（Selangor）省，以及通到吉隆坡（Kuala Lumpur）附近南部機場的道路。但在一月七日到八日之間的夜裡，一連日軍戰車突破了這道組織惡劣的防線，向南直衝去奪占公路上的橋梁——那大概是在防線之後約二十哩處。在史林河以北的英軍均被切斷，損失了約四千人，連同其一切裝備在內——而日軍所付出的成本僅為六輛戰車和少數步兵。第十一印度師已完全被擊潰。結果遂使英軍不得不提早放棄馬來亞中部，並且也喪失了對柔佛（Johore）北部作較長期據守以待援軍從中東趕到新加坡的機會。

就在這個災難發生的那一天，魏菲爾將軍也到了新加坡，他是要前往爪哇去接受ＡＢＤＡ（即美英荷澳）總部總司令的新職，這是一個新成立的緊急機構。於是包納爾就變成他的參謀長，而原有的遠東總部則被撤銷。魏菲爾決定今後的防禦應以柔佛為基地，一切最好的部隊和增援都應保留在那裡。那也就等於說應作較迅速的撤退，而不再是照波西瓦將軍原先所計畫的逐步撤退。吉隆坡在一月十一日被放棄，在淡邊（Tampin）的瓶頸陣地則在十三日被放棄（而不是原定的二十四日）。這也使日本人得以利用在柔佛境內較佳的道路系統，並且也使他們可以同時使用兩個師，而不像過去那樣必須輪流使用——於是澳洲部隊在占馬上（Gemas）所建立的堅強防禦陣地也被抵銷。所以通過柔佛的撤退甚至比原先所想像的還更快。

同時，在東海岸上的英國部隊也同樣在撤退：一月六日放棄關丹和那裡的機場，二十一日在一個登陸威脅之下又放棄恩都（Endau），到了一月三十日，東西兩面的英軍部隊都已退到馬來半島的極南端。其後衛於次日夜間也越過海峽退入新加坡。日本陸軍的航空部隊，效率比海軍航空隊較差，並未對英軍的撤退加以太多的阻擾，只是對飛機場的攻擊表現了他們的效力而已。

日本人在五十四天之內已經征服了馬來亞。他們的總損失僅約為四千六百人——而英國則損失了約二萬五千人（大部分都是做了俘虜）以及大量的裝備。

在一九四二年二月八日（星期天）的夜間，日本侵入軍兩個領先的師，在掃蕩了五百哩全長的馬來半島之後，開始強渡隔在新加坡和大陸之間的狹窄海峽。在三十哩全長的海峽中，日軍選擇了八哩長的一段作為渡海的位置，那是寬度不到一哩的部分。這個地段是由第二十二澳洲旅的三個營所負責防守的。

第一波攻擊是用裝甲登陸艇載運的，但其餘的後續部隊則使用由徵集而來的各種不同船艇，甚至於還有一部分日本兵是游泳過來的——攜帶著他們的步槍和彈藥。有些船隻被擊沉，但大多數的突擊部隊都已安全登陸。防禦方面有許多莫名其妙的差錯，也給他們幫忙不少。灘頭探照燈不曾使用，通信工具不是失靈就是未被使用，砲兵也很久都不能構成其計畫中的防禦火網。

到日出時，已有日軍一萬三千人上岸，而澳洲部隊則已向內陸陣地撤退。在正午以前，侵入者的人數已經增到兩萬人以上，並已在該島的西北部建立一個深入的基地。以後第三個日本師也登陸了，使兵力總數增到三萬人以上。

在大陸上緊接著的地區還有兩個師，但山下奉文卻認為新加坡是一個小島，對於這樣多的兵力無法作有效的展開。不過在以後幾天內，他還是抽調一些生力軍作為前線部隊的補充。

以數量而言，防禦者所有的兵力似乎應該是足夠拒抗侵入者而有餘，尤其是侵入者所攻擊的地區正是在大家所意料中的。即令到現在，波西瓦將軍所指揮的兵力仍約有八萬五千人之多——主要都是英國人、澳洲人和印度人，不過也雜有若干當地馬來人和中國人的單位在內。但其中大多數卻都是訓練太差，而日本攻擊軍則都是百戰健兒，而且曾為馬來亞的作戰受過特殊的挑選和訓練。所以英軍在厚密的叢林中或橡樹園中一再受到他們的迂迴。一般說來，英軍的指揮也相當拙劣。

自從戰役一開始起，英國空軍在數量上和質量上都已落下風，到了最後階段，其少數殘餘部隊也完全撤走，於是天空中再也看不見他們的蹤影。對於敵方空軍猛烈和不斷的攻擊缺乏保護，使那些由於在馬來半島上長期退卻而疲憊不堪的部隊更是士氣不振。

英國政府最初所犯的大錯就是不曾提供必要的空中掩護，現在邱吉爾和他的軍事顧問們就呼籲部隊必須不惜任何代價奮戰到底；指揮官應與部隊共存亡，並為不列顛帝國的榮譽而犧牲；應執行焦土政策，毀滅一切對占領者可能有關的東西，而不必替部隊的安全或人民的生活著想。所有這些呼籲不特無補於實際，而且適足以顯示英國當局對於心理學的知識真是一竅不通。在前線上戰鬥的人員看到其後方的油庫正冒著黑煙起火燃燒，他們的士氣絕不可能因此而提高。同樣的，當他們知道本身的命運不是戰死就是被俘時，當然也絕不會因此而受到鼓勵。一年以後，當希特勒命令不惜一切成本死守突尼斯（Tunis）時，連在非洲身經百戰的德國精兵也都迅速崩潰了。任何這一類「背水作戰」的要求通常都是很難有效的激勵士氣。

新加坡的末日在二月十五日星期天來臨——也就是日軍登陸後的一星期整。到那時候守軍已經被逐回到新加坡市的近郊，該市位置在該島的南岸上。糧食已感缺乏，而水源更是隨時都有被切斷的危險。在那天黃昏，波西瓦將軍持著白旗去向日軍指揮官投降。對於一個勇士而言，這是一個痛苦的步驟，但投降卻已經無可避免，他之所以選擇親自出降的方式，是為了想替他的部隊和人民爭取較好的待遇。

在新加坡的這兩個黑色星期天（一為登陸而另一為投降）也就替大英帝國敲響了喪鐘，許多年來一向為英國人所感到驕傲的「日不落帝國」已經開始成為餘音嫋嫋的尾聲。

不過，抵抗日本陸軍攻擊的失敗卻並非主因。新加坡的投降實為兩個月以前海軍失敗的後果。

同時那也是一連串錯誤和失察的終結。這個新基地及其防禦的發展緩慢得可憐，捨不得花錢的政治原因也並非唯一的障礙。在決定建立此一基地之後的若干年內，對於其防禦的最佳方法在白廳（Whitehall）中曾經引起激烈的辯論。而爭論得最激烈的地方卻是在參謀首長委員會中——那是被假定為「三位一體」的。空軍參謀總長滕恰德（Trenchard）是力主飛機的最高優先。而海軍參謀總長畢特（Beatty）則提倡大砲主義——並痛斥飛機可對戰艦構成嚴重威脅的理論。這兩位都是名人，也都是強人。

政府對於他們的意見感到難置可否，一直到他們都已退休後很久，這種爭論仍繼續未獲解決。大致說來，還是海軍略占優勢。所以對於新加坡只提供了大砲而沒有飛機。很不幸的，當攻擊終於來到時，其所進攻的方向並非砲口所指向的，而是在它們的背面。

在三〇年代裡，有許多陸軍軍人都曾經研究過新加坡的防禦問題，他們開始認為攻擊的方向可能是走後門，即取道馬來半島。因為海軍基地建在新加坡的北邊，在該島與大陸之間的狹窄水道中，此種可能性也就更大。在採取這種觀點的陸軍軍人當中，波西瓦就是一個，在一九三六到三七年之間，他是馬來亞的首席參謀官。他的意見為當時駐軍司令多貝將軍（General Dobbie）所採納，於是後者遂於一九三八年開始在馬來半島的南部構築一條防線。

賀爾．貝利夏先生那時已經做了陸軍部長，他很快就能了解新加坡的少量駐軍有增強的必要——自從他就職以來，他的政策特點就是認為帝國防禦應比歐陸行動更為重要。當時與德義兩國開戰的危險已經迫在眉睫，所以對於地中海防務的增強必然會成為第一要求，但他卻仍能說服印度政府派兩個旅的兵力到馬來亞去，而使那裡的駐軍一下就增加了三倍。以戰前的有限資源而論，這已經可以算是作了最大的努力，因此也就倍覺難能可貴。

當戰爭於一九三九年九月爆發時，英國的資源也就開始增加。但由於當時戰爭只限於西歐一隅之地，所以資源的大部分也就自然的向那裡傾注，接著就是一九四〇年五月和六月的大災難，結果是法國崩潰，而義大利也投入戰爭。在這個驚人的危機中，第一個要求當然是增建英國本身的防禦，其次就是兼顧地中海地區的防禦。這兩個需要也都很難同時予以滿足。邱吉爾最勇敢和偉大的行動就是他敢於在英國本身對於侵入的威脅尚無真正安全的保障之前，就決心不惜甘冒巨大的危險去增強對埃及的防禦。

在這個階段對於英國政府給予馬來亞的增援若還認為不滿意，那是很不公平的。因為在一九四〇年到四一年之間的冬季，馬來亞的駐軍已經增加了六個旅，以當時的環境而言，那算是很難得的。所不幸的是空軍兵力並未曾作類似的增加——而那卻恰好是更重要的。

一九四〇年初，新任司令龐德將軍（General Bond）發表意見說新加坡的防禦必須以整個馬來亞的防禦為基礎。為了這個目的，他估計至少需要三個師的兵力，並建議防禦的主要責任應由空軍負起。國內當局在原則上採納這些建議，但卻加上一個重要的修改。當馬來亞的指揮官們認為需要一支近代化飛機五百架以上的空軍兵力，而參謀首長委員會卻判斷三百架左右就夠了，而且還說連這個數字也須到一九四一年底才能提供。事實上到日軍侵入時（一九四一年十二月），馬來亞的第一線空軍兵力僅為飛機一百五十八架，而且大部分都是落伍的舊貨。

在一九四一年這一年之內，近代化戰鬥機產量的絕大部分，除了留供英國防空需要以外，都是派往地中海地區去支援那些夭折的攻勢作戰。在下半年又約有六百架被派往俄國。而馬來亞卻幾乎一點都沒到。同時也沒有一架長程轟炸機派往該地區，但卻有好幾百架用來對德國作夜間轟炸之用，而在戰爭的那個階段，這一類的攻擊顯然是浪費精力。所以總結言之，馬來亞的防禦需要並不曾受到適當的注意。

邱吉爾本人在其回憶錄中曾經透露過這個難題的答案。五月初英國陸軍參謀總長狄爾爵士向首相提出一項報告，其中表示他反對繼續增建在北非的攻擊兵力，而使英國本身或新加坡甘冒重大的危險。在他的文章中，狄爾這樣的指出：

> 埃及喪失是我認為很不可能發生的災難……只有一個成功的侵入才會造成我們最後失敗。所以主要的是聯合王國而不是埃及，聯合王國的防禦應屬於第一位。埃及在優先次序上甚至還不能列為第二位。因為那是我們戰略中的一項公認原因，新加坡的地位是應放在埃及的前面。但目前新加坡的防禦卻仍然距離標準頗遠。
>
> 在戰爭中當然必須冒險，但所冒的卻又必須是有計算的危險，我們不應犯錯誤而忽視了戰略要地的安全。

邱吉爾接到了這個文件之後大為震怒，因為那與他所想像的完全相反——即早日對隆美爾發動攻勢，並在北非贏得一次決定性勝利的夢想。他認為：「若是接受這種觀念即無異於完全回到防禦的態勢……在手中再沒有任何東西可以發揮主動了。」所以邱吉爾遂用尖銳的筆法來反駁狄爾的意見。他說：

我覺得你是寧願準備喪失埃及和尼羅河谷，並讓我們已經集中在那裡的五十萬大軍投降或毀滅，而不願意喪失新加坡。我的看法和你不一樣，而且我也不認為情況會像你所想像的那樣發展……假使日本投入戰爭，則美國非常可能會站在我們這一方面；而且無論如何，日本都極不可能在一開始就圍攻新加坡；因為假使它不把它的巡洋艦和巡洋戰艦散布在東方貿易航線上而去執行這樣的作戰，則對它本身是危險最大而對我們反而是損害較小的。

很顯然的，邱吉爾在激怒之下，故意曲解陸軍參謀總長的意見。因為問題並非減弱埃及的防禦，而僅為暫緩執行邱吉爾所一心想要發動的攻勢，對於這個攻勢他是寄以很大的妄想。結果是在北非的六月攻勢成為笑柄，而增加更多的兵力在十一月間再發動攻勢時，又還是不曾獲得任何具有決定性的戰果。邱吉爾對狄爾元帥的答覆同時也證明出他對於新加坡所面臨的危險作了如何嚴重的計算錯誤。令人感到驚奇的，卻是他在事後寫回憶錄時，還仍然那樣大言不慚，而絲毫沒有悔恨之感。他說：

據我所知，許多政府當面對著此種最高專業權威所作的如此嚴重宣告時，都會表示屈服的，但我卻毫無困難的說服了我的政治同僚使他們不為所動，而且當然的，我又還是受到海空軍參謀首長的支持。所以我的意見仍然占了優勢，於是向中東的增援也繼續不斷。

七月間，美國羅斯福總統派他的私人顧問，霍普金斯（Harry Hopkins），到倫敦來傳達他的意見。羅斯福對於此種政策的智慧很感到懷疑，他認為在中東嘗試做太多的事情，將會在其他的地區引起危險。美國的陸海軍專家也都支持這種警告，並認為新加坡應比埃及居於較優先的地位。

所有這一切的辯論都不能改變邱吉爾的觀點，他說：「我絕對不容許放棄埃及的鬥爭，假使馬來亞若出了任何差錯，我將辭職以謝天下。」實際上，他後來不僅是食言，而且他根本上就不以為那裡會有真正的危險發生。他也曾坦白承認著說：「我在當時認為比起我們其他的需要，整個日本的威脅似乎都不過是一個遙遠的魔影而已。」所以非常明白的，對於馬來亞的不適當防禦未能加以增強，其主要的責任應由邱吉爾本人負起——也就是因為他固執的要在北非發動一個不成熟的攻勢。

新加坡淪陷所立即產生的戰略影響是很嚴重的，因為緊接著在它的後面就是緬甸和荷屬東印度的征服——這種分為兩股的攻勢前進使日本人的威脅一方面接近印度，而另一方面接近澳洲。

差不多又繼續苦戰了四年，並付出巨大的代價，新加坡才終於收復。但那應歸功於日本內在的崩潰和原子彈的震駭，而英國不與焉。

但是新加坡淪陷所產生的較長久和較廣泛的影響一直到今天都沒有恢復。新加坡一向就是一種象徵——它是西方權力在遠東的顯著象徵，因為那個權力是由不列顛海權所建立，而且一直也都是由它來維持的。自從第一次世界大戰結束以來，對於在新加坡設置一個巨大海軍基地的計畫曾經作了太多的宣傳，所以其作為象徵的重要性甚至於可以說是遠超過它的戰略價值。在一九四二年二月，新加坡那樣容易的就被日本人攻占了，這對於英國人和歐洲人在亞洲的威望實為一種莫大的打擊。

以後雖然英國人還是回到新加坡，但卻已經無法抵銷原有印象。白種人的戲法已經不靈了，所以他們也就隨之而喪失其優越地位。因為認清了白種人的弱點，所以戰後在亞洲也就到處都掀起反殖民主義的怒潮，亞洲人再也不肯接受歐洲人的支配了。

緬甸的淪陷

英國人的喪失緬甸實為馬來亞淪陷的續篇，並且也使日本人得以完成其對中國和太平洋西方門戶的攻占——於是也就完成了他們戰略計畫中所想像的偉大防禦圈。雖然它是一個續篇，但緬甸戰役卻是一項獨立的作戰。那是由飯田祥二郎中將所指揮的日本第十五軍來負責執行的。

這個軍只有兩個師，甚至於加上支援單位，總數也只有三萬五千人。其最初的任務是占領泰國，包括克拉地峽的大部分在內；而當第二十五軍向馬來亞南進時，也負責掩護其後方。接著第十五軍就開始執行其侵入緬甸的獨立任務，並且以其首府仰光為其第一目標。

由於保護緬甸的兵力，無論在數量或素質上，都極為貧乏，所以日軍雖以如此小型的兵力來作如此巨大的冒險，也都應認為是合理的。最初，緬甸的守軍在數量上是比一個師略多一點，大部分都是最近所召募的緬甸單位，只有兩個英國營和一個印度旅來作為他們的骨幹——另有第二個印度旅尚在運輸途中，準備作總預備隊之用。當危機來到時，凡是能夠抽調的援兵大部分都已經調往馬來亞，但還是太遲，並不足以挽救新加坡的命運。直到一月底，才有訓練半成熟和不足額的第十七印度師開始運到緬甸，這也就是說了很久都沒有兌現的增援的前驅。空中的情況更為惡劣，最初一共只有三十七架飛機來對抗日軍的一百架——在一月初馬尼拉淪陷之後，日本人又調來了一個航空旅，於是使這個數字又增加了一倍。

日軍的侵入緬甸早在十二月中旬即已開始，從第十五軍所派出的一個支隊，進抵坦沙里（Tenasserim），那是位置在克拉地峽的兩側，其目的是攻占那裡的三個重要機場，以阻塞英國空軍增援馬來亞的路線。十二月二十三日和二十五日，日軍對仰光作了重大的空中攻擊，使那裡的印度工人像潮水一樣的逃走，阻塞了道路並放棄了尚未完成的防禦工事。一月二十日，日軍展開直接的攻擊，從泰國進向毛淡棉（Moulmein），經過了一場激烈的混戰之後，在三十一日被攻占。守軍後方就是寬廣的薩爾溫江的河口部分，所以很難逃脫，幾全部被俘。

十二月底，魏菲爾已派其在印度的參謀長胡騰中將（Lieutenant-General T. J. Hutton）去指揮緬甸境內的戰事，而後者又派史密斯少將（Major-General J. G. Smyth, VC）去指揮防衛毛淡棉，和到仰光的進路的那些雜牌部隊。史密斯是新到的第十七印度師師長。

在毛淡棉淪陷之後，日軍就向西北挺進，於二月上旬在該地附近和上游約二十五哩的地方分別渡過了薩爾溫江。史密斯曾主張作一個適當的戰略撤退，以便達到一個他可以集中兵力的位置，但是其上級直到太遲時才准許撤退，所以他只好勉強在比林河（Bilin River）上建立一道防線，但那條河本身太窄而且有許多地點可以徒涉。這個陣地不久就受到日軍的迂迴。於是雙方就開始向三十哩以外的西湯河（Sittang River）賽跑——那一條河有一哩寬，距離仰光七十哩。因為英軍起步太遲，所以終為日軍所追及，儘管後者從叢林中的小路迂迴前進是非常辛苦。二月二十三日清晨，西湯河上的主要橋梁都已被炸毀，把史密斯所部的大部分都留在東岸上。只有三千五百人勉強逃回，其中有槍的已不及半數。三月四日，日軍乘勝追擊，到達了庇古（Pegu）並加以包圍，那是一個公路與鐵路的交叉點，史密斯的殘部和少許援兵正在那裡集合。

次日，亞歷山大將軍（General Sir Harold Alexander）來到緬甸並從胡騰的手中接管指揮權。這是邱吉爾所作的緊急決定，在那樣的環境中也是非常自然的，尤其是較高階層根本上不曾想到會垮得這樣快。但這對於胡騰本人而言，卻是一種不公正的待遇，因為他不僅對於防守仰光的可能性表示懷疑，而且也充分表現出聰明的遠見：他曾把補給送往仰光以北四百哩遠的瓦城（Mandalay）地區，同時又加速修建一條起自印度馬尼坡（Manipur）省的山地道路，以與瓦城和滇緬公路建立陸上交通。在這個階段以及較早的階段，英國國內的觀點深受魏菲爾個人意見的影響。他對於日本人的技巧未免估計過高——若能採取有力的對抗行動，則這種神話並不難擊破。

亞歷山大於到差之後首先堅持仰光必須死守，並且命令發動一個攻擊以求扭轉情況。但儘管新到的第七裝甲旅和一些步兵增援單位曾作猛烈的戰鬥，結果還是沒有什麼收穫，於是亞歷山大不久也回過頭來採納胡騰的意見，於三月六日下午命令在次日下午實施爆破之後即撤出仰光。所以在三月八日當日軍入城時，他們發現那是一座已被放棄的城市，遂不免吃了一驚。殘餘的英軍從日軍包圍圈中找到了一個缺口，向北逃到勃郎（Prome）。

現在雙方就都暫時休息一下。日本在休息期中獲得了兩個師（第十八師和第五十六師）的增援，此外還有兩個戰車團，而他們的空中武力也增加了一倍——達到了四百架以上的數字。英軍所獲得的增援數量遠較微少。在空軍方面除了三個已經殘缺的戰鬥機中隊以外，蔣委員長又借給他們兩個中隊的美國志願隊（American Volunteer Group）兵力，雖然一共只有四十四架「颶風」式和「戰斧」式（Tomahawk）戰鬥機，但最初階段卻能有效的擊退日本人對仰光的空襲，並且使攻擊者受到了不成比例的重大損失。但自從仰光放棄之後，大部分英國飛機就撤入了印度——

到三月底才從中東獲得第一批增援，約為轟炸機和戰鬥機共一百五十架。仰光的喪失使警報系統發生混亂，所以剩下來的英國飛機，也像以前在馬來亞一樣，再也不能對日本人作任何有效的抵抗。

四月初，已經增強的日本第十五軍向北挺進到伊洛瓦底（Irrawaddy）江上，直趨瓦城，以求達到其切斷滇緬公路的原始目標。現在英軍約有六萬人，在瓦城以南約一百五十哩的地方據守著一條東西向的防線——在其東西側翼上還受到中國部隊的支援。但日軍卻勇敢的繞過其西面，包圍了守軍，並在四月中旬攻占仁安羌（Yenangyaung）油田。當時任蔣委員長參謀長的美國人史迪威將軍（General Joseph Stilwell），曾擬定一項計畫想讓日軍進到西湯河上，然後再用鉗形運動來把他們加以包圍。但由於日本人已經繞著東翼作了一個更大的迂迴，直趨滇緬路上的臘戍（Lashio），所以他這個計畫根本無法實施。在這大側面上已經發生迅速的潰散，不久就明白顯示出臘戍和滇緬公路的補給線都保不住了。

所以亞歷山大遂作了一項聰明的決定，不企圖據守瓦城——這也正是日軍所希望的——而向印度邊界上撤退。這個全程超過二百哩的長距離撤退開始於四月二十六日，由後衛兵力掩護著，在伊洛瓦底江上的阿瓦（Ava）橋於三十日被炸毀——即日軍側進到臘戍的前一日。

現在主要問題是要趕在五月中旬季風季節開始之前，達到印度邊界和阿薩姆（Assam），因為此後河水氾濫將使交通斷絕。日軍也向更的宛江（Chindwin River）賽跑，想攔截英軍的撤退，但英軍的後衛還是勉強衝過去了，並在季風開始前一個星期達到了淡牡（Tamu）。在最後一段的狂奔中，他們喪失了大部分的裝備，包括所有的戰車在內，但大多數的部隊還是保存住了。即令如此，他們在緬甸戰役中的損失還是三倍於日本人——一萬三千五百人對四千五百人。不過在他們的千哩撤退中，英軍在緬甸的兵力終於還是逃脫，這大致應歸功於第七裝甲旅的戰車能一再發起逆襲以減緩敵人的銳氣——而自從決定放棄仰光之後，對於退卻的執行也都能保持冷靜的頭腦。

錫蘭與印度洋

當在緬甸境內的日本陸軍，以儼然無敵的姿態，從仰光向瓦城推進時，英國人同時也因為日本海軍的進入印度洋而大感震驚。因為在印度東南角附近的大島錫蘭[2]，是被英國人認為非常重要的——日本海軍若以此為基地就可以威脅從英國繞過好望角和南非以達中東的交通線，此外還有到印度和澳洲的海路。自從馬來亞喪失以後，從錫蘭來的橡膠對於英國也變得非常重要。

英國的參謀首長們告訴魏菲爾說，保全錫蘭比保全加爾各答（Calcutta）還更重要。因為這個原因，當在緬甸的兵力非常缺乏，而在印度的兵力更是極為微弱之際，用來防守錫蘭的兵力卻不少於六個旅。此外，三月間在那裡又成立了一支新的海軍兵力，由海軍上將索美維爾

（Admiral Sir James Somerville）負責指揮，共有五艘戰鬥艦（不過其中有四艘都是舊船）和三艘航空母艦（而且其中有一艘是又老又小）。

同時，日本人正準備從西里伯斯（Celebes）攻入印度洋，其兵力遠較強大，有五艘航空母艦——即曾用於珍珠港襲擊中者——和四艘戰鬥艦。所以當這個消息傳來時，顯得錫蘭的前途很不樂觀。但這個威脅並不像表面上那樣嚴重可怕，因為日本海軍根本上是以攻為守。他們沒有載運部隊在錫蘭登陸的企圖。他們的目的不過是作一次突襲，以擾亂英國海軍在那裡增建的兵力，並掩護其從海上運往仰光的增援部隊而已。

因為預計在四月一日會受到攻擊，所以索美維爾的兵力已經分為兩個部分——其較快速和有效的部分，稱為A部隊，負責巡邏，然後再被送往亞都珊瑚礁（Addu Attol）補充燃料，那是設在馬爾地夫群島（Maldive Islands）上的一個祕密基地，在錫蘭西南約六百哩。日本的攻擊實際上是在四月五日，一百多架飛機攻擊在可倫坡（Colombo）的港口，造成重大的損失，並擊退了空中的反擊。下午又來了第二次攻擊，其五十架轟炸機，擊沉了兩艘英國航空母艦。索美維爾的兩部分部隊都行動太遲緩，不能發生任何作用，於是就自動撤退——較舊的軍艦撤往東非洲，而較快速的部分則撤往孟買（Bombay），但在九日那一天對亭可馬里（Trincomalee）作了一次成

2 譯註：即今之斯里蘭卡。

功的攻擊之後，日本艦隊就撤走了，而在這個短短的時間之內，其商船突擊支隊，已在孟加拉灣內擊沉了二十三艘商船（共十一萬二千噸）。

對於英國海權這是另一次可恥的失敗，所幸沒有再進一步。假使英國人不採取挑撥的行動，即不在錫蘭嘗試建立那樣一支落伍的海軍兵力，則日本人也許根本就不會發動這次攻擊——因為那本來就超出其原有計畫的限度。

另外一個插曲就是派遣海陸軍聯合部隊去占領法屬馬達加斯加（Madagascar）大島北端的狄哥蘇里茲（Diego Suarex）港——那是為了防止日軍的進占。此一行動影響到英法的關係，而又分散了兵力。這個相當浪費的行動始於五月間，接著在九月又派了一支大型兵力去占領全島。正係一九四〇年阿爾及利亞奧蘭（Oran）軍港擊沉法國艦隊的情形是一樣的，從長期的觀點來看，「害怕」一詞是很容易壞事的。

第五篇

轉向（一九四二）

第十八章 在俄國的潮流轉向

一九四〇年的春季，德國人在四月九日開始發動對挪威和丹麥的作戰。一九四一年的春季，他們在四月六日開始發動對巴爾幹的作戰。但在一九四二年卻沒有這樣早開始。這個事實說明德國人在一九四一年為了想對俄國贏得一個迅速的勝利，已經把他們的實力消耗得太多。由此可以證明他們在俄國已經陷入到何種程度。因為天氣的條件固然是不利於在俄國戰場上發動早春的攻勢；但是對於英國人在地中海的地盤，無論是在東端還是在西端，德國人要採取行動都是毫無阻礙的。在這個英國海外交通的樞紐地帶中，德國還是不曾製造任何新的威脅。

在俄國戰場上，紅軍的冬季反攻，自從十二月發動以來，一連繼續了三個多月，不過進展卻是日益縮小。到了三月，在某些地區中也曾推進了一百五十哩以上。但德軍對於其冬季戰線的主要據點，卻都能堅守不動——例如希流斯堡（Schlusselburg）、諾夫哥羅（Novgorod）、耳塞夫（Rzhev）、佛雅馬（Vyasma）、布里安斯克（Briansk）、奧勒爾（Orel）、庫斯克（Kursk）、卡

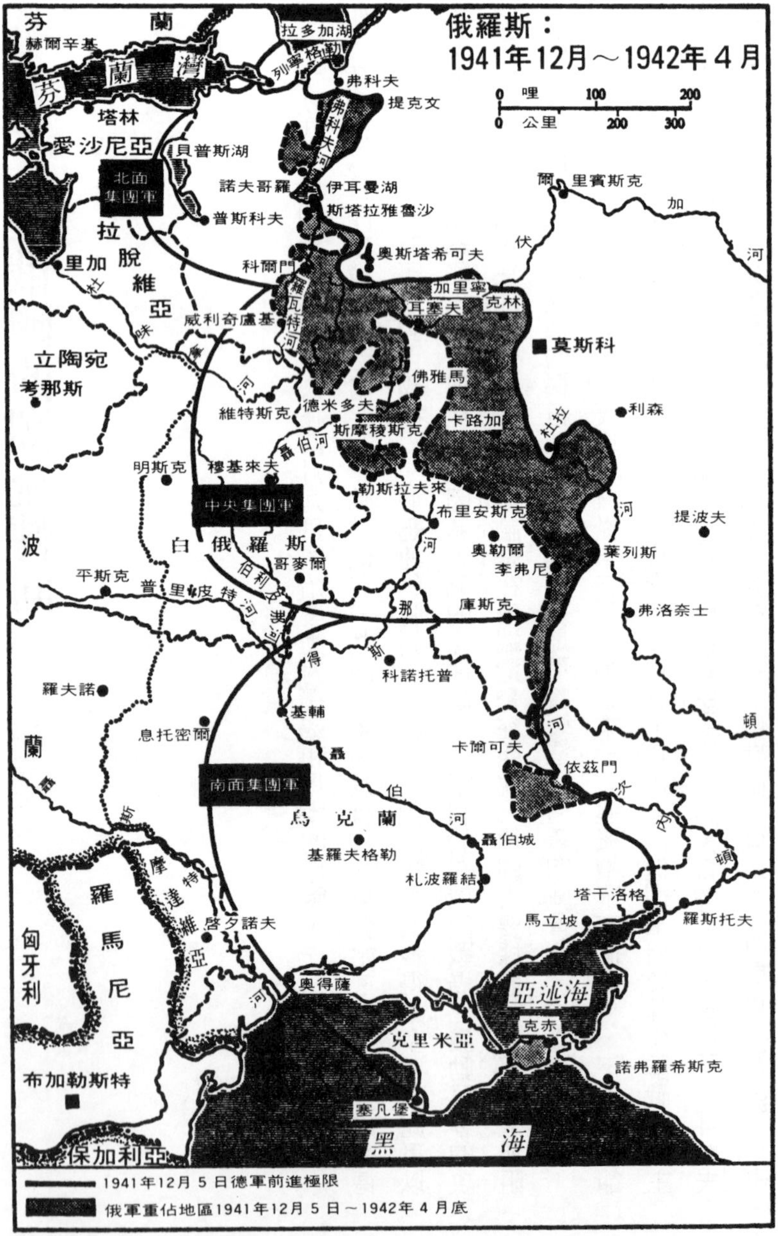
俄羅斯：
1941年12月～1942年4月
0 哩 100 200
0 公里 200 300
芬蘭
赫爾辛基
芬蘭灣
拉多加湖
列寧格勒
弗科夫
提克文
弗科夫河
塔林
愛沙尼亞
貝普斯湖
北面集團軍
諾夫哥羅
伊耳曼湖
斯塔拉雅魯沙
普斯科夫
拉脫維亞
里加
杜味拿河
奧斯塔希可夫
科爾門
羅瓦特河
加里寧
克林
耳塞夫
莫斯科
威利奇盧基
立陶宛
考那斯
維特斯克
德米多夫
佛雅馬
斯摩稜斯克
卡路加
杜拉
利森
聶伯河
明斯克
穆基來夫
勒斯拉夫來
中央集團軍
布里安斯克
提波夫
白俄羅斯
波
哥麥爾
奧勒爾
李弗尼
葉列斯
平斯克
普里皮特河
伯利及
庫斯克
弗洛奈士
那
斯
得
羅夫諾
科諾托普
基輔
息托密爾
蘭
卡爾可夫
依茲門
南面集團軍
烏克蘭
聶伯城
基羅夫格勒
札波羅結
塔干洛格
羅斯托夫
馬立坡
啓夕諾夫
羅馬尼亞
匈牙利
奧得薩
亞述海
克赤
克里米亞
諾弗羅希斯克
塞凡堡
布加勒斯特
保加利亞
黑海
頓
河
里賓斯克
伏
加
1941年12月5日德軍前進極限
俄軍重佔地區1941年12月5日～1942年4月底

爾可夫（Kharkov）和塔干洛格（Taganrog）等城鎮——儘管在許多地區中俄軍已經深入其後方許多哩，但都是從這些據點之間的空隙中通過，而德國的據點卻仍然屹立無恙。

從戰術的觀點來看，這些城鎮據點都是一種堅強的障礙物；但就戰略而言，它們對於情況具有一種支配的趨勢，因為在俄國那種稀疏的交通網中，它們恰好構成了焦點。固然在據點內的德國守軍並不能制止俄軍滲入它們之間的廣大空間，但只要這些交通要點屹立無恙，也就足以阻止敵人對他們的滲入作進一步的擴張。所以它們發揮了當初設計馬奇諾防線的人所想像的功效，只不過是規模還要更大而已——即認為防線上的法國要塞據點可以控制敵人的前進。假使當時法國人能夠沿著其全部國境線上都構成那樣的要塞防線，而不是只做了一半的長度就停止，則也許真能阻止德軍的前進，至少不會讓他們有充分的空間可供採取迂迴的路線。

因為俄軍的深入程度並不足以使這些堡壘自動崩潰；所以到了以後，他們的深入反而使他們自己居於不利的地位。因為從中間突出的地區自然不像城鎮據點那樣易於防守，所以要想守住這些地區也就必須吸收過多的部隊；反之，德軍若以那些城鎮作為發動攻勢的跳板，則也就很容易從側面的攻擊來切斷俄軍的補給。

到了一九四二年的春天，俄國戰場上的戰線變得如此曲折，就好像是為峽灣所穿錯的挪威海岸線一樣。德國人之所以能夠守住那些「半島」（peninsulas），對於近代防禦的威力是一種顯著的證明。若能有適當的兵器，再加以技巧的和堅忍的執行，則防禦是很不易被擊敗的。由於在戰爭初期，面對著軟弱的防禦作迅速的攻擊很輕鬆地得到成功，所以也就使人獲得了一種表面的結論，以為攻擊是強於防禦。實際上在那些情況中，攻擊者是在兵器威力方面占有決定性的優勢，而防禦者則都是訓練不足和心理失常的。在第一次世界大戰中，聖米赫爾（St. Mihiel）突出地的經驗顯示出來：一個在理論上不可守的地區卻維持了四年之久。在俄國的情況就只是把這種經驗加以放大而已。一九四一年冬季作戰的經驗，也證明崩潰的主因是在心理方面，所以戰爭初期危險也就最大——等到部隊有了心理準備之後，雖然已經部分被圍，也還是不會立即崩潰的。

事後看來，希特勒不准作任何大規模的撤退，是大有助於德國部隊恢復信心，而且也可能使他們免於全面崩潰。同時他堅持要採取這種「刺蝟」（hedgehog）式的防禦系統，也使德軍在一九四二年戰役開始發動時，獲得了很重大的利益。

儘管如此，為了那種硬性的防禦他們還是間接付出了重大的代價。其成功使得希特勒相信在次年冬季更不利的條件之下，也還是可以依樣畫葫蘆再重演一次。一個更具有立即性的效果，就是其空軍因為在冬季條件之下，對於那些孤立的城鎮守軍空運補給受到嚴重的損失。因為天氣惡劣所以失事率很高，而在天氣良好的空隙中，又必須使用過多的飛機來補充補給的缺乏——有時為了補給一個軍，在一天之內要用到三百多架運輸機。對於許多孤立據點作這樣大規模的空運，使德國空軍的運輸組織感到力不從心；而有經驗的空軍單位抽調至其他戰場，也減弱了德國空軍在俄軍戰線上的戰鬥效率。

因為軍隊沒有冬季作戰的準備，所以損失頗大。在冬季結束之前，許多師都已減弱到只有原來實力三分之一的程度。他們的缺額永遠都不曾獲得補充，甚至於已經進入夏季很久，他們的人數還是不夠企圖作任何積極的行動。此外，在冬季中，德國後方又增編了許多個師，不過這種數字根本上是騙人的。自從一九四二年以後，凡是在激烈戰鬥中幾乎被殲滅的師，都仍然繼續維持其番號的存在，但缺額並不加以補充，以作為一種虛張聲勢的偽裝。所以這些名義上的師有時只有兩三個營的兵力。

希特勒的將領們告訴他，若想在一九四二年再發動攻勢，則必須增加八十萬人。但軍需生產部的部長斯皮爾（Albert Speer）卻說，從工廠中是不可能抽出這樣多的人力來供軍隊補充之用的。

最後只好在組織上作一種徹底的改變。一個步兵師由九個營減成七個營。步兵連的戰鬥兵力定為最高八十人，而不像過去為一百八十人。這種減員編成有兩個理由：由於有訓練的軍官損失殆盡，新進的年輕連長對於過去那樣大型的連有控制不了的趨勢；同時又發現連的編制較大則損失也較大，而在效力上卻並無太大的差異。

由於人數和營數都減少了，所以以後當同盟國的情報軍官在計算德國兵力時，仍然以為德國的師和他們自己的師是大致相等的，遂不免大上其當。實際上，若認為兩個德國師相當於一個英國或美國的師，似乎為較好的估計。甚至於到了一九四四年的夏季末期，這樣的比例都不一定可靠，因為德軍已經很少有幾個師可以達到其已經減少後的編制人數。

在一九四二年的戰役中，也可以看出德國陸軍戰車實力的增加，也是表面多於實際。在這個冬季曾增了兩個新的裝甲師——其中一部分是把原先所保留的乘馬騎兵師改編而成的，這種騎兵師被發現價值極微，所以就決定完全撤消。摩托化步兵師中的戰車數量也作了少許增加，但已有的二十個裝甲師，卻只有一半曾經把戰車真正補充足額。

總而言之，德國的實力對於攻勢的繼續只能代表一種極為勉強的基礎。即令用最大的努力，他們也只能恢復到舊有的數字，而那又必須盡量的利用其盟國的部隊，這些部隊的素質要比德國部隊差得太多。但他們卻還是沒有足夠的餘額，來應付另一次大型戰役的損失。更大的障礙是他們現在不能發展兩種主要的攻擊工具——空軍和裝甲部隊，使其達到足以保證優勢的程度。[1]

德國參謀本部對於情況的不利方面是深有認識的，但其首長們對於希特勒作決定時的影響力，卻早已十分的微弱。希特勒的壓力是那樣的強大，所以他們無法抵抗，而時勢所趨，對於希特勒本人所加的壓力也是同樣的強大。他被迫只有前進再前進，無其他選擇的餘地。

在一九四一年十一月，甚至於尚在對攻占莫斯科作最後企圖之前，有關一九四二年如何繼續進攻的問題即已在討論之中。據說倫德斯特在十一月的討論中，不僅主張轉變為守勢，而且認為最好是退回到原來在波蘭的攻勢發起線。據說李布也同意這種見解。至於其他的高級將領雖然並不贊成對戰略作如此重大的改變，但大多數對於攻勢的繼續也已經不太熱心，他們對於俄國戰役的前途都感到有些渺茫。十二月對於莫斯科攻擊的失敗，再加上嚴冬的考驗，更增強了他們的憂慮。

在一九四一年的作戰失敗之後，許多高級將領紛紛去職，於是也就更減弱了軍人的反對力量。十一月底，倫德斯特建議停止對高加索的南進，並退回到米亞斯河（Mius River）固守一條過冬的防線。當希特勒不予批准時，他就要求辭職並獲照准。他的離去就時機和態度而言，都可以算是相當的幸運。等到整個戰役的失敗成為舉世皆知時，布勞齊區的免職在十二月十九日被公布時所用的語氣，也就暗示出他是那個應受責備的人。這個舉動有兩種目的：其一是替希特勒找到了一頭代罪羔羊，另一是他可以乘機接管對陸軍的直接指揮權。波克對於希特勒最後一次的莫斯科攻勢本是一位熱心的擁護者，在十二月中旬就因緊張和憂慮患了嚴重的胃病，十二月二十日他的辭職也照准了。李布仍暫時留任原職未動，因為他雖未能攻克列寧格勒，但卻並無責任。他本擬妥攻擊該城的計畫，在將要發動之際，卻被希特勒下令撤消了——因為他害怕在巷戰中會遭到重大的損失。但以後李布想從狄姆楊斯克（Demyansk）突出地區中撤退時，卻始終無法說服

1　原註：甚至在西方的遙遠旁觀者也都可以認清這些缺點。我在一九四二年三月間所寫的一篇評論曾經獲得如下的結論：「這似乎是一種合理的預測，德國人在這個夏季中不僅將重演去年秋季的失敗，而且整個潮流也將會有確定的轉變。」

希特勒同意，於是他也就自動要求解職。

布勞齊區和三位原始的集團軍總司令都已先後離職，於是參謀總長哈爾德更是孤掌難鳴，對於希特勒益乏忠諫之力。尤其所有繼任的新人，對希特勒都自然有一種比較肯聽話的趨勢，而不敢多表異議，這也就更提高了希特勒個人的地位。希特勒深通人性和心理之學，他完全了解想升官的希望可以歪曲人們的良知和產生恭順的態度。職業上的雄心是很難拒抗這一類誘惑的。

代替倫德斯特的是賴赫勞（Reichenau），代替波克的是克魯格（Kluge）；而以後，李布也由庫希勒（Küchler）所接替。波克離開中央集團軍，是因臨時患病之故，以後一月間賴赫勞因心臟病發逝世時，他又變成了他的繼任者。不過當南面集團軍在夏季攻勢期中開始改組時，波克在七月間終被冷藏了。在這次改組中，南面集團軍被分成了兩個部分：一部分改稱「A」集團軍，由李斯特元帥（Field-Marshal List）指揮，負責向高加索方面的攻勢；其餘的部分則改稱「B」集團軍，先由波克繼續指揮，不久就換了魏克斯（Weichs）。

發動另一次巨大攻勢的計畫在一九四二年的最初幾個月內即已形成。希特勒的決定是受到其經濟顧問壓力的影響。他們告訴他說除非能從高加索獲得石油的補給，此外還有小麥和鐵苗，否則德國不可能繼續作戰——事實證明他們這種判斷完全錯誤，因為儘管德國並不曾獲得高加索的石油，但它還是又繼續打了三年之久。希特勒對於這些經濟性的辯論一向是比較信服，因為這和他的直覺衝動比較容易配合——總想採取某些積極性和攻勢性的行動。他所最痛恨的就是撤退的

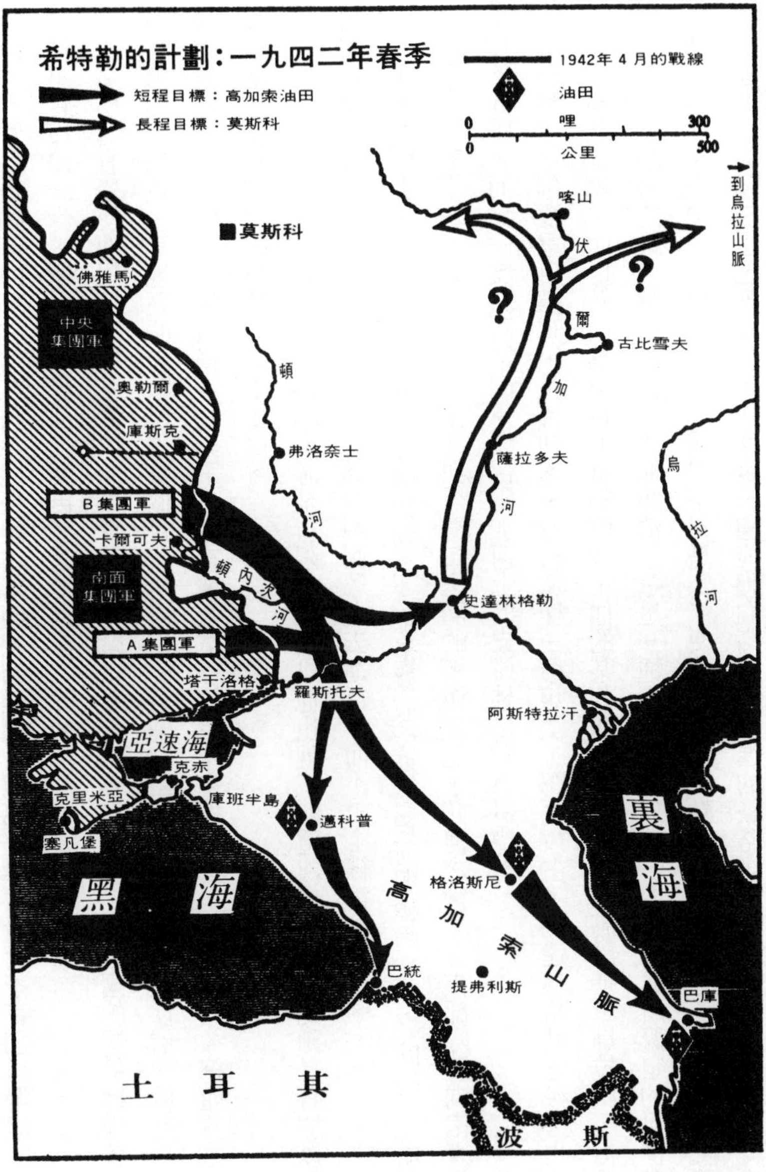
希特勒的計劃：一九四二年春季
短程目標：高加索油田
長程目標：莫斯科
1942年 4 月的戰線
油田
哩
0
300
公里
0
500
到烏拉山脈
莫斯科
喀山
伏
爾
加
河
古比雪夫
薩拉多夫
佛雅馬
中央集團軍
頓
河
奧勒爾
庫斯克
弗洛奈士
B 集團軍
卡爾可夫
頓內次河
南面集團軍
史達林格勒
A 集團軍
塔干洛格
羅斯托夫
烏
拉
河
阿斯特拉汗
亞速海
克赤
克里米亞
庫班半島
邁科普
塞凡堡
黑
海
格洛斯尼
高
加
索
山
脈
裏
海
巴統
提弗利斯
巴庫
土
耳
其
波
斯

觀念，不管那是如何的具有潛在利益或是能夠幫助渡過難關，他都一律抹殺而不肯加以考慮。因為他不肯後退一步，所以他除了前進就再無其他選擇的餘地。

這樣的直覺使他對於一切不愉快的事實都變得麻木不仁。舉例來說，當德國的情報機構報告說，俄國在烏拉山等地區的工廠已經每個月能生產六七百輛戰車時，他拒絕予以採信。於是哈爾德把證據送給他看，他卻氣得大拍桌子，並宣稱像這樣的生產率根本上是不可能的。總而言之，凡是他不願意相信的事情他就不相信。

不過，他還是已經承認德國的資源是有限的，所以他也就了解這次新攻勢的範圍是有加以限制的必要。根據初春的決定，那是應從兩個側翼上去進行，而不是全線都發動攻勢。

主要的努力是放在黑海附近的南面側翼上。那是採取一種沿頓河與頓內次河之間的「走廊」（Corridor）前進的方式。在頓河南彎與黑海口之間的下游渡過了該河之後，一支部隊將向南直趨高加索油田，而另一支部隊則向東以伏爾加河上的史達林格勒為目標。

在擬定這個雙重目標時，希特勒本來還有這樣一種想法，認為攻占了史達林格勒之後，也許可以再向北旋轉，而拊保衛莫斯科俄軍的側背，他的某些寵臣甚至於還在高談進軍烏拉山，但經過了許多的辯論之後，哈爾德終於使他認清了這是一種不可能的幻想，於是實際所擬定的目標僅為前進稍微超過史達林格勒而已，這只不過是為了使這個戰略要點獲致戰術安全。而且攻占史達林格勒的目的現在也已經確定，那就是一種掩護向高加索前進的戰略側翼安全的手段。因為史達林格勒位於伏爾加河上，控制著該河與頓河之間的陸地橋梁，作為一個交通要點也就構成了這個瓶頸的理想瓶塞。

希特勒的一九四二年計畫還有其次要的部分，即準備在夏季中攻克列寧格勒城。除具有威望的原因外，這個北面的行動也是一種重要的手段，其目的為打通對芬蘭的陸上交通線，並解除該國的孤立。

在東戰場的其餘部分，德軍均將採取守勢，主要的任務只是改進他們的防禦工事。簡言之，德軍在一九四二年的攻勢只限於兩翼方面。這也是由於德國預備兵力已日感缺乏。甚至於當德軍向南深入時，其側翼的掩護尚不能不借重其盟國的部隊。前進得愈深，則所需要的掩護部隊也就愈多。

這種僅向一個側翼深入的前進，而不同時對敵方中央施以壓力的計畫，和德國將領們從小到大，在其半生經歷中所學習的基本戰略準則完全不合。尤其更惡劣的是，這種側翼行進又必須從俄軍主力與黑海之間的一道關口中通過。而更使他們感到內心不安的是那樣綿長的側翼，大部分都要依賴羅馬尼亞、匈牙利和義大利的部隊來負責掩護。對於他們所憂慮的各種問題，希特勒卻給予了一個具有決定性的總答覆，那就是德國人必須獲得高加索的石油供應來源，否則即無法繼續支持其作戰。至於說到依賴盟國部隊保護側翼的問題，希特勒認為他們只被用來守住頓河之線，以及在史達林格勒和高加索之間的伏爾加河之線——由於這些河川本身具有很大的防禦價值，所以安全是可以確保無虞。至於攻占史達林格勒以及據守那個戰略要點的責任，則還是必須由德國部隊來擔負。

作為在大陸上主攻勢的前奏，克里米亞的德國部隊於五月八日首先發動了一次攻擊，以占領其東部的克赤（Kerch）半島為目的——在去年秋天，俄國人曾勉強守住了這塊地區，並阻止了德軍的前進。在集中的俯衝轟炸機掩護之下，德軍以一種有良好準備的攻勢，在俄軍防線上突破一個缺口。德軍從缺口中衝入之後，即開始向北旋轉，把俄國守軍的大部分逼在背靠海岸的位置上，不要好久的時間，俯衝轟炸機就迫使他們自動投降。在肅清了殘敵之後，德國即向長達五十哩的半島掃蕩。距離半島十二哩遠的地方有一條具有歷史意義的防線，即所謂「韃靼溝」（Tartar Ditch），德軍在那裡曾暫時稍受阻止，但終於在五月十六日攻占了克赤城。於是在整個克里米亞境內，除了西南角那個已被孤立很久的塞凡堡（Sevastopol）要塞以外，所有的俄軍都已被肅清。

這一個攻擊，在原有的構想上，本是用來作為一種幫助達到主要目標的手段。那就是準備讓這一支部隊從克里米亞跳過克赤海峽進入庫班（Kuban）半島，而這個半島也恰好構成了高加索的西端。換言之，也就是可以與南下的主力構成夾攻的形勢。不過事實上，沿著陸路南下的主力卻進展得太快，此時早已深入到了高加索的境內，於是這種助攻的手段也就變得完全不必要了。

最有利於德軍前進的一個有效因素，即為俄軍所發動的一項攻勢。那是在五月十二日開始的，趨向卡爾可夫攻擊包拉斯的第六軍團，這個軍團正準備消滅俄軍在依茲門（Izyum）的突出地區。這是一種不成熟的努力，面對著德軍的防禦技巧，在這個階段而言，是超出了俄軍本身的能力限度之外。提摩盛科元帥在其發布的「日令」（Order of the Day）中，曾經這樣的說：「現在我命令部隊開始發動這個決定性的攻勢。」由此即可暗示俄國人的目的是如何的具有雄心，以及他們對於這次作戰的期待是如何的殷切。這個對卡爾可夫的攻勢不僅徒勞無功，而且時間也拖得很長，結果反使德國獲得意想不到的利益——因為俄軍預備部隊的大部分，都已被這個攻勢所消耗，於是一旦當德軍反攻時，他們也就感到無法應付了。俄軍在卡爾可夫地區已經滲入德軍的防線，並向西北和西南兩個方向作扇形的展開。但是希特勒所命令的，由包拉斯第六軍團和克萊斯第一裝甲軍團所執行的對依茲門的進攻，卻比他們的提早了一天。當俄軍的攻勢終為波克所發動的反擊擋住之後，於是在三面夾擊之下，兩個完整的蘇俄軍團，以及另外兩個軍團的一部分，遂都被分割成碎片，到了五月底，一共有二十四萬一千名俄軍做了俘虜。因此等到德軍在六月間發動主力攻勢時，俄國人在這一方面所剩下的預備部隊已經寥寥無幾，所以當然擋不住德軍向南湧進的狂潮。

德軍的攻勢，在空間和時間上，都是採取一種「斜面突出」（staggered）的方式。它是計畫沿著在南俄的整個德軍戰線來發動的。這一條戰線是起自亞速海海岸的塔干洛格附近，向北斜行並略往後退，再沿著頓內次河到卡爾可夫和庫斯克。這是一種成梯次（echelon）的作戰正面。在左方最後退的部分，預定最先開始行動。而在右方比較突出的部分，則必須等待其左翼部隊已經推進到平行位置之後，才開始採取攻勢前進；而當左翼進攻時，這些在右方的部隊就會對敵軍的側翼構成一種威脅，並減弱左翼部隊所面對的抵抗。

在右端為第十七軍團，以及在克里米亞境內的第十一軍團。在第十七軍團之左，比較後退一點位置的，就是第一裝甲軍團。在七月九日之後，這兩個軍團也就組成了李斯特的「A」集團軍，並指定擔負侵入高加索的任務。在這個集團軍的左面，即為波克所指揮的「B」集團軍，它所指揮的部隊有第四裝甲軍團、第六軍團、第二軍團以及第二匈牙利軍團。決定性的攻勢還是由兩個裝甲軍團來負責執行——都是從德軍的後側面躍出，攻擊俄軍最前進的陣地。第一裝甲軍團從卡爾可夫地段出擊，而第四裝甲團則從庫斯克地段出擊。至於各步兵軍團則跟在他們的後面，並作為他們的支援。

作為主攻勢的先聲，德軍於六月七日對塞凡堡要塞發動了攻城戰。這是由曼斯坦所指揮的第十一軍團來負責執行。雖然俄軍的抵抗異常的頑強，但德軍憑藉其優越的重量和技巧（superior Weight and skill），終於還是獲勝了。不過一直到七月四日，這個要塞才陷落，整個克里米亞遂完全落入德軍手中。因此，俄國人也就喪失了其在黑海的主要海軍基地。他們的艦隊雖仍繼續「存在」（in being），不過事實上已經是消極而無能為力。

在克里米亞展開攻勢序幕的同時，德軍又發動了另一個分散敵方注意力的助攻，其地點是在預定發動主力攻擊的附近。六月十日，德軍利用其在依茲門的「楔形」位置，強行渡過頓內次河，並在該河北岸獲得一個立足點。在逐步將其擴大成為一個大型的橋頭陣地之後，德軍於六月二十二日，就從那裡向北發動了一個強大的裝甲攻擊，並在兩天之內達到該河以北約四十哩處的古比安斯克（Kupiansk）道路交叉點。所以當德軍於六月二十八日發動主力攻擊時，也就構成一種非常有利的側翼掩護，足以幫助其東進。

在左翼方面，進攻的德軍遭遇到俄軍頑強的抵抗，相持了幾天之後，俄軍的預備隊消耗殆盡，於是第四裝甲軍團才能從庫斯克與貝爾哥羅（Belgorod）之間的地段實行突破。此後它就迅速的越過了一百哩寬的平原，在弗洛奈士（Voronezh）的附近到達頓河的東岸。這似乎是暗示德軍將要直接渡過頓河上游，並超越弗洛奈士，以切斷從莫斯科到史達林格勒和高加索之間的鐵路交通線。但實際上，德軍卻並無此種企圖。他們所奉的命令是到達河岸就停止前進，並構成一道側面防線，以掩護其他部隊向東南方繼續前進。接著就由第二匈牙利軍團來接替第四裝甲軍團的防禦任務，而後者則向東南旋迴，沿著頓河與頓內次河之間的「走廊」南下，第六軍團就跟在它的後面，並以攻占史達林格勒為其任務。

左翼方面的整個行動，對於正在右翼方面的發展中的威脅，又具有一種掩蔽的趨勢。因為正當俄國人的全部注意力都集中在德軍從庫斯克向弗洛奈士的攻勢行動之上時，克萊斯特的第一裝甲軍團，卻正開始從卡爾可夫地區發動一個危險性更大的攻擊。由於俄軍在他們自己所發動的攻勢失敗之後，所占的陣地就一直缺乏良好的組織，而德軍在古比安斯克的「楔子」，又恰好插在

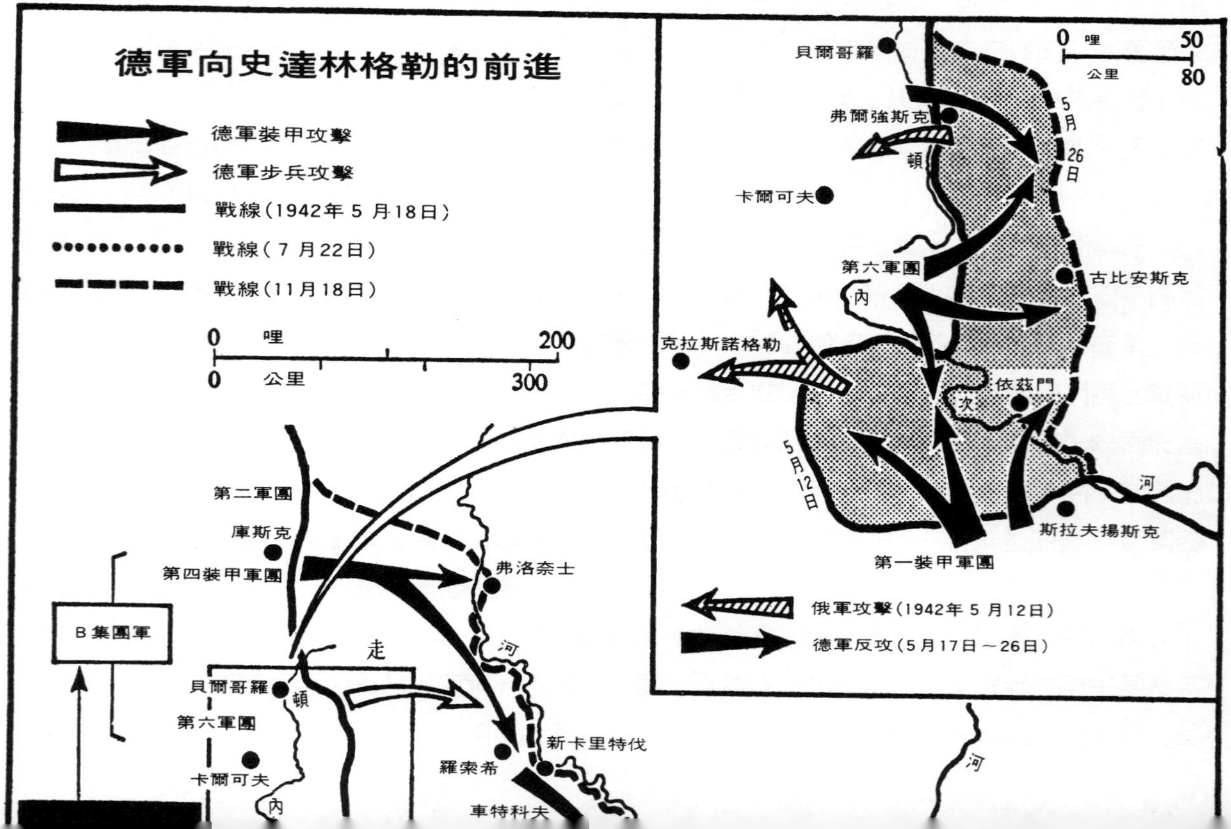
德軍向史達林格勒的前進
德軍裝甲攻擊
德軍步兵攻擊
戰線（1942年5月18日）
戰線（7月22日）
戰線（11月18日）
0 哩 200
0 公里 300
第二軍團
庫斯克
第四裝甲軍團
B集團軍
貝爾哥羅
頓
第六軍團
卡爾可夫
內
走
河
弗洛奈士
新卡里特伐
羅索希
車特科夫
貝爾哥羅
弗爾強斯克
卡爾可夫
第六軍團
內
克拉斯諾格勒
依茲門
次
5月12日
5月26日
古比安斯克
斯拉夫揚斯克
第一裝甲軍團
河
0 哩 50
公里 80
俄軍攻擊（1942年5月12日）
德軍反攻（5月17日～26日）

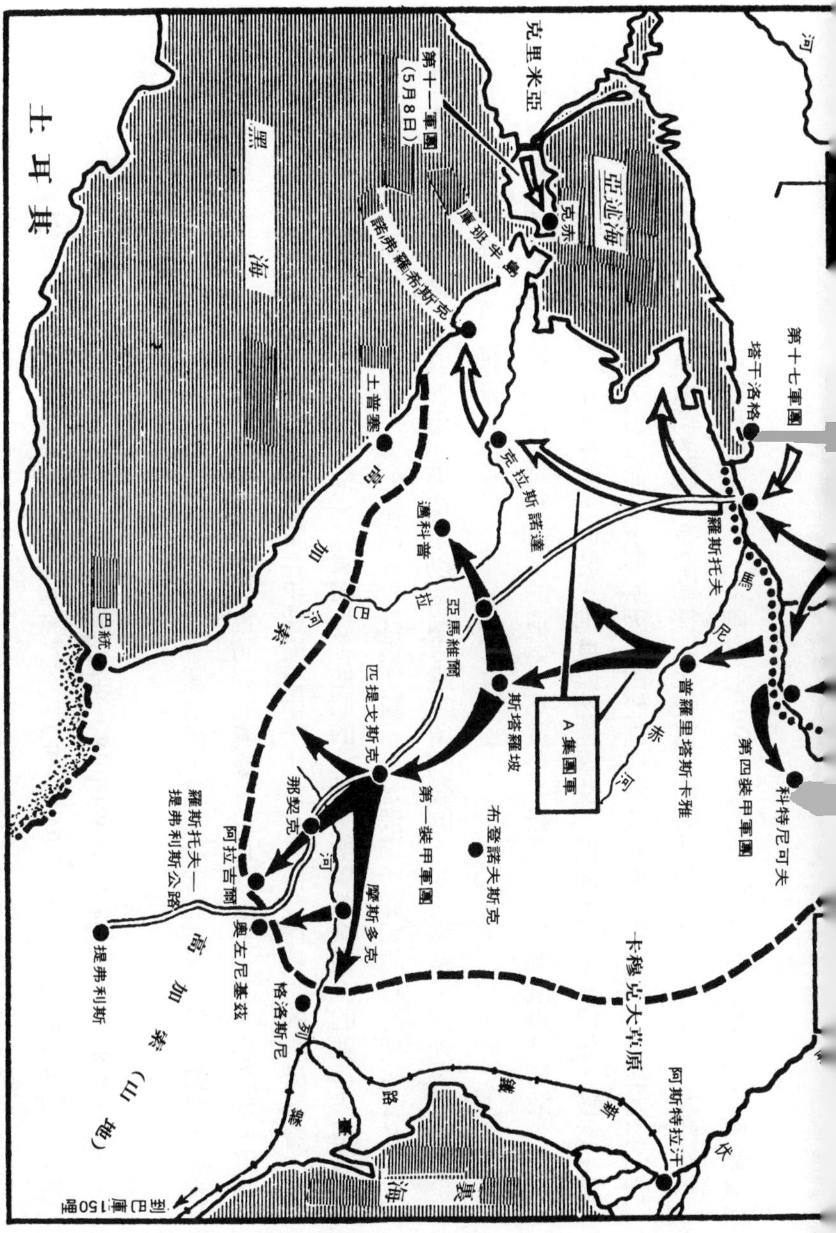
克里米亞
第十一軍團
(5月8日)
亞速海
克赤
庫班半島
諾弗羅希斯克
黑
海
土耳其
土普塞
高
加
索
巴統
克拉斯諾達
邁科普
拉
巴
河
亞馬維爾
斯塔羅坡
A集團軍
塔干洛格
第十七軍團
羅斯托夫
馬
尼
赤
河
普羅里塔斯卡雅
第四裝甲軍團
科特尼可夫
布登諾夫斯克
第一裝甲軍團
匹提戈斯克
那契克
阿拉吉爾
河
羅斯托夫—
提弗利斯公路
摩斯多克
奧左尼基茲
格洛斯尼
提弗利斯
高加索(山地)
卡爾穆克大草原
阿斯特拉汗
新
鐵
路
鐵路線
裏
海
到巴庫150哩
列

俄軍的側背上，遂使克萊斯特的行動獲得很大的便利。在迅速的突破之後，克萊斯特的裝甲部隊就沿著頓河到頓內次河之間的走廊東進，到達車特科夫（Chertkovo），該城位於從莫斯科到羅斯托夫的鐵路線上。於是他們又向南旋迴，越過米勒羅夫（Millerovo）和卡曼斯克（Kamensk），直趨羅斯托夫和在其以上的頓河下游。

七月二十二日，在從攻勢發起線前進約二百五十哩之後，這支部隊的左翼渡過了頓河，並未遭遇任何抵抗。次日，右翼部隊到達羅斯托夫俄軍防線的邊緣，並且已經突入了一小部分。這個城市位於頓河的西岸上，孤立無援，而俄軍在迅速撤退中，也沒有來得及作適當的防禦部署。德軍的梯次斜正面行動（即左翼已經渡河），更增加了他們的混亂，所以該城很快的就落入德國人的手裡。該城被占之後，來自高加索的輸油管也就被切斷。於是俄軍所仰賴的石油補給就必須改用運油船經過裏海運輸，或者利用在大草原以西臨寺趕工所舖設的一條新鐵路。此外，俄國人也已經喪失一大塊出產糧食的地區。

對於這種壯觀的閃擊勝利，卻有一點重要的遺憾：那就是，雖然有大量的俄軍被衝散，但是俘虜的總數卻遠不如一九四一年那樣大。同時，進度雖然相當快，但卻還是不夠理想。誠然，德軍所遭到的抵抗要比過去為廣，但這並非主要原因。由於訓練最佳的德軍戰車部隊，在過去的戰役中已經損失太多，所以就使他們的將領有寧願採取比較慎重的方法的趨勢。此外，一九四一年的裝甲「兵團」（Group），現在都已改組為「軍團」（Army），於是其中步兵和砲兵的比例都增大，結果這些支援部隊的增加，反足以減低裝甲部隊的速度。

雖然大量的俄國部隊由於德軍的前進而暫時被迫處於孤立的地位，但其中有許多都能乘著德軍尚未對他們加以圍殲之前，就先溜走了。因為德軍的前進是採取東南的方向，所以俄軍的逃走也就自然是採取西北的方向，這就幫助了俄軍當局在史達林格勒地區內或其附近收容那些敗兵。於是當德軍繼續向高加索作深入的前進時，在那裡的部隊也就逐漸發展成為一種足以威脅德軍側翼的隱憂。這對於次一階段的作戰就產生一種非常重要的影響作用。在那個階段中，德軍開始採取分叉的進攻路線——一部分直趨高加索油田，另一部分則指向伏爾加河上的史達林格勒。

在渡過了頓河的下游之後，克萊斯特的第一裝甲軍團就向南旋迴，進入了馬尼赤（Manych）河谷——這一條河與裏海之間有一條運河連接著。俄軍把那裡的大水壩炸毀之後，洪水立即在馬尼赤河谷中造成氾濫，於是也就暫時阻止了德軍戰車的前進。但只經過兩天的延遲，德軍還是成功的渡過了這條河，並繼續向高加索境內挺進，而且也擴大攻擊正面。抵抗的缺乏和地形的開闊給予德軍以極大的鼓勵。克萊斯特軍團的右翼縱隊，幾乎是採取正南的方向通過亞馬維爾（Armavir），直趨在羅斯托夫東南方二百哩邁科普（Maikop）的巨大石油工業中心，並在八月九日到達該地。在同一天裡，其中央縱隊的前鋒也已經衝入匹提戈斯克（Pyatigorsk），該城在邁科普東方一百五十哩，並且也位於高加索山脈的山麓上。他的左翼縱隊則採取更偏東的方向，趨往布登諾夫斯克（Budenovsk）。各機動支隊被派在先頭挺進，所以在八月初，德軍越過頓河以後的前進速度，的確是很夠驚人。

但是這種驚人的速度卻不過是曇花一現而已。沒有好久，德軍的前進就開始遭遇到障礙。最主要的障礙有兩個，其一是燃料的缺乏，其次為多山的地形。除此二者之外，史達林格勒的戰鬥也產生了很大的牽制作用，由於大部分兵力都消耗在該地區的戰鬥中，假使能夠把他們用在高加索方面，則一定可以產生決定性的作用。

對於這樣遙遠的前進，若欲維持燃料供應的繼續不斷，實在是很困難，尤其是運油的火車必須通過羅斯托夫瓶頸，而鐵路軌道又必須把俄國的寬軌臨時改為中歐的標準軌道——德國人不敢利用海上的補給線，因為蘇俄的黑海艦隊依然繼續保持其「存在」，空運雖已利用，但是運輸量太有限，總運量的絕大部分還是要依賴鐵路，專憑空運是不足以維持前進的動量。

對於德軍目標的達到，山岳地形是一種天然的障礙，同時由於德軍到達此一地區後，其所面臨的抵抗也日益頑強，所以也就更增加了山地的阻礙效力。在此以前，德軍是不難繞過那些抵抗其前進的蘇俄部隊，後者都有這樣一種趨勢，即寧願在被切斷之前先行撤退，而不願像在一九四一年那樣作頑固的戰鬥。此種改變也許是由於俄國人已經採用一種比較具有彈性的防禦戰略，不過德軍當局根據審訊俘虜時所獲得的資料，深信那些被迂迴的俄軍都是想找機會逃回老家去，而尤以從亞俄地區前來的人員為然。但當德軍達到高加索之後，俄軍的抵抗就開始增強。這裡的守軍大部分是由當地人員所組成，他們具有一種保護家鄉的觀念，而且對於山地的作戰環境也極為熟悉。這些因素都增強了防禦的力量，尤其是山地的地形使攻擊者的裝甲部隊不能像怒潮一樣的湧入，而被限制在那些狹隘的孔道之間。

當第一裝甲軍團繼續從側翼向高加索攻入時，第十七軍團的步兵就跟在後面，通過羅斯托夫瓶頸，然後向南直趨黑海的海岸。

在邁科普油田已經攻克之後，高加索的戰線也就開始重新劃分，並指定更進一步的目標。第一裝甲軍團所負責的為主要的一段，從拉巴河（Laba River）起到裏海為止。其首要目標就是攻占從羅斯托夫到提弗利斯（Tiflis）之間的大公路在山地中的一段。其第二目標則為攻占裏海沿岸的巴庫（Baku）城。第十七軍團負責較窄的一段，從拉巴河到克赤海峽。其第一任務為從邁科普和克拉斯諾達（Krasnodar）向南推進，越過高加索山脈的西端，攻占諾弗羅希斯克（Novorossiisk）和土普塞（Tuapse）等黑海港口。其第二目標則為沿土普塞以下的沿海公路前進，以打通到巴統（Batumi）的道路。

從土普塞向南走的沿海岸公路是在高山懸岩之下通過，但第十七軍團的第一項任務卻似乎是相當的輕鬆，因為只要前進不到五十哩的距離，就可以到達海岸，而山脈的西端也已經趨於平緩，成為一種山麓丘陵地。但這個任務卻證明並不容易。德軍前進時必須渡過庫班河（Kuban River），而在其靠近河口部分的兩岸卻是寬廣的沼澤，再往東走，丘陵地形也就變得很崎嶇，足以構成困難的障礙。直到九月中旬，第十七軍團才攻占了諾弗羅希斯克。但卻永遠不曾到達土普塞。

在主要前進線上的第一裝甲軍團，比較上有了較佳的發展；但速度卻已經日益減緩，而且時常停頓不前。在這個向山區的前進中，燃料的缺乏實為一最嚴重而具有決定性的障礙。裝甲師有時為了等待燃料的補給，而在半路上一等就是幾天。這也就使德軍坐失最好的機會——乘著奇襲心理影響尚未消蝕，和敵軍防禦尚未來得及增強之前，就先行攻占某些隘道。等到以後在山地中必須進行苦鬥時，因為大部分有專長的山地部隊都已經分配給第十七軍團，企圖到達土普塞和打通到巴統的沿海公路，所以第一裝甲軍團也就受到更多的額外阻力。

當德軍將要到達臺列河（Terek River）時，受到第一次嚴重的阻攔——這條河掩護著越過山地通往提弗利斯的道路，以及在山地以北比較暴露的格洛斯尼（Grozny）油田。臺列河雖然並不像伏爾加河那麼大，其寬度也並不驚人，但其流速卻使它對德軍構成一種重大的障礙。於是克萊斯特企圖向東迂迴，那也就是向其下游方向走，終於在九月的第一個星期，在摩斯多克（Mozdok）附近渡過了該河。但是他的部隊又為臺列河以南布滿密林的丘陵地所阻。格洛斯尼距離摩斯多克渡口只有五十哩，但儘管德軍曾作多次的努力，卻還是未能使那裡的油田落入他們的掌握之中。

德軍之所以受挫還有另外一個重要的原因，那就是俄國人突然把一支擁有幾百架轟炸機的空軍部隊，調駐在格洛斯尼附近的各個機場上，這些轟炸機的突然出現，對於克萊斯特的前進構成一種極有效的阻力，因為他的大部分防空單位，以及支援他的空軍部隊，現在都被撤回去幫助在史達林格勒方面的德軍。所以俄國的轟炸機可以自由的攻擊克萊斯特的軍團，而不至於受到任何的干擾。他們同時又把大塊森林變成一片火海，使德軍無法從中通過。

同時，俄軍又使用（乘馬）騎兵師沿裏海南下，以擾亂德軍在東面暴露的側翼。由於德軍的掩護兵力很稀薄，所以在這種大草原上，蘇俄騎兵憑藉其特有的素質，也就可以縱橫無忌，成為一種很可怕的威脅。他們可以任意的從德軍的前哨據點之間滲透過去，切斷德軍的補給線。又因為俄國人從阿斯特拉汗（Astrakhan）向南已經建築了一條新的鐵路線，所以也就使他們在這個側翼上的滲透活動日益增強。這一條鐵路線是平舖在大草原的曠野中，沒有路基，也不需要任何橋梁和堤岸。不久德國人即發現切斷這條鐵路線的行動，只不過是浪費精力而已，當任何一段被拆毀時，俄國人馬上就會重新舖設，很快的又恢復通車。同時，敵人幾乎是來無影去無蹤，所以側翼的威脅也變得日益嚴重。雖然德軍的機動支隊也曾深入到裏海的海岸，但從他們眼中看來，裏海卻無異於「沙漠中的蜃樓」。

從九月到十月，克萊斯特一直都在嘗試繼續從摩斯多克向南推進，並在不同的點上作奇襲式的攻擊。但每一次的企圖都失敗了。於是他決定把他的重點從左向右移，對奧左尼基茲（Ordzhonikidze）發動一個鉗形的攻擊——這也就是通到達拉爾隘道（Daryal Pass）的門戶，由此即可直達提弗利斯。這個攻擊是在十月最後的一個星期才發動，為了幫助他成功，希特勒也給予當時所能抽出的一切空中支援。克萊斯特的右鉗頭從西面迂迴前進，攻占了那契克（Nalchik），然後再進向阿拉吉爾（Alagir）——這是另外一條通過馬米森隘道（Mamis on Pass）的軍用道路之起點。從阿拉吉爾，德軍向奧左尼基茲進攻，而左面的鉗頭也從臺列河谷方面作向心的會合，雨雪交加的天氣在這個最後階段延誤了德軍的進展，當克萊斯特幾乎一伸手就可以到達其眼前的目標時，俄軍卻開始發動一個在時間上和目標都有良好計算的反擊。這使得一個羅馬尼亞的山地師立即突然的發生崩潰——這個師在一路前進時，都有很好的表現，但現在卻已經支持不住。結果克萊斯特只好撤回其部隊，並放棄這個功敗垂成的計畫。於是雙方的戰線都穩定下來，而德軍仍然面對著他們白花許多氣力都還不曾穿過的高加索山地。

俄軍在高加索中部的這次最後卻敵，也與在史達林格勒大反攻的開始，幾乎是在同一時間。同時，德軍在西高加索方面也曾計畫作一次最後的努力，但卻始終不曾實現。希特勒這一次突然決定使用空降部隊，這是他一直都保留著不用的一張王牌。傘兵師——為了偽裝起見，仍然被稱作第七航空師——已經集中在克里米亞及其附近，準備從那裡空降於土普塞到巴統間的公路上，以與地面進攻的第十七軍團兵力相會合。但這時俄軍不僅已在史達林格勒發動了大反攻，而且接著在耳塞夫附近又發動了一個新的攻勢。在那裡為了想對史達林格勒作一種間接的援助，朱可夫（Zhukov）所指揮的部隊在八月間幾乎突破了德軍的防線。希特勒對於這兩方面的威脅大感震驚，於是決定取消對巴統最後一次的攻擊計畫，並命令把這些傘兵用火車迅速送往斯摩稜斯克，以作為對中央戰線方面的增援。

所有這些失敗和危險都是德軍在史達林格勒受挫的結果。那裡本是一個輔助目標，但卻逐步發展成為一種主要的努力，因而把為達到原定主要目標所需的陸軍和空軍預備部隊消耗殆盡，最後遂使德軍一事無成。

這似乎是很夠諷刺的，德軍首先為了遵守正統戰略準則已經付出一筆代價；以後又因為不遵守正統戰略準則再付出一筆代價。從原有的集中全力的觀念，反而產生了分散兵力的致命結果。

向史達林格勒的直接前進，是由包拉斯所指揮的第六軍團來負責執行。它沿著頓河與頓內次河之間「走廊」地帶的北邊前進。由於在南邊的裝甲兵力已經先發動攻勢，所以遂使第六軍團獲得很多的幫助，而在最初階段進展得頗為順利。但是愈向前推進，則兵力也就愈減弱，因為必須分派許多部隊沿頓河去掩護那個日益延長的北側翼。又因為在炎熱的天氣之下，作長時間的快速行軍，再加上一連串的戰鬥，所以部隊也就消耗得非常厲害。在退卻中的俄軍是一路都在作步步為營的抵抗，由於德軍兵力的減弱，也就愈難克服這種障礙。每一次的激烈戰鬥必然會造成重大的損失，因此也就相對的減弱應付下一個危機的能力。

等到第六軍團接近頓河的東邊大灣時，這種效力遂更為顯明。七月二十八日，其機動矛頭部隊的一股，在卡拉赤（Kalach）附近到達頓河的近岸——這裡距離攻勢發起線已達三百五十哩，而距史達林格勒的伏爾加河西灣則僅為四十哩。但這不過是曇花一現而已，因為其大部分的部隊正在頓河灣內遭遇俄軍頑強的抵抗。由於正面狹窄，和機動部隊所占的比例較低，所以第六軍團的機動能力遠不如裝甲軍團。德軍整整花了兩個星期的時間，才擊破在該河灣中的俄國部隊。甚至於又花了十天的時間，才能在頓河的遠岸建立橋頭陣地。

八月二十三日，德軍才完成一切的準備，開始對史達林格勒作最後階段的攻勢前進。德軍仍然採取一種鉗形的攻擊方式，第六軍團從西北方向進攻，第四裝甲軍團則從西南方向進攻。在同一夜間，德軍的機動單位在史達林格勒以北三十哩處到達了伏爾加河岸，而且也接近該城以南十五哩處的伏爾加河灣。但守軍卻努力使這兩個鉗頭不能立即合圍。在次一階段，德軍又再從西面進攻，於是完成了一個半圓形的壓力圈，從俄軍當局號召其部隊應不惜一切犧牲戰至最後一人的口氣中，即可以知道情況的嚴重。俄國部隊以一種驚人的耐力來響應此種號召，在非常艱苦的條件之下，幾乎是補給和增援都已斷絕，他們仍繼續苦戰不屈。在他們的後面是一條兩哩寬的大河，但這卻並非完全不利。有了他們那樣的部隊，這條河足以幫助增強抵抗並使問題變得更為複雜。

沿著俄軍的弓形防線上，德軍一再的進攻，似乎是永無休止的，儘管進攻的地點和方法時常改變，但是都只有輕微的進展，不足以補償攻擊者所付出的代價。有時，德軍雖已突入俄軍的防線，但深度總嫌不夠，所以最多也只能造成局部的撤退。而且攻擊通常都是不能貫穿。一再攻擊不下之後，這個地區的心理重要性也就隨之而增高——正好像一九一六年的凡爾登一樣。這一次地名又更增強了這種心理作用。「史達林格勒」對於俄國人是一種精神象徵，而對於德國人，尤其是他們的領袖，卻變成了迷魂湯。它使希特勒陷入催眠的狀況，他完全忘記了一切戰略的影響，甚至於也不考慮任何未來問題。那是比莫斯科更具有致命的效力——因為這個地名的意義更為重大。

任何頭腦冷靜的戰爭經驗分析家，都能立即認清這種繼續不斷的努力是不利的和危險的。除非防禦部隊已經孤立無援，又或是敵國的預備兵力正在日漸枯竭，否則這樣一再的猛攻通常都會得不償失——而在目前這種情況之下，比較經不起長期消耗的卻是德國人，而不是俄國人。

儘管俄國人損失重大，但其人力的儲備卻遠比德國人龐大。然其最大的弱點是在裝備方面。這主要是由於他們在一九四一年受到重大的損失，而在一九四二年的再度失敗也不無關係。他們缺乏各種火砲，大部分都以用卡車載運的迫擊砲來代替。戰車以及各種形式的摩托化運輸車輛也都極感不足。但到一九四二年夏季結束時，從後方的新工廠中所生產的新裝備就已經開始不斷的向前方補充，此外還有來自美國和英國的大量補給。同時，自從戰爭爆發之後，俄國即大量動員其人力，現在也已經產生效果。從亞洲方面也已經運來許多個師。

史達林格勒會戰地區是位於極東的方面，所以也就比較容易接受從東方來的援助。這對於該城的防禦大有幫助，因為該城的位置頗為惡劣（背靠著大河），所以直接的增援不易進入，但是在其北面俄軍實力的增加，所能產生的間接壓力並不亞於直接的增援。假使不是俄軍缺乏近代戰爭中的重要武器，否則他們在側翼上的反攻也許早就可以反敗為勝了。不過由於德軍現在已經陷入一種局部化的消耗戰，其有限的預備人力和物力已經愈用愈少，所以情況也就變得日益對俄軍有利。在這種戰鬥中，因為德軍是攻擊者，所以他們的消耗率經常要比守軍為高，同時他們又正是比較經不起這樣的消耗的。

德軍陸軍參謀本部不久就認清此種消耗過程的危險。每當哈爾德向希特勒作完每天一度的例行會報之後，他走出來時總是做一個失望的手勢，並且告訴他的助手們，他又一次未能說服希特勒使其恢復理性。由於冬季日益接近，所以哈爾德也就爭論得益為激烈，於是他和希特勒之間的關係就發展到雙方都無法再忍受的程度。在討論計畫時，希特勒還是繼續保持其不可一世的姿態，用手指向地圖上一劃就是一大片地方，所可惜的是，實際的進展卻已經小到地圖上都找不到的程度。但他既然無法把俄軍趕出戰場，於是不得已而求其次，就一心想把那些老頭子趕出他的辦公室。他一向就痛恨那些「老將」們，對於他的計畫並不真正欣賞，而現在失敗得愈厲害，他就愈怪參謀本部不曾替他竭智盡忠的工作。

所以到了九月底，哈爾德就離職了——隨他一同離職的還有他的幾個助手——接替他的人是柴茲勒（Kurt Zeitzler），他是一個比較年輕的人，現在正在西線充當倫德斯特的參謀長。[2] 在一九四〇年，柴茲勒是克萊斯特裝甲兵團的參謀長，對於後勤計畫頗有貢獻，德軍裝甲部隊之所以能長驅直入，從萊茵河直達英吉利海峽，他這個無名英雄的功勞是很大的。除了這個重要的資歷以外，希特勒又感覺與這個比較年輕的軍人談論攻向裏海和伏爾加河的長程計畫時，困難一定可以少一點——尤其是當他突然被擢升到這種最高位置時，內心裡一定會有感恩圖報的想法。最初柴茲勒在這一方面的確不曾辜負希特勒的期望，因為他並沒有像哈爾德那樣對希特勒保持一種經常反對的態度。但是經過一個極短的時間之後，柴茲勒本人在內心裡就感到煩惱了，等到攻占史達林格勒的希望已經消失時，他也就開始和希特勒展開辯論，並認為在那樣前進的位置上維持德軍的戰線實際上是不可能的。當以後的事實證明柴茲勒的警告是一點都沒有錯時，希特勒遂更惱羞成怒，從此更不願意聽信他的忠告。自從一九四三年起，希特勒就對他採取疏遠的態度，所以他的意見也就日益變得沒有影響力了。

這些同樣的基本因素，不僅使德軍對史達林格勒的攻擊受到挫折，而且在俄軍最後發動反攻時，也使他們遭到一次嚴重的失敗。

當德軍愈接近該城時，其本身的活動能力也就愈受限制，由於戰線縮短，也使守軍易於調動其預備隊，來迅速應付任何一點上的威脅。同時德軍也喪失其聲東擊西的利益。自從夏季會戰開始以來，直到前進至頓河上為止，德軍的目標始終是不確定的，所以也就足以幫助癱瘓對方的抵抗。現在他們的目標卻已經變得極為顯明——所以俄軍當局遂敢大膽的使用其預備部隊而毫無一

2 譯者註：此時倫德斯特又再度被起用，在法國出任德軍西線的總司令。

點猶豫。儘管攻擊者盡量把兵力向史達林格勒集中，但所獲得的效力卻反而日益減低——因為集中的攻擊已經遇到了集中的防禦。

同時，當德軍的兵力向史達林格勒這一點集中時，其兩面側翼上的掩護也自然的日益減弱——而那個側翼本來就已經拉得太長：從弗洛奈士沿著頓河到史達林格勒「地岬」差不多長達四百哩；而從那裡，越過卡穆克大草原（Kalmuk Steppes）到臺列河之線，又是一個同樣長的距離。雖然在上述的第二地段方面，由於一片荒原，足以限制俄軍的反攻重量，但這種限制對於頓河地段卻並不適用。那雖然是一條大河，但是只要封凍之後就可以到處通行無阻。而且沿著那樣漫長的河川線，德軍有兵駐守的地點實在是非常有限，所以俄軍隨時隨地都有偷渡的機會。此外，他們在史達林格勒以西一百哩的賽拉費莫維區（Serafimovich）附近，以及在頓河的南岸上維持著一個橋頭堡。

自從八月以來，俄軍即作了一些小規模的試探性攻擊，這也預兆著這一條綿長翼側面的危險。這些攻擊證明德軍的防禦是如何的單薄，而且那些防禦主要都是由德國的盟國部隊來負責——從弗洛奈士往南是由匈牙利部隊負責，在新卡里特伐（Novaya Kalitva）附近往東是由義大利部隊負責，在史達林格勒城的兩面則由羅馬尼亞的部隊負責。中間只是偶然夾著少數的德軍部隊（通常都是老弱殘兵）來作為防禦的骨幹。一個師所負責的地段常常長達四十哩，而且也沒有適當的防禦工事。鐵路線距離前線往往在一百哩以外，這個地區是那樣的荒涼，連可以用來構築工事的木材也很少。

由於認清了這種困難的情況，所以早在八月間，德國陸軍參謀本部就已經報告希特勒：在冬季裡，要想守住頓河之線以當作側翼的掩護，事實上是不可能的。他們的警告根本不會為希特勒所重視。希特勒一心就只想要攻占史達林格勒，其他一切的考慮都已經變成次要的，甚至於還可以說是不重要的。

九月中旬之後，當德軍已經先後突入史達林格勒的郊區和工業區時，此種過於直接的攻擊方式更暴露它的弱點。受到巷戰的糾纏，對於任何攻擊作戰而言，都是一種不利的障礙，而當這支隊的主要優點就是其高度的機動力時，這種妨害的程度也就變得更大。同時防禦者又可以利用當地的工人團體，他們在保衛自己家園的戰鬥中，也打得最為英勇。在這樣的環境中，本地人力的參加對於守軍的實力是一種極重要的補充。當時史達林格勒的守軍為崔可夫（Chuikov）的第六十二軍團和夏米諾夫（Shumilov）的第六十四軍的一部分，他們在情況最危急時，幾乎是完全依賴當地工人的協助。第六十二軍團在頓河以西的戰鬥中曾經受到極重大的損失，而奉派指揮這整個地區的艾門柯將軍（General Eremenko），卻無法替他們覓得立即的補充。

德軍進入建築區之後，也就使他們的攻勢自動產生了化整為零的趨勢，即變成一連串局部性的攻擊，於是也減低了其潮流的衝力。這樣的情況又促成一種老習慣的復活——那也是一般老派步兵指揮官所崇尚的——即將戰車分成許多小溪流來使用，而不把他們匯成一道洪流。有許多次攻擊都只使用二十或三十輛戰車，只有少數幾次較大的努力曾經一次用到一百輛戰車，這種數字的意義即為約三百人從事於戰鬥時才能攤到一輛戰車。由於比例是這樣的小，所以戰防火器自然的占了上風。雖然這種數字是由於惡劣戰術所造成，但同時也顯示出物資的缺乏。空中支援的日益減少也是同樣顯著的例證。過去德軍之所以縱橫無敵，主要就是靠這兩種兵器（戰車和飛機）的聯合作戰，現在卻已經都不行了。於是其自然的結果就是步兵的擔負變得日益沉重，任何前進的代價也變得日益高昂。

從表面上看來，當防禦圈日益縮小，敵人日益接近城市心臟地區時，防禦者的地位也就似乎日益惡劣，甚至於可說是日益絕望。最緊急的關頭是在十月十四日，但德軍的攻擊卻又還是被羅地門茲夫（Rodimtsev）的第十三近衛師擊退。甚至於在這次危機度過之後，情況也仍然是非常嚴重，因為守軍現在已經背靠著伏爾加河，所以很少有伸縮的餘地，來實施其吸收震盪（shock-absorbing）的戰術。他們已經不再可能用空間來換取時間。但在表面下，基本因素卻還是在替他們工作。

由於損失日益增加，心理擔負日益沉重，嚴冬將至，而預備隊已經用光，使過分暴露的側翼幾乎已經毫無掩護，所以德軍的士氣正在日益沮喪。因此對於俄軍而言，反攻的時機已經逐漸成熟。俄軍統師部對於這次反攻準備已久，他們已經集結了充分的預備隊，足以對於伸展過度的敵人作一次有效的重大打擊。

俄軍於十一月十九日和二十日開始發動反攻，在時間上是有良好配合的。其發動時間是夾在第一次強霜與第一次大雪之間，前者可以凍結地面，加速部隊的運動，而後者卻足以妨礙行動。同時，也正是乘著敵人已經疲憊不堪和心理失常之際，來向他們作一次猛烈的反擊。德軍本以為攻擊可以替他們帶來勝利，而結果卻適得其反，所以內心的失望和懷疑也就成為一種自然的反應。

俄軍反攻所擬定的目標，在戰略和心理上都有很高明的構想——那是利用一種雙重意義的間接路線。俄軍是用一對鉗頭，每個鉗頭又分為幾股小鉗頭，從史達林格勒的兩邊側翼上插入，來切斷第六軍團和第四裝甲軍團與「B」集團軍之間的聯絡。這些鉗頭插入的地方是恰當羅馬尼亞部隊所負責防守的地段。這個計畫的擬定是由蘇俄參謀本部的三大巨頭所共同負責，他們就是朱可夫、法希里夫斯基（Vasilevsky）和弗羅諾夫（Voronov）。主要的執行者為西南方面軍總司令范屠亭（Vatutin）、頓河方面軍總司令羅柯索夫斯基（Rokossovsky），和史達林格勒方面軍總司令艾門科。

在這裡應附帶說明的是，俄國人把整個東戰場已經劃分為十二個「方面」（front），而這些「方面」又都直接在莫斯科大本營的指揮之下。在「方面軍」以上就不再設較高級的司令部。他們的慣例是由大本營指派一位高級將領，率領一批幕僚人員，組成一個臨時指揮部來負責協調幾個「方面軍」在某一特殊作戰中的行動。這種「方面軍」平均是由四個「軍團」（Army）所組成，但俄國的軍團卻比西方的要小，通常都是直接控制若干個師，而在師與軍團之間沒有「軍」（Army Corps）這一級的編制。裝甲和摩托化部隊的基本單位為旅而不是師，幾個旅再編成一個「軍」（Corps），實際上是相當於一個較大型的師，而這種軍也由「方面軍」總司令控制。[3]

不過在新的制度尚未有機會充分試驗之前，俄國人在一九四三年夏季還是在軍團與師之間恢復「軍」的編制。就理論而言，俄國的新制比較好，因為減少了指揮系統線上的環節，並使較高級指揮官手中有較多的「次級單位」（Sub-units）可供運用，於是作戰可以較為迅速，而活動的彈性也可以提高。每增加一個額外的環節，也就會多一層麻煩。情報由下往上傳遞，命令由上往下分發，也都要多花費一些時間。此外，層數太多又足以減弱高級指揮官的控制力，使他對於真正的情況有「鞭長莫及」之感，而下面的真正負責執行者，也不容易受到其個人性格的影響。總之，中間性的司令部階層愈少，則行動也就愈有活力。從另一方面來看，指揮官所能調動的次級單位較多，則他在行動上的彈性也就較大。一個比較彈性化的組織可以發揮較大的攻擊效力，因為它比較易於適合各種不同的環境；並且又可以集中較大的兵力在某一決定點上。假使一個人

3 譯者註：俄軍的「方面軍」與西方的「集團軍」（Army Group）地位雖大致相當，但每個方面軍的人數卻較少，而方面軍的個數則較多。以德軍而論，一個集團軍平均所轄為三個軍團、九個軍、二十七個師，其他支援部隊在外。而俄國的方面軍所轄不過十餘個師。俄國方面有十幾個方面軍，而德軍的集團軍個數最後不過五個。

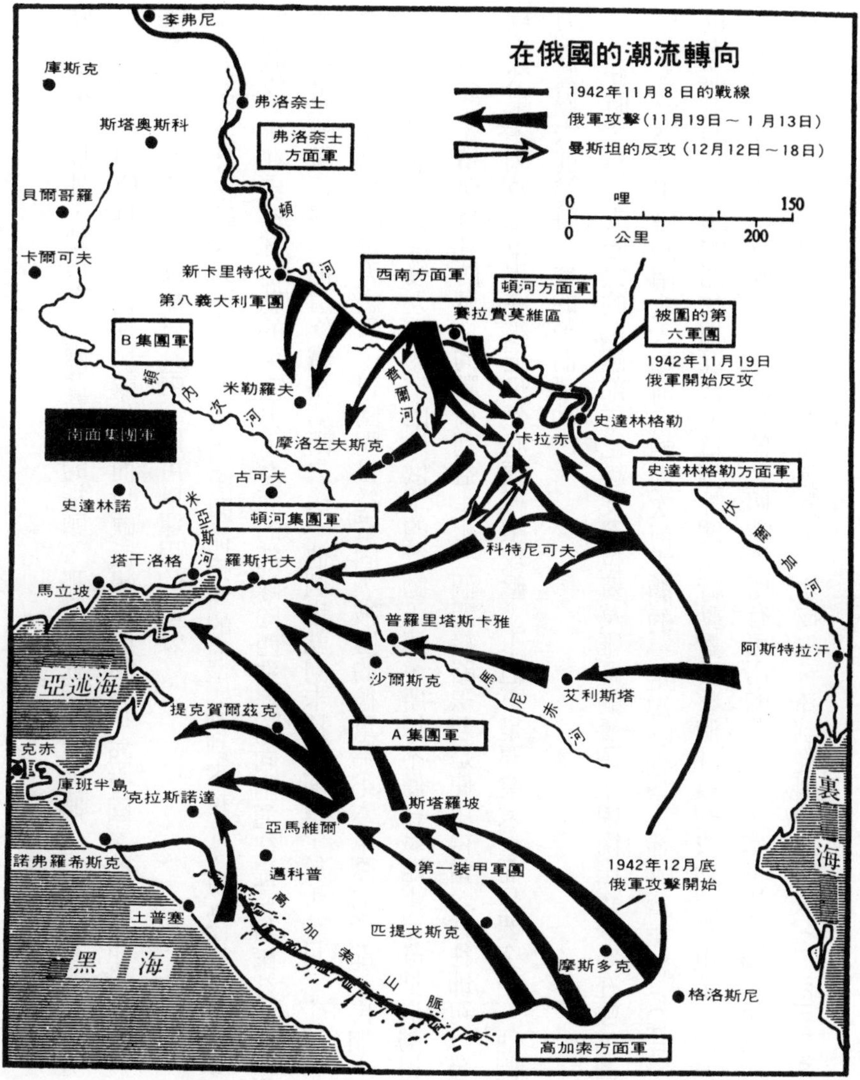
在俄國的潮流轉向
1942年11月8日的戰線
俄軍攻擊（11月19日～1月13日）
曼斯坦的反攻（12月12日～18日）
0 哩 150
0 公里 200
李弗尼
庫斯克
弗洛奈士
斯塔奧斯科
弗洛奈士方面軍
貝爾哥羅
頓河
卡爾可夫
新卡里特伐
第八義大利軍團
西南方面軍
頓河方面軍
賽拉賞莫維區
被圍的第六軍團
1942年11月19日俄軍開始反攻
B集團軍
米勒羅夫
齊爾河
頓內次河
史達林格勒
卡拉赤
南面集團軍
摩洛左夫斯克
史達林格勒方面軍
古可夫
史達林諾
米亞斯河
頓河集團軍
伏爾加河
科特尼可夫
塔干洛格
羅斯托夫
馬立坡
普羅里塔斯卡雅
阿斯特拉汗
沙爾斯克
亞述海
艾利斯塔
馬尼赤河
提克賀爾茲克
A集團軍
克赤
庫班半島
克拉斯諾達
斯塔羅坡
亞馬維爾
裏海
邁科普
第一裝甲軍團
1942年12月底俄軍攻擊開始
諾弗羅希斯克
土普塞
高加索山脈
匹提戈斯克
黑海
摩斯多克
格洛斯尼
高加索方面軍

除了大姆指以外，就只有一兩個其他的指頭，那麼他在用手工作時，一定會比正常的人要困難得多。這樣的手所具有的彈性比較少，而也缺乏集中的壓力。西方國家的軍事組織似乎就是犯了這樣的毛病，大多數單位都只有兩三個可以運用的部分。

在史達林格勒的西北面，俄軍的矛頭從頓河的河岸刺到卡拉赤，以及由此通向頓內次盆地的鐵路線。在史達林格勒的東南方，左面的部隊向西進展到向南通往提克賀爾茲克（Tikhoretsk）及黑海岸的鐵路線。把這條鐵路切斷之後，他們也就向卡拉赤前進，於十一月二十三日遂完成合圍之勢。在以後的幾天之內，包圍圈日益鞏固，被圍的德軍為第六軍團的全部，再加上第四裝甲軍團的一個軍。在這幾天之內，由於俄軍的行動迅速，所以不僅在戰略上已經把形勢扭轉，而且同時又能繼續保持其防禦性的戰術利益——一個間接路線若是使用得當，往往即可以獲得這樣的雙重效果。因為德軍現在被迫仍然必須繼續攻擊——但不是要突入，而是要突出。他們突圍的努力正像過去前進時一樣的勞而無功。

此時，另一支強大的俄國部隊已經從賽拉費莫維區的橋頭堡中衝出，散布在頓河灣以西的地區內，分為若干股向南攻入頓河—頓內次河之間的「走廊」地帶，並在齊爾河（Chir）上與從卡拉赤前進的左鉗頭的部隊相混合。這個外圈的行動對於整個計畫的成功非常重要，因為它破壞了敵軍的作戰基地，並放下了一道鐵幕，切斷了所有可用的路線，使德軍無法馳援包拉斯的部隊。

德軍在十二月中旬，就從西南面發動了一次反擊，達到從科特尼可夫（Kotelnikovo）至史達林格勒之線。所使用的部隊都是臨時拼湊的，負責指揮的人即為一代名將曼斯坦（Manstein）。他的第十一軍團司令部從中央集團軍中匆匆的被抽出，並升格成為「頓河集團軍」。這個頭銜雖然很夠威風，但他所指揮的部隊卻未免太小，不足以與之相稱。為了想要解救史達林格勒之圍，曼斯坦所使用的都是一些七拼八湊的部隊，其中只包括一個第六裝甲師，那是從法國的不列塔尼利用鐵路趕調過來的。

憑藉巧妙的戰術，曼斯坦對於他那一點極少量的裝甲部隊，作了最大限度的運用，終於能夠在俄軍的外圍陣地中作一個很深的突入。但當他前進到距被圍部隊還有三十哩遠的地方就被阻止了，由於其本身的側翼受到俄軍的威脅，所以不得不逐漸撤回。自從這一次企圖失敗之後，德軍就更無預備隊可供再度嘗試之用。不過曼斯坦卻仍盡可能留在其暴露的陣地上，甚至於已經超過了安全的限度。其目的是為了掩護某些機場，這對於被圍的部隊而言，也就是他們的生命線——因為現在這個軍團的補給已經完全仰賴空運；儘管數量極為有限，但卻仍可苟延殘喘。

十二月十六日，俄軍又向西面作了一個新的迂迴運動。指揮弗洛奈士方面軍的高立可夫將軍（General Golikov），把其左翼伸過頓河的中游部分。在新卡里特伐與莫拉斯台齊拉（Monastyrshchina）之間一段長達六十哩的地段中，俄軍在許多點上分別渡過了頓河——那是由第八義大利軍團負責防守的地段。在拂曉時，俄軍首先發動猛烈的砲擊，使許多義大利人聞聲而逃，接著俄軍戰車和步兵就從已經凍結的頓河上順利越過。風雪幫助減低了守軍的視力，但並不能阻止俄軍的前進。他們很快的向南推進，到達了米勒羅夫和頓內次河岸。在一個星期之內，俄軍分頭掃蕩，幾乎已經肅清整個頓河和頓內次河之間的「走廊」地帶。由於防禦太薄弱和潰散太迅速，所以在第一回合很難捕捉大批的俘虜，但到了次一階段就有許多在撤退中的德軍被追及和受到包圍，於是到了第二星期終了時——也就是那一年的年終——俄軍所俘獲的德軍及其盟國部隊總數達到六十萬人。

所有在頓河下游和高加索的德軍也都受到了背面的威脅。但由於積雪日深，而在米勒羅夫和頓內次河以北的其他幾個交通中心上，德國部隊仍能繼續作頑強的抵抗，所以此種威脅也就暫時得以緩和。

儘管如此，前途還是非常的危險。所以希特勒也終於認清了若是再執迷不悟，不肯放棄征服高加索的夢想，而強迫部隊死拚下去，則結果所造成的災難，將會比史達林格勒之圍還要可怕。於是他在一月間命令他們撤退。這個決定在時間上總算還不太遲，使那些德軍得以安全撤出而沒有被切斷。他們的撤退成功有助於戰爭的延長，但也在史達林格勒第六軍團的實際投降之前，就已經向全世界明白宣告德國的潮流是已經在下退了。

在俄軍反攻的過程中，最大的特點即為朱可夫（他是負指揮總責的人）在攻擊點的選擇上表現得頗為高明——從心理和地理兩方面來看，都是如此。他所攻擊的常為敵方部署中的精神弱點。一旦當他的攻擊部隊喪失了立即性的局部效果之後，他又知道如何改變攻擊路線，並且也不放過造成敵軍全面崩潰的機會。因為集中的攻擊，對敵方抵抗能力的消耗是受到效力遞減法則的支配，所以他會一再的發動多方面的攻擊，以使敵人感到難於捉摸。當反攻發展成為主動的攻勢，而不再享有其最初的彈簧衝力時，也就是一種最有利而又能使自己實力不太消耗的戰略。

在所有一切因素（物質的和精神的都包括在內）的下面，又有一個基本條件，即為空間與兵力的比例。在東戰場上空間是那樣的廣大，所以一個攻擊者只要不過於集中在一個太顯著的目標上——例如一九四一年的莫斯科和一九四二年的史達林格勒——則他總是可以找到足夠他作迂迴運動的空間。所以德軍雖無數量上的優勢，但只要他們仍能維持質量上的優勢，則還是可以繼續獲得攻擊的成功。反之，由於東戰場上的空間不僅廣大，而且深遠，所以當俄軍在機械上和機動上還不是德軍的對手時，這個因素也就成為他們的救星。

但德軍現在一方面已經喪失其技術和戰術的優勢，而另一方面又已經消耗太多的人力。當他們的兵力縮小之後，俄軍的廣大空間也就開始變得對他們不利了，使他們難於守住如此遼闊的戰線。現在的問題就是：他們能否縮短戰線以恢復其平衡呢？抑是他們已經把實力消耗過度，而從此將再無翻身的機會呢？

第十九章　隆美爾的高潮

一九四二年的非洲戰役要比一九四一年的更激烈和變化無常。當戰役開始時，雙方是在昔蘭尼加的西境上彼此對峙著——其形勢正和九個月以前完全一樣。但等到新年過了三個星期之後，隆美爾又發動其另一次的戰略反攻，一下就突入二百五十哩以上，把英軍趕回到距離埃及邊境只剩下全部距離三分之一的地方。然後雙方的正面遂又穩定在加查拉（Gazala）線上。

將近五月底的時候，隆美爾又再度發動攻勢，並事先阻止了英國的一次攻擊——正好像他自己在十一月間被阻止的情形一樣。這一次，經過了扣人心弦的旋風式戰鬥之後，英軍又被迫撤退——撤退得那樣快和那樣遠，結果一直退回到了艾拉敏（Alamein）之線才勉強站住腳跟，這裡也就是進入尼羅河三角洲的最後一道門戶。這一次隆美爾的乘勝追擊，在一星期之內就前進了三百餘哩。不過到了這樣的深度時，他的部隊和衝力也就變成了強弩之末。雖然他努力想向亞歷山大港和開羅推進，但都勞而無功，戰鬥在雙方都筋疲力竭而結束之前，他也幾乎接近了失敗的邊緣。

八月底，隆美爾在獲得一些增援之後，又作了一次求勝的努力。但英國人在此時已經獲得更多的增援——在一組新的指揮官領導之下，以亞歷山大（Harold Alexander）和蒙哥馬利（Bernard Montgomery）為首——所以隆美爾的攻擊被擊退了，而他也被迫放棄其原已獲得的大部分地區。

於是在十月底，國人又開始反攻，其兵力的強大為前所未有，所以這一次也就發生了決定性的效果。經過十三天的苦鬥，隆美爾的資源完全用盡，尤其是他的戰車幾乎已經沒有一輛可用。於是他的戰線終於不免崩潰，但他卻還是很僥倖的帶著殘部逃走了。他的部隊已經太弱，所以不可能再作任何認真的抵抗，到了年底，即八個星期之後，他被逐回到的黎波里坦尼亞的布拉特（Buerat）——從艾拉敏算起已經西退了一千哩。但在那裡也不過是暫時停頓一下而已。這個撤退是以突尼斯為最後的終點，而到了次年五月間，在非洲的德義部隊遂終於難逃最後被毀滅的命運。[1]

在一九四二年一月初，英國人認為他們在阿格達比亞（Agedabia）的受阻，乃是向的黎波里（Tripoli）進軍中的一次暫時中斷而已。他們正在忙於這個作戰的計畫和準備，其代字很巧妙的叫作「走索者」（acrobat）。的確如此，不到這個月的月底，他們就正像走索的賣藝者所表演的那樣驚險了。

一月五日，有一支由六艘貨船所組成的船團，逃過英國的監視網進入了的黎波里港，運來一批新的戰車，於是使隆美爾的戰車實力又增到恰好一百輛以上。獲得這種增援之後，又因為已經獲得一項有關英軍前進部隊弱點的情報，於是他開始計畫立即反攻——但卻對他自己的企圖盡量保密。他在一月二十一日發動了這次反攻。二十三日義大利的軍政部長卡伐里羅（Cavallero）來到他的司令部，向他表示反對的意見，但到此時，隆美爾的矛頭卻早已東進了一百餘哩，而英軍向東的退卻卻還要更快。

當隆美爾發動攻擊時，英軍的前進部隊主要是由一個新到的裝甲師所組成。在這個第一裝甲師中的裝甲旅雖擁有巡航戰車一百五十輛，但卻是由三個乘馬騎兵團改編而成——不僅對裝甲戰鬥缺乏經驗，而且對沙漠作戰更毫無經驗。又因為隆美爾所獲得的一批新三號戰車（Panzer III tanks），裝甲厚達五十公厘，比各種舊式戰車的威力更大；而德軍的戰防砲部隊對於和裝甲配合攻擊的戰術又有更進一步的發展，所以英軍面臨的困難也就更多。關於那種新戰術的發展，希米特（Heinz Schmidt）在其所著《與隆美爾同在沙漠中》（*With Rommel in the Desert*）一書內，曾有詳細的記載：

> 帶著我們的十二門戰防砲，我們從一個地點躍進到另一個地點，而我們的戰車卻盡可能埋伏不動，並提供火力掩護。等到我們占好了陣地之後，就以火力來掩護戰車前進。這種交

1　原註：地圖方面請參閱第九章。

換掩護的戰術是極有成效的，儘管敵方戰車的火力也很強大，卻無法阻止我們的前進。他們不僅一連串的受到損失，而且也不斷的被迫放棄陣地。我們也感覺到對方已經不再是那一批在卡普左小徑上打得我們好慘的頑強和有經驗的部隊了。

更糟的是，這三個英國裝甲團又是被個別的投入戰鬥。在第一次交手時，他們的戰車就幾乎喪失了一半——那是因為德軍在安特拉附近使他們遭到奇襲。由於義大利軍政部長卡伐里羅的干預，隆美爾的前進暫時停頓下來，他拒絕准許義大利機動軍跟著非洲軍一同前進。但英國人對於這個機會並未能加以利用，因為看到英國並未作任何強力的對抗行動，所以隆美爾在二十五日遂又再度前進到達馬斯（Msus），突破英軍近衛旅和第一裝甲師所據守的防線，後者連同其剩下的三十輛戰車向北撤退，遠離隆美爾的前進路線。

隆美爾對馬斯的深入突破，使英軍當局匆忙的命令在班加西的第四印度師，撤出這個現已充滿補給物資的港口，退到德拉—米奇里之線。不過到了夜間，由於奧欽列克已從開羅飛到第八軍團司令部，他制止住軍團司令李奇（Ritchie）的倉皇失措，所以撤退的命令遂又被收回，並開始準備反攻。不過奧欽列克這次的干涉行動，卻被證明不如上次在十一月間那樣的適當而有效。因為英國人現在想要守住在班加西和米奇里之間的長達一百四十哩的防線，所以兵力必然會分散，而且也幾乎完全靜止不動，喪失其一切的機動和機會。反之，隆美爾站在馬斯的中央位置，可以有充分的時間和自由來發展他的計畫，並選擇適當的攻擊目標。

因為隆美爾的威脅變化無窮，所以在以後的若干天之內，在英軍指揮體系中所產生的現象就是「命令」、「收回成命」和「紊亂」。其插曲之一就是軍長高德溫．奧斯丁自請免職，因為他反對軍團司令直接命令他的部下。所以結果也就糟不可言。

因為隆美爾的兵力很小，所以他決定以向西進攻班加西為其次一目標，其目的為消除從該方向對其背面的任何威脅，但同時又佯裝以向東進攻米奇里為掩護。這種佯攻的姿態使英軍司令部受到催眠，於是對米奇里方面匆忙的大事增援，而對於兵力分散得太遠的第四印度師，卻聽其孤立而未給予任何援助。隆美爾突然向班加西所發動的閃擊使得英軍措手不及，於是立即倉皇的放棄了那個港口，連同累積在該港所有一切的物資在內。隆美爾利用已經產生的心理震駭作用，遂派出兩個小規模的戰鬥群向東追擊。他們的勇敢行動使得英軍自動放棄一連串可守的陣地，而一直退到加查拉之線——儘管非洲軍的大部分，由於缺乏補給，還是停留在馬斯地區附近。二月四日，英國第八軍團即已退到加查拉之線，而隆美爾直到四月初才說服義大利較高當局的猶豫態度，開始推動他的部隊逼近英軍陣地。

到了這個時候，加查拉陣地已經發展成為一條「防線」，不僅已經構築了堅強的野戰工事，而且也敷設了廣大的地雷區。但是不久英軍又不以防禦的準備為滿足，而開始積極計畫反攻。不過，當這一道防線變成了一種適宜發動攻勢的跳板時，對於防禦的目的也就比較變得不那麼適應了——因為那是一條直線，而且缺乏必要的縱深。除了在沿海岸的地段以外，各要塞化據點之間都相隔太遠，使它們彼此無法作有效的火力支援。它們是從海岸起，向南延伸五十哩，而愈向南延伸，則其間的空隙也就愈大。其左翼的陣地在比爾哈強（Bir Hacheim），由柯尼格將軍（General Koenig）指揮的第一自由法國旅負責防守，它與細第莫弗塔（Sidi Muftah）英軍據點之間相隔為十六哩。對於防禦而言，為了想要發動攻勢，而把前進基地和鐵路終點設在貝哈米德（Belhamed），實為另一弱點。因為對於敵軍的迂迴攻擊那是一個太顯著的目標，但為了保護那裡已經儲存的大量補給物質，此種需要也就成為英軍指揮官在會戰時的一個嚴重的心理負擔，並且也限制了他們在兵力運用上的自由。

提早發動反攻是否實際可行和合乎理想，這個問題在英國方面引起很多的爭論，於是使政策和計畫也因之受到嚴重的影響。自從二月份起，邱吉爾先生即力主提早行動，他指出英國有六十三萬五千人閒置在中東戰場上一事不做，而俄國人卻正在作拚命的搏鬥，位於附近的馬爾他島，在凱賽林不斷的空中攻擊之下，已經危在旦夕。但是奧欽列克對於英國的技術性和戰術性弱點，卻比較具有深刻的認識，他主張應繼續等待，直到李奇所部的實力增到一種適當的水準，足以確實抵消隆美爾的質量優勢時，然後再發動決定性的攻擊。最後，邱吉爾還是不理會他所說的一切理由，決定把一項明確的命令送達給他，要他必須服從，否則就撤職。但是隆美爾在五月二十六日，又搶先動手了——這一次又是事先破壞了英國人的計畫，他們是準備在六月中旬才開始發動攻擊。

由於雙方都已獲得增援，所以雙方的實力都要比十一月間發動「戰斧作戰」時為強大，雖然師的個數還是和過去一樣——三個德國師（其中兩個為裝甲師）和六個義大利師（其中一個為裝甲師）對抗著六個英國師（其中兩個為裝甲師）。照一般政治家和將軍們的計算，即以師的個數為標準，那麼隆美爾就是以九個師來打六個師，似乎是享有數量的優勢——所以這種簡單的軍事算術也就常被人引用來掩飾英國人的失敗。

但實際上，數字的比較卻和這種想法相差很遠，而這也可顯示出所謂的一個「師」，其意義是如何的模糊。義大利步兵師不僅編制不足額，而且五個中的四個都是非摩托化的，所以在一個大機動性的運動戰中，根本上就不能擔負任何積極性的任務——這裡所要分析的加查拉會戰，就是這樣的典型。英國第八軍團不僅擁有極充足的摩托化運輸工具，而且在其六個師之外，還有兩個獨立的摩托化旅群（Brigade Groups）和兩個「軍團」直屬戰車旅。而其兩個裝甲師中的一個（第一裝甲師），卻轄有兩個裝甲旅而不是一個——那是當時的正常編制。所以總計起來，第八軍團在現場上已有十四個戰車團，而還有三個正在前進的途中，至於隆美爾則一共只有七個戰車團，而其中只有四個德國戰車團是裝備著新的戰車。

以戰車數字而論，在第八軍團的裝甲部隊中，英國人一共有戰車八百五十輛，另有四百二十輛可供增補之用。他們的對手一共有戰車五百六十輛，但其中二百三十輛為落伍而又不可信賴的義大利戰車，而在三百三十輛德國戰車中又有五十輛是輕戰車。所以在戰鬥中真正能用的只有二百八十輛德國中型戰車，除了還有大約三十輛在修理中，和在的黎波里港剛到的二十餘輛新車以外，也就更無其他的預備戰車。所以根據現實的計算，在會戰剛剛開始時，英國人所享有的數量優勢為三比一，而等到它變成了消耗戰時，此種優勢更升高成為四比一。

在砲兵方面，英國人也享有三比二的數量優勢，不過由於他們所有的火砲都是平均分布在各師之內，所以這種優勢也就不易發揮。反之，隆美爾卻親自控制著一支機動的砲兵預備隊，共為五十六門中型火砲。他對於這種火力曾作極為有效的運用。

在空軍方面，雙方的實力要比在任何其他會戰都更接近平衡。英國沙漠空軍的第一線實力約有六百架飛機（戰鬥機三百八十架、轟炸機一百六十架、偵察機六十架）。德義方面的總數為五百三十架（戰鬥機三百五十架、轟炸機一百四十架、偵察機四十架）。但一百二十架的德國Me 109，就素質而言，卻較優於英國的「颶風」式和「小鷹」式飛機。

雙方戰車的素質比較，是一項較難分析的問題。自從第八軍團失敗之後，英國人很自然的認為他們自己的戰車在素質上是趕不上敵人的，在奧欽列克的正式公文中也曾把這種觀念當作是一個事實。但若把雙方戰車火砲和裝甲的技術和試驗資料仔細的分析，就可以顯示出這種看法並不一定正確。大多數德國中型戰車所裝的都是五十公厘的短砲管戰車砲，其穿透能力比英國的兩磅砲為差，後者是所有一切英國戰車裝用的火砲，其初速比較大。就裝甲方面來比較，在一九四一年，大部分德國戰車的裝甲保護都趕不上英國較新式的巡航戰車。前者最厚的裝甲為三十公厘，而後者則為四十公厘。現在（一九四二年）它們除了旋轉砲塔的部分以外，已經有了較好的保護；某些新到的戰車車身裝有五十公厘的裝甲，而其餘的舊戰車也在外殼最暴露的部分加上了額外的護甲。不過若與「馬提達」和「法蘭亭」等英國重戰車相比較，則所有的德國戰車都是比較容易擊毀的：前者裝甲厚七十八公厘，後者也厚達六十五公厘。

一種新型的德國中型戰車也參加了這次會戰，那就是三號戰車J型戰車（Panzer III〔J〕Special），裝有和德國戰防砲相似的五十公厘長砲管戰車砲。但已經到達第一線的總共只有十九輛，另外還有一批（也是十九輛）還只剛剛運到的黎波里港。在英國方面已有四百多輛新式的美國「格蘭特」（Grant）戰車運到了埃及，相形之下，更顯得德國人的這一點增援是微乎其微。到這次會戰開始時，在加查拉的兩個英國裝甲師已經差不多裝備了一百七十輛這種「格蘭特」戰車。它們裝有七十五公厘的火砲，其穿甲能力又比德國的五十公厘長砲管戰車砲更大，其裝甲保護也較佳——五十七公厘對五十公厘。總而言之，一般人所常說的話，即英國人所用的戰車在素質上比德國人所用的差，實在是並無太多的根據。反之，英國人除了享有非常巨大的數量優勢以外，實際上也還享有相當的質量優勢。

在戰防砲方面，由於英國人的六磅砲（五十七公厘）已經到達，所以現在已經重獲優勢，這種六磅砲的穿甲能力要比德國人的五十公厘戰防砲高出百分之三十。現在已經運到的新型六磅砲，已經足夠裝備所有的摩托化步兵旅和裝甲旅的摩托化步兵營。雖然德國的八十八公厘火砲仍為最可怕的「戰車殺手」，但隆美爾卻一共只有這樣的火砲四十八門，而它們的高砲架也使其比雙方任何一種標準的戰防砲都更容易被摧毀。[2]

對於第八軍團在加查拉的失敗，有關技術因素的分析並不能提供任何適當的解釋。事實的證據卻指出，最基本的原因是德軍的一般戰術較優，尤其是他們對於戰車和戰防砲配合運用的戰術。

已經要塞化的加查拉防線是由第十三軍負責防守，軍長是葛特中將（Lieutenant General Gott），在第一線並列著兩個步兵師——第一南非師在右，第五十師在左。第三七軍仍由羅理（Norrie）任長軍，那大部分都是裝甲部隊，負責掩護南面的側翼，同時也還要對抗在中央地段的任何德軍裝甲突擊——很奇怪的，英軍指揮官們都相信隆美爾最可能採取這條路線。這種雙重的任務也使英國裝甲部隊作了一種非常惡劣的部署：第一裝甲師被保留在卡普左小徑的附近，而第七裝甲師（它只有一個裝甲旅）則置於南面約十哩遠的地方，其兵力分散得很開，以掩護和支援據守比爾哈強的法國旅。奧欽列克曾寫信告訴李奇，應該對兵力作緊密的集中，但不幸在現場的人並不曾遵從他的指示。

在五月二十六日的月明之夜，隆美爾親自率領他的三個德國師和義大利機動軍中的兩個師，迅速的繞過英軍側翼迂迴前進——而他的四個非摩托化的義大利步兵師，則向加查拉防線作正面的佯攻。雖然他的迂迴運動（全部車輛在一萬輛以上）在入夜之前即已被發現，而在黎明時當他繞過比爾哈強的時候又再度被發現，但是英軍指揮官仍然相信隆美爾的主力攻擊會來自中央方面，和他們所料想的一樣。英軍的裝甲旅行動得極慢，都是零星的投入戰鬥，所以在側翼外圍上的兩個摩托化旅，首先在孤立無援的狀況下被擊潰。第七裝甲師的師部被衝散，師長梅賽費少將（Major-General Messervy）被俘——不過以後還是勉強的逃回來了。在幾個月之內，這是他第二次出醜，因為當他指揮第一裝甲師時，一月間曾在安特拉受到隆美爾的奇襲，被打得落荒而逃。

儘管隆美爾最初是非常的順利，但是卻始終不曾達到一直切入到海岸為止的目的——他希望這樣就能夠把加查拉防線上的全部部隊都切斷。當他的裝甲師第一次遭遇裝有七十五公厘砲的美國「格蘭特」戰車時，不禁駭了一跳。他發現自已受到敵人強大火力的威脅，因射程太遠，使他們無法還擊。以後他們把戰防砲運來，包括三個連的「八八」砲在內，才擊退了這種戰車，而德軍自己的戰車則改取側翼迂迴的進攻方式——因為英軍各單位之間往往相隔頗遠，所以也就最容易感受到這種側翼的威脅。即令如此，到入夜時，德軍裝甲師在卡普左小徑以北一共只前進了三哩遠的距離，並且仍然付出了重大的代價——到海岸線還要差二十哩。隆美爾本人在他的日記上

2　譯者註：八八砲本是為高射目的而設計的，用來平射充作戰防砲使用，是隆美爾臨時想到的變通辦法。

這樣寫著：「我們想從加查拉防線的後面席捲英軍部隊的計畫已經不能成功……美國新戰車的出現，在我們行列中撕開了一些大洞……在這一天之內德軍戰車的損失，已經遠超過了三分之一的比例。」

隆美爾第二天又再度作到達海岸的努力，結果是前進少而損失多。到入夜時，他那速戰速決的企圖早已失敗，但是英軍卻沒有乘他喪失平衡的機會來作反擊的嘗試——否則隆美爾也許就會一敗塗地。儘管如此，他的情況還是異常的危急，因為他的補給縱隊必須繞過比爾哈強，並經過遙遠的距離始能達到他的戰鬥部隊，中途經常有受到英國裝甲部隊和空中襲擊的危險。當他自己乘車赴前線時，就幾乎為敵人所俘虜，而當他回到戰鬥指揮所時，卻發現他不在的時候，英軍曾在那裡蹂躪一番後退走。非洲軍現在留下來可供戰鬥的戰車僅為一百五十輛，義大利軍則只有九十輛，而英軍卻仍有四百二十輛。

又過了一天還是毫無進展，於是他命令他的攻擊部隊採取防禦。這是一種非常危險的態勢，因為他現在的位置是在加查拉防線的後方，夾在其攻擊部隊與其餘部隊之間，不僅有英國的守軍，而且還有一大片地雷區域。「背水而戰」已經是夠緊張了，背著雷區作戰，則更可以說是前所未聞的奇事。

在以後的幾天當中，英國空軍就把炸彈像雨點一樣的投在隆美爾所占領的陣地上，他們給它取了一個很妙的名稱，叫作「大釜」（cauldron），而第八軍團也從地面向他進攻。報紙上都充滿了勝利在望的報導，說隆美爾現在已經墮入陷阱，而在英軍司令部中則顯出一片安詳的氣氛，確信可以慢慢地來收拾他，因為他已經註定非投降不可。

但是到了六月十三日的夜間，全部情況卻突然改觀。六月十四日，李奇放棄了加查拉防線，開始迅速向埃及邊界撤退，並且把在多布魯克的部隊留在孤立的位置上。到了六月二十一日，隆美爾就攻占了這個要塞，俘獲其全部守軍三萬五千人，還有在那裡所儲積的大量補給物質。除新加坡的淪陷以外，這算是英國人在戰爭中所遭受到的最大災難。次日，第八軍團的殘餘兵力又放棄了他們在索倫（Sollum）附近的邊境陣地，開始繼續向東倉皇逃竄，而隆美爾則跟在他們的後面窮追不捨。

到底是什麼原因才造成這樣戲劇化的轉變呢？像這種糾纏不清的戰例本來就很少，所以其間的線索從來不曾有過適當的整理。對於想從英國方面嘗試發現事實真相的人，「大釜的神祕」始終使他們感到困惑，尤其是有許多「神話」都從這裡產生，所以也就使神祕變得更為神祕。

除了認為隆美爾在戰車方面享有優勢的神話以外，另一種神話則認為六月十三日那一天，英軍戰車損失過重，所以形勢才會突變，實際上，那個損失數字不過是一連串消耗的累積而已。要想了解「大釜的神祕」，其根本線索可以在隆美爾的日記中找到。在五月二十七日夜間，隆美爾曾經這樣的寫著：

儘管面對著危急的情況和困難的問題，我對於會戰的前途仍然感到充滿希望。因為李奇總是把他的裝甲隊零碎的投入戰鬥，所以每一次都使我們獲得以大吃小的機會……他們根本不應該這樣分散自己的兵力……

當隆美爾決定據地而守的時候，他對他那個似乎是極端暴露的防禦態勢也有所解釋，他這樣寫道：

根據某種假設……英國人是絕不會使用其裝甲部隊的主力去攻擊留在加查拉線上的義大利部隊（強大的德國裝甲部隊所在的位置足以威脅其背面）……所以我可以斷定英軍的機械化旅，仍將繼續不斷的把他們的頭撞在我方有良好組織的防禦陣地上，而把他們的實力這樣的消耗殆盡。

一切都不出隆美爾之所料。英國人不惜付出重大的代價，一連串地向他的陣地作那種零碎的攻擊，此種直接攻擊可以算是最壞的一種方式。當隆美爾把敵人擊退之後，又乘勝攻克第一〇五步兵旅在細第莫弗塔所據守的一個孤立「盒子」（box〔據點〕），該「盒子」位於他的後方，從那裡他又在雷區之間掃清了一條通道，以供補給縱隊之用。

四天之後，即六月五日，李奇向隆美爾的陣地發動了一個較大規模的攻擊。但所採取的方式還是分批進攻的老辦法。所以防禦者可以利用其間隙的時間來重組和加強防禦部署。這種過分複雜的攻擊計畫到處都脫節，所以變成一連串的零碎突擊，每一次都被擊退。到了第二天黃昏時，英國人的戰車實力已經融化，由於戰鬥的損失和機件的故障，從原有的四百餘輛減到一百七十輛。隆美爾利用攻擊者的混亂狀況，又突然發動一個鉗形的反擊，在第一天黃昏，擊潰了第五印度師的一個旅，並且也迂迴到另一個旅的背面，次日又把它擊潰，還連同支援該師的一切砲兵在內。一口氣俘獲了四團砲兵，還有四千名戰俘，的確要算是一項非常重要的收穫。

當這個會戰正在進行時，英軍的各裝甲旅卻仍然一籌莫展。他們的救援努力都是各自為戰，毫無協調可言——由於前一夜德軍戰車衝毀第五印度師的師部時，第七裝甲師的師長梅賽費也被逐離了戰場，這是他在此一戰役中第二次臨陣脫逃，所以也就使英軍方面幾乎完全喪失控制。

此時，隆美爾正在動手切斷第八軍團陣地的另一個重要部分。在六月一日夜間，當細第莫弗塔「盒子」被攻克之後，他立即派遣一個德軍戰鬥群和義大利的港師（Trieste Division），去攻擊在南側翼上自由法國旅所據守的比爾哈強，那是一個更較孤立的「盒子」。法軍的抵抗異常頑強，迫使隆美爾只好趕去親自督戰，他說：「在非洲我還從來沒有經歷過這樣的惡戰。」一直到第十天他才突入防線，而法軍的大部分仍能乘著黑暗的掩護安全的撤走了。

隆美爾現在可以自由的去作一次新的長程跳躍了。雖然有了新的補充，英軍裝甲部隊現在又已經有了總數三百三十輛的戰車——比非洲軍所剩下的實力要多一倍以上——但他們的信心卻已經動搖，而德國人則正嗅著勝利的香味。六月十一日，隆美爾又向東進攻，次日就把英軍三個裝甲旅中的兩個困在他的裝甲師之間——迫使英國人在一個狹窄的地區中接受戰鬥，而他卻可以運用集中的火力加以痛擊。假使不是師長開了小差，使他們感到群龍無首，則英國人是可以比較容易地脫離險境——當敵軍前進時，梅賽費恰好去謁見他的軍團司令，這是三個星期中的第三次，他擅自離開了戰場。到了十二日中午，已有兩個裝甲旅被關入陷阱，一直等到第三個旅來救援時，其殘餘的部隊才勉強掙扎逃出，但後者卻已經從嚴陣以待的德軍手中受到極重大的損失。六月十三日，隆美爾又轉向北方，一方面把英軍擠出「騎士橋盒子」（Knightsbridge Box），另一方面又繼續攻擊英軍裝甲部隊的殘餘部分。到了入夜時，英軍剩下來的戰車只有一百輛。現在隆美爾是第一次在戰車實力上享有優勢——因為戰場是在他的控制之下，所以德軍被損毀的戰車有許多都可以立即修復使用，而英軍則不能。

據守在加查拉防線的兩師英軍，現在的確有了被切斷和被包圍的危險，因為在六月十四日，隆美爾已經派遣非洲軍向北經過阿克羅馬（Acroma）直趨沿海岸的公路。但在那裡因受到地雷區的延誤，直到快近黃昏時才勉強通過，這些裝甲部隊已經疲憊不堪，所以一到入夜時，他們就停下來睡覺，再也不前進了——儘管隆美爾曾經要求他們一路不停直到切斷公路時為止。這對南非部隊來說真是太僥倖，他們的摩托化車隊就乘著黑夜利用這條公路像水一樣的迅速撤退。等到第二天上午，德軍裝甲部隊繼續向海岸奔馳時，所能攔截的只不過是其後衛的一部分而已。在加查拉防線上的另一個師，英國的第五十師，就困難得多了，他們勉強從美利部隊所守的戰線上向西突破一個缺口，然後繞向南方再回到東方，經過遙遠的距離才到達埃及的邊境。第一南非師沿著海岸公路溜走之後，也繼續退向邊境線——超過了一百哩以上的距離，而且也超過了多布魯克七十哩。

一口氣退這麼遠，完全是違背了奧欽列克的意圖，他給李奇的指示是，第八軍團應在多布魯克以西的某一線上收容殘部，並站住腳跟。但是李奇卻並不曾把在加查拉防線上的部隊已經向邊境線撤退一事告訴他的總司令，等到奧欽列克知道此項事實時，已經太遲，而且也無法再阻止他們。尤其更糟的是，英國部隊又恰好「落在兩個凳子之間」。

因為在六月十四日，當英軍正在後撤時，邱吉爾卻嚴令「無論如何均不得放棄多布魯克」。他在十五日和十六日兩天又一再的重申前令。這個遠從倫敦後方來的命令造成了一個極大的錯誤，因為匆匆地把第八軍團的一部分留在多布魯克，而其餘的部隊則完全撤回到邊境線，這樣遂使隆美爾有機會在防禦部署尚未完成之前，擊滅這一支孤立在多布魯克的英國部隊。

隆美爾又再迅速的向東轉，在他們衝向海岸之後，德國的裝甲部隊就環繞著多布魯克的周邊掃過，攻占或孤立某些已經建立在第八軍團後方的「盒子」，並攻占多布魯克以東的甘布特（Gambut）機場。在這一路前進時，他們是從英軍裝甲部隊的殘餘部隊中間衝過——那些部隊仍在向埃及邊境撤退。隆美爾暫時放過他們不加以追擊，當他在占穩了甘布特飛機場之後，乃立即把部隊向西調回頭來，並以驚人的速度向多布魯克發動攻擊。此時在多布魯克的守軍，有由克羅普將軍（General Klopper）所指揮的第二南非師（其中包括第十一印度旅）、近衛旅和第二十三軍團的戰車旅——共有七十輛戰車。當他們看到隆美爾的裝甲部隊已經向東前進之後，以為暫時不會受到攻擊，所以也就一點準備都沒有，六月二十日上午五時二十分，德軍的砲兵和俯衝轟炸機，對周邊上東南的某一地段作了極猛烈的轟炸，接著步兵即進行突擊。到了上午八時三十分，德軍戰車遂開始從防線上的缺口湧入，隆美爾身先士卒加速這種擴張行動。到了下午，德國的裝甲部隊已經克服混亂守軍的一切抵抗，並衝入多布魯克城。第二天早上，守軍司令克羅普將軍認為繼續抵抗已毫無希望，而撤退又已不可能，所以他就決定投降。雖然也有少數人員勉強逃出，但被俘的總數仍達三萬五千人之多。

這個災難的後果，就是李奇的殘破部隊再繼續向埃及境內潰退，而隆美爾則乘勝窮追不捨。對於維持此種追擊的衝力，隆美爾在多布魯克所俘獲的大量補給物質，曾經給予不少的幫助。依照非洲軍參謀長拜爾林將軍（General Bayerlein）的說法，此時隆美爾的運輸工具有百分之八十都是俘獲的英國車輛。儘管這樣巨大的收穫可以供給他以車輛、燃料和糧食來維持其機動能力，但卻不能重建他的戰鬥實力。當非洲軍於六月二十三日退到埃及邊境線上時，它一共只有四十四輛尚可用於戰鬥的戰車，而義大利軍則只剩下十四輛。儘管如此，隆美爾卻還是遵照「打鐵趁熱」的古訓，決定繼續窮追不捨。

在多布魯克陷落後次日，凱賽林元帥從西西里飛到前線與隆美爾會晤，他認為在非洲不應再繼續前進，並要求依照過去的約定，收回他的空軍單位以便向馬爾他發動總攻擊。義大利在非洲的最高指揮部也反對繼續前進，在六月二十二日那一天，巴斯提科（Bastico）還認真的下了一道命令給隆美爾要他停止前進。隆美爾回答他說「不能接受這種勸告」，並且向其名義上的頂頭上司開玩笑，邀請他到開羅來共享祝捷之宴。在這次大勝之後，他似乎可以有這開玩笑的自由，尤其是從希特勒統帥部發來的電訊，已經帶來了元首論功行賞，把他升為元帥的好消息。在躊躇滿志之餘，隆美爾同時也就直接向墨索里尼和希特勒請求，希望批准他的繼續前進。希特勒和他的軍事顧問們，對於進攻馬爾他的計畫一向抱著懷疑的態度，他們相信面對著英國的海軍，義大利的海軍是絕無拚死一戰的決心，於是當他們望風而逃之後，投擲在馬爾他島上的德國傘兵也就會因缺乏補給和增援而被迫處於絕境。一個月以前，即五月二十一日，希特勒已經這樣決定：如果隆美爾能夠攻克多布魯克，則對馬爾他的攻擊——「大力士作戰」（Operation Hercules）——應予取消。墨索里尼一方面感覺到對馬爾他的作戰，義大利人所負的責任太艱鉅，另一方面又感覺到進軍開羅是一種更大的光榮。所以在二十四日上午，隆美爾就收到墨索里尼發來的電報，其內容為：「領袖（墨索里尼）已批准裝甲軍團向埃及追擊敵軍之企圖。」幾天之後，墨索里尼親自飛到德拉，而另一架飛機還運來了一匹白色的名馬，他是準備騎著這匹白馬，以羅馬古英雄的姿態去參加勝利者進入開羅的入城大典。甚至於凱賽林，依照義大利方面的記載，他在此時似乎也已經同意向埃及的追擊要比攻擊馬爾他更為重要。

在隆美爾尚未來到之前，英軍即已自動迅速的從邊境線再向後撤退，這對於他的勇敢是同時可以構成一種理由和證明。對於戰爭中的精神效果，這是一個最顯著的示範表演——誠如常為人所樂於引述的拿破崙名言：「在戰爭中精神對物質是三比一。」當李奇決定放棄埃及邊境上的陣地時——他發電報告奧欽列克想用空間來換取時間——但實際上他手中還有三個幾乎是完整無缺的步兵師，而第四個新來的師也正在途中，至於以戰車而論，能夠作戰的戰車總數要比非洲軍所有的多了三倍。

但是從多布魯克傳來的消息使得李奇驚慌失措，於是遂決定放棄據守邊境線的任何企圖——他在六月二十日夜間即已作了這個決定，比克羅普決定投降還早六個小時。

李奇的企圖是準備退到梅爾沙．馬特魯（Mersa Matruh）才站住不動，然後使用從邊境上撤回的部隊，再加上從敘利亞調來的生力軍，第二紐西蘭師，來和隆美爾作一次「背城借一」的決鬥。但在六月二十五日夜間，奧欽列克趕到前線，從李奇手中親自接管了第八軍團的指揮權。在與他的參謀長多爾曼．史密士（Eric Dorman-Smith）對問題作了一次全面檢討之後，就決定撤消據守馬特魯要塞化陣地的命令，而準備在艾拉敏地區中打一次較機動化的仗。這是一個很艱難的決定，因為不僅在撤退這樣多的部隊和物資時會遭遇到許多困難，而且也必然會在國內，尤其在白廳（White Hall）中，引起新的驚呼。在作這個決定時，奧欽列克顯出他是具有冷靜的頭腦和堅強的意志。雖然以物質力量的對比而言，再進一步的撤退似乎是沒有理由，但是因為梅爾沙·馬特魯陣地具有易於受到迂迴的先天弱點，而英軍的士氣又已經低落到了極點，所以這種決定還是比較明智的。所有從邊境線上退下來的部隊都已經是信心動搖，而且也混亂不堪。基彭貝格少將（Major-General Kippenberger）是一位紐西蘭的指揮官，也是一位戰史學家，他曾親自在馬特魯地區看見那些部隊，他說：「那是如此的混亂和沒有組織，無論是步兵、裝甲兵或砲兵，都已經找不到一個完整的戰鬥單位。」隆美爾不讓他們有重行編組的時間，他的追擊速度已經取消了李奇所說的「以空間換取時間」的理由。

在獲得了羅馬的「放行」之後，於六月二十三日的夜間，隆美爾就開始越過埃及與利比亞之間的邊境線，在月光照明之下向沙漠中挺進。到了二十四日的黃昏時，他已經走了一百多哩，到達了細第巴拉尼以東的海岸公路，緊跟著英軍的後面，不過他只捉到一小部分的後衛部隊。到了次日（二十五日）黃昏，他已經接近英軍在馬特魯和其南面所據守的陣地。

因為馬特魯陣地太容易被繞過，所以（葛特）第十三軍的機動部隊已經部署在其南面的沙漠中，並由紐西蘭師擔負支援的任務，至於馬特魯防線則由（何門斯〔Holmes〕）第十軍的兩個步兵師負責防守。在這兩個軍之間有一個寬約十哩的缺口，只用一個布雷地帶來加以掩護。

因為實力太不充足，所以隆美爾必須依賴速度和奇襲。他根本就沒有時間可以用來發動一次有良好準備的攻擊。當英軍的裝甲部隊又已經增加到了一百六十輛戰車的總數時（其中約有一半為「格蘭特戰車」），他只有六十輛德國戰車（其中有四分之一為輕型的二號戰車）和少數不足道的義大利戰車。其三個德國師的步兵總兵力只有二千五百人，而六個義大利師加起來也只有六千人。以如此微弱的兵力企圖發動任何攻擊，可以說是十分的大膽（audacity）——但是在精神加速的幫助之下，大膽的人往往能夠獲勝。

三個非常小的德國師領先前進，在二十六日下午發動他們的攻擊。其中兩個師已經到達面對著上述那個缺口的位置。第九十輕快師比較幸運，它恰好碰到布雷地帶中最淺的一部分，所以到午夜時，已經越過了十二哩的距離。到了次日黃昏，再度到達海岸公路，並阻塞了馬特魯英軍的直接退卻線。第二十一裝甲師碰到了雙層的地雷地帶，所以花費了較多的時間，但到了拂曉時，也已經突入二十哩的距離，於是鑽到在明夸奎門（Minqar Qaim）的紐西蘭師的後方，在尚未受到阻止之前，就擊潰了其運輸單位的一部分。第十五裝甲師則位於較遠的南方，和英國裝甲部隊恰好相遇，所以在一天的大部分時間之內都沒有什麼進度。但是由於第二十一裝甲師的迅速突入，已經威脅到英軍的退路，所以到了下午，葛特即命令撤退——不久就發展成為一種非常沒有秩序的潰逃。紐西蘭師被孤立的留下，但它在黑夜卻成功的突破敵方單薄的包圍而順利的逃脫。幾乎直到第二天拂曉，在馬特魯的第十軍才知道第十三軍已經撤退了——此時它自己的退路早已被切斷達九小時之久。不過在次日的夜間，馬特魯的英軍約有三分之二還是勉強的逃脫，他們分為許多小股，在黑夜掩護之下向南突圍。不過被俘的人數仍有六千之多——比隆美爾的整個攻擊部隊的總數還要多。此外，英軍也留下大量的裝備和補給，使隆美爾大獲其利。

此時隆美爾的裝甲矛頭又繼續向前挺進，他們的速度是那樣的快，所以也就打消英國人想在弗卡（Fuka）暫時立足的念頭。在二十八日黃昏，他們已經到達該處的海岸公路，並擊潰留在那裡的一個印度旅的殘部，次日上午他們又俘虜幾支從馬特魯逃出來的縱隊。負責肅清馬特魯地區的第九十輕快師，在完成任務之後也沿著海岸公路繼續東進，到午夜時已經前進了九十哩，並趕上了裝甲矛頭。次日（六月三十日）上午，隆美爾寫信給他的夫人說：「到亞歷山大港只有一百哩了！」到了當天黃昏就只有六十哩，埃及的鎖鑰似乎已在他的掌握之中。

第二十章　在非洲的潮流轉向

六月三十日，德軍接近了艾拉敏之線，因為要等待義大利部隊趕上來，所以只前進了一小段距離。這一次為了集中兵力而作的短期休息，終於耽誤了隆美爾的成功機會。因為在那一天上午，英國裝甲部隊的殘部還留在海岸公路以南的沙漠中，而不知道隆美爾的裝甲部隊已經趕上了他們。僅僅由於追兵實力的單薄才使他們免於被俘，而終於逃回到艾拉敏防線的庇護之下。

隆美爾的暫時停頓，也許是由於對英軍防禦陣地的實力獲得一項錯誤的情報所致。實際上，那是由四個「盒子」所組成，在海岸線與夸塔拉（Qattara）大窪地之間，一共延伸達三十五哩長。這個窪地是由鹹水沼澤和鬆軟沙地所構成，因此也就限制了迂迴的運動。最大和最強的「盒子」是位置在海岸上的艾拉敏，由第一南非師負責據守。第二個「盒子」也是在南面，那是新近在夏恩（Deir el Shein）設立的，由第十八印度旅負責據守。第三個與第二個之間相距為七哩，稱為「夸塔拉峽盒子」（Bab el Qattara Box），那是由第六紐西蘭師所據守。然後又隔了一個十四

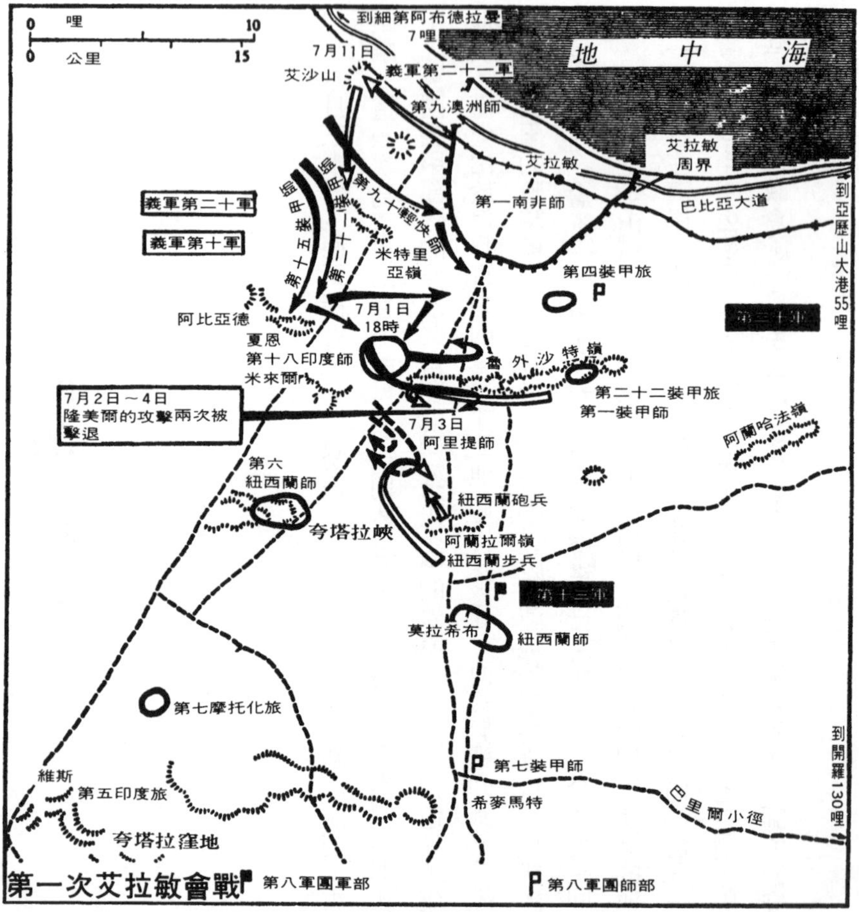
0 哩 10
0 公里 15
到細第阿布德拉曼
7哩
地 中 海
7月11日
艾沙山
義軍第二十一軍
第九澳洲師
艾拉敏
周界
艾拉敏
到亞歷山大港55哩
巴比亞大道
第一南非師
義軍第二十軍
義軍第十軍
第十五裝甲師
第二十一裝甲師
第九十輕快師
米特里
亞嶺
第四裝甲旅
阿比亞德
7月1日
18時
第三十軍
夏恩
第十八印度師
米來爾
魯外沙特嶺
7月2日～4日
隆美爾的攻擊兩次被擊退
第二十二裝甲旅
第一裝甲師
7月3日
阿里提師
阿蘭哈法嶺
第六
紐西蘭師
紐西蘭砲兵
夸塔拉峽
阿蘭拉爾嶺
紐西蘭步兵
第十三軍
莫拉希布
紐西蘭師
第七摩托化旅
維斯
第五印度旅
夸塔拉窪地
第七裝甲師
希麥馬特
巴里爾小徑
到開羅130哩
第八軍團軍部
第八軍團師部
第一次艾拉敏會戰

哩寬的缺口，才是由第五印度師的一個旅所據守的「維斯盒子」（Naqbel Dweis Box）。中間的空隙由一連串小規模的機動部隊負責掩護，那是由上述的三個師和曾經據守馬特魯的那兩個師的殘部共同組成。

七月一日，當隆美爾在擬定他的攻擊計畫時，他不知道在夏恩已經有了一個新的「盒子」，他也不知道英國裝甲部隊還只是剛剛退回到艾拉敏。他以為那些部隊已經部署在南面，以掩護英軍的側翼。根據這樣的判斷，他就計畫首先在南面發動攻擊，把英國的裝甲部隊釘在原地不動，然後再把非洲軍迅速向北調動，準備在艾拉敏與夸塔拉峽之間的地段實施突破。但非洲軍卻碰到事先所不曾知道的「夏恩盒子」，一直苦戰到黃昏才攻克這個「盒子」，並俘獲其守軍的大部分。但他們卻已經守得夠久了，足以打消隆美爾想作迅速突破與迅速擴張的一切希望。英國裝甲部隊趕到現場時已經太遲，不能挽救這個「盒子」，但卻仍能幫助阻止非洲軍的繼續前進。隆美爾命令利用月光繼續挺進，但英國飛機也利用月光實施轟炸，擊散了德軍的補給縱隊，並使隆美爾的企圖受到挫折。

這一天——七月一日，星期三—在非洲的爭奪戰中要算是最危險的一天。比起八月底隆美爾再度攻擊的被擊退，以及十月會戰使隆美爾的終於撤退，這要算是一個更真實的轉捩點。由於所產生的戲劇性結果，所以這一戰對於「艾拉敏」這個地名也就獲得了專利權。實際上，是有一連串的「艾拉敏會戰」，不過這個「第一次艾拉敏」卻是最重要的。

隆美爾已經到達艾拉敏的消息，乃促使英國艦隊離開亞歷山大港，經過蘇彝士運河向紅海撤退。在開羅的軍事機關都已匆忙的焚燒他們的檔案，濃煙從屋頂的煙囪中升入天空。軍人們很幽默的稱這一天是「紙灰星期三」（Ash Wednesday）。第一次世界大戰中的老兵，還記得那是一九一六年索穆河攻勢開始的紀念日——在那一天英軍損失了六萬人——為英國有史以來第一次最嚴重的損失。看到燒焦了的紙片像黑色的雪花一樣飛來，開羅的人民也就自然感覺到英國人是要從埃及逃走了，於是老百姓也紛紛作逃避的準備，火車站上擠得水洩不通。全世界其他地方的人聽到這些消息，也都以為英國人已經喪失了在中東的戰爭。

但到了入夜的時候，前線的情況卻變得很有希望，防禦者也開始逐漸產生了信心——與後方的驚慌失措恰好成一強烈的對比。

隆美爾在七月二日那一天仍繼續不停的攻擊，但是非洲軍所留下來適於戰鬥之用的戰車已經減到四十輛以下，而部隊也早已疲憊不堪。他的再度攻擊一直打到下午才略有進展，但馬上就因為看見兩支強大的英國戰車縱隊而又停頓下來——一支正擋住他的進路，而另一支則正在迂迴其側翼。奧欽列克對於情況已作冷靜的計算，他對於隆美爾攻擊部隊的弱點深有認識，所以他也正在計畫發動一次決定性的反擊。他的計畫未能如願以償，是由於執行時錯誤百出，所以破壞了他的一切希望，儘管如此，卻還是使隆美爾不能達到他的目標。

隆美爾在七月三日又作了第三度的努力，但到此時，非洲軍已經只剩下二十六輛可用的戰車，他在上午向東的進攻受到英國裝甲部隊的抵抗，下午再度進攻，也只前進了九哩就停止了。阿里提師所作的向心前進同時也被擊退，而在這次戰鬥中，一個紐西蘭的營（第十九師）在側面發動一次突然的逆襲，把阿里提師的全部砲兵都俘虜了——於是其餘的部隊也就在恐懼中四散奔逃。這種崩潰是緊張過度的明顯表現。

次日（七月四日），隆美爾在他的家書中曾經這樣悔恨的寫著：「很不幸的，事態的發展完全不如理想。敵人的抵抗力太強大，而我們的實力則已經耗盡。」他的攻擊不僅被擋住，而且還受到反擊。他的部隊已經太疲倦，而且人數也太少，所以暫時不能再作新的努力，隆美爾被迫只好暫停進攻，好讓他們可以喘一口氣，即令明知這樣將使奧欽列克有時間來獲得增援，但也還是沒辦法。

奧欽列克到此時已經奪回了主動，甚至於在增援尚未到達之前，他就幾乎已經開始轉敗為勝。他的計畫依然不變——即用羅理的第三十軍來阻止德軍的攻擊，同時再用葛特的第十三軍從南向北威脅敵軍的背面。不過這一次，裝甲部隊的大部分卻是集中在北面，歸第三十軍來控制。至於第十三軍現在所包括的則僅有最近改組的第七裝甲師，那是號稱「輕裝甲師」，其所包括的部隊為一個摩托化旅、裝甲汽車和「斯圖亞特」（Stuart）戰車。它們固然缺乏打擊力，但其機動性卻能容許快速的行動。當強大的紐西蘭師攻擊敵軍的側翼時，這個師就可以迅速的用大迂迴的方式推進到敵人的後方。

很不幸的，由於缺乏無線電保密之故，遂使德國方面的「竊聽」單位得以事先知道奧欽列克的計畫，並向隆美爾提出警告。所以隆美爾也就早已把第二十一裝甲師從第一線調回來應付此種包圍攻擊，儘管奧欽列克具有決定性的企圖，但其部下在執行時卻是猶豫不決，而隆美爾的此種對抗措施更使他們踟躕不前。在北面地區的情形亦復如此。當德軍第二十一裝甲師撤回之後，有一些屬於英國第一裝甲師的「斯圖亞特」戰車遂開始向前推進，而這種不重要的行動卻產生非常重要的效果——德軍第十五裝甲師的警戒部隊突然發生了恐懼現象（這個師現在的戰鬥實力只有十五輛戰車和二百名左右的步兵）。如此身經百戰的德國精兵都會發生恐懼現象，可以顯示他們是過分緊張到了何種程度。但是英軍並未能抓住這個機會發動全面的攻擊——否則也許即能產生決定性的戰果。

那一天夜裡，奧欽列克用空前所未有的強調語氣，命令他的部下加緊反擊。他在命令中這樣說：「我們的任務是要盡可能在朝東的方向上去擊毀敵人，而不讓他們有全師而退的機會……應不讓敵人休息……第八軍團應把敵人擊毀在其現有的位置上。」但他無法把他自己的這種勇敢精神，從指揮系統中傳達到第一線。他雖然已經把他的戰術指揮所移到和第三十軍軍部很接近的地點，但那裡距離第一線還有二十哩，而到南面的第十三軍軍部也差不多一樣遠。隆美爾的軍團司令部距離第一線只有六哩，而他本人更是經常出入於最前線，身先士卒的在重要的點上發揮其個人的感召力。比較正統化的軍人，包括德英兩方面在內，都經常批評隆美爾離開其司令部的時間太多，而且過分愛好直接控制戰鬥。但是這樣直接的控制，固然曾經產生一些困難，但卻正是其偉大成功的主要原因。隆美爾是使古代名將的遺風在近代戰爭中獲得重演的機會。

在七月五日這一天，對於奧欽列克的新命令之執行而言，第十三軍所獲得的成就極為有限，而第三十軍則更差。紐西蘭師的各旅本預定在對隆美爾後方的攻擊中擔負領先的任務，但事先卻並不曾把總司令的企圖，和對於他們的期待告訴每一位負責執行任務的指揮官。有許多人批評奧欽列克不應把裝甲的主力留在第三十軍方面，而應用它來增強第十三軍所準備進行的後方攻擊。這種說法固然是相當合理，不過我們卻不敢說裝甲兵用在哪一方面會比用在中央地區更具威力和有效——由於敵軍的脆弱，在這裡若能作猛烈的攻擊，那是非常容易成功的。英國第一裝甲師現在已經有九十輛戰車的實力，而面對著它的德國第十五裝甲師，則一共只剩下十五輛戰車，整個非洲軍一共也只有三十輛戰車。

最好的藉口，而且也確是真正的解釋，就是兵力疲憊——由於長期緊張的結果。使這個重要的第一階段作戰，終於以僵局結束的主要原因即在此。

比較言之，德義方面眼前還是居於較為有利的形勢，但最後還是對他們不利。英國人的真正情況要比表面所顯示的好得多。到了七月五日，隆美爾的部隊即已接近總崩潰的邊緣。

在以後的短期休息階段中，義大利步兵師的其餘部分都趕到了第一線，他們接管了北區的靜態防線，而使德軍可以抽出來向南面作一次新的攻擊。但在七月八日，當隆美爾正擬發動這個攻擊時，他的三個德國師的戰鬥力已經略有增加，但戰車總數仍不過五十輛，步兵也大約只有二千人。至於那七個義大利師，包括新到達的里托里奧（Littorio）裝甲師在內，一共也只有四十四輛戰車和大約四千名步兵。英國方面已經到達的援軍有第九澳洲師，這個師在一九四一年對多布魯克的防禦作戰中，曾有極英勇的表現，另外還有兩個新的戰車團，使戰車總數已經增加到二百輛以上。澳洲師被送往北面加入第三十軍，該軍也換了一位新的軍長，那就是由第五十師的師長拉門斯登中將（Lieutenant General W. H. Ramsden）繼任。

隆美爾想把他的努力方向向南移動，這也正好配合奧欽列克的理想和新計畫——就是準備用澳洲部隊沿著海岸公路向西進攻。當德軍向南前進時，紐西蘭部隊就向東撤退，放棄了「夸塔拉峽盒子」，所以德軍在七月九日的攻擊中，所收穫的就只是這一個空盒子而已。

次日清晨，澳洲部隊在海岸附近發動了他們的攻擊，很快的就衝過了義大利師所防守的地區。德軍立即趕往救援，不僅阻止了英軍的前進，而且還收回了一些失地，但因為海岸公路為隆美爾的唯一補給線，所以這次威脅也就迫使他必須放棄其在南面的攻擊。於是奧欽列克立即想到一個擴張戰果的新辦法，在魯外沙特嶺（Ruweisat Ridge）對著現在已經減弱的隆美爾戰線中段作一次突擊。這個計畫的構想很不錯，但由於下級指揮官的無能，和裝甲部隊與步兵之間缺乏協調，終於勞而無功——而德軍許多次的成功，也正是由於此種協調的良好。

英軍各兵種之間不僅缺乏良好的戰術配合，而且步兵根本不相信裝甲兵可以給予他們支援，步兵相信當他們前進之後，就會暴露在敵方裝甲部隊的反擊之下，而英國的裝甲單位就會先行開溜或坐視不救。基彭貝格（Kippenberger）在其所著的《步兵旅長》（*Infantry Brigadier*）一書中曾經這樣說：

> 這個時候，在整個第八軍團之內，並不僅限於紐西蘭師，對於我們的裝甲部隊都懷有一種非常強烈的不信任心理，甚至於可以說是仇視。到處都可以聽到其他兵種上當吃虧的故事，這幾乎已經變成一條公理，每當最需要戰車支援的時候，他們卻不知去向。

即令如此，英軍的這個突擊和威脅，還是足以牽制隆美爾的微弱兵力。當他企圖在北面再發動一次反擊時，也就未能成功。英國的戰車雖然不是德軍的對手，甚至於也不能保護自己的步兵，但卻可以幫助威脅義大利步兵，促使他們大批的投降。隆美爾在七月十七日的家書中這樣寫著：

> 目前的情況至為惡劣。敵人利用其優勢，尤其是在步兵方面的優勢，把義大利部隊逐一加以擊滅，而德軍部隊已經太弱且無法獨力支持。這種情形已經足夠令人痛哭。

次日，第七裝甲師又向隆美爾的南面側翼構成一個新的威脅，而奧欽列克則在此時準備使用最近到達的更多援兵，來發動一次較大的新攻勢。目的還是想從中央突破，但這次卻在魯外沙特嶺的南面並趨向米來爾（El Mireir）。一個剛剛到達的新裝甲旅（第二十三）被用於擔任這次攻擊，它有「法蘭亭」式戰車一百五十輛——不過其三個團中的一個被派往幫助澳洲部隊，在北面對米特里亞嶺（Miteiriya Ridge）擔任助攻。

這次的攻擊似乎極有希望，因為第八軍團現在在整個戰場上已經有總數接近四百輛的戰車。隆美爾的戰車實力卻遠比其對方所估計的要低——非洲軍所剩下來的已經不足三十輛。但由於幸運和判斷的結合，他們的位置恰好正擋住英軍的主攻路線——而英軍的戰車，實際上在那裡參加戰鬥的又僅占其總數中一個極小的比例。

奧欽列克這次的計畫，是要用步兵發動一個寬正面的夜間攻擊，以突破敵方戰線的中央地段。紐西蘭師向北先作一次側面攻擊，於減弱敵軍抵抗力之後，第五印度師就應沿著魯外沙特嶺向前直接進攻，進入其南面的谷地。到拂曉時，新到的第二十三裝甲旅就應長驅直入，到達谷地的頂點米來爾，接著第二十二裝甲旅應超越那一點作擴張戰果的行動。這是一個構想極為巧妙的計畫，但在執行時有許多細節必須事先有相當精密的安排。在軍部開會時，對各個連續的步驟還是未能作成適當的協調，換言之，葛特的部下對於彼此所扮演的角色還是搞不清楚。

這次攻擊是在七月二十一日的夜間發動，紐西蘭部隊首先到達了他們的目標。但德國戰車接著也就趕到了，並在黑夜裡向他們反擊，造成了混亂。到天明時，他們已經把領先的紐西蘭旅完全擊破，而本應負責保護紐西蘭部隊側面的第二十二裝甲旅，卻在機場上看不見他們的蹤影。因為它的指揮官認為戰車在黑夜裡是無法行動——這與德國人的行動恰好成一強烈對比。

此時，第五印度師的夜間攻擊也未能到達其預定目標。更糟的是它未能替跟隨在後面前進的第二十三裝甲旅在布雷區中清掃一條進路。當後者的第四十和第四十六兩個戰車團在上午發動攻擊時，途中遇著正在向後撤退的印度部隊，但對於其前進途中的地雷是否已經掃清，卻找不到確實的資料。他們大膽的前進，不久就陷入敵軍的雷區中，同時又受到敵軍戰車和戰防砲的猛烈射擊。結果只有十一輛戰車退回。這次損失慘重的攻擊所得到的唯一效果，就是使步兵恢復了對裝甲兵的信心（尤以紐西蘭人為然），覺得他們也還可以打硬仗。這個旅的另一個團在北面的攻擊中也表現了類似的衝勁，但所付出的代價卻非常的重大——這一天一共損失戰車一百一十八輛，而德軍只損失了三輛。即令如此，英軍戰車實力還是大於隆美爾十倍。不過這次的出師不利已經產生嚴重的心理作用，所以英軍一時不再想繼續進攻，只想憑藉其巨大的潛力來壓倒敵人。

經過了四天的重組和整頓，英軍又再度企圖突破隆美爾的戰線——這次是從北面進攻。最初進展得很順利，澳洲部隊在月光下攻占了米特里亞嶺，在其南面的第五十師也有了好的開始。但是應跟在後面進攻的第一裝甲師，其師長卻認為在布雷地帶所開闢的通道還不夠寬，所以拒絕前進。他這樣一拖延，就把整個攻擊的前途斷送了。一直到上午過了一半，領先的戰車才開始準備通過雷區前進，但是立即被迅速北調的德軍戰車所釘牢而進退不得。於是已經達到布雷地帶後方的步兵遂被切斷，並為德軍的反擊所殲滅。同時澳洲部隊也被趕下米特里亞嶺，並有一部分被圍困。

奧欽列克現在只好勉強決定暫停進攻。在長期苦戰之後，他的許多部隊都已顯得疲憊不堪，凡是被孤立的部隊也都輕易地向敵人投降。很明顯的，在這樣一個狹窄的正面上，防禦是比較有利，同時隆美爾也終於獲得一些增援，所以這種有利的形勢也就日益增強——到八月初，隆美爾的戰車實力已經比七月二十二日的數字增加了五倍以上。

雖然會戰的結果對英國人而言很令人感到失望，但他們的情況卻比會戰開始時要好得多。隆美爾對於這次會戰所作的最後判決有如下的敘述：「雖然在這次艾拉敏的戰鬥中，英國人的損失比我們嚴重，但對奧欽列克而言，這種損失卻不算太重，就他的觀點而言，最重要的就是阻止我們的前進，而很不幸的，這一點他卻已經做到了。」

在艾拉敏的七月會戰中，第八軍團的損失超過了一萬三千人，它一共收容了七千多名的戰俘，其中包括一千多名德國人。假使計畫的執行能夠比較認真和勇敢，則代價可以較低，而收穫也可以較高。即令以現有的數字而論，雙方的損失總數相差並不太大，而隆美爾卻比較吃不消這種損失。由於英國方面的增援目前仍在大量的投向埃及，所以隆美爾的前途也就一天比一天更加黯淡。

他自己的記載曾經明白指出，在七月中旬他是如何將要接近失敗的邊緣。他在七月十八日寫給他夫人的私信中曾經這樣說：「昨天是特別艱難和緊急的一天，我們總算是拖過了。但卻不可能長久如此，總有一天戰線會崩潰。就軍事方面來說，這是我有生以來第一次經歷最困難的階段。當然並非沒有救，不過我們能否等得到，卻是一個問題。」四天之後，他的兵力又進一步的減弱，但卻仍能擊敗另一次較重大的攻擊，這未嘗不是一種僥倖。

隆美爾事後的記載中，對於英軍總司令曾經給予高度的評價：「奧欽列克將軍在艾拉敏親自接管了指揮權之後，對於兵力的調度具有相當高明的技巧……他對於情況似乎保持著一種絕對冷靜的看法，因為不管我們如何的行動，他從不喪失理智而採取一種『次等』的解決辦法。」

在其智謀卓越的參謀長多爾曼．史密士的協助之下，奧欽列克雖然能夠擬出一連串的「頭等」計畫，但是替他執行計畫的部隊長卻全是「三等」貨色，所以結果也就是毫無成就可言。另外還有一個重要的原因，那就是在這個戰場上的兵力是由不列顛國協各會員國所分別提供的。在如此困難的情況中，各國政府對於他們自己部隊的安全也就特別關心，所以經常警告其指揮官應特別慎重，這樣也就使整個作戰的效率大打折扣，並增大了戰爭的摩擦。

同時那也是非常自然的，由於七月會戰的結果如此令人感到失望，於是大家都一致指責英軍的領導實在太差，所以也就使人感覺到較高級的指揮組織有徹底改組之必要。照一般的慣例，批評總是集中在最高級指揮官一個人的身上，至於其部下的頑劣和失職卻反而很少有人注意。由於奧欽列克反攻的失敗，使英軍的信心又開始發生動搖，所以為了恢復信心，撤換他也是不無理由的。在那種情況之下，調換主將是激勵士氣、振奮人心的最簡單辦法——至於對被撤換者是否公平則又另當別論。

邱吉爾決定親自飛往埃及以穩定情況，他在八月四日到達開羅——這也正是英國加入第一次世界大戰的紀念日。誠如邱吉爾本人所承認的，奧欽列克是已經「力挽狂瀾」，但在當時看來，潮流是否已經真正轉向，卻遠不像事後所知道的那樣明顯。隆美爾所站立的地方距離亞歷山大港和尼羅河三角洲還是只有六十哩遠——這樣近的距離足以令人提人吊膽。邱吉爾早已有換人的打算，當他與奧欽列克會晤之後，又發現奧欽列克堅決拒絕他的壓力，不肯提前再發動攻勢。奧欽列克堅決主張至少應到九月才能再度進攻，因為他認為新來的增援部隊，必須要有相當時間才能適應當地的生活條件，和接受一些有關沙漠作戰的訓練。於是邱吉爾感到非常不耐煩，遂作了最後的決定。

他的決定同時也受到南非首相史末茲元帥（Field Marshal Smuts）的影響和支持，後者是應邱吉爾的邀請，飛到開羅來和他作一次會談。邱吉爾最初所屬意的人是非常能幹的陸軍參謀總長艾蘭・布羅克將軍（General Sir Alan Brooke）——但布羅克卻由於禮讓和政策的動機，不願意離開軍政部去接替奧欽列克的職務。於是經過進一步討論，邱吉爾遂用電話通知在倫敦的戰時內閣，說他們已決定指派亞歷山大為中東總司令，至於第八軍團司令一職則決定由葛特升任——這是一個很令人感到驚奇的選擇，因為葛特以軍長身分在最近戰鬥中的表現實在不很高明。但是次日，當葛特飛往開羅時，卻因為飛機失事而斷送了性命。於是由於命運的安排，蒙哥馬利遂從英國調往埃及補了這個空缺。軍長也同時換了兩個新人——第三十軍為李斯中將（Lieutenant-General Sir Oliver Leese），第十三軍為何洛克斯中將（Lieutenant-General Brain Horrocks）。

但是很諷刺的，這次人事改組的結果，卻使英軍發動攻勢的日期比奧欽列克所建議的還要遲。因為蒙哥馬利下了一個最大的決心，必須等到所有一切的準備和訓練都完成之後才動手。儘管英國首相性情急躁、缺乏耐性，對於他這種堅定冷靜的態度也只好表示讓步。這也就無異於把主動權讓給隆美爾，容許他有另一次追求勝利的機會，這就是所謂「阿蘭哈法會戰」（Battle of Alam Halfa）——但結果不過是使他「爬得高跌得重」而已。

在八月間，隆美爾只獲得了兩個新單位的增援——一個德國傘兵旅和一個義大利傘兵師。這兩個單位現在都已經被當作步兵來使用。不過其原有的各師由於已有人員和裝備送來，所以損失已經獲得相當的補充——雖然送來的充員是義大利人要比德國人多得多。隆美爾計畫在八月底發動他的攻擊，在此前夕，他的兩個裝甲師已經約有二百輛中型戰車，而那兩個義大利裝甲師也還有二百四十輛戰車。義大利戰車還是那些舊貨，現在相形之下，也就變得更為落伍了。德國的三號戰車中有七十四輛是裝有五十公厘長砲管戰車砲，而二十七輛四號戰車則裝有新的七十五公厘砲，這要算是一個重要的質的進步。

但是英軍第一線的戰車實力卻早已增到七百輛以上，其中約有一百六十輛是「格蘭特」式。實際上，在這個裝甲戰鬥中只使用五百餘輛戰車——因為時間是短暫的。

要塞化的防線還是和七月間一樣，仍然由那四個步兵師負責據守，不過他們的實力都已補充足額。第七（輕）裝甲師留在原地不動。第一裝甲師則調回後方整補，接替其防務的是第十裝甲師，師長為蓋特豪士少將（Major-General A. H. Gatehouse）。下轄兩個裝甲旅，第二十二旅和新到的第八旅，而已經再裝備的第二十三旅，在會戰開始之後，已交由該師控制。一個新到的步兵師已奉命在阿蘭哈法嶺上占領著後衛陣地。

這裡的防禦部署本是多爾曼·史密士所設計，而由前任總司令奧欽列克所批准的，現在也並沒有任何劇烈的改變。由於這一戰役獲勝之後有許多的報導都說在指揮人事改變之後，全部的計畫也有了完全的改變，好像認為這就是勝利的主因一樣。所以必須強調指出，亞歷山大在他的正式公文書中曾經忠實的說明事實的真相，那是足以粉碎那些無稽之談。亞歷山大說當他從奧欽列克手中接管了指揮權之後，發現：

> 這個計畫是盡可能對從海岸到魯外沙特嶺之間的地區作堅強的防禦，同時在阿蘭哈法嶺上另設一個堅強的防禦陣地，當敵軍企圖在魯外沙特嶺以南進攻時，從這裡即可以威脅其側面。現在指揮第八軍團的蒙哥馬利將軍，在原則上是採納了這個計畫，而我也完全表示同

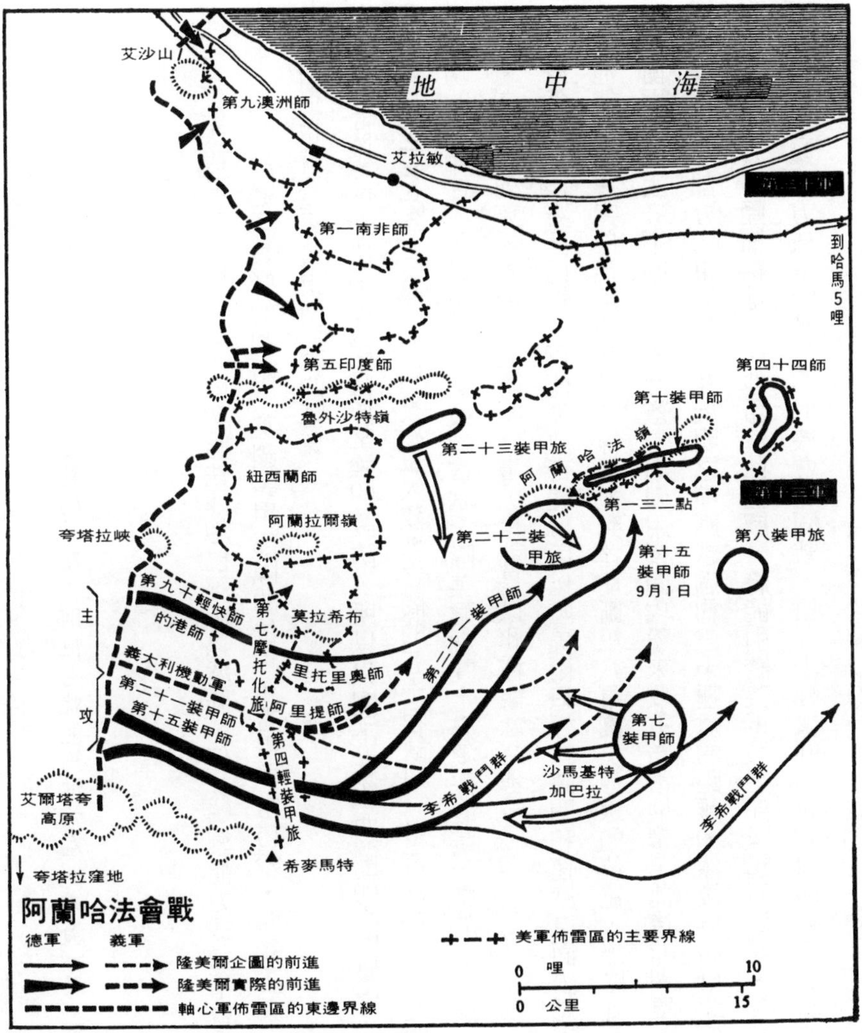
地 中 海
艾沙山
第九澳洲師
艾拉敏
第三十軍
第一南非師
到哈馬5哩
第五印度師
魯外沙特嶺
第四十四師
第十裝甲師
第二十三裝甲旅
阿蘭哈法嶺
紐西蘭師
第十三軍
第一三二點
阿蘭拉爾嶺
夸塔拉峽
第二十二裝甲旅
第十五裝甲師 9月1日
第八裝甲旅
主攻
第九十輕快師
的港師
第七摩托化旅
莫拉希布
里托里奧師
第二十一裝甲師
義大利機動軍
阿里提師
第二十一裝甲師
第十五裝甲師
第四輕裝甲旅
第七裝甲師
沙馬基特加巴拉
李希戰鬥群
李希戰鬥群
艾爾塔夸高原
希麥馬特
夸塔拉窪地
阿蘭哈法會戰
德軍 義軍
隆美爾企圖的前進
隆美爾實際的前進
軸心軍佈雷區的東邊界線
美軍佈雷區的主要界線
0 哩 10
0 公里 15

意，並希望敵人若能給予我們足夠的時間，則他也就能夠增強左（或南）翼，來改進我們的地位。

在隆美爾發動攻擊之前，阿蘭哈法陣地已經予以增強，但其防禦能力卻還不曾受到認真的考驗——因為經過了良好的判斷，英國裝甲部隊的位置布署得非常巧妙，而其防禦行動也極為有效，所以也就決定了這場會戰的勝負。

由於防線的北段和中段有極堅強的設防，所以只剩下在紐西蘭部隊所據守的阿蘭拉爾嶺（Alam Nayil Ridge）「盒子」與夸塔拉大窪地之間的五十哩缺口，是可以容許迅速的突破而有獲致成功的可能性。所以要想作突破的嘗試，隆美爾就註定必須採取這一條前進路線，這是至為明顯的。在奧欽列克任內所擬的防禦計畫，也就是以此種觀念為基礎。

既然在目標方面已經不可能獲致奇襲，所以隆美爾只好在時間和速度方面去想辦法。他希望假使他能夠迅速突破英軍的南段防線，並到達切斷第八軍團交通線的位置，那麼就可以使敵人喪失平衡而無法固守不動。他的計畫是準備用夜間攻擊來攻占布雷地帶，此後非洲軍就率領著義大利機動軍的一部分向東奔馳，在天明之前應越過約三十哩遠的距離，然後再向東北旋迴，指向海岸附近的第八軍團補給地區。他希望此種威脅將能引誘英軍裝甲部隊起而追逐，於是也就使他有了用埋伏狙擊的方式來毀滅他們的機會。同時，第九十輕快師和義大利機動軍的其餘部分，則應構成一條在側面的屏障線，其強度應能擋住英軍從北面發動的反擊，直到也已在敵人的後方贏得那一場裝甲戰鬥時為止。根據他自己的記載，他認為英軍指揮官的反應一向都是頗為遲緩，所以這也就是他可以希望獲勝的唯一理由。他說：「經驗告訴我們，他們要想作成決定再付諸實行，一定需要相當長久的時間。」

但在八月三十日夜間發動這個攻擊時，卻發現英軍的布雷地帶要遠比所料想的更深。到了天亮時，隆美爾的矛頭只越過它八哩遠，而非洲軍的主力直到上午十時才開始向東運動。到了此時，其大量集中的車輛已經受到英國空軍的猛烈轟炸。非洲軍軍長內林將軍（**General Walter Nehring**）在這個階段即已負傷，非洲軍在以後的階段中，都是由其參謀長拜爾林上校（以後升任到中將）來負責指揮。

由於已經明知任何奇襲的效果都已喪失，而前進的速度也和預定的時間表差得太遠，所以隆美爾遂考慮停止進攻。但他和拜爾林討論了一番之後，還是決定仍然繼續前進——不過改變了原有的路線，而換了一個比較有限性的目標。因為英軍裝甲部隊已經有時間來完成其戰鬥部署，所以他若再向東深入，則側面也就必然會很快地受到威脅。因此他感覺到有提早向北旋迴的必要。於是命令非洲軍立即向北旋迴，結果它就衝向「一三二點」（**Point 132**），那也就是阿蘭哈法嶺的最高峰。此種方向的改變，使該軍趨向英軍第二十二裝甲旅所在的地區——同時也趨於一個足以妨礙行動的軟沙地區。原先所計畫的路線則可以不經過這個地區。

第八裝甲旅的戰鬥位置在第二十二裝甲旅的東南方，而不準備從側面來作間接的威脅。這兩個旅在位置上隔得這樣遠，當然是一種冒險，不過蒙哥馬利敢於如此卻是不無理由，因為事實上，他的每一旅所擁有的戰車實力，都可以和整個非洲軍相比，所以它應能獨立作戰維持一長久的時間，以等候其他單位的支援。

不過，第八裝甲旅直到上午四時三十分才到達指定的位置——但很僥倖的，敵人的行動亦同樣的遲緩。依照隆美爾原定的計畫，非洲軍應在拂曉之前即已到達這個地區。假使當第八裝甲旅還沒有完成部署之前，即在黑夜發生衝突或者是受到拂曉攻擊，其結果一定會十分的狼狽，尤其是這些部隊還是第一次參加戰鬥。

由於隆美爾的向北旋迴比原來所預算的早，所以全部的攻擊都直接落在第二十二旅的頭上，但時間卻已在那一天下午很晚的時候。連續不斷的空中攻擊，加上燃料和彈藥運輸車隊到達過遲，都足以使非洲軍的前進受到很大的阻礙，所以一直到下午才開始向北旋迴。當他們接近阿蘭哈法時，英軍早已嚴陣以待。這個旅已經換了一個年輕的新旅長羅貝茲（'Pip' Roberts），他對於戰鬥的指揮很在行。戰車和砲兵的火力一再把敵方的裝甲縱隊擊退。到入夜時，雙方結束了戰鬥。守軍當然很高興，而攻擊者卻很沮喪。

不過這次攻擊的夭折不完全是由於英軍的英勇善戰。因為燃料是那樣的缺乏，所以在下午過了一半的時候，隆美爾曾經取消發動全面攻擊以奪取「一三二點」的命令。

甚至於到九月一日上午，燃料仍然還是非常缺乏，使得隆美爾不得不放棄在那一天內想作任何大規模行動的念頭。他所能企圖的最多也不過是一個局部有限性的攻擊：以一個師（第十五裝甲師）的兵力去攻占阿蘭哈法嶺。非洲軍現在的處境非常惡劣：英國轟炸機徹夜攻擊，而第十三軍的砲兵也整天射擊，所以他們的損失不斷的增大。守軍兵力也已經增強，所以德國裝甲部隊的攻擊也就很輕鬆的被擊退——在那天上午，蒙哥馬利確信敵人已經不能從東面趨向他的後方，於是就命令另外兩個裝甲旅把兵力都集中到阿蘭哈法嶺這一個地區來。

到了下午，蒙哥馬利遂命令開始計畫一個反擊，以求奪回主動。這個構想是從紐西蘭師所占領的陣地向南進攻，以切斷德軍的退路。他同時也安排由第十軍軍部來統一指揮追擊部隊。這支部隊將由所有一切能夠抽出的預備隊來組成，以挺進到達巴（Daba）為目標。

隆美爾現在手中所剩下來的只有一天的油料——那也就是只夠他的部隊行動六十哩的距離。所以經過英軍在第二夜的連續轟炸之後，隆美爾遂決定中止攻擊，並作逐漸的撤退。

在次日（九月二日），面對著阿蘭哈法的德軍遂開始抽出其部隊，並分批向西移動。英軍要求允許他們追擊，但未獲蒙哥馬利的批准——因為蒙哥馬利的政策是絕對不願冒險：過去英國裝甲部隊常被誘入隆美爾所布置的陷阱，所以他決定不再上當。同時，他也命令紐西蘭部隊在其他部隊增援之下，於九月三日夜間向南面發動攻擊。

但到了九月三日，隆美爾的部隊已經開始全面撤退，英軍只派了少許搜索部隊跟蹤在他們的後面。那天夜間，紐西蘭師發動攻擊，打擊在敵軍後方的側面上，那是由第九十輕快師和義大利的港師負責防守的。雙方混戰了一場，結果使英軍受到重大的損失，而停止進攻。

在以後的兩天內（九月四日和九月五日），非洲軍仍繼續緩慢撤退，英軍卻並未企圖再作攔截，同時也只有少許部隊，非常謹慎的跟在後面替他們「送行」。九月六日，德軍停止在一線高地之上，那是在其原有戰線的東面約六哩處，很顯明的，是準備留在那裡不走。次日，蒙哥馬利遂決定結束這次會戰，而亞歷山大也立予照准。所以隆美爾總算是略有收穫，占了這一點少許的地盤。但事實上，他卻是得不償失，尤其是他原有的目的已經受到決定性的挫折。

對於第八軍團的部隊而言，當他們看到敵軍撤退，即令是只退後了幾步，也還是足以使他們感到興奮無比。至於美中不足的是沒有能夠把敵軍切斷，但對於他們而言，這種失望卻並不嚴重。很明顯的，潮流是已經回轉了。蒙哥馬利一直都努力要在其部隊中創造一種新的信心，現在他們對於他個人的信心總算已經建立起來了。

不過蒙哥馬利究竟還是錯過了一次偉大的機會，如果他能夠切斷非洲軍的退路，則可以一舉而擊毀敵軍，或使其喪失抵抗能力。這樣不僅可以免除未來的許多麻煩，而且也不必再付出重大的代價來進攻敵軍堅強的設防陣地。以上的分析固然不錯，但專就阿蘭哈法會戰而言，英國人仍算是獲得一次偉大的成功。當這個會戰結束時，隆美爾也已經確定喪失了主動——由於英國方面的增援正像潮水一樣的湧入埃及，所以下一次會戰對於隆美爾而言，誠如他自己所說的，註定是一次「無希望的會戰」（Battle Without Hope）。

到了戰後，我們對於雙方的兵力和資源已經獲得較詳細的資料，所以就可以看出當隆美爾向埃及的進攻最初被阻時，即已註定其最後失敗的命運，因此在七月間的第一次艾拉敏會戰，應該算是一個真正的轉捩點。儘管如此，當他在八月底再度發動攻擊時，卻仍然顯出是一個巨大的威脅，由於雙方在此時的兵力比以前或以後更接近平衡，所以他仍然有勝利的可能——假使對於還是像過去那樣的糊塗和畏怯，則他也許早已勝利了（過去英軍所享有的優勢比目前還更確實）。但經此一戰之後，隆美爾遂從此喪失了一切捲土重來的希望。「阿蘭哈法會戰」的特殊重要性可以用下述的事實來說明：儘管它不過是在同一地區內所打的多次「艾拉敏會戰」中的一個，但它卻被賦予一個獨立不同的名稱。

就戰術而言，這一戰役也有其特殊的意味。因為它的勝利不僅是由防禦一方所贏得，而且也是靠純粹防禦來決定勝負，沒有任何的反擊——甚至於連任何認真的反擊企圖都沒有。這是和古今戰史中大多數「轉捩點」（Turning Point）的會戰都不相同。當蒙哥馬利在防禦成功之後決定不再進攻，這固然是放棄了捕捉和擊毀隆美爾兵力的機會（就眼前而言，那也的確是一個極好的機會），但並不因此而影響到這次會戰作為戰役轉捩點的決定性。從此以後，英國部隊開始對最後勝利具有信心，所以士氣也日益高昂，而其對方則開始感到前途毫無希望，無論如何的努力或犧牲，也不過是把最後的失敗暫時延遲而已。

同時在戰術上的技巧方面，也有許多值得學習的教訓。英國兵力的部署以及對地形的選擇，對於戰鬥的勝負都具有很大的影響。還有其調動的彈性也是如此，最重要的應首推空權與地面部隊計畫的密切和良好的配合。這次會戰的防禦典型也足以增加此種配合的效果。英軍地面部隊圍成一個圓圈，而空軍則繼續不斷的轟炸被圍在圈子內的敵軍。因為凡是在圈內的一切部隊都是敵人，都可以當作目標，所以空軍的作戰也就可以比較自由和有效。反之，在敵我混雜的較流動型態的戰鬥中，空軍的行動也就會受到許多限制，而使其效力大打折扣。

再過了七個星期英軍才開始發動他們自己的攻擊。儘管那位沒有耐性的首相對於這樣的延遲極感不滿，但是蒙哥馬利的態度卻非常的堅決，他認為必須等到他的準備完成並有合理的成功把握之後才可以動手，而亞歷山大也支持他的這種主張。因為自從這一年開始以來，英國人已經遭遇到一連串的災難，所以邱吉爾的政治地位在此時也已經動搖不穩，因此他的氣燄也就不像過去那樣逼人，只好勉強聽從他們兩位的辯論，同意到十月底再發動攻勢。

正確的D日是要由月亮的位置來決定。這個攻擊計畫是準備以一個夜間突擊為起點，其目的是為了減弱敵火的效力，但同時又必須有適當的月光可供照明之用，這樣才能便於在敵方的布雷地帶中掃清一些通道。所以突擊的發動定在十月二十三日——因為二十四日即為滿月。

邱吉爾之所以希望能夠提早攻擊是受到另一重要因素的影響，那就是號稱「火炬作戰」（Operation Torch）的英美聯軍在法屬北非登陸的偉大計畫，現在已經預定在十一月初發動。若能在艾拉敏對隆美爾贏得一次決定性的勝利，也許即能鼓勵法國人歡迎盟軍的登陸，同時也可以幫助增強佛朗哥拒絕德軍進入西班牙和西屬摩洛哥的決心——假若西班牙給予德軍此種便利，則聯軍的登陸計畫即可能會受到破壞。

但亞歷山大卻認為他的攻擊，代字為「捷足作戰」（Operation Lightfoot），若能在「火炬作戰」之前兩個星期發動，那麼中間這一段時間，其長度既足以毀滅面對著英軍的軸心兵力的大部分，又可以使敵人來不及對非洲作大規模的增援。無論如何，他感覺到要使北非另一端的登陸能產生良好的結果，則首先必須使他這一端的攻擊能有成功的確實把握。所以他說：「我確認決定性因素就是必須準備妥善以後才可以進攻，否則不僅是甘冒失敗的危險，而且更足以招致災難。」這些辯論終於占了上風，雖然他現在所建議的日期要比邱吉爾過去向奧欽列克所要求的日期幾乎遲了一個月，但是邱吉爾最後還是同意延期至十月二十三日為止的意見。

到了那時，英國人所享有的優勢——無論數量或素質——都已經增大到空前所未有的程度。若照慣用的計算「師」數的老辦法來比較，則雙方在表面上似乎恰好勢均力敵——因為每一方面都有十二個「師」，其中四個為裝甲師。但以實際的人數而言，則雙方相差很遠，第八軍團的戰鬥實力為二十三萬人，而隆美爾則只有八萬人，其中又只有二萬七千人是德國部隊。同時，第八軍團一共有二十三個裝甲團，而隆美爾的裝甲兵力則只有四個德國戰車營和七個義大利戰車營。至於實際戰車數量的比較則更為驚人。當會戰開始時，第八軍團一共擁有砲戰車一千四百四十輛，其中有一千二百二十九輛是可以立即參加戰鬥——而在一個長期消耗戰中，目前在埃及的倉庫和工廠中還有一千輛左右的數字可供補充之用。隆美爾則僅有二百六十輛德國戰車（其中又有二十輛在修理中，三十輛為輕型的二號戰車），和二百八十輛義大利戰車（全部都是落伍的）。只有那二百一十輛德國中型砲戰車有資格在裝甲戰鬥中和對方交手——所以實際上，就適合於戰鬥之用的戰車數量而言，英國人在開始時是占了六對一的優勢；而且還擁有大量的補充能力，所以他們就可以不必害怕消耗的損失。

以戰車對戰車而言，英軍在戰鬥力方面所享有的優勢更為巨大，因為在「格蘭特」戰車之後又有大批的「薛曼」（Sherman）戰車從英國繼續運到，那是一種更新型和更優越的戰車。到會戰開始時，第八軍團所擁有的「薛曼」和「格蘭特」已經超過了五百輛，而且還有更多的數量正在運輸途中；隆美爾只有三十輛新式的四號戰車，那是裝有初速較快的七十五公厘砲，有資格和美國新式戰車對抗——比阿蘭哈法會戰時只多了四輛，此外，隆美爾也已經喪失其過去在戰防砲方面的優勢。他的「八八」砲固然已經增到了八十六門，而且又獲得六十八門從俄國俘虜來的「七六」砲[1]，但是其標準的德國五十公厘戰防砲，除了在近接距離之外，已經不能夠穿透「薛曼」、「格蘭特」或「法蘭亭」等型戰車的裝甲。又因為新式的美國戰車備有高爆彈頭，可以在遠射程擊毀對方的戰防砲，所以德軍這種弱點也就變成一種非常嚴重的障礙。

在空中，英國人也享有空前所未有的巨大優勢。中東空軍總司令泰德爵士（Sir Arthur

Tedder）現在手中所能運用的作戰部隊已經達到九十六個中隊之多——包括十三個美國的、十三個南非的和一個羅德西亞的、五個澳洲的、兩個希臘的，一個法國的和一個南斯拉夫的中隊在內。他們一共構成第一線飛機一千五百架以上。在這個總數中，有一千二百架是以埃及和巴勒斯坦為基地，可隨時準備用來支援第八軍團的攻擊。反觀在非洲能用來支援隆美爾裝甲軍團的空軍實力，把德義兩國的都加在一起也只有可用的飛機大約三百五十架。英軍的這種空中優勢具有極大的價值，它可以妨礙德軍的行動，切斷其補給線，並同時保護英軍補給線暢通無阻。但對於整個會戰的勝負而言，更重要的因素還是空軍間接的和戰略性的行動，它與英國海軍的潛艇合作，切斷了隆美爾的海上補給線。在九月間，差不多有三分之一的軸心補給船隻都在越過地中海時被擊沉，此外還有許多船隻被迫駛回。十月間補給的減少變得更為嚴重，送往非洲的數量能夠達到目的地的還不及一半。砲兵的彈藥變得那樣的缺乏，所以已經無法對抗英軍的轟擊。而最重大的損失則為油輪的被擊沉，在英軍發動攻擊之前的幾個星期內，幾乎沒有一艘能到達非洲——所以當會戰開始時，非洲軍團手中所剩下來的只有三個配發量（issues），而通常被認為最低的儲備量應該有三十個。這種燃料的嚴重缺乏，也就妨礙了他們所採取的任何對抗行動：迫使他們對大機動部隊不能分割使用，阻止他們迅速集中在某一點上，而在戰鬥繼續發展時，也使他們日益喪

1 譯註：應為七十六．二公厘ZIS-3戰防砲。

失機動能力。

糧食補給的損失也是一個重要因素，它足以使部隊營養不良，疾病流行，塹壕中的惡劣衛生條件更加強這種作用，而尤以義大利部隊所據守的地段為甚。甚至於在七月會戰時，英國人在攻占了義大利人所據守的塹壕之後，往往會因為那裡的骯髒和臭味使他們受不了而必須撤出，以至於在塹壕尚未挖好之前，常為德國裝甲部隊乘機擊敗。但是這種不衛生的情況終於有一天會產生嚴重的後果，使痢疾和肝病廣泛的傳染，那也不僅限於義大利部隊，連其德國盟友也跟著遭殃——裝甲軍團中的若干重要軍官也都在劫難逃。

一個最重要的「病患損失」（Sick Casualty）就是隆美爾本人。於八月間在阿蘭哈法發動攻擊之前，他早已臥病。以後恢復了一點，所以才能在那一次會戰中勉強親自指揮，接著就病得更厲害，於是在九月間遂不得不回歐洲治療和休養。他的職務暫時由斯徒美將軍（General Stumme）代理，而非洲軍軍長的空缺則由托瑪將軍（Ganeral von Thoma）接任——這兩位指揮官都是從東戰場調來的，他們對於非洲情況頗為隔膜。由於隆美爾的離開，加上這兩位新任指揮官缺乏沙漠戰場的經驗，所以對即將來臨的英軍大攻勢，德軍方面也就沒有適當的應付準備。會戰開始後的次日，斯徒美驅車往前線，突然受到英軍的重大火力狙擊，他從車上掉下來，接著因為心臟病突發而死亡。隆美爾此時尚在奧地利休養，希特勒立即用電話問他能否回非洲。次日，十月二十五日，他飛回了非洲，當天黃昏時到達了艾拉敏的附近，親自接管指揮權——此時軸心軍的防線已經有多處造成了裂口，而且在毫無效果的反擊中又幾乎損失一半可用的戰車。

最初，蒙哥馬利的計畫是準備同時在左右雙方都發動攻擊——李斯中將的第三十軍在右（北端），何洛克斯中將的第十三軍在左（南端）——然後再把他的裝甲主力，集中在第十軍內，由魯門斯登（Herbert Lumsden）指揮，從缺口中送到敵人的後方來切斷他們的補給線。但到了十月初，他又開始感覺到這個計畫未免太「好大喜功」，因為他的部隊在訓練上還是不夠標準，於是他改採一個比較有限制性的計畫。在這個新的計畫，即所謂「捷足作戰」中，攻擊的主力集中在北端靠近海岸，夾在艾沙山與米特里亞嶺之間四哩寬的地段之內——同時，第十三軍以牽制敵軍為目的，在南端發動一個助攻，除非那一方面的敵軍防線完全崩潰，否則不得壓迫得太厲害。這種謹慎的有限性計畫，結果帶來一次長時間的苦鬥，假若仍能採取原有的計畫，則由於第八軍團的兵力雄厚，這樣的苦鬥也許即可避免。這次會戰變成了一種消耗的過程——都是硬攻而沒有巧妙的運動——而且有一度似乎已經到了失敗的邊緣。但由於雙方實力相差得太懸殊，所以即令是這樣的消耗，結果也還是對蒙哥馬利有利——而他又能以無比堅定的決心硬撐下去，這也是他的最大特長。不過在他的計畫限度之內，蒙哥馬利還是善於調換其攻擊方向，他的戰術彈性足以幫助傾側敵人的平衡。

在一千多門大砲作了十五分鐘颶風式的轟擊之後，步兵在十月二十三日（星期五）夜間十時開始發動突擊，這次的突擊有一個成功的開始——由於對方缺乏砲彈，所以斯徒美制止他的砲兵

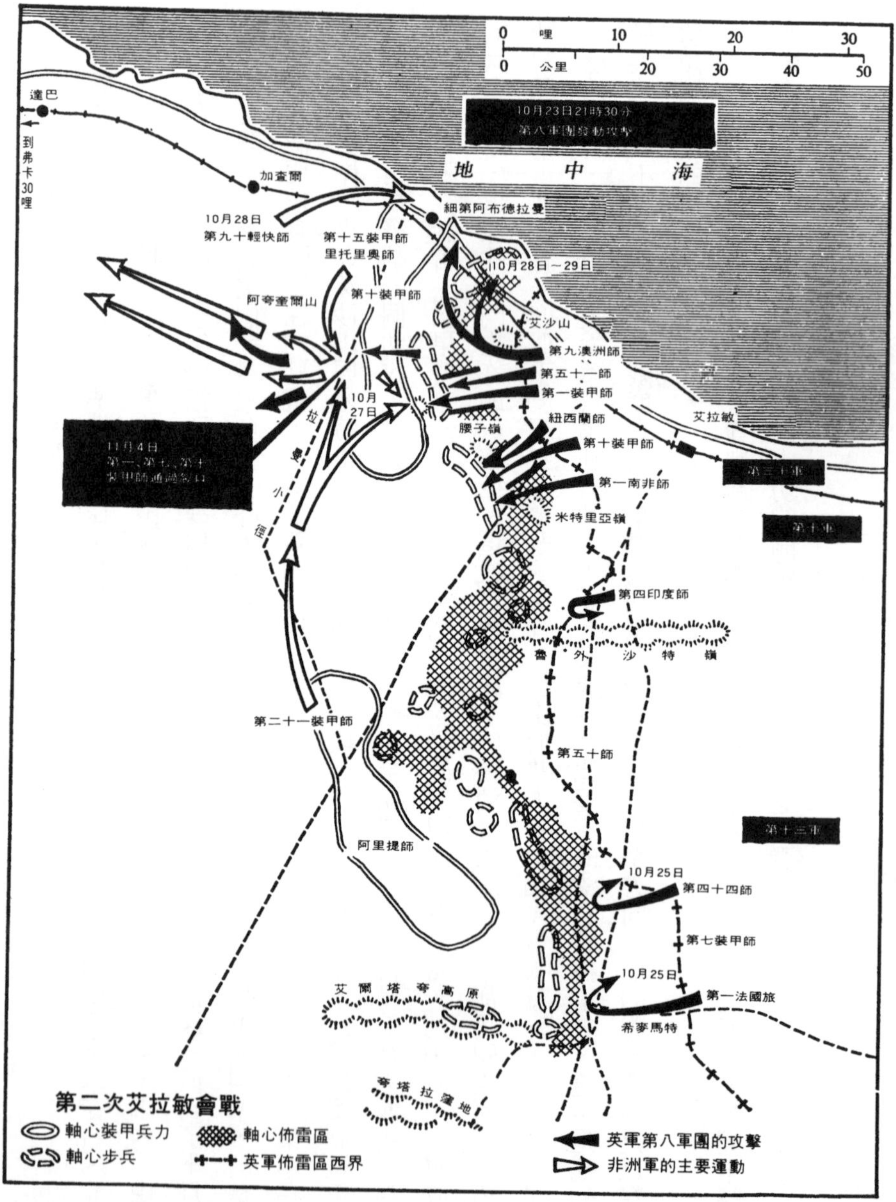
第二次艾拉敏會戰
0 哩 10 20 30
0 公里 20 30 40 50
10月23日21時30分
第八軍團發動攻擊
地中海
達巴
到弗卡30哩
加查爾
細第阿布德拉曼
10月28日
第九十輕快師
第十五裝甲師
里托里奧師
10月28日～29日
阿奇奎爾山
第十裝甲師
艾沙山
第九澳洲師
第五十一師
第一裝甲師
10月27日
腰子嶺
紐西蘭師
第十裝甲師
艾拉敏
第一南非師
拉曼小徑
米特里亞嶺
第四印度師
魯外沙特嶺
第二十一裝甲師
第五十師
阿里提師
10月25日
第四十四師
第七裝甲師
10月25日
第一法國旅
希麥馬特
艾蘭塔奇高原
奇塔拉窪地
軸心裝甲兵力
軸心步兵
軸心佈雷區
英軍佈雷區西界
英軍第八軍團的攻擊
非洲軍的主要運動

轟擊英軍的集結位置。但是地雷區最大縱深和密度卻形成極大的障礙，掃雷的時間要比預計的延長了很多，所以到天明時，英國的裝甲部隊有的尚滯留在雷區的通道內，有的則尚未進入。直到第二天上午，即經過步兵再作一次夜間攻擊之後，英軍的四個裝甲旅才全部通過了布雷地區，距離原有的戰線只進展了六哩，而在通過那些狹窄的通道時也受到了很大的損失。同時，第十三軍在南端的助攻也遭遇到類似的困難，而且也在次日，十月二十五日，放棄了他們的努力。

但是英軍在德軍防線北端所插入的那個「楔子」，卻顯得頗富威脅感，所以守軍的指揮官在那一天內為了努力阻止這個「楔子」的擴大，也就把他們的戰車零碎的投入戰鬥。此種行動恰如蒙哥馬利所計算的，並且使他的裝甲部隊（現在已經據有良好的位置）能夠對此種零星的逆襲部隊造成重大的損失。到了十月二十五日黃昏，德軍第十五裝甲師留下來尚堪一戰的戰車，僅為其原有總數的四分之一——至於第二十一裝甲師則仍留在南端地區之內。

次日（十月二十六日），英軍仍繼續攻擊，但他們想要向前推進的企圖卻已經受到阻止，為了這個夭折的努力，其裝甲部隊也付出了重大的代價。想把「突入」（break-in）發展成為「突破」（breakthrough）的機會已經喪失，集中在一起的英國裝甲部隊已經陷入強大德國戰防砲單位的包圍圈中。在第二天夜裡，魯門斯登和他的師長們對於把裝甲部隊作如此的用法早已提出嚴重的抗議。他們認為把裝甲兵的行動局限在這樣狹窄的通道內，只不過是徒然增加人員的傷亡，而很難達到突破的目的。

蒙哥馬利雖然在外表上仍然保持著一種高度自信的姿態，但他在內心裡已經很清楚的承認這個最初突擊的失敗；敵方的缺口已經被封住，所以他必須另擬新計畫，並同時讓他的攻擊主力有一個休息的機會。在這次以及以後的許多次攻擊中，他都表現出他能夠隨機應變，願意根據環境來改變他的目標。蒙哥馬利有一種愛說大話的習慣，當事後追述戰況時，總是說一切的發展都不出其神算之外，實際上，他的這種彈性對於士氣是遠比那種大話更有裨益，而對於他為將之道也是一種較佳的表現。但是很夠諷刺的是，他的那種壞習慣卻反而使人忽視他這種適應能力的價值。

新計畫定名為「超重作戰」（Operation Supercharge）——這個名稱對於執行者的精神應能產生振奮作用，表示它與過去的作戰具有決定性的差異，並且也具有較佳的成功希望。第七裝甲師被移到北面來準備增援，但隆美爾也已經乘這個暫息的機會對他自己的部隊作了一番整頓。第二十一裝甲師早已奉命北調，跟在它後面的即為義大利阿里提師。英國第十三軍在南面所發動的助攻，並未能達到分散敵人的注意力並將其一部分裝甲部隊繼續牽制在南方的目的。這些部隊的北調，結果使兩軍的兵力都變得較為集中。就戰術而言，那是對隆美爾比較有利，它使得英國必須依賴強攻和消耗。所僥倖的是，英軍的數量優勢實在太大，所以即令是以非常不利的比例來繼續消耗，只要他們能有堅定的決心，則結果還是會由他們獲得最後勝利。

蒙哥馬利的新攻勢是在十月二十八日夜間發動——以那個已經插入敵線的大楔子為起點，向北對海岸線進攻。蒙哥馬利的意圖是要切斷敵人沿海岸這一段的部隊，然後向西沿著海岸公路突進，直趨達巴和弗卡。但是這個新的攻擊還是被陷在雷區中，進退不得，隆美爾非常迅速的把第九十輕快師調到這個側翼上來，這一個對抗措施也就抵消了蒙哥馬利的成功希望。隆美爾雖然很僥倖的又逃過了一關，但他的資源卻已經愈用愈少。非洲軍只留下了九十輛可用的戰車，而第八軍團在這一點上卻仍有可用的戰車在八百輛以上——所以儘管英軍已經付出了四輛換一輛的代價，但他們的優勢比例卻反而增高到十一比一。

隆美爾在二十九日寫信給他的夫人說：「我已經沒有太多的希望。夜間兩眼張開不能入睡，因為感覺到肩頭上的責任實在太沉重。在白天裡我也感覺疲倦得要命。假使在這裡出了差錯，結果將會是怎樣？這個思想日夜都在我的腦海裡盤旋。假使是那樣，我真想不出有什麼補救的辦法。」從這封信上可以明白地看出這種情況不僅在消磨部隊，而且也在消磨其指揮官，隆美爾本人還是一個病人。在那天清晨他本已決定退到西南六十哩遠的弗卡陣地，但他卻不願意採取這樣的步驟，因為那無異於要犧牲其大部分非機動化的步兵，所以他還是壓制了那個重要的決定，而希望蒙哥馬利再受阻一次就會自動結束他的攻擊。事後看來，英軍向北海岸攻擊的受阻，對於英軍反而是一種利益。因為假使隆美爾在這個時候溜走了，則英軍方面的一切計畫也都將隨之而脫節。

當蒙哥馬利看到其向海岸的攻擊已經被阻止之後，他馬上決定再回到其原有的進攻路線——

希望由於敵軍少量預備隊都已經北調而可以有助於成功。這種判斷的決定都是很正確的，也足以表現其腦筋的靈活。但是他的部隊卻並不具有這樣高度的彈性，為了重組而花了不少的時間，所以一直到十一月二日才能發動新的攻擊。

由於英軍一再的被擊退，接著又加上這樣一次暫停，也就加深了倫敦方面的失望和憂懼。邱吉爾對於攻勢進展如此的遲緩十分的不滿意，所以他非常勉強的沒有對亞歷山大發出痛斥的電報。這種維護之責完全落在陸軍參謀總長布羅克一個人的身上——他盡量向內閣保證，但在內心裡也很感到疑惑，他自己反問自己說：「假使蒙哥馬利真被打敗了那又怎麼辦呢？」甚至於蒙哥馬利本人也已經不再那麼深具信心，他外表上雖然仍力持鎮靜，但私下也承認他已經焦急不堪。

十一月二日清晨，當新攻擊發動之時，情況又是很令人感到沮喪——於是也更使人認為這次攻勢應該徹底結束。這一次又是在雷區產生許多困難，而敵軍的抵抗也比預料的遠為堅強。當天明時，英軍領先的裝甲旅發現在拉曼小徑上已經有強大的戰防砲陣地正擋住他們的進路。在這種侷促的位置上，又受到隆美爾剩餘裝甲部隊的反擊，於是在這一天的戰鬥中，就損失其戰車實力的四分之三。但英軍的殘部仍堅持不退，於是也就使後續的各旅也能繼續推進，但當他們推進到拉曼小徑的附近時還是被阻止了。等到入夜雙方暫停戰鬥時，英軍戰車因為戰鬥和機械故障而損失的總數已有二百餘輛之多。

經過這一次挫折，情況遂顯得更為黯淡——尤其從遙遠的後方看來更是如此——但實際上，烏雲卻已經開始升起了。因為到那一天結束時，隆美爾手裡的資源也已經告一結束。此次防禦能夠支持這麼久，也實在是一種奇蹟。防禦的核心即為非洲軍的兩個裝甲師，甚至於在會戰開始時，他們的戰鬥實力一共也只有九千人，經過如此的消耗，現在剩下來的已經只有二千餘人。更糟的是非洲軍現在全部可用的戰車只剩下三十輛，而英軍則還有六百餘輛——所以他們的優勢已經增到了二十比一。至於薄裝甲的義大利戰車，除了被英軍火力所擊毀者之外，其餘的大部分都已經向西逃走，在戰場上早已看不見他們的蹤影。

第一天夜間，隆美爾作了決定，準備分為兩個步驟向弗卡陣地撤退。這本已進行得很順利，但在十一月三日中午不久後，希特勒來了命令，堅持必須不惜一切代價死守艾拉敏陣地。隆美爾過去還不曾受過希特勒的干涉，所以也就不知道有不服從的必要，於是立即停止撤退，並召回已經上路的縱隊。

這樣的往返拖延，一方面喪失了在後方作有效防禦的機會，另一方面也不可能再守住艾拉敏之線。三日清晨英國空軍即已發現德軍向西撤退的行動，這個報告自然也鼓勵蒙哥馬利繼續加強他的努力。雖然兩次繞過敵方戰防砲防線的企圖在白天都失敗了，但步兵（第五十一高地師和第四印度師）在夜間所發動的新攻擊，卻向西南方作成了突破，並打擊在德義兩軍的鄰接部位上。在十一月四日拂曉不久，英軍三個裝甲師都已通過缺口，並奉命向北旋迴，以阻塞敵軍沿海公路的退卻線。摩托化的紐西蘭師，加上在其指揮之下的第四裝甲旅，也加入了這個戰果擴張的運動。

切斷並毀滅隆美爾全軍的最佳機會現在已經來到。又因為非洲軍的軍長托瑪將軍，在上午的混亂中已經被俘，所以這個機會也就更大。撤退的命令直到下午才發出，而希特勒的批准遲到次日才收到。不過當隆美爾的撤退命令發出之後，德國部隊的行動卻非常的迅速。他們立即擠在所剩下來的摩托化運輸車輛上，有秩序的向西撤退。而英軍擴張戰果的行動又是犯了老毛病——過分小心、猶豫不前、速度太慢和運動的範圍太狹窄。

在通過缺口之後，英軍三個裝甲師向北的行動只以加查爾（Ghazal）為目標，那是在已經破裂的防線後方約十哩處。這樣狹窄的轉動使非洲軍的殘部有了阻塞他們的機會，只要迅速向側面移動一點即可以擋住他們的進路。他們只前進了幾哩路，就被這極少數德軍後衛部隊所阻止，一直停到下午才能再進前，而非洲軍團卻早已順利的作有秩序的撤退了。接著天就黑了，小心過度的英軍又還是照例停下來過夜。這實在是很不幸的，因為他們的位置已經超前，有大批的敵軍可以很方便的加以捕捉。

次日（十一月五日），英國的攔截行動還是太窄和太慢。第一和第七兩個裝甲師首先指向達巴，距離加查爾只有十哩，其先頭部隊到中午才到達——發現敵軍早已在他們的前面溜走了。第十裝甲師奉命指向加拉爾（Galal），那是更向西約十五哩，在那裡他們抓到了敵人的尾巴，俘獲了四十餘輛戰車——大部分都是燃料用完了的義大利戰車。直到黃昏時，才開始企圖追擊敵人的主力，但只前進了十一哩，又停了下來過夜，距離其新目標——弗卡，只差六哩。

配屬給紐西蘭師的裝甲旅，本是奉命在突破之後即應向弗卡前進的。但它在隨著那三個裝甲師的後面通過缺口時，就已經耽擱了很多時間——一部分是由於交通管制不良——接著在路上為了掃蕩殘餘的義大利部隊，又浪費了更多的時間。所以當它在十一月四日歇下來過夜時，距離弗卡還有一半的路程。五日中午才到達其目標附近，但卻又停頓在一處可疑的雷區之前——事實上，那是過去英軍所布的疑陣，以掩護他們自己向艾拉敏撤退的。等到紐西蘭部隊搞清楚之後開始通過那個地區繼續前進時，天又快要黑了。

此時，第七裝甲師在其過早的向內轉直指達巴之後，現在又被送回沙漠中，要它再向弗卡後方十五哩的巴夸希（Baqqush）前進。但它在越過紐西蘭部隊尾部時，又耽擱了很久的時間，接著也受阻於可疑的雷區——最後就停在那裡過夜。

次日上午，這三個追擊的裝甲師都集中在弗卡和巴夸希附近——但敵軍卻早已溜過這裡繼續向西撤退。他們捕捉到的就只有二百名落後的人員，以及少數由於燃料用盡而被放棄的戰車。

現在捕捉隆美爾縱隊的主要希望，就寄託在第一裝甲師的身上——這個師在達巴落空之後，即奉命從沙漠中採取一條更長的迂迴路線，以切斷梅爾沙馬特魯以西的海岸公路。但它的前進也因為燃料缺乏而兩度被迫停頓——第二次是在距離海岸公路已經只有幾哩的地方。這使那位師長感到非常的怒惱，因為他和一些其他的人員都曾主張至少應有一個裝甲師要作長程追擊的準備，即應以索倫為目標，所以應該把運輸車輛上的彈藥卸下一部分，而換裝額外的補充燃料。但他們的這種建議並未被採納。

十一月六日下午，在海岸地帶開始下雨，到了夜間下得很大。於是所有一切的追擊行動都被迫停止，隆美爾也安全的脫險了。此後，這一場大雨也被英國人用來當作掩飾其追擊失敗的主要藉口。但只要略加分析，即可以明瞭在這場雨還沒有落下之前，最好的機會即早已錯過了——英軍的行動範圍是太狹窄，太謹慎小心，太缺乏時間觀念，太不願意在黑暗中前進，尤其是太把精神集中在會戰方面，而忽視了作決定性擴張行動的一切必要條件和準備。假使追擊行動能夠從沙漠方面更深入，以較遠的攔截點為目標，例如在索倫的險坡，則敵軍的抵抗和天空的變化也就不會產生妨礙作用——因為在沿海岸地帶，大雨是一種可能遭遇到的危險，而在沙漠中這種機會卻很稀少。

十一月七日的夜間，隆美爾從梅爾沙馬特魯撤退到細第巴拉尼，在那裡稍微停留了一下，因為他的運輸縱隊是魚貫而行地通過在索倫和哈法亞等地的山中隘道繼續向西行駛。他們曾經受到英國空軍的猛烈轟炸，一度引起嚴重的交通阻塞，車輛大擺長龍達二十五哩之長，但由於交通管制組織的良好，到次日夜間大部分都已通過。所以到了九日上午，雖然還有千餘輛車輛尚未通過這個瓶頸，隆美爾卻已經命令他的後衛向昔蘭尼加的邊境線撤退。

此時蒙哥馬利又組成了一支特殊的追擊部隊，由第七裝甲師和紐西蘭師所組成，其他的部隊則一律留在原地不動。這支追兵於十一月八日出發，但紐西蘭師直到十一日才到達了邊境線，至於從沙漠中前進的第七裝甲師雖然走得比較快一點，也還是不曾抓到敵人的尾巴，後者在十一日已經通過了卡普左。

雖然隆美爾已經逃出了蒙哥馬利的掌握，並且一路成功的躲過了連續不斷的攔截威脅，但是他的兵力卻已經太弱，無法在邊境上，甚或在昔蘭尼加境內重建一條新的防線。此時他的戰鬥實力只剩下大約五千名德軍和二千五百名義軍，德國戰車十一輛和義大利戰車十輛，德國戰防砲三十五門、野砲六十五門、以及少數義大利的火砲。雖然約有一萬五千名德國戰鬥部隊已經安全逃脫，但其中三分之二已經喪失一切裝備，至於義大利人則大部分已經是手無寸鐵。第八軍團除了擊斃敵軍幾千人外，還俘虜了德軍約一萬人，義大利部隊超過二萬人——包括行動人員在內——連同大約四百五十輛戰車和火砲一千門以上。對於其自己的損失一萬三千五百人，這是一個非常巨大的補償——不過令人感到失望的還是隆美爾終於溜走了，使他仍有「捲土重來」的機會。

經過一個短期的休息與整補之後，英軍繼續前進。但那卻只是「跟從」，而不是「追擊」，隆美爾過去的反擊已經留下了如此深刻的印象，所以英軍前進時是小心翼翼的沿著海岸公路走，而不敢從沙漠中越過，採取班加西弧形的弦線方向。英軍的先頭裝甲部隊直到十一月二十六日才到達梅爾沙布里加（Mersa Brega），從越過昔蘭尼加東方邊境之目標起，已經走了兩個星期——此時隆美爾早已站在那個瓶頸陣地的掩護之下。在通過昔蘭尼加的撤退全程中，隆美爾所遭遇到的唯一危險和困難就是燃料的缺乏。隆美爾在梅爾沙布里加獲得了少許的增援，有一個新的義大利裝甲師，森陶羅師（Centauro Division），以及三個義大利步兵師中所抽出的若干單位——不過後者，由於是非摩托化的，所以對於他只能算是一種麻煩而不能算是資本。

現在又暫停了兩個星期，因為英國人為了進攻梅爾沙布里加陣地，勢必又要集中他們的兵力和物資。蒙哥馬利又擬定了一個計畫想要把敵人毀滅在其防禦陣地之中——即一方面用一個強大的正面攻擊將隆美爾拘束在原地不動，另一方面再派一支強大的部隊採取寬廣的迂迴運動，以切斷他的退卻線。正面攻擊預定在十二月十四日發動，在十一日到十二日之間的夜裡，又先作了一次大規模的突襲以分散敵人的注意力，好掩護迂迴部隊的出發。但是隆美爾在十二日的夜間就見機溜走了——於是怵就使英軍的計畫又落了空。他用一個迅速的跳躍，退回到布拉特（Buerat）附近的一個陣地，那是在梅爾沙布里加以西相距達二百五十哩——而距第八軍團在班加西的新前進基地則更在五百哩之外。

直到這一年結束時，隆美爾還是留在布拉特陣地之上，因為這一次有一個月的暫停，蒙哥馬利需要那樣久的時間才能完成其繼續前進的一切準備。儘管如此，但很明顯的可以看出，在非洲的戰爭潮流確實已經在轉向了。因為隆美爾軍團現在不可能再有機會達到可以與第八軍團對抗的實力標準，而由於英美聯合組成的第一軍團又已經由阿爾及利亞向東進入了突尼西亞，所以其後方也開始受到威脅，而有腹背受敵的危險。

但是希特勒的幻想不久又復活了，而墨索里尼也拚死的緊抓住他們自己的幻想不肯鬆手，因為他在精神上不能忍受眼看著義大利的非洲帝國化為烏有。甚至於當隆美爾能否擺脫追兵和救出其殘部都還成問題時，他們的幻想即已變得無可理喻。所以當隆美爾安全到達梅爾沙布里加時，他也就立即接到命令，要他不惜一切代價死守這個陣地，並阻止英軍進入的黎波里坦尼亞。為了加強此種不可能要求的壓力，隆美爾又再度被置於巴斯提科元帥的指揮之下，即恢復其進入埃及以前的安排。當隆美爾在十一月二十二日謁見巴斯提科時，他曾經十分不客氣的告訴他的頂頭上司說，這個在沙漠邊境上抵抗到底的命令，是必然的會使這個軍團的殘部面臨同歸於盡的命運——「我們不是在四天以前失去這個陣地但卻救出了這個軍團，就是在四天以後把兩者都喪失掉。」

於是在十一月二十四日，卡伐里羅和凱賽林一同來看隆美爾，隆美爾就告訴他們，因為現在他的德國部隊只有五千人是武器的，所以若要命令他堅守梅爾沙布里加陣地，則他要求應趕在蒙哥馬利發動攻擊之前，迅速的送來五十輛裝有新式七十五公厘長管戰車砲的四號戰車，和五十門同樣種類的戰防砲，此外還須有適當的燃料和彈藥補給。對於他的需要來說，這實在是一種很克己的估計，但非常明顯的，連這樣的要求也沒有滿足的可能，因為一切可以到手的裝備和增援，大部分都早已送往突尼西亞方面。儘管如此，他們兩位還是力促隆美爾必須遵守在梅爾沙布里加死守不退的命令。

所以，為了希望能說服希特勒使其認清當前的真實情況，隆美爾遂飛赴東普魯士森林深處，在拉斯頓堡（Rastenburg）附近的希特勒大本營。在那裡他受到一種冷淡的接待，當他建議最聰明的辦法就是撤出北非時，希特勒立即大怒，並拒絕再聽他所作的任何進一步解釋。這一次的爆炸比過去任何事件都更足以動搖隆美爾對其元首的信心。誠如隆美爾在他的日記中所寫的：「我開始認清了希特勒根本就不想承認現實，對於其理智所應該了解的事實，他卻發生了情感性的反應。」希特勒堅持認為由於政治上的需要，在非洲必須守住一個主要的橋頭堡，所以不准許退出梅爾沙布里加之線。

但當隆美爾返回非洲，他中途又轉往羅馬晉見墨索里尼，他卻發現這位義大利的領袖還比較講道理，後者認清了把足夠補給經由的黎波里轉送梅爾沙布里加的困難。所以他終於從墨索里尼處獲得了允許，可以在布拉特準備一個中間陣地，並且先把非摩托化的義大利步兵撤回到那裡，於是等到英國人再發動攻擊時，他就可以比較容易撤退其餘的部隊了。根據這個允許，隆美爾立即迅速採取行動，所以當英國人一開始表現出有進攻的徵候時，他就乘著黑夜溜走了。而且他也已經下了決心，不準備在布拉特或的黎波里的前面停留下來，好讓蒙哥馬利有捕捉他的機會。他的計畫早已擬定好了，準備一直退到突尼西亞的邊境和加貝斯（Gabes）瓶項地帶，在那裡他可以比較不易於受到迂迴，而且也可能利用在手邊比較接近的增援，再作有效的反擊。

第二十一章 「火炬」作戰

聯軍在法屬北非的登陸是在一九四二年十一月八日。這個對西北非洲的進入，要比英軍在非洲東北端向隆美爾在艾拉敏的陣地發動攻擊的日期晚了兩個星期，而比那個陣地的崩潰則只晚了四天。

在一九四一年聖誕節於華盛頓召開的「阿卡地亞會議」（Arcadia Conference）中——那是自日軍偷襲珍珠港美國參戰以來的第一次同盟國會議——邱吉爾先生提出其所謂的「西北非洲計畫」（North-West Africa Project），作為「縮緊對德國包圍圈」的一個步驟。他告訴美國人說，早已有一個代字為「體育家」（Gymnast）的計畫，那就是說假使第八軍團在昔蘭尼加獲得一個決定性的成功，足夠使它向西推進直趨突尼西亞的邊境，則英軍即擬在阿爾及利亞登陸。他又建議：「假定法國同意，美國部隊在被邀請的名義之下，也應同時在摩洛哥海岸登陸。」羅斯福總統對於這個計畫深表贊同，因為他很快就認清其在大戰略領域內的政治利益，但是他的三軍首長對於這個計畫的實際可行性卻表示懷疑。他們一心想早日對希特勒在歐洲的根據地發動一個較直接性的攻擊，所以害怕這個計畫會對那個觀念產生干擾作用。他們所能同意的最多僅為對這個作戰計畫——現在已經改名為「超級體育家」（Super-Gymnast）——應繼續加以研究而已。

在以後的幾個月內，一切的討論都集中在一個越過海峽的進攻計畫上，那是準備在八月或九月間開始發動，以應付史達林開闢「第二戰場」的要求。柯騰丁（Cotentin）半島，即瑟堡（Cherbourg）半島，被認為是一個最有利的地點。首先作這種主張的人是美國陸軍參謀總長馬歇爾將軍（General Marshall），而艾森豪少將也是附和者之一。他已被選派前往倫敦出任歐洲戰場美國部隊的指揮官。英國人強調使用不適當的兵力在歐洲作過早的登陸是有害無益的，因為這樣一個橋頭堡很容易被封鎖或被摧毀，對俄國人也並不能產生真正有效的救助。但是羅斯福總統現在卻用他的全力來支持這個計畫，當五月底莫洛托夫訪問華盛頓時，羅斯福曾經向他保證說，他「希望」並「期待」一九四二年在歐洲開闢「第二戰場」。

六月間，當隆美爾對加查拉防線發動先制攻擊之後，英國在東北非洲的地位發生意想不到的崩潰，於是在西北非洲登陸的計畫反而因受此種刺激而復活了。

當邱吉爾於六月十七日，率領他的參謀首長們飛往華盛頓參加一次新的會議時，加查拉之戰早已開始逆轉。一到達華盛頓之後，邱吉爾就立即前往海德公園羅斯福在哈德遜河的私人別墅中，去作一次私人性的談話。在這次談話中，邱吉爾又再度強調在法國作不成熟登陸的危險和弊害，並認為恢復「體育家」計畫不失為一個較好的代替品。英美兩國的參謀首長們於六月二十一日在華盛頓正式集會，對於瑟堡計畫的意見雖不一致，但很奇怪的，他們卻一致認為北非計畫是不健全的。

他們對於這個計畫雖然一致反對，但不久由於局勢的壓迫，遂不得不改變其立場。羅斯福要求在一九四二年必須採取某種積極行動，即令不像原先所希望的那樣直接化，但也總還是多少可以使其對於俄國人的諾言不至於完全交白卷。六月二十一日，消息傳來說，多布魯克要塞已被隆美爾攻陷，而第八軍團的殘部則正在向埃及倉皇逃走。

在以後的幾個星期內，英國人的情況日益惡劣，於是要求美國對非洲戰事作直接或間接介入的辯論，也日益變得理直氣壯。六月底，隆美爾跟著英軍敗兵的後面，已經到達艾拉敏之線並開始發動攻擊。七月八日，邱吉爾用電報向羅斯福說明「大槌」（Sledgehammer）作戰，即在法國登陸的計畫，必須放棄，並再度要求執行「體育家」計畫。此時，狄爾元帥（Sir John Dill）正在華盛頓擔任聯合參謀首長會議的英國代表團長，邱吉爾遂又透過他把一項解釋文件向羅斯福提出：「體育家」計畫可提供唯一的途徑，使美國能在一九四二年打擊希特勒。否則，西方同盟國在一九四二年又只好毫無行動的度過了。

美國參謀首長們對於這種要求依然是一致反對。馬歇爾說「體育家」是既浪費又無效。海軍軍令部長金恩（Admiral King）則認為：「如果要提供這個作戰所必要的船隻，即不可能在其他戰場上執行海軍的任務。」同時他們又一致認為，英國人之反對在一九四二年對法國作登陸的企圖，足以證明即令在一九四三年，他們也還是不想作這樣的冒險。所以在金恩的熱烈支持之下，馬歇爾遂主張對戰略作一種徹底的改變——他說：「除非英國人接受美國的提早渡過海峽進攻法國的計畫，否則我們就應轉向太平洋先對日本發動決定性的攻擊；換言之，除空中作戰之外，對德國應採取防禦的態勢；而把所有一切可用的力量都投在太平洋方面。」

不過羅斯福總統卻反對向他的英國盟友發出此種最後通牒的辦法，他表示不批准這種改變戰略方向的建議，並且告訴他的參謀首長說，除非他們能夠說服英國人同意在一九四二年發動越過海峽的作戰，否則他們就只有下述兩種選擇：對法屬北非發動一個攻擊，或把強大的增援送往中東。他更強調指出，由於政治上的需要，必須在這一年結束之前採取某種顯著的行動。

面對著總統的決定，在意料之內的是，美國參謀首長們應該寧願對中東的英軍提供暫時性的增援，而不願採取他們一直堅決反對的「體育家」計畫。尤其是在對這條路線作了一番檢討之後，馬歇爾的計畫人員已經獲得了結論，認為前者要算是兩害相權取其輕。但和一切的預料相反，馬歇爾和金恩卻又突然改變了態度，開始對「體育家」計畫表示支持。當他們在七月中旬，與總統私人代表霍普金斯（Harry Hopkins）一同飛往倫敦時，發現英國參謀首長們正強烈反對艾森豪所擬的在瑟堡附近登陸的計畫，於是他們遂決定站在英國人那一邊。

馬歇爾之所以寧願選擇西北非洲，而不願意把增援送往中東，根據霍普金斯的說法，其主要原因是認為美國部隊和英國在埃及的部隊混合在一起會引起困難。誠然，在西北非洲的聯合作戰中，兩國部隊也還是混合在一起，但很明顯的，美國若派部隊前往中東，則將會在一位英國總司令之下作戰。

七月二十四日和二十五兩日，英美兩國的參謀首長們在倫敦舉行了兩次會議，終於決定採取「超級體育家」計畫——這又立即受到羅斯福的贊許。此外，他又在電報中強調指示，計畫登陸的日期不應遲過十月三十日。由於邱吉爾的主張，這個作戰的代字遂又改為「火炬」（Torch），這是一個比較具有靈感的名稱。同時大家又同意這個作戰的最高指揮官應由美國人來充任——這正是邱吉爾的手段，用來安撫那些美國參謀首長們不愉快的心情。七月二十六日，馬歇爾就告訴艾森豪，這個職位將由他擔任。

「火炬」的決定現在固然已成定案，但是時間和地點的問題卻還沒有解決。於是對於這兩個問題遂又引起了一些新的爭論。

關於時間的問題，在邱吉爾的催促之下，英國參謀首長們主張把目標日定為十月七日。但美國參謀首長們卻建議定為十一月七日，因為根據裝載專家的計算，這將是部隊登陸合理的最早日期。

關於地點的問題，雙方的意見相差得更遠。美國人主張應在非洲北岸登陸，即在地中海之內，這樣才可以盡快的向突尼西亞前進。但是美國方面卻堅持「體育家」計畫的有限目標，即是一個純粹美國人的作戰，他們希望把登陸地點限制在摩洛哥西岸（即大西洋方面）的卡薩布蘭加（Casablanca）地區之內。他們不僅害怕法國人會反對，而且更害怕西班牙會幫助德國，假使他們容許德國人攻占直布羅陀，就會封鎖進入地中海的門戶。英國人認為對於戰略問題不應採取如此過分慎重的態度。他們認為這樣將容許德國人有時間得以搶先占領突尼西亞，和增強或代替法國人在阿爾及利亞和摩洛哥的抵抗，這樣也就會破壞聯軍的作戰目的。[1]

艾森豪和他們的幕僚們，比較傾向於接受英國人的意見。他在八月九日提出的第一個綱要計畫就是採取折衷的觀點。它主張同時在地中海的內外登陸，除在朋尼（Bone）作一個小規模登陸，以奪占該地的機場為目的以外（朋尼在阿爾及耳以東二百七十哩，但距比塞大有一百三十哩），其他一切行動都以向東不超過阿爾及耳為原則——因為有受到敵方空軍從西西里（Sicily）和薩丁尼亞（Sardinia）發動攻擊之威脅。這種折衷案並不能使英國計畫作為者感到滿意，而且照他們看來，也似乎不能夠符合成功的主要條件——那就是如他們所說的，「我們在通過直布羅

1 原註：六月二十八日，當西北非洲計畫的復活正在華盛頓會議中展開激辯之後，有人詢問我個人對於這個計畫的意見。當有人告訴我主要的登陸點準備定在卡薩布蘭加時，我即指出這個地點距離比塞大（Bizerta）和突尼斯（Tunis）兩個戰略要點在一千哩以外，因而提早成功的最佳機會就是必須盡快的攻占這個要點，換言之，登陸地點應盡可能的接近這兩個要點。同時我也強調有在阿爾及利亞，即非洲北岸登陸的必要，因為那是騎在法國人的背上，這樣就可以減低反抗的危險。如果從卡薩布蘭加登陸，再緩緩向東推進和作正面的攻擊，那麼勢必會引起強烈的反抗。

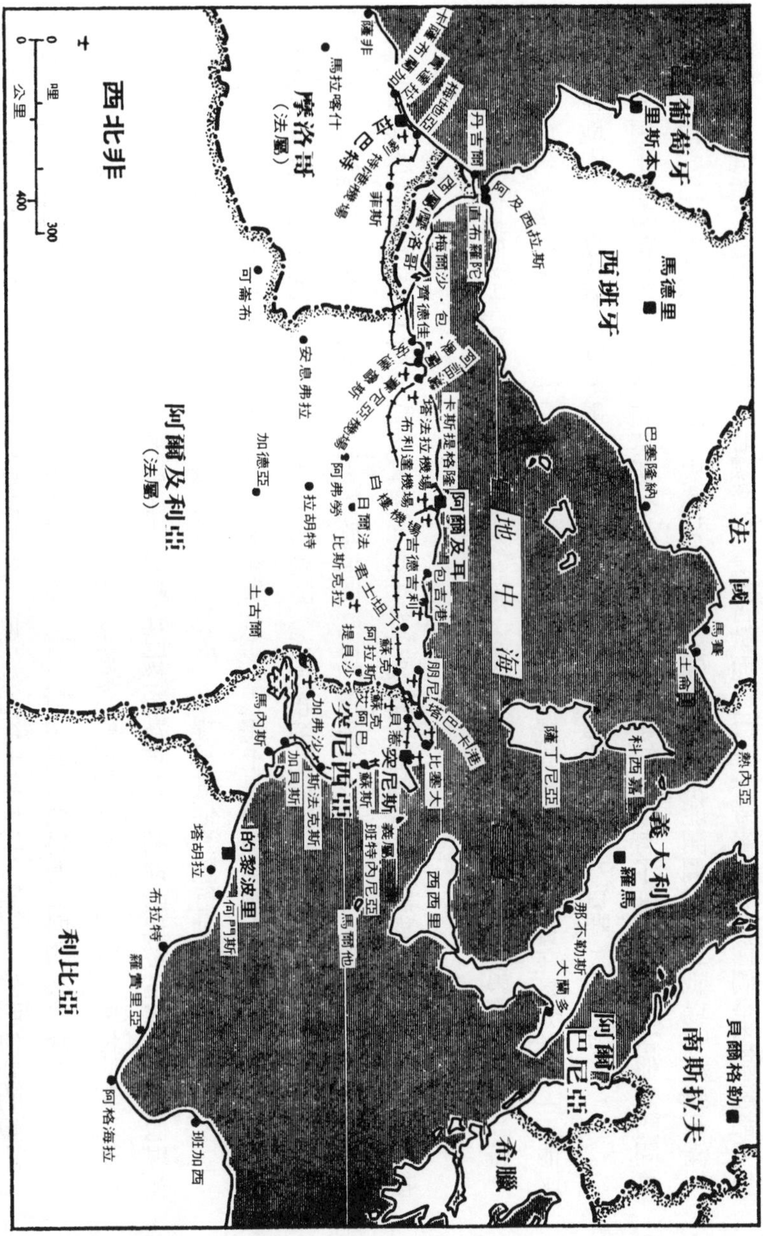
西北非
摩洛哥
（法屬）
阿爾及利亞
（法屬）
突尼西亞
利比亞
西班牙
葡萄牙
法國
義大利
南斯拉夫
阿爾巴尼亞
希臘
地中海
馬德里
里斯本
羅馬
阿爾及耳
突尼斯
的黎波里
撒丁尼亞
科西嘉
西西里
馬爾他

陀後二十六天之內，即應占領突尼西亞的要點，而最好是能在十四天之內。」依照他們的想法，在朋尼，甚或更向東去的地點作一個主要的登陸，實為對突尼西亞迅速進展的必要條件。

這些辯論感動了美國總統，他指示馬歇爾和金恩對計畫加以研究。同時它們也使艾森豪感動，他向華盛頓報告說，他幕僚中的美國人員現在已經認為英國人的理由比較正確，所以他現在正著手擬一新計畫，其中將取消對卡薩布蘭加的登陸，並提早其他登陸行動的日期。

艾森豪的幕僚於八月二十百提出第二個綱要計畫，大體上是遵照英國人的意見。取消在卡薩布蘭加的登陸，預定美軍將在奧蘭（Oran）登陸（在直布羅陀以東二百五十哩），而英軍則分別在阿爾及耳和朋尼登陸。但艾森豪個人對於這個計畫的讚許卻很冷淡，而且還強調這樣一個遠征行動，是完全位於地中海之內，所以其側面是十分的暴露。他的這個結論與馬歇爾的意見頗為接近。

美國參謀首長們不願意接受第二個綱要計畫，正像英國人之不願意接受第一個綱要計畫一樣。馬歇爾告訴美國總統說：「只有一條單獨的交通線通過直布羅陀海峽實在是太危險」，他反對任何在地中海內登陸的地點，選擇比奧蘭更東（那距離比塞大尚有六百哩）的地方。

邱吉爾率領布羅克訪問埃及和莫斯科之後，回到倫敦才知道又有了許多變化。當他們訪問莫斯科時，曾受到史達林的冷潮熱諷。史達林對於西方國家遲遲未能開闢「第二戰場」深感不滿。他這樣的責問說：「難道你們是存心讓我們單獨苦戰而自己在一旁坐視嗎？你們是否永遠都不想開始打仗呢？假使你們一經開始之後，你們將會發現那並不會太壞！」這些話當然使邱吉爾很不好受，不過他卻還是勉強的設法引起史達林對「火炬」潛在價值的興趣，並且也很生動的說明了它是如何可以間接的解除俄國所受的壓力。所以當他現在發現美國人正在設法破壞這個計畫時，遂不免大感震驚。

八月二十七日，他發了一個長電給羅斯福，對美國參謀首長們所暗示的改變表示強烈的抗議，他說那足以「斷送整個的計畫」，他又說：「如果我們不能在第一天同時拿下阿爾及耳和奧蘭，則這個作戰計畫的全部精華也就成為泡影。」他又強調如果把目標縮小，則對於史達林將會產生極惡劣的印象。

八月三十日，羅斯福卻在其回電中堅持：「在任何環境之下，我們必須有一個登陸是在大西洋方面。」所以他建議在卡薩布蘭加和奧蘭的登陸都由美國人負責，而讓英國人去負責較東面的任務。此外，因為想到了英國人在北非、敘利亞等地對維琪法國所曾採取的軍事行動，所以羅斯福又提出了一個新的問題：

> 我堅決的認為，最初的攻擊必須完全由美國地面部隊來執行！我甚至於可以這樣有把握的說，如果是英美兩國的部隊同時登陸，則將會引起在非洲的法國人全面抵抗；如果最初登陸時只有美軍而沒有英軍，則很可能法國人將不會抵抗，或僅作象徵性的抵抗……我相信

至少在最初攻擊後的兩個星期內，德國的空軍或傘兵部隊都還不可能大規模的進入阿爾及耳或突尼斯。

美國人認為在西面登陸之後，可以隔一個星期再作東面的登陸，這個觀念使英國人大感驚訝，因為作為戰略的目標，東面遠比西面重要而緊急。此外，美國人以為在兩個星期之內，德國人不可能作有效的干預，英國人也認為這是一種過分樂觀的想法。

邱吉爾非常願意利用美國駐維琪的大使李海上將（Admiral Leahy）的影響力，作為政治性和心理性的開始工具。他固然也願意盡量保持這個遠征行動的「美國性」，並同意盡可能把英軍保留在幕後，但他卻相信大部分的船隻、空中支援和海軍部隊都是屬於英國的事實是很難掩飾——在地面部隊尚未出場之前，這些單位早已被人發現了。他在九月一日回答羅斯福的電文內，對於這一點曾經暗示的提到。他強調的說：「我也和你一樣，相信政治性的不流血勝利是有很好的成功機會，但假使不成功的話，則其後果將是一個巨大的軍事災難。」邱吉爾又繼續這樣反覆的辯論說：

最後，儘管有一切的困難，照我們看來，阿爾及耳仍應與卡薩布蘭加和奧蘭同時加以占領。這是一個最友善和最有希望之點，其政治反應對於整個北非，將具有最大的決定性。為了實際頗有疑問的卡薩布蘭加登陸之故，而放棄阿爾及耳，照我們看來，似乎是一種非常嚴重的錯誤。假使因此而促使德國人不僅在突尼斯而且也在阿爾及利亞對我們採取先發制人的措施，那麼結果對於整個地中海的局勢將產生不利的影響。

以上所說對於應該把在阿爾及耳的登陸列入計畫之內的理由，可以算是分析得極為透徹，但可惜的是卻沒有提到在更東的方面，和在比塞大附近登陸的重要性——這是一種省略，也是一種讓步，對於提早戰略成功的機會也就產生了重大的後果。

九月三日，在回答邱吉爾的電文中，羅斯福同意把阿爾及耳的登陸包括在計畫之內，並建議由美國部隊首先登陸，在一個小時之後英國部隊再跟著上來。邱吉爾立即接受了這種解決，但要求減少指定在卡薩布蘭加登陸的兵力，以使阿爾及耳的登陸可以變得更為有效。羅斯福對於這一點也表示同意，他建議把在卡薩布蘭加和奧蘭的登陸兵力各減一個「團戰鬥群」（Regimental Combat Team），以使在阿爾及耳有一萬人可用。邱吉爾在九月五日的回電中說：「我們完全同意你所建議的軍事部署。我們有大量的部隊均已完成高度的登陸訓練。如果方便的話，他們可以穿著你們的軍服。他們會因此而感到驕傲。船隻也已經準備就緒，絕無問題。」羅斯福在當天也回了一份只有一個字的電報：「Hurrah!」（意即「好哇」！）

於是在羅斯福和邱吉爾的這種來往的電報之中，一切的問題終於都獲得解決。三天以後，艾森豪確定以十一月八日為登陸日期，同時他也拒絕了邱吉爾所提的讓英國陸戰隊（Commandos）穿著美國軍服的建議，因為他非常希望最初的登陸能夠保持一種完全美國化的外表。邱吉爾對於這樣的延遲和計畫的改變只好盡量的忍耐。的確，他在九月十五日致羅斯福的電文中更曾如此委屈的說：「在整個『火炬』作戰中，無論在軍事或政治方面，我都把我自己當作是你的助手（lieutenant），只要求把我的觀點坦白的呈現在你的面前。」

羅斯福「好哇！」的電報，在九月五日結束了這回「越過大西洋的論文競賽」（the transatlantic essay competition）——這是一種很夠諷刺的說法。雖然馬歇爾繼續表示懷疑，而他的頂頭文職上司軍政部長史汀生（Henry Stimson）也曾對羅斯福總統這個登陸北非的決定作了一次認真的訴苦（那也是代表美國陸軍的意見）。但是羅斯福的決定已無改變的餘地，這不過是促使細部計畫加速完成，以補救拖延太久的毛病。但誠如美國官方史學家所認識和強調的，這個計畫仍然具有一種「折衷」的兩面不利的影響。一方面減低了在北非迅速獲得決定性成功的機會，另一方面又使聯軍在地中海方面的努力必然要拖得更久。

在最後的計畫中，大西洋方面的登陸是以奪占卡薩布蘭加為目標，所使用的全部為美國部隊，由巴頓少將（Major-General George S. Patton）指揮，共約二萬四千五百人，載運他們的為西方海軍特遣部隊（Western Naval Task Force），由美國海軍少將希維特（Real-Admiral H. Kent Hewitt）指揮。它從美國直接駛往非洲，包括各種艦船一百零二艘，其中二十九艘為運兵船。

攻占奧蘭的任務則由中央部隊負責，共為美軍一萬八千五百人，指揮官為弗里登達少將（Major-General Lloyd R. Fredendall）。但負責護航的卻是由陶布里基代將（Commodore Thomas Troubridge）所指揮的英軍海軍部隊，它從英國克來德（Clyde）河口駛出，這些部隊都是在八月初運到蘇格蘭和北愛爾蘭的美國單位。

對於阿爾及耳的登陸作戰，東方海軍特遣部隊完全是英國的部隊，指揮官為海軍少將布羅斯（Rear-Admiral Sir Harold Burroughs），但突擊部隊則有英美部隊各九千人，其指揮官則為美國陸軍少將李德爾（Major-General Charles Ryder）。此外，也有美國部隊編在二千多名英國陸戰隊單位之內。這種奇異的混合編組，是希望能把美國人放在櫥窗的前面，好讓法國人相信所有的攻擊部隊完全是美國人。十一月九日，即登陸的次日，在阿爾及利亞境內的一切同盟國部隊，都被置在一個新成立的英國第一軍團的指揮之下，這個軍團的司令為安德森中將（Lieutenant-General Kenneth Anderson）。

前往奧蘭和阿爾及耳的部隊都是從英國出發，共分為兩個大船團，較慢的一個在十月二十二日發航，較快的一個遲了四天才啟碇。此種時間的安排是為了要使他們能夠同時在十一月五日的夜間通過直布羅陀海峽，從那裡起他們遂受到康寧漢海軍上將（Admiral Sir Andrew Cunningham）所指揮的英國地中海艦隊一部分的掩護。這個艦隊的出現足以嚇阻義大利艦隊的干擾，甚至於在登陸之後也是如此——所以，誠如康寧漢很感遺憾的說法，他那樣強大的兵力卻在那裡閒蕩無所事事。但事實上，他手上的工作卻真不少，作為一個海軍總司令，位在艾森豪之下，他也負責主管「火炬」作戰中一切海洋方面的事務。包括在十月初先到的補給船在內，一共有二百五十艘以上的商船從英國駛出，其中約有四十艘為運兵船（包括美國的三艘在內），至於在此次作戰中用來護航和掩護用的英國海軍兵力，一共有各式不同的軍艦一百六十艘。

在登陸之前所作的外交準備活動，簡直就像是間諜小說，穿插在正式的歷史領域之內。美國在北非的首席外交代表麥菲（Robert Murphy），早已在積極的為這次登陸作戰進行準備，他對那些他感覺到可能會對這個計畫表示同情，和願意給予協助的法國官員們作一種非常慎重的試探。他特別信賴馬斯特將軍（General Mast），他是在阿爾及耳地區中的法軍指揮官，過去曾任法軍總司令余安（General Juin）的參謀長。此外還有貝陶將軍（General Bethouart），他現在正指揮著在卡薩布蘭加地區的法國部隊——不過那整個地區也是在米奇烈將軍（Admiral Michelier）指揮之下，這個事實卻是美國人所沒有注意到的。

馬斯特曾力主同盟國應派一高級軍事代表，祕密到阿爾及耳來和余安等人進行幕後的談判，並討論行動的計畫。於是剛剛奉派為「火炬」作戰聯軍副總司令的克拉克將軍（General Mark Clark），即率領四位重要的參謀軍官飛到直布羅陀，然後由一艘英國潛艇「天使」號（HMS. Seraph），艇長為潔威爾上尉（Lieutenant N. A. A. Jewell），把他們載往北非，預定和對方會面的地方是阿爾及耳以西約六十哩，一所在海岸的別墅。潛艇在十月二十日清晨到達海岸附近，但已經太遲，無法在天亮以前把克拉克這一群人送上岸去，於是它只好終日潛航在水中等待，而那些困惑和失望的法國人也只好各自回家。從潛艇上發電報到直布羅陀，再經過祕密的無線電通信網轉到阿爾及耳，才使麥菲和幾位法國人在次日夜間又回到那所別墅中去等候。克拉克等人分乘四艘帆布小艇登岸，其中有一艘在上船時翻覆。引導他們前往會晤地點的是一盞燈，用白布放在後面幫助反射，從窗口發出亮光。

克拉克用一種概括的方式告訴馬斯特，有大量的美國部隊準備進入北非，並由英國海空軍供給支援——這是一種缺乏坦誠的說法。此外，由於保密之故，他並不曾把聯軍登陸的時間和地點明白的告訴馬斯特。這個人的幫助既然是極為重要，所以對他如此過分的保密實在是頗為不智，因為這樣使他和他的同謀者缺乏必要的資料和時間，來計畫和採取合作的步驟。克拉克授權麥菲在登陸之前可以把時間告訴馬斯特，但地點仍要保密。這也就太遲了，使馬斯特來不及通知其在摩洛哥的同志。

由於有某些感到懷疑的法國警察前往搜查，也就使會議發生了戲劇化的暫時中斷。克拉克和他的同伴們在警察搜索這所別墅時，都匆匆的躲進一個空的酒窖。很巧的有一位駕駛小艇的英國陸戰隊官員開始要咳嗽，這也就使危險變得更為嚴重，於是克拉克給了他一小塊口香糖作為止咳藥。不久之後，他又向克拉克再要一點，並且說那一塊已經沒有什麼味道了，克拉克回答說：「一點不奇怪，因為那一塊我已經嚼了兩個鐘點了！」等到警察走了之後，克拉克等人也就趕緊離去，因為他們懷疑警察還有再回來的可能。在上船時又遭遇到新的困難，因為海潮高漲，克拉克的小艇被衝翻，他也幾乎被淹死。在天剛要亮之前他們再作了一次嘗試，才安全回到潛艇上，但全身都已經濕透。次日，他們換乘一架水上飛機，回到了直布羅陀。

在這次會議時曾經談到一項重要的問題卻未獲結論，必須另作更一進步的商討，那就是為了號召在北非的法國部隊加入同盟國方面，必須選擇一個最適當的領袖人物。他們的總司令余安將軍，雖曾私下表示一種支持的傾向，但他卻希望盡可能保持「騎牆」的態度，愈久就愈好，而不願意採取主動的行動。他手下的主要次級指揮官們，不僅缺乏足夠的威望，而且也都不願採取違抗維琪政府命令的任何具體步驟。達爾朗上將（Admiral Darlan）是法國的三軍總司令，也是其年老的國家元首貝當元帥的預定繼承人。他在一九四一年曾向李海表示，最近又曾再向麥菲表示，他願意擺脫與德國的合作，而把法國拉到同盟國這一方面來，不過其條件為美國必須保證給予足夠大規模的軍事援助。不過這個人與希特勒合作的時間太久了，所以他的話並不能令人信任。此外，達爾朗又具有一種反英的偏見，尤其是自一九四〇年法國投降之後，英國人曾在奧蘭等地攻擊法國的艦隊，所以就更自然的增強了他這種敵視的態度。由於事實上在「火炬」作戰中，英國人是扮演著一個重要的角色，這是很難偽裝的，所以他的態度將會如何變化也就很難斷言。

因為相反的理由，戴高樂將軍（General de Gaulle）也是不在考慮之列——他在一九四〇年背叛貝當，此後又和邱吉爾合作，在達卡爾（Dakar）、敘利亞和馬達加斯加等地採取奪取法國殖民地的行動，所以仍然效忠維琪政府的法國官員是絕對不願意接受他的領導，即令他們很希望能夠早日擺脫德國人的枷鎖。這是麥菲所強調的事實，而且也恰好符合羅斯福的態度——他不信任戴高樂的一切判斷，而且也討厭他那種傲慢的態度。

邱吉爾最近對羅斯福既以「助手」自居，所以對其「老闆」所說的話當然也「不敢不」服從，直到登陸已經開始時，對於這個計畫，邱吉爾都不曾給予戴高樂任何資料。

在這種情況下，自總統以下的美國人，也就都願意接受馬斯特將軍和他的同志們的意見，認為最適當的人選也許還是吉勞德將軍（General Giraud）——因為在北非的法國人可能比較最願意接受他的領導。在這次會議之前，麥菲也曾將這種意見傳達美國當局。吉勞德在一九四〇年是一位軍團司令，曾為德軍的戰俘，但在一九四二年四月卻居然逃出了戰俘營，並到達了法國未被占領的地區。他被允許可以自由居留，其條件則為他答應支持貝當的政權。他住在里昂附近，顯然是在監視之下，他暗中與許多法國軍官都有聯絡，包括在法國本土和北非的在內，他們的共同願望即為在美國援助之下，組織一個反對德國支配的叛變。吉勞德的觀點在寫給其支持者之一，奧狄克將軍（General Odic）的信件中曾有明白的表示：「我們並不想要美國人來解放我們；我們所想要的是他們能夠幫助我們解放自己，這是兩件並不相同的事情。」此外，在其與美國人的私下談判中，他也曾鄭重聲明他的條件，在法國的領土內作戰時，他應被任命為聯軍的總司令，而法國部隊也應包括在聯軍之內。從他所接獲的一項文件中，他認為羅斯福已經同意接受他的條件，十一月七日，即登陸的前夕，吉勞德到達直布羅陀與艾森豪會晤。他的這些條件使得艾森豪大吃一驚，因為他是完全不接頭。

吉勞德從法國的南部海岸祕密的登上一艘英國的潛艇，那就是送克拉克前往阿爾及利亞的「天使」號潛艇。吉勞德曾指定要一艘美國船來接他。為了政治上的理由，他這個要求是被接受了，但辦法卻很巧妙：「天使」號在名義上暫時由一位美國海軍軍官指揮，他就是賴特上校（Captain Jerauld Wright），並且攜帶著美國旗，以便必要時可以展示。隨同吉勞德前往的人有他的兒子和兩位青年參謀軍官——其中有一位即為薄富爾上尉（Captain Andre Beaufre），他在計畫如何使法國陸軍對德國採取倒戈行動的工作中，曾經發揮很大的影響作用。[2]

從潛艇再換乘水上飛機，然後飛到直布羅陀。到達之後，許多的消息使吉勞德大感憤怒：聯軍在北非的登陸預定在次日上午就要發動——而以前人家告訴他的是要到下一個月才發動——總司令一職也早已由艾森豪充任，而並非虛位以待他的到達。這樣也就引起了激烈的辯論，他所根據的理由不僅是他的階級較高，而且也事先曾獲得保證。他一再表示他若接受比總司令較低的位置，即無異於自貶其國家和個人的威望。但到了次日（十一月八日）再繼續會談時，吉勞德的態度已經自動軟化，在明白保證他將出任法軍總司令和北非行政首長之後，他也就欣然同意——很不幸的，這個諾言不久還是落空了，因為聯軍有了利用達爾朗的機會，而後者的利用價值又遠高於吉勞德。

在把自由的「火炬」送入北非時，美國人所獲致的奇襲效果是太完全，結果使他們的朋友和協助者都陷入混亂中——這比敵方所造成的混亂更為嚴重。他們的法國合作者是毫無準備，所以也就未能有效的從事開路的工作，在突然侵入的震驚之下，大多數法軍指揮官在這樣的環境之下，都採取了一種順乎自然的反應，並仍然繼續效忠於合法的權威，其代表即是維琪的貝當元帥。所以這些登陸行動最初都受到了抵抗，不過在阿爾及耳地區所受到的抵抗，卻又比在奧蘭和卡薩布蘭加兩地所受到的要輕微些。

在卡薩布蘭加的法軍師長貝陶將軍，在十一月七日黃昏收到一個信息，告訴他登陸行動已經定在十一月八日的上午二時，他立即派他的部隊去拘捕德國休戰監察人員，並派了一些軍官前往拉巴特（Rabat）的灘頭歡迎美國人。拉巴特在卡薩布蘭加以北，兩地相距約五十哩，他假定美國人一定會在那裡登陸，因為那裡沒有海岸防禦要塞，而且又是法國在摩洛哥的政府所在地。

採取了這些預備步驟之後，貝陶本人就率領了一營部隊去占領在拉巴特的軍團司令部，並派兵把那位軍團司令送走。貝陶同時也發信給羅古斯將軍（General Nogues），他是法國駐摩洛哥

---

2 原註：賴特和薄富爾兩個人以後都官拜至上將，成為北大西洋公約組織中的重要人物。
譯者註：薄富爾更成為李德哈特之後，第一個當代偉大的西方戰略家。

的總督（兼全國總司令），和米奇烈將軍，告訴他們美國人即將登陸，吉勞德將來接管整個法屬北非，而他本人則已奉吉勞德的命令負責接管在摩洛哥的陸軍。他的信要求羅古斯和米奇烈支持他所發布的命令，即對美軍的登陸不作任何抵抗；否則他們也可以暫時置身事外，等到情況較方便時再來承認既成事實。

在接到這封信之後，羅古斯決定暫時採取「騎牆」的態度，以等待局勢的澄清。雖然羅古斯猶豫不決，但米奇烈卻立即採取行動。在入夜之前，他的空軍和潛艇在巡邏中都不曾發現艦隊接近海岸，所以他立即獲得結論，認為貝陶是在招搖撞騙耍弄花槍。米奇烈遂向羅古斯保證在海岸附近絕無強大兵力出現，這樣也使羅古斯深信不疑，所以當上午五時不久，有關登陸的第一批報告達到他的面前時，他還相信那最多不過是突擊隊的偷襲而已。所以他立即跳下了牆，站在反美的那一方面，命令法軍抵抗登陸的行動，並以賣國罪名下令拘禁貝陶。

巴頓的主要登陸點是在費達拉（Fedala），位於卡薩布蘭加以北約十五哩，補助性的登陸點分別在梅地亞（Mehdia）和薩非（Safi），前者在更向北的方向上，距費達拉為五十五哩；後者則在卡薩布蘭加以南，相距一百四十哩。對於卡薩布蘭加城和它那有堅強防禦的港口（那是摩洛哥在大西洋海岸唯一有良好設備的大港）而言，費達拉要算是一個最近的適當登陸灘頭。選擇梅地亞為登陸點的理由是那裡距離劉特港（Port Lyautey）機場最近，在那裡有摩洛哥境內僅有的一條水泥跑道。選擇薩非的理由是一支左翼部隊若從那裡登陸，即可阻止駐在內陸城市馬拉喀什

（Marrakesh）的法國重兵對卡薩布蘭加方面採取干預行動。此外那裡還有一個港口可供中型戰車卸載之用──因為當時新型的ＬＳＴ（戰車登陸艦）還在生產中，來不及趕上「火炬」作戰。

當十一月六日，美國登陸艦隊正在接近摩洛哥海岸時，還是風平浪靜，但氣象報告卻說在摩洛哥附近海面已經起了風浪，氣象預測十一月八日海浪還會更大，將使登陸變為不可能。但是希維特少將的氣象專家卻相信風暴馬上就會過去，所以他決定冒險繼續執行在大西洋海岸的登陸計畫。十一月七日，海浪開始平息，到了八日又恢復了風平浪靜的情況。比起這一個月的任何一天，風浪都可以說是最輕微。儘管如此，由於缺乏經驗，還是發生了許多差錯和延誤。

在上船之前的最後一次會議中，巴頓曾經用他那種「大言高論」的習慣姿態，半開玩笑半認真地告訴那些海軍人員們說：「他們的偉大登陸計畫在『第一個五分鐘』內就會完全破裂。」他甚至於還這樣的宣稱：「在歷史上從來沒有一個海軍能夠使陸軍在計畫中的時間和地點登陸。假使你們能夠讓我們在距離費達拉五十哩以內的任何地點登陸，而時間不超出D日後的一星期，那我仍然可以勉力爭先並贏得勝利。」事實上，登陸計畫的執行固然是很差勁，但比巴頓所預料的還是要好一點。

很僥倖的，由於法國人的混亂和猶豫，所以在防禦者的火力開始變得嚴重以前，突擊登陸部隊已經有若干舟波都安全上岸了。而到此時，天色已經破曉，足以幫助英國海軍艦砲來制壓岸上的砲台。但在灘頭卻發生了新的困難，由於陸軍人員也一樣的缺乏經驗，所以巴頓現在就開始不罵海軍而罵陸軍了。雖然在第二天向卡薩布蘭加前進時，並未遭遇到任何嚴重的抵抗，但不久卻突然停頓了下來，此乃由於裝備缺乏——由於它們都還堆在灘頭，趕不上前進中的戰鬥部隊。第三天進展仍然有限，而抵抗卻日益增強，所以前途顯得頗不樂觀。

假使不是第一天即解除了法國海軍的威脅，則情況將會變得更為惡劣。那是在卡薩布蘭加附近一次饒有古風的海戰中所獲得的成果。這次的戰鬥於上午七時開始，在艾爾漢克角（Cape El Hank）的砲台和在港內的「金巴特」號（Jean Bart）（那是一艘最新型的法國戰艦，因為尚未完成所以不能離開它的碇泊所）向吉芬少將（Real Admiral R. L. Giffen）所指揮的掩護艦隊開火。這支艦隊包括美國戰艦麻薩諸塞號（Massachusetts）、兩艘重巡洋艦和四艘驅逐艦。這些軍艦都不曾受到損傷，雖然有幾砲幾乎擊中，但是他們的還擊很有效，使法國的砲台和「金巴特」號都暫時沉寂無聲了。不過當那些美國軍艦打得起勁的時候，他們卻忽視了另一項任務，即監視在港內的其他法國艦船。到了上午九時，一艘輕巡洋艦、七艘驅逐艦和八艘潛艇都已經溜走了。法國驅逐艦向費達拉駛去，而美國的運輸船隻都停在那裡不能動彈。很僥倖的，希維特少將派了一艘重巡洋艦、一艘輕巡洋艦和兩艘驅逐艦去攔截他們。同時，他又立即通知掩護艦隊去切斷他們的退路，由於他們操縱技術的精良，對煙幕使用的技巧，加上潛艇的擾亂功效，所以雖在壓倒的火力之下，法軍只損失了一艘驅逐艦。於是他們又再度衝向運輸艦船的停泊區，但在第二次交戰時，又被擊沉了一艘，其他的八艘法國軍艦雖然逃回了港內，但只有一艘不曾負傷。在港內又有兩艘被炸沉，而其他各艦也都不能再行動了。

但是結果還不能算是就此決定，因艾爾漢克砲台和「金巴特」號上的十五吋砲又再度開火了，而美國軍艦卻已經把彈藥消耗得太多，如果以達卡爾為基地的法國軍艦再來進攻，則他們就可能沒有力量將其逐退。這也正是他們所最害怕的事情。

很僥倖的，在卡薩布蘭加方面，以及在大西洋海岸方面的整個情況，由於阿爾及耳的政治發展有利，已經開始有了決定性的改變。在十日下午，羅古斯將軍間接的聽到在阿爾及耳的法國當局，以達爾朗將軍為首，已經在這一天發布了停止戰鬥的命令。羅古斯也就立即根據這個尚未經過證實的情報，命令其部下立即停止積極抵抗，聽候休戰的安排。

此時，美軍在奧蘭登陸所遭遇到的抵抗，要比在卡薩布蘭加地區強烈得多。但在那方面，美國陸軍部隊與英國海軍部隊之間的合作卻至為良好，而且聯合計畫作為也遠較周詳。此外，其先頭部隊，由艾侖少將（Major General Terry Allen）所指揮的美國第一步兵師，也是一支具有高度訓練的部隊，已經獲得第一裝甲師一半兵力的支援。

計畫是使用兩面包圍的方式來攻占奧蘭的港口和城市——艾侖的兩個團戰鬥群在阿祖灣（Gulf of Arzeu）的灘頭登陸——在奧蘭以東約二十四哩；而第三個團戰鬥群，由羅斯福准將（Brigadier General Theodore Roosevelt）指揮，則在安達魯斯（Les Andalouses）灘頭登陸，在該城以西約十四哩。接著一支輕裝甲縱隊將從阿祖灘頭向內陸推進，另外還有一支較小的裝甲部隊從更遠的一個登陸點，奧蘭以西三十哩的梅爾沙．包．齊德佳（Mersa Bou Zedjar）前進，以攻占奧蘭以南的飛機場，並從後方切斷該城與內陸的交通線。這個行動的迅速完成是非常的重要，因為據估計，在奧蘭城內約有法國駐軍一萬人，但在二十四小時之內，來自內陸各地的援軍即可使其實力幾乎增加一倍。

這個作戰的開始頗為順利。十一月七日黃昏，護航艦隊故意駛過奧蘭，向東進發，然後又在黑暗中加速駛回。上午一時，美軍準時在阿祖灣登陸，而在安達魯斯和梅爾沙．包．齊德佳登陸也都遲了半小時。奇襲效果很完全，在灘頭上完全沒有遭遇到抵抗。雖然這一段海岸有十三座砲台掩護，但直到天明之後，他們才開始發砲射擊。但也只是造成極輕微的損失，這應歸功於有效的海軍支援和煙幕所供給的掩蔽。人員的下船和裝備的卸載，就全體而論，要算是相當的順利。不過由於部隊的負荷過重——每一個人幾乎要攜帶九十磅重的裝備——所以行動頗為遲緩。中型戰車是裝在運輸船內，在阿祖灣已經被攻占之後，才從碼頭上卸下。

唯一嚴重的挫折是在企圖用直接突擊的方式來攻占奧蘭港時所遭遇到的——此種企圖的目的是為了想要阻止該港設備和留在港內的船隻受到破壞。兩艘英國小型軍艦，載著四百名美國部隊，被用來執行這個冒險的計畫——美國海軍當局指責那是過分的魯莽，結果誠如他們所料，變成了一次「自殺的任務」（Suicide Mission）。尤其不聰明的是，發動突擊的時間是定在H時後的兩小時，那也正是法國人已經被到處登陸的消息驚醒之後。在船頭上掛著一面大型美國旗的預防措施，並不能對法國人產生嚇阻作用。在強烈火力之下，兩艘船都被擊毀，其乘員和部隊的一半當場被擊斃，其餘大多數都已負傷，也都做了俘虜。

美軍從灘頭向前推進從上午九時開始，甚至於還要更早，上午十一時以後不久，瓦特爾上校（Colonel Water）的輕裝甲縱隊就已從阿祖灣進入了塔法拉（Tafaraoui）機場，一小時之後來的報告說，該機場已可接受從直布羅陀來的飛機了。但當這支縱隊再向南前進時，卻在尚未達到賽尼亞（La Senia）機場前就受阻了，由羅比內特上校（Colonel Robinett）所指揮，從梅爾沙前進的另一支縱隊，也是一樣。從阿祖灣和安達魯斯分別作向心前進的步兵部隊，也被擋在半路上——當他們接近奧蘭城時也遭遇到抵抗。

次日仍然沒有任何發展，因為法軍的抵抗已更增強，而他們對於阿祖灣側面所發動的一個反擊，更使整個作戰計畫受到了擾亂。下午雖然攻占了賽尼亞機場，但所有的法國飛機都已飛走，而機場受到強烈火力的破壞也已不能使用。在夜間繞過了一些孤立的據點後，到第三天上午遂對奧蘭城又發動另一次向心的攻擊。從東西兩面進攻的步兵均被阻止，但他們卻發揮了吸引敵人注意力的作用，於是兩支輕裝縱隊遂得以乘機從南面進行奇襲，除了偶然的狙擊以外，幾乎就沒有其他的抵抗，所以他們在中午以前即到達了城內的法軍司令部。法國指揮官才同意投降。在三天陸上的戰鬥中，美軍的損失在四百人以下，而法軍的數字則更少。這種輕微的損失，尤其是在最後一天，抵抗也逐漸減弱，那是因為法軍指揮官已經獲知在阿爾及耳正在進行談判的消息。

在阿爾及耳的登陸更是順利，也更迅速，那應該歸功於當地的法軍指揮官馬斯特將軍，以及其同志們的協助。除了想嘗試提早進入港口以外（像奧蘭的情形一樣），在任何其他的地方都不曾遇到嚴重的抵抗。

十一月七日拂曉，在距離阿爾及耳一百五十哩的海上，一艘德國潛艇發射了一顆魚雷，使一艘美國運輸艦「湯瑪士．斯東」號（Thomas Stone）暫時不能行動。但此後就一帆風順，沒有再碰到其他的麻煩。雖然曾為少數敵方偵察機所發現，但在天黑以後，船團向南轉向，駛向登陸灘頭之前，就不曾遭受空中攻擊。一個船團在馬提孚角（Cape Matifou）附近登陸，在阿爾及耳以東約十五哩；另一個船團在細第．費魯赫角（Cape Sidi Ferruch）附近登陸，在阿爾及耳以西約十哩。此外，第三個船團則在卡斯提格隆（Castiglione）附近登陸，那是更在費魯赫角以西十哩遠的地點。為了政治上的偽裝，在靠近阿爾及耳城的登陸是以美國人為主，但混雜著英國的陸戰隊人員，只有在卡斯提格隆附近的灘頭，才由英軍充任主力。

在這個地區的登陸準時在上午一時開始，儘管灘頭的地形很險惡，但一切都進行得很順利，沒有什麼差錯。在稍進內陸之後就遇到了法國部隊，他們說已經奉令不抵抗。大約在上午九時就達到了布利達（Blida）機場。在阿爾及耳以東的登陸要略為遲了一點，並且也發生了一些混亂，但由於沒有抵抗，所以情況也就很快的恢復正常。

在上午六時以後不久，即已經達到重要的白樓（Maison Blanche）機場，在放了幾槍作為象徵性的抵抗之後，它就被順利的占領了。不過向阿爾及耳的前進卻曾受到兩次阻礙：第一次是一個村落據點拒絕讓美軍通過；第二次是有三輛法國戰車造成了攻擊的威脅。在馬提孚角的海岸要塞砲台也拒絕招降，直到下午受到了軍艦和轟炸機兩次攻擊後才放棄了抵抗。

企圖衝入阿爾及耳港所造成的結果就更壞。兩艘英國驅逐艦「布羅克」號（Broke）和「馬可門」號（Malcolm），飄揚著大幅美國旗，載著一個美國步兵營來從事此種冒險——計畫是要在登陸後三小時才衝入港內，希望到了此時防禦部隊縱不同意投降，也可能已經被調開。哪知道當驅逐艦一接近港口，即遭到猛烈的射擊。「馬可門」號被擊重傷立即退出。「布羅克」號作了四次嘗試，終於衝到了碼頭邊，讓它所載的部隊下船。最初他們占領了一些設施而未遭到反抗，但是到了上午八時左右，法國人開始集中砲火轟擊「布羅克」號，迫使它必須趕緊退出。於是已登陸的美軍也受到法國非洲部隊的圍困，由於他們的彈藥已經快要用盡，同時主力也無來援的消息，所以到了下午遂被迫投降。不過，法軍火力卻只是用來圍困他們而並無意將他們消滅。

在阿爾及耳以西，細第．費魯赫角附近的登陸發生了更多的延誤和混亂，有一部分登陸艇駛錯了方向，到達了更西面的英軍灘頭。每一個營的部隊都分散在長達十五哩的海岸上，有許多登陸艇在海浪中撞毀，或由於機件故障而遲到。所幸的是這些部隊一開始就受到了友好的歡迎。馬斯特本人和他的一些軍官親自前來迎接他們，替他們排除困難——否則這次登陸一定會變成一場慘敗。不過在匆匆改組之後，當他們繼續向阿爾及耳城推進時，卻曾在幾處地方遇到了抵抗。因為馬斯特現在已經被解除了指揮權，其與美國人合作的命令也已被撤消，所以他的部隊遂開始阻止聯軍的前進。

在阿爾及耳和同盟國合作的法國人，可以說是已經盡了他們最大的努力，因為他們接獲登陸行動的通知太遲，而且又不曾把登陸的目標詳細的告訴他們，所以困難也就非常的多。但他們仍然依照他們自己所擬定的計畫立即採取行動。一些軍官分別位於海岸上，歡迎美軍並充任嚮導。各控制點都由有組織的人員去加以奪占，電話線大都被切斷，警察局和派出所也都分別加以占領，不同情的較高級官員均被監視，而無線電台也被接管，以使吉勞德或他的代表可以發表廣播，並且希望那是可以產生決定性的效果。總而言之，當聯軍開始登陸時，這些法國合作者已經產生了足夠程度的癱瘓作用，而他們一直控制這個城市到上午七時為止——這已經超過了必要的限度，實在是難能可貴。所可惜的是從登陸灘頭的前進實在太慢，不能配合這種需要。

當美國人到上午七時尚未出現時，法國合作者對於其國人的影響力也已達到了極限。尤其是當他們在無線電廣播中以吉勞德的名義來作為號召時（他同時也沒有能如所期待的趕到），結果發現他的號召力被他們自己估計得太高了。不久，他們對於情況就失去了控制，不是被置之不理就是被拘禁。

此時，決定命運的討論又在較高的階層進行。在午夜後的半小時，麥菲前往晉見余安將軍，把具有壓倒優勢的強大兵力即將登陸的消息當面告訴他，要求他合作並立即下令命法軍不要抵抗。麥菲說美軍之來是應吉勞德的邀請，以協助法國自求解放為目的。余安表示並無接受吉勞德指導的意念，同時也不認為他的權威是足夠的，所以他說這種請求應向達爾朗提出——很巧合的，達爾朗此時恰好在阿爾及耳，他是飛來該城探望他正在重病中的兒子。於是達爾朗在睡夢中被電話鈴聲吵醒，要他立即前往余安的別墅去接受麥菲的要求。當達爾朗來到之後，他聽到美軍即將發動攻擊的消息時，不禁大怒的叫著說：「我老早就知道英國人是笨蛋，但我總相信美國人是比較聰明的。我現在才開始知道你們是和他們一樣的笨。」

經過了一番討論之後，達爾朗終於同意發電報給貝當元帥報告此間的情況，並要求授權可以代表元帥自由作緊急的處理。此時，余安的別墅已被反維琪的法國人所組成的武裝部隊所包圍，所以達爾朗實際上已被看管。不久之後，那些人又被一隊「機動衛隊」趕走，他們並拘捕了麥菲。於是達爾朗和余安一同前往在阿爾及耳的司令部，但是他們彼此也在互相猜疑。在司令部中，余安開始採取步驟來恢復控制，他釋放了馬斯特等人所拘禁的柯爾茲將軍（General Koeltz）和其他的軍官，反過來又把馬斯特等加以拘禁。但是在上午八時以前，達爾朗又再發了一份電報給貝當元帥，其中強調著說：「情況正在惡化，防禦不久即將被壓倒。」——這也就是暗示向較大的勢力投降不失為明智的措施。貝當的回電給了他所要求的授權。

剛剛過了上午九時，美國駐維琪的代表屠克（Pinkney Tuck）前往晉見貝當，面交羅斯福要求他合作的函件。貝當把一份早已準備好的回信交給屠克，其中的內容是對於美國的「侵略」表示「失望和遺憾」，並且宣稱即令是老朋友攻擊它的帝國，法蘭西也仍將抵抗——「這就是我所給予的命令。」但他對於屠克的態度卻至為愉快，絲毫看不出他有不滿意的表情。很明顯的，他的態度是要使對方明瞭這種官式的答覆，其真正的意義就是為了減輕德國人的疑惑，使他們不至於出來干涉。但幾個小時之後，法國的總理賴伐爾（Pierre Laval），在希特勒的壓力下已經接受了德國人所提供的空中支援——到了當天黃昏，軸心國家即已在準備派兵前往突尼西亞。

此時，達爾朗，由其自己負責，已經下令凡在阿爾及耳地區的法國部隊和軍艦，一律停止戰鬥。雖然這個命令並不適用於奧蘭和卡薩布蘭加地區，達爾朗卻授權余安去對整個北非作成一種安排。此外，在同一天下午，又決定在晚間八時把阿爾及耳的控制權移交給美國人接管，而到了次日（十一月九日）拂曉，聯軍也就可以使用那裡的港口。

十一月九日下午，克拉克和安德森都來到了阿爾及耳，前者的任務是要主持進一步的必要談判，而後者則將負責指揮聯軍以便向突尼斯推進。吉勞德也來了，比他們兩位到得較早一點，但當他發現北非的法國人對他並不太表示歡迎時，就立即暫時躲在一家偏僻的住宅內去避一避風頭。克拉克開玩笑的說：「他實際上已經是隱入地下了。」——不過在次日上午，克拉克與達爾朗、余安和其他高級人員舉行第一次會議時，他又還是從地下鑽了出來。

在這次會議中，克拉克壓迫達爾朗下令要求法屬北非全部地區內立即停火。達爾朗對於此種要求表示猶豫，他說他已經把停火條件的節略送往維琪，希望能等候那裡的答覆。克拉克就開始拍桌子，並且說他將讓吉勞德代替他來發布此項命令。此時，達爾朗即指出吉勞德缺乏必要的合法權力和足夠的個人威望。他同時又宣稱這樣一個命令將會促使德國立即占領整個法國南部——他這個預言不久就真的不幸而言中。又經過了更多的辯論，再加上不斷的拍桌子，克拉克終於不客氣地告訴達爾朗說，除非他立即下命令，否則他就要受到保護——克拉克早已有準備，在房屋的周圍已經部署了武裝警衛。於是達爾朗又和他的僚屬簡短的商討了一番，然後接受了這個最後通牒——他的命令遂在上午十一時二十分發出。

當這個命令報告到維琪時，貝當本人的反應是批准它，但此時賴伐爾正應希特勒的緊急召喚前往慕尼黑，他在半途聽到這個消息，就用電話勸告貝當拒絕批准。下午克拉克即獲知維琪拒絕休戰的消息。當克拉克把這個消息告訴達爾朗時，後者沮喪的說：「那沒有辦法，我只好收回我上午所簽署的命令。」克拉克說：「不行，你不能這樣做，這些命令不能收回，為了確保安全起見，我將對你加以監護。」達爾朗早已想到這個辦法，遂表示欣然接受監護——他回電話給貝當說：「我撤消了我的命令，並自願被俘。」——這完全是為欺騙德國人。次日，在希特勒壓迫之下，貝當宣布在北非的一切權力都應由達爾朗移交給羅古斯，但他卻又早發了一個密電給達爾朗，說明對休戰的否決是由於受到德國人的壓力，實在是違背了他個人的願望。這種兩面應付的辦法當然是受迫於法國那種危險的情況而不能不如此，但卻使阿爾及耳以外的北非情況和法國指揮官們，仍然處於混亂之中。

很僥倖的，希特勒卻幫助澄清這種情況和解決他們的疑惑，因為他命令其軍隊侵入法國尚未被占領的部分，那是根據一九四〇年的休戰協定仍留在維琪政府控制之下的地區。在十一月八日和九日，維琪政府曾一再拒絕接受希特勒所欲提供的軍事援助，這也就引起了他的疑慮。當十一月十日，賴伐爾來到慕尼黑與希特勒和墨索里尼見面時，希特勒在那天下午就堅持在突尼西亞的港口和機場，必須立即交由軸心國家的軍隊使用。賴伐爾還嘗試拖延，說法國人不能同意讓義大利人進入，而且不管怎樣，還是只有貝當一個人才能作決定。於是希特勒也就喪失了他的耐性，在會談結束後不久，即命令其部隊在午夜進占法國尚未被德國占領的部分——那個行動早已在準備之中——並立即奪占突尼西亞的海空軍基地，這些行動義大利人也被准許參加。

法國南部很快的就為德國的機械化部隊所占領，而六個師的義大利部隊也同時從東面開入。十一月九日的下午，德國飛機即開始飛抵突尼斯附近的一個機場，帶來了一些保護它們的地面部隊，不過法國部隊卻在機場外構成了一道包圍圈，把他們限制在機場之內。自從十一日起，空運遂更頻繁，機場附近的法軍都被解除了武裝，而戰車、火砲、運輸車輛和補給物資也開始由海上送往比塞大。到十一月底，已有一萬五千名的德軍到達了突尼西亞，他們攜帶大約一百輛戰車，不過其中有相當大量的人員是負責組織基地的行政人員。同時也有九千餘名義大利部隊到達，他們大部分都是從的黎波里的陸路進入的，以掩護南面的側翼。這時候軸心的兵力正在到處受到重大的壓迫，而在倉促拼湊之下能有這樣的成就，的確要算是很高明的。但這樣多的部隊，若與聯軍已經進入法屬北非的兵力作一比較，則依然還是渺乎其小；假使「火炬」計畫曾經準備用較大的兵力向突尼西亞推進，或者是聯軍當局能夠前進得比較迅速一點，則他們還是少有能夠作有效抵抗的機會。

德國人的侵入法國南部，使在非洲的法國指揮官們大感震驚，於是也就對同盟國的情況產生了極有利的影響。十一日上午，在這個消息尚未傳到之前，在阿爾及耳又正在進行第一回合的談判拉鋸戰。克拉克去見達爾朗，壓迫他採取兩項緊急措施——命令在土侖的法國艦隊前來北非的港口；和命令突尼西亞總督艾斯提伐將軍（Admiral Esteva）拒絕德國的進入。達爾朗最先是婉言推諉，他說因為維琪的廣播已經宣布解除了他對法國武裝部隊的指揮權，所以他發出的命令也不見得會有人服從——以後在繼續逼迫之下，他還是拒絕接受克拉克的要求。當克拉克告辭時，他順手使勁把門關上來發洩他心裡的怒火。但到了下午，達爾朗卻自動打電話要求再和他見面，由於法國方面的情況發展，達爾朗現在願意接受克拉克的要求——不過他發給土侖艦隊司令的電報在形式上沒有說是命令，而只說是一種緊急的勸告。另一個有利的轉變，為羅古斯將軍（維琪指定接替達爾朗的人）也同意在次日來阿爾及耳參加一次會議。

但在十二日的清晨，克拉克又受到了一次新的震驚，因為他聽說達爾朗要突尼西亞總督不抵抗的命令又被撤回了。他馬上把達爾朗和余安請到他所住的旅社中來，以便當面查清真相，結果發現這是余安所幹的好事，他辯論著說那並非撤消前令，而只是暫緩執行，以等待羅古斯的到達，因為就法理而言，羅古斯現在是他的頂頭上司。這種對於細節的拘泥，固然是法國軍人的老毛病，但從克拉克眼裡看來，則簡直是開玩笑。由於他的堅持，這個命令遂又立即再度發出，而沒有等候羅古斯的到達。接著他們又一致拒絕讓吉勞德參加會議，所以結果也就使克拉克大為光火，他憤怒的宣布說，除非他們在二十四小時內作成一個滿意的決定，否則他就要拘捕所有的法國領袖人物，把他們鎖在港口內的一艘船上。

此時，達爾朗對於在非洲的其他法國領袖們的地位又已經獲得了增強，因為他已經收到貝當發來的第二次祕密電報，其中重申他個人對達爾朗的信任，並且強調他個人與羅斯福總統私交甚篤，但由於有德國人的監視，所以他無法公開的表明心跡。這份電報給予達爾朗很大的幫助。比起許多其他的法國人，達爾朗具有一種較敏銳的現實感，於是他終於設法使羅古斯諸人對於如何與同盟國合作的問題，作成一種可行的協議，包括承認吉勞德的身分在內。由於克拉克又一再的威脅，所以他們終於在十三日結束了一切的爭論。當天下午，一切的安排都已獲得解決，並立即獲得艾森豪將軍的讚許，他是剛剛從直布羅陀飛到了阿爾及耳。在他們的約定之下，達爾朗做了高級專員（High Commissioner）兼海軍總司令；吉勞德任陸空軍總司令；余安任東部地區司令；羅古斯任西部地區司令，仍兼法屬摩洛哥總督。與同盟國積極合作以解放突尼西亞的行動也就立即開始。

艾森豪非常願意批准這個協議，因為他也像克拉克一樣，完全了解只有達爾朗這個人才能夠把法國人帶回到同盟國方面來。尤其是他還記得在剛剛離開倫敦時，邱吉爾曾經這樣的向他說過：「達爾朗是我所最痛恨的一個人，但他若能夠把他的艦隊帶到同盟國方面來，則我將很高興的膝行一哩路去迎接他。」

但是在新聞報導中，達爾朗早就已經是一個十惡不赦的納粹幫凶，所以這種「和達爾朗談生意」的消息，在英美兩國也就引起了抗議的風潮——其程度的嚴重更遠超過了邱吉爾或羅斯福的料想。在英國是尤其鬧得更厲害，因為戴高樂在那裡，而支持他的人也都在傾全力來煽動群眾的怒火。羅斯福為了想平息這種風潮，遂公開發表了一項解釋，並引用了邱吉爾在給他的私人電文中所說的一句話，那就是說和達爾朗的安排只是「一種權宜之計」，其唯一的理由即為戰爭的需要。此外在一個不作記錄的記者招待會上，羅斯福又引用了天主教會的一句古老格言：「我的孩子們，在嚴重的危險時允許你們和魔鬼同行，直到你們已經過橋時為止。」

羅斯福這種所謂「權宜之計」的解釋，自然使達爾朗大感震怒，他覺得他已經受到了愚弄。在一封寫給克拉克的抗議信內，他很尖刻的指出從羅斯福的公開聲明和私人談話中，似乎已經顯示出美國人是把他當作一顆檸檬，等到把汁榨乾了就可以順手丟掉。那些支持達爾朗並達成與同盟國合作協議的法國將領們，對於羅斯福的聲明也一致深感不滿。這也就使艾森豪感到非常的煩惱，他去電華盛頓特別強調說：「現在法國人的感情，與事先所料想的大不相同，希望不要採取任何刺激行動，來破壞我們已經勉強建立起來的平衡，這是極為重要。」史末茲元帥由倫敦飛回南非時，恰好路過阿爾及耳，他也電告邱吉爾：「關於達爾朗的問題，所發布的聲明對於當地的法國領袖們已經造成了不安的影響，這條路線絕不可以再走，否則即將引起嚴重的危險。羅古斯已經提出辭職的威脅，由於他控制著摩洛哥的人民，此種步驟也就會產生極複雜的後果。」

此時，達爾朗又已經和克拉克就合作的行動，作成了一個具體的和詳細的協議。同時他也已經說服了西非洲的法國領袖們跟他一致行動，並使聯軍得以利用重要的達卡爾港，以及附近的空軍基地。但是在聖誕節的前夕，他卻突然為人所刺殺。凶手是一個狂熱的青年人，名叫查培里（Bonnier de la Chapelle），他是屬於保皇黨和戴高樂派，後者是一直都在希望消滅達爾朗的權力。這樣一個突變幫助解決了同盟國的困難政治問題，掃清了戴高樂上台的障礙，而且同盟國在他們和達爾朗的交易中也早已大獲其利。誠如邱吉爾在他的回憶錄中所評論的：「達爾朗的被害，不管是如何的罪過，但卻使同盟國解除了一項巨大的麻煩，同時他在聯軍登陸的緊要階段所作的一切貢獻，卻仍然繼續為同盟國所保留。」在吉勞德的命令之下，刺殺達爾朗的凶手立即受到軍法審判，並迅速執行死刑了事。次日，法國領袖們同意推選吉勞德繼達爾朗出任高級專員。他補了這個空缺——但也只有一個短期間。

假使不是獲得達爾朗的幫助，則同盟國將會發現他們的問題較預料艱鉅。因為在北非的法國部隊總數接近十二萬人——摩洛哥約五萬五千人，阿爾及利亞約五萬人，突尼西亞約一萬五千人。雖然分散得很遠，但若他們決心繼續抵抗，則對聯軍即足以構成很大的行動障礙。

只有在另一個重要的方面，達爾朗的協助和權力未能發揮預期的效果：那就是沒有能夠把法國的主力艦隊從土命拖到北非來。法國艦隊的指揮官拉波德將軍（Admiral de Laborde），在沒有獲得貝當的認可前，不敢聽從達爾朗的召喚，而達爾朗派往說服他的一位特使又被德國人中途攔住了。拉波德遂繼續按兵不動，同時他也並不緊張，因為德國人很乖巧，只在海軍基地的外圍加以監視，聽任這支艦隊留在一個僅由法國部隊駐防而未經占領的地區內。但他們同時卻準備用突襲的辦法，以求完整的奪取這支艦隊，這個行動在十一月二十七日發動，首先用水雷把港口封鎖。雖然由於時間的延誤，使法國艦隊喪失了突圍逃走的機會，但他們還是依照預定計畫迅速的把船隻炸沉，而使德國人的企圖完全落空——這也誠如十一月十日達爾朗在與克拉克初次會商時所保證的：「無論在任何環境之下，我們的艦隊絕不會落入德國人的手裡。」這支艦隊未能前來北非固然使同盟國感到失望，但由於它的沉沒，也使敵人無法利用，所以也感到如釋重負。

在這個緊急階段，尤其是最初幾天，另外還有一件事也更使同盟當局感到輕鬆，那就是西班牙人並不曾企圖作任何的介入，而希特勒也不曾企圖通過西班牙以求攻擊進入地中海的西面門戶。西班牙陸軍只要從阿及西拉斯（Algeciras）用砲火即可使直布羅陀的港口和機場變得無法利用。此外，西班牙陸軍也可以很容易切斷巴頓的部隊與在阿爾及利亞聯軍之間的交通線，因為從卡薩布蘭加到奧蘭之間的鐵路線，是緊靠著西屬摩洛哥的邊界——有的地點只相距二十哩。當「火炬」作戰還正在計畫中時，英國人就早已明白表示，如果佛朗哥要介入的話，則直布羅陀也就不可能守住和繼續被利用。同時，艾森豪的計畫作為人員也認為，必須要用五個師的兵力才能占領西屬摩洛哥，而此種任務的完成又可能需時三個半月。很僥倖的，佛朗哥卻寧願維持其作為軸心方面的「非交戰」（non-belligerent）同盟者的地位，而並無見獵心喜，躍躍欲試的意圖——尤其是因為美國繼續購買西班牙的產品，同時又允許它從加勒比海方面獲得石油的供應，所以佛朗哥也就更感到滿足而不願意輕舉妄動。此外，從軸心方面的檔案中顯示，在戰爭的初期，希特勒雖曾企圖假道西班牙進攻直布羅陀，但自從受到佛朗哥的巧妙拒絕之後，在一九四二年十一月，卻並不曾認真的考慮利用西班牙來發動反擊的問題。僅僅到了次年四月間，當在突尼西亞的軸心軍隊正受到重大的壓力，而聯軍又有提早侵入義大利的威脅時，墨索里尼才向希特勒提出此種構想。但希特勒又拒絕了墨索里尼的這種請求。其原因可能有兩點：他怕遭到他那個「非交戰」同盟國的激烈和頑強的抵抗；同時他仍然確信軸心軍隊能繼續守住其在突尼西亞的立足點。在一九四二年十一月底，被派往突尼西亞的軸心兵力雖然極為單薄，但他們卻仍能擋住聯軍的前進。這種優異的成就也就更增強了希特勒的信心。

第二十二章 向突尼斯的賽跑

向突尼斯和比塞大的前進，是以一個海上的運動為其開端，但卻只是一個非常短的航程——以包吉港（Bougie）為目的地，該港在阿爾及耳之東相距約百餘哩，而在從阿爾及耳到比塞大的全部距離則僅占四分之一而已。這只是一個原定計畫的縮小，那個計畫是假定在法國人的立即和充分合作之下，準備在連續三天之內——即十一月十一日至十三日——使用傘兵和海軍陸戰隊去攻占在朋尼、比塞大和突尼斯的飛機場，另外用一支浮動的預備隊（對已在阿爾及耳登陸的兵力而言）直赴包吉港，並從那裡進占四十哩外的吉德吉利（Djidjelli）機場。但由於在阿爾及耳登陸之後，情況變化不定，所以這個計畫被認為太危險，於是較遠的行動也就被取消。乃於十一月九日決定改為只占領包吉港和機場，然後再派一支部隊趕往突尼西亞邊境的蘇克阿拉斯（Souk Ahras）鐵路車站，同時另派第二支海運和空運部隊去占領朋尼。

十一月十四日的清晨，兩支有良好保護的船團，駛出了阿爾及耳港，載運英國第七十八師一個先頭的旅群（第三十六旅），以及一些補給品，前往作遠征的冒險。這個師的師長為艾費里少將（Major-General Vyvyan Evelegh）。次日清晨船團到達了包吉港外，但由於害怕敵意的接待，於是在大浪之中，從鄰近的灘頭登陸，因而浪費了許多的時間——儘管事後證明那裡的接待是頗為友善。因為風浪太大，又放棄了原定在吉德吉利附近登陸的企圖，以至於未能立即占領機場，所以直到兩天之後才能提供新的戰鬥機來保護。在此以前曾有幾艘船因受敵方空襲而被擊毀。不過到了十二日清晨，有一支陸戰隊溜進了朋尼港，而一個傘兵支隊也同時降落在機場上，他們都受到了法國人的歡迎。

到了十一月十二日，在包吉港的旅群遂開始向前推進，而這個師的其他單位也從阿爾及耳沿著陸路進發，後面緊跟著的即為「布拉德部隊」（Blade Force），那是一支剛剛上陸的裝甲縱隊，由第十七和第二十一「槍騎兵」（Lancers）團和其他配屬部隊所組成，由赫爾上校（Colonel R. A. Hull）率領——它是第六裝甲師的先頭部分。[1]

為了替這個前進開路，又計畫在十五日把一個英國傘兵營首先投在蘇克艾阿巴（Souk el Arba），該城在突尼西亞境內，距離突尼斯八十哩；另一個美國傘兵營則降落在提貝沙（Tebessa）附近，以求掩護南面的側翼並占據那方面的一個前進機場。美國傘兵的降落能夠照預定計畫執行——兩天之後，這個營在拉弗上校（Colonel E. D. Raff）指揮之下，向西南方作了一個八十哩遠的躍進，確實占領了加弗沙（Gafsa）機場，那裡距離加貝斯灣和從的黎波里來的道路瓶頸僅為七十哩。因為受到天氣的影響，英國傘兵的降落比預定計畫遲了一天，而先頭的地面部隊卻前進得極快，所以他們在十六日也同時到達了蘇克艾阿巴。此時，另有一支縱隊沿著海岸公路前進，也已經到達了通往比塞大道路上的塔巴卡港（Tabarka）。

次日，即十一月十七日，安德森將軍命令第七十八師在完成其前進集中之前，以摧毀軸心部隊為目的，即應向突尼斯進攻，為了集中而暫停一下，就理論而言固然是必要的，但由於當時已經到達的軸心兵力非常的微弱，所以這種耽誤不僅是不需要，而且也是很可惜的——在突尼斯只有一個不足額的傘兵團所屬的兩個營，他們是在十一月十一日由義大利空運來的，此外在比塞大也只有兩個營（一個傘兵工程營和一個步兵營）。十一月十六日，內林將軍——前非洲軍的軍長，在阿蘭哈法會戰中曾負重傷，現在剛剛康復——帶了一個孤單的參謀軍官來到了突尼斯，他是奉令來指揮這一點核心部隊，一共不過三千人，現在已經定名為「第九十軍」。甚至到了十一月底，其兵力也還只有一個師。

德國人不等候其兵力的集中，就迅速的向西面進攻，並用這種勇敢的姿態來掩飾其弱點。在突尼斯的法國部隊，雖然數量遠較巨大，但卻在他們的前面聞風而退，因為在聯軍援兵未來到之

1 原註：在這個師的第十七和第二十一「槍騎兵」團以及其他的裝甲團中，每一個連（中隊）都有兩個排配備著新型快速的十字軍三式（Crusader III）戰車，裝有威力強大的六磅砲；而其他兩個排則配備著只有兩磅砲的「法蘭亭」式戰車，後者雖然速度較慢，但卻較為可靠而且裝甲也較厚。

前，他們是不願和德國人發生過早的衝突。十一月十七日，一個德國傘兵營（大約僅有三百人）在克羅赫上尉（Captain Knoche）指揮之下，沿著突尼斯至阿爾及耳的公路向前挺進，沿線的法軍向梅傑茲艾巴布（Medjez el Bab）的道路中心撤退（那是在突尼斯以西三十五哩），在那裡有一座跨越在梅德傑達（Medjerda）河上的重要橋梁。十八日夜間，法軍在這裡獲得一部分「布拉德部隊」的增援，包括一個英軍傘兵營和一個美國野戰砲兵營在內。（第十七和第二十一「槍騎兵」團連同他們的戰車尚未到達；其先頭連已在十八日到達了蘇克艾阿巴，但卻不曾開往前方。）

上午四時，在突尼西亞的法軍指揮官巴里將軍（General Barre），在那裡接見了德方的軍使，他帶來了內林將軍的最後通牒，要求法國部隊應撤退到靠近突尼斯邊境的一線上。巴里嘗試和他進行談判，但德國人卻已了解那只是拖延時間，因為其清晨的空中偵察早已發現了聯軍部隊的行蹤。所以在上午九時，他們停止談判，再過了一刻鐘接著就開火了。一個半小時之後，德國以俯衝轟炸機飛臨現場助長攻擊者的威勢。在轟炸攻擊之後，防禦者的心理受到惡劣的震盪，德國傘兵接著又作了兩次小規模的地面攻擊，他們那種高昂的鬥志，勇猛的作風，足以使人對他們的實力產生一種誇張的印象。對方的指揮官們感到除非是有更多的援兵趕到，否則他們就會守不住了——但安德森將軍的指示是必須先完成聯軍對攻擊突尼斯計畫的兵力集中，所以也就斷絕了增援的希望。

天黑之後，克羅赫上尉派出一小股部隊用游泳的方法渡河，這使聯軍誤以為攻擊兵力又增強了。於是聯軍從橋上撤退，並且保持該橋的完整，未予破壞。在午夜之前，當地的英軍指揮官又把法軍指揮官找到他的指揮所來。堅決要求應再立即撤退到後方八哩遠的一座高地上，以便在那裡建立一個較安全的陣地。法軍當然照辦，於是德軍占領了梅傑茲艾巴布。這是一個極顯著的例證：不及對方十分之一數量的小型部隊，憑藉其英勇冒險的精神，終於能夠獲得勝利。

在較北的方面，魏齊格少校（Major Witzig）的德國傘兵工程營，攜帶著少數戰車從比塞大出發，沿著海岸公路向西推進，在傑貝爾艾巴德（Jebel Abiod）遭遇到英軍第三十六步兵旅群的先頭部隊，也就是第六皇家西肯特營（Royal West Kents）。雖然德軍衝散了該營的一部分，但他們卻仍然守住了陣地，以待該旅後續部隊的增援。

此時，被派往南面的若干小型德軍支隊，也已經在通往的黎波里的道路上攻占了一些重要的村鎮——蘇斯（Sousse）、斯法克斯（Sfax）和加貝斯。差不多有五十名德國傘兵從空中降落，就駭倒了法國駐軍使他們撤出加貝斯。十一月二十日，才有兩營義大利步兵從的黎波里徒步行軍趕來增援，他們到達的時間恰好足以擋住拉弗上校所指揮的美國傘兵對加貝斯的攻擊。十一月二十二日，一支小型的德軍裝甲縱隊把法軍逐出了斯拜特拉（Sbeitla）中央道路的中心，把一支義大利支隊留在那裡駐防，然後才再撤回突尼斯——不過那些義大利部隊不久還是為拉弗傘兵營的另一支隊所趕走。

儘管如此，內林的這一個僅有骨架子的軍，不僅是守住了在突尼斯和比塞大的橋頭堡，而且還把它們擴大成為一個非常巨大的橋頭陣地，包括了突尼西亞北半部的大部分。

安德森計畫進攻突尼斯的作戰，是直到十一月二十五日才開始發動。在這個空隙中，微弱的德軍兵力已經增加了三倍，不過其能夠作近接戰鬥的兵力，還是只有兩個小型傘兵團（每團兩個營）、一個傘兵工程營、三個步兵補充營和一個戰車營（第一九〇營）的兩個連，共有戰車三十輛。其中包括一些新型的三式戰車，裝有長管七十五公厘火砲，要算是一項重要的資本。因此，由於安德森為了完成其兵力的集中，在邊界上逗留得太久，遂使軸心與同盟國部隊之間極端懸殊的差距已經逐漸縮小。

十一月二十一日，安德森對其兵力是否足夠達成目標表示懷疑。於是在艾森豪的命令之下，又匆匆派了更多的美國部隊前來為他增援，其中還包括第一裝甲師的B戰鬥群（Combat Command B），那是從七百哩以外的奧蘭城一路趕來的——其輪型的半履帶車輛沿著公路行駛，而其戰車則利用鐵路運輸。不過在作戰開始發動時，只有一部分兵力勉強趕到了戰場。[2]

在一個分三路進攻的作戰中，第三十六步兵旅群在左，靠近海岸線；實力強大的布拉德部隊在中央，而第十一步兵旅群在右，沿著主要公路——每一路的部隊又都受到美國裝甲部隊和砲兵部隊的增強。

左翼的部隊在丘陵起伏的海岸公路上，比預定日期遲了一天才發動攻擊，而在最初兩天中每天只前進了六哩，行動非常的慎重──魏齊格的那個小型傘兵工程營就在它的前面向後撤退。於是到了十一月二十八日，它推進了十二哩，但卻在傑弗拉（Djefna）車站附近的隘道中受到德軍伏兵的狙擊，其先頭營損失頗重。三十日，對於德軍已經增強了的防禦作了一次較大的攻擊，在失敗之後，這一方面的攻擊遂被放棄。次日清晨，有一支英美軍混合組成的陸戰隊，在傑弗拉以北的海岸登陸，並在馬陶爾（Mateur）以東封鎖德軍後方的道路。他們在那裡苦撐了三天，卻還不見援軍來到，由於補給已經用盡，遂自動撤退。

中央的一路是由布拉德部隊所組成，由於加上一個美軍輕戰車營，所以其戰車實力早已超過了一百輛以上（美軍第一裝甲團的第一營，配備著「斯圖亞特」戰車）。在突破了由少數德軍所據守的前哨線之後，這支部隊於二十五日前進了三十哩，到達了巧久（Chouigui）隘道。次日，德軍的一個支隊，包括一個十輛戰車的戰車連和兩個步兵連，從馬陶爾向南發動了一個攻擊，遂

2　原註：在這個階段，美國的裝甲師包括兩個裝甲團，每個團有一個輕型戰車營和四個中型戰車營；一個裝甲步兵團下轄三個營和三個裝甲野戰砲兵營。照編制有戰車三百九十輛──輕型一百五十八輛，中型二百三十二輛。在作戰時分為A及B兩個戰鬥群。以後又增加了第三個群。

譯者註：在原書中有三種臨時的編組，即「Team」、「Group」和「Command」。第一種是美軍所用的，以一個團為基幹，再加上其他的單位；第二種是英軍所慣用的，以一個旅為基幹；第三種為美國裝甲師所獨有的。譯文均統稱之為戰鬥「群」。

阻止了英軍的繼續前進。德軍的十輛戰車被擊毀了八輛，大部分都是美製三十七公厘戰防砲的功勞，但是他們的犧牲精神使英軍高級指揮官望而生畏，由於他們害怕這種側翼的威脅，遂中止了布拉德部隊的前進，並把這支部隊展開來掩護右翼部隊的攻擊。

雙方部隊都是在「戰爭之霧」中摸索，但是在這個緊要關頭上，英國人的過分謹慎與德國人的勇敢形成一個對比，那就顯然是不智。尤其是因為在前一天下午，布拉德部隊的一個小型支隊已經使德國的高級指揮官也駭了一大跳，赫爾曾命令瓦特爾中校（John K. Waters）指揮一個美國輕戰車營去偵察在提包巴（Tebourba）和傑德打（Djedeida）附近跨越梅德傑達河上的橋梁。在巴羅少校（Major Rucolph Barlow）指揮之下的C連，偶然地到達了傑德打機場的邊緣，那是新近才使用的機場。巴羅就抓著這個機會，率領他的十七輛戰車掃蕩機場，擊毀了二十餘架德國飛機——在報告上被誇大為四十架。這個深遠的突穿，在內林所接獲的報告中也同樣的被誇大了，所以遂使他大感震驚，開始命令其部隊後撤，以便對突尼斯作嚴密的防守。

聯軍的右翼部隊，沿著主要公路前進，在進攻梅傑茲艾巴布時，即已受到了阻擋，接著德軍發動了幾個小規模的逆襲，更使英軍無組織的潰逃。但是到了二十五日的夜間，傑德打由於受到突襲而震驚，內林遂命令守軍後撤，害怕他們會被一個新攻擊所壓倒。聯軍跟在敵軍後面前進，於二十七日清晨占領了二十哩以外的提包巴。次日又前進了一小段距離，就在傑德打（距離突尼斯二十哩）為一個混合營所組成的德軍戰鬥群所阻。二十九日再度進攻又被擊退。於是艾費里將軍遂建議暫停前進，以等待更多的援兵，同時為了要對付德國俯衝轟炸機，還要求提供較嚴密的戰鬥機掩護，因為德軍飛機正在日益加重對同盟國部隊的擾亂，使他們在精神上感到吃不消。

他的建議為安德森和艾森豪所接受。當艾森豪在兩天後到前線地區視察時，美國軍官一看見他無不抱怨的說：「我們那些倒霉的空軍到哪裡去了？為什麼我們所看見的盡是德國的飛機呢？」在他的回憶錄《歐洲十字軍》一書中，他這樣的記載著：「沿途所聽到的一切談話，都是對損失作驚人的誇大，儘管如此，當聽到像『我們部隊必然要撤退，在這樣的條件之下任何人都不能生存』這一類的話時，還是令人很感到憂慮。」

此時，凱賽林元帥也正在突尼斯視察，他譴責內林太謹慎和缺乏攻擊精神。他不理會有關聯軍兵力遠較強大的辯論，和由於聯軍對機場的轟炸已使軸心援兵的空運受到嚴重阻礙的事實。凱賽林在批評了不應從梅傑茲艾巴布撤退之後，就命令內林立即設法收復失地，至少應回到提包巴為止。所以，在十二月一日，德軍遂用了三個戰車連，共約戰車四十輛，再加上少許支援單位，包括一個三門砲的野砲連和兩個連的戰防砲在內，發動一次反擊。這次反擊的目標，並非針對已在進攻傑德打的聯軍部隊，而是從北面超向巧久隘道，再鑽到聯軍在傑德打附近的後方。[3]

3　原註：德國第十裝甲師的先頭部隊是剛剛到達突尼西亞的，其中包括一個新戰車營的兩個連——擁有三十二輛三號戰車和二輛新型四號戰車。這兩個連與以前所到達的另一戰車營中的一個連，被立即用於此次反擊作戰。

德軍分成兩個縱隊，首先集中攻擊布拉德部隊，這支部隊是奉派保護側翼，所以兵力分散得很遠，因此其中的一部分被衝散和被擊破。於是到了下午，德軍遂向提包巴挺進，但在尚未達到目標和切斷主要公路之前，即為聯軍的砲火和轟炸所阻。

但是他們的繼續壓迫，對於這一條大動脈構成了相當嚴重的威脅，以致使聯軍在傑德打的矛頭被撤回到提包巴附近。十二月三日，這個壓力繼續增大，同時內林也只留下極少量的兵力在突尼斯城中擔負警衛任務，而把所有能夠集中的部隊都用來作向心的攻擊。那一天夜間，聯軍的矛頭部隊終於被擠出了提包巴地區，他們利用一條沿著河岸的小徑，勉強逃出了重圍，大部分裝備和車輛都被拋棄。在德軍的反擊中，共計捕獲了一千多名俘虜，而他們這個「袋」中還包括著五十多輛戰車在內。

值得一提的是，最近德軍的增援中包括著五輛新出產的五十六噸重的「虎」式（Tiger）戰車，裝有長砲管的八十八公厘砲。這種「巨怪」本是當作一種「祕密武器」來看待，但希特勒決定送幾輛到突尼斯來接受戰鬥的試驗，其中有兩輛配屬給傑德打戰鬥群參加了這次提包巴的會戰。

在以後的幾天內，聯軍指揮官們計畫使用已經增強的兵力，提前重新發動攻勢。但由於內林的擴張行動來得太快，所以他們的成功希望不久也就變得極為微弱了。內林現在計畫使用其小型裝甲部隊，從梅德傑達河之南作一個大迂迴，以達到收復梅傑茲艾巴布的目的。美國第一裝甲師的B戰鬥群剛剛部署在這裡，一方面準備再繼續前進，另一方面也想和英軍分開，以便能以一個完整的單位來從事戰鬥。其中的一個前進支隊係位於傑布爾艾古沙（Jebel el Guessa），那是在提包巴西南面的一片高地，正俯視著其南面的平原。作為其迂迴運動的序曲，德軍於十二月六日清晨首先攻擊這個觀察哨，衝散了那裡的守軍，美軍被迫匆匆撤退，潰不成軍。美軍雖派兵前往增援，但行動太遲緩，等他們趕到現場時，又遭到德軍的攻擊，損失頗為慘重。

這次德軍新的攻擊，加上其所造成的威脅，使得新到的英國第五軍軍長阿弗里中將（Lieutenant General Allfrey）命令在梅德傑達河以北的部隊，從他們在提包巴附近的陣地撤退到二九〇高地附近的一個新陣地，這裡比較接近梅傑茲艾巴布——這座山被英國人命名為「長停山」（Longstop Hill）。此外，他又建議作一個更遠的撤退，到達梅傑茲艾巴布以西的一線為止。這個建議雖然得到安德森的贊同，但卻被艾森豪所否決。不過，「長停山」卻又還是撤出了。

艾森豪在十二月七日，曾經寫了一封私信給他的朋友韓德將軍（General Handy），其中有一段頗為有趣味，現將其引述如下：「對於我們目前的作戰，我想最好的形容就是說它們已經違反一切公認的戰爭原則，並與教科書中所規定的一切作戰和後勤的方法發生了衝突，在今後二十五年之內，所有一切美國指參學院和戰爭學院的學員們，都會把它們罵得體無完膚。」

十二月十日，德軍又繼續側進，其兵力包括大約三十輛中型戰車和兩輛虎型戰車，但前進到距離梅傑茲艾巴布還有兩哩遠的地方，就為一個位置良好的法國砲兵連所阻。當他們離開道路企圖迂迴時，又暫時被沙坑陷住了，接著美國B戰鬥群又派了一支隊來威脅他們的後方，於是他們就自動撤退。但他們卻獲得一個意想不到的間接成功：到了天黑之後，B戰鬥群開始從其暴露的位置撤退，當他們聽到德軍來襲的謠言之後，卻發生了混亂，沿著一條靠近河岸的泥土小徑行動，致使許多戰車和車輛都陷在那裡不能移動而只好放棄。這一次災難也就斷送了聯軍早日向突尼斯推進的希望，因為此時，B戰鬥群剩下來能適於戰鬥之用的戰車已經只有四十四輛——即僅為其編制的四分之一。所以這兩次德軍的反擊，的確已經有效的破壞了聯軍的一切計畫和希望。

此時，希特勒又派阿爾寧上將（Colonel-General jurgen von Arnim）來接任突尼西亞軸心軍隊的最高指揮官，這支軍隊現在已改名為第五裝甲軍團。他在十二月九日從內林手中接管了指揮權，由於已有更多的增援到達，他現在就著手把掩護突尼斯和比塞大的兩個環形，擴大成為一個完整的橋頭陣地，用一百哩長的防線將其包圍，那也是由許多據點所構成的一條鎖鏈，由比塞大以西約二十哩的海岸上起，到東岸上的恩費達維里（Enfidavile）為止。這個完整的橋頭陣地又分為三個地區：北區由一個拼湊而成的「布羅赫」師（Division von Broich）負責防守，這個師是以其師長的姓名來命名的；中區（從巧久隘道以西起到法斯橋〔Pont-du-Fahs〕以東為止）由第十裝甲師負責，這個師是分成許多小單位陸續運來的；南區則由義大利「蘇培加」師（Superga Division）負責。迄十二月中旬，聯軍的情報判斷是，軸心兵力約為戰鬥部隊二萬五千人，行政人員一萬人，戰車八十輛——此種判斷未免偏之過高。聯軍方面的有效戰鬥部隊接近四萬人——

英軍二萬餘人，美軍一萬二千人，法軍七千人——其總人數當然更多，因為他們的行政組織遠較龐大。

部分由於天氣惡劣的影響，聯軍實力增建得很慢，使安德森不得不暫緩其再度進攻的日期。但是到了十二月十六日，他終於決定應在二十四日發動攻擊，以便利用滿月來作步兵的夜間突擊。這次攻擊中所使用的兵力為英軍第七十八師和第六裝甲師，以及美國第一步兵師的一部分。

為了獲得便於展開的空間，最初的攻擊是以收復「長停山」和提包巴以北的四六六高地為目標。但在惡劣天氣之下發生了嚴重的混亂，結果發展成為長期的拉鋸戰，於是主力的攻擊只好又暫時停頓。到了十二月二十五日，德軍完全收復了其原有的陣地——很自然的，他們現在把「長停山」又改名為「聖誕山」（Christmas Hill）。

早在聖誕節的前夕，艾森豪和安德森即已勉強的決定放棄這次攻擊——因為一再遭遇挫敗，而傾盆大雨又把戰場變成泥淖。聯軍已經喪失了「向突尼斯的賽跑」。

但是很諷刺的，由於命運的安排，這次的失敗反而因禍得福。因為若非聯軍這次的失敗，希特勒和墨索里尼也許就不會獲得時間和鼓勵，來繼續把大量的援軍送入突尼西亞，而終於達到二十五萬人以上的實力。為了守住這個橋頭陣地，這些人必須背靠著敵人所控制的海洋作戰，換言之，一旦失敗之後，也就絕無逃脫的希望。所以在一九四三年五月間，當突尼西亞的軸心兵力終於被壓倒時，在歐洲的南部，敵人幾乎是已經無兵可用，所以聯軍在七月間侵入西西里島時，自然也就感到非常的輕鬆。但假使不是十二月的失敗，則也許就不可能有五月間的大勝，於是當聯軍進入歐洲時，也就可能會受到嚴重的阻力。邱吉爾所愛說的「軟下腹」（soft under-belly），實際是一個到處多山，地形極為艱險的地區，僅僅由於缺乏防禦兵力之故，才會變得如此柔軟。

第二十三章　在太平洋的潮流轉向

日本在太平洋的攻勢目的，就是要建立其所謂的「大東亞共榮圈」，在四個月之內，這個目的實際上幾乎可以說是已經達到了。那時，馬來亞和荷屬東印度已經完全被征服，此外還有香港，而菲律賓的全部與緬甸的南部也已經差不多如此。在次一個月之內，柯里幾多（Corregidor）島嶼要塞的投降，遂使美國人喪失了在菲律賓的最後立足點。一個星期之後，英國人也被逐出了緬甸，退回到印度，而中國與其同盟國之間的陸上交通線也從此完全被切斷。對於這樣巨大的征服成果，日本人所付出的代價一共僅約為人員一萬五千名，飛機三百八十架，和驅逐艦四艘而已。

在這樣一連串的輕鬆勝利之後，日本人自然很不願意依照其原定的戰略計畫，再回轉到防禦的態勢。他們害怕這樣的轉變可能會導致戰鬥精神的逐漸衰退，同時也會使經濟基礎遠較強大的西方敵國，獲得一個恢復的喘息機會。尤其是日本海軍，急於想消滅美國人在太平洋方面可能捲土重來的兩個基地——夏威夷和澳洲。誠如他們所指出的，美國海軍的航空母艦仍可在夏威夷從事作戰，而澳洲更是顯明的已經變成一個反攻的跳板和防禦的堡壘。

日本陸軍，由於其心理還是以中國大陸（包括東北在內）為焦點，所以不願意再派遣更多的部隊來滿足這種遠征的要求，尤其是想侵入澳洲的話，則所需的作戰時間可能很長，而所需的兵力也可能很大。陸軍在聯合艦隊所草擬的攻占錫蘭計畫中，即早已拒絕合作。

日本海軍的領袖們，希望能在兩個方向中的一面再作一次成功的攻擊，於是憑藉這種成功也許能夠克服陸軍領袖們的反對，足以說服他們提供部隊來完成這種遠征作戰，但是究竟何者為最佳的一面，他們自己之間又有了不同的意見。山本大將和聯合艦隊司令部方面，是主張採取攻擊中途島的計畫（該島在珍珠港以西一千哩）——用這個行動為餌以吸引美國太平洋艦隊出而應戰，於是再將其擊滅。海軍軍令部（即參謀本部）則主張通過所羅門群島（Solomon Islands）以攻占新卡里多尼亞（New Caledonia）、斐濟（Fiji）和薩摩亞（Samoa）等島嶼，其目的為切斷美國與澳洲之間的海上交通線。後者的計畫，即孤立澳洲的計畫，在辯論上是比較有重量，因為在對澳洲構成包圍圈的任務上，日本人早已有相當的進展。到三月底他們已經從拉布爾（Rabaul）進入了所羅門群島，以及新幾內亞的北岸。

一九四二年四月十八日，美國飛機空襲東京，遂使此種有關海軍計畫的爭辯暫時發生了中斷，並改變了方向。

東京空襲

這個對日本國都（其本土的心臟）的空中攻擊，是具有替珍珠港報仇的意義，從一月起就開始進行策劃。由於在太平洋中任何尚存的美國基地都距離日本過遠，所以這次空襲必須由海軍航空母艦來執行。但由於日本人已在距離其本土五百哩以外的海洋上，建立了一道由哨戒船（Picket Boat）所構成的警戒線，所以攻擊的飛機必須要在大約五百五十哩遠的距離起飛，包括來回在內，則航程至少應為一千一百哩——那對海軍航空母艦上的飛機而言，實在是太遠了。而且美國海軍現在所有的少數幾艘航空母艦可以說是非常的珍貴，要它們在原地等候飛機返回，也是一種不敢輕言嘗試的冒險。所以就決定使用美國陸軍的飛機，那不僅是航程較長，而且在轟炸了東京之後，它們也就可以向西飛到中國的機場去降落。

這也就要求二千哩以上的航程，及在航空母艦上起飛的能力。於是選定了B-25米契爾（Mitchell）式轟炸機，此種轟炸機加上額外的油箱，可以攜帶二千磅炸彈，飛行二千四百哩。在杜立德中校（Lieutenant-Colonel James H. Doolittle）領導下，駕駛員熟練了短距離起飛和長程水面飛行的技術。由於B-25的體型太大不能儲藏在母艦甲板之下，而須放在甲板上，同時還必須留出足夠的空間以供它們起飛之用，所以航艦上一共只攜載了十六架飛機。

四月二日，選定執行此項任務的航空母艦「大黃蜂」號（Hornet），在巡洋艦與驅逐艦護航之下，從舊金山啟程。四月十三日，第十六特遣部隊和他們會合在一起，後者是以航空母艦「企業」號（Enterprise）為基幹而組成的，其任務為提供空中支援——因為「大黃蜂」號本身的飛機都已被藏入甲板之下。在四月十八日的清晨，這支航空母艦部隊已被一艘日本巡邏艇所發現，而此時距離東京尚在六百五十哩以外。海軍指揮官海爾賽中將（Vice-Admiral Willam F. Halsey）遂與杜立德商議，他們所獲得的一致結論是，寧可讓轟炸機立即起飛，而不考慮所要飛過的額外距離，以後證明這是一個聰明而幸運的決定。

在〇八一五時到〇九二四時之間，轟炸機在波濤洶湧的海面上起飛，這些轟炸機於四個小時之內到達了日本，使防禦者受到了奇襲，並在東京、名古屋、神戶等地投下了他們的炸彈（包括燃燒彈），然後在一種尾風（tail wind）幫助之下向中國飛行。很不幸的，由於誤會，衢州機場卻並未作接受他們的準備，結果使那些機員只好迫降或跳傘。在八十二個人當中，有七十人安全歸來——其中有三個沒有回來的已被日本人所殺害，其所持的理由是轟炸非軍事性目標。兩艘航空母艦都安全的撤退，並於二十五日回到了珍珠港。

另一件幸運的事情是，儘管日本已經獲得其巡邏艇的警告，但日本人卻以為空襲的來臨將會遲一天——即在十九日。因為照他們估計，航空母艦必須達到夠近的位置始能使其轟炸機起飛。到了那時，日本的空軍也就有了準備，而南雲中將的航空母艦也會趕到指定的地點來向美國艦隊發動一個反擊。

這次空襲的主要成就乃為激勵美國人的士氣，因為自從珍珠港事變之後，美國人的心理已經發生了嚴重的動搖。不過它也同時迫使日本把四個陸軍的戰鬥機大隊保留在國內，以供東京及其他城市防空之用。此外又促使日本人動用五十三個營的兵力，來對中國的浙江省作一次懲罰性的作戰，因為美國人的轟炸機是在那裡降落的。可是更重要的效果是，使日本除了企圖切斷澳洲與美國之間的連繫以外，為了預防下一次的空襲，遂又決定進行對中途島的作戰。這種分散兵力的兩面進攻，顯然是是違反了集中的原則。

在修改後的日本計畫中，其第一方面的行動又再分為兩部分：一方面向所羅門群島深入，攻占屠拉吉（Tulagi），並企圖利用它來作為一個水上飛機的基地，以便掩護再向西南方進一步的躍進。另一方面企圖攻占新幾內亞南岸的摩斯比港（Port Moresby），以使澳洲的昆士蘭（Queensland）進入日本轟炸機的航程之內。於是在山本指揮之下的聯合艦隊，接著就要去執行攻占中途島以及西阿留申群島的若干要點。如果能如願的把美國太平洋艦隊予以擊滅，則第三個行動就是繼續再向東南方前進，以切斷美澳之間的海上交通線。

這些行動中的第一個引起了珊瑚海（Coral Sea）會戰，第二個引起了中途島會戰，而第三個則引起了長期而激烈的瓜達康納爾島（Guadalcanal）爭奪戰，該島是靠近屠拉吉的一個大島。

這種兵力分散的日本計畫所產生的一個諷刺的和間接的效果，正好彌補了美國計畫作為和指揮安排中的一個裂縫。

在四月初，美國已經負起了對整個太平洋的作戰責任，只有蘇門答臘例外，而蘇門答臘和印度洋地區則仍由英國負責，中國是另成一個獨立戰區，但卻受到美國的援助。美國本身所負責的地區又劃分為兩大分區——西南太平洋戰區由麥克阿瑟將軍負責，其總部設在澳洲；中太平洋戰區由尼米茲上將（Admiral Chester W. Nimitz）負責，其總部設在夏威夷。他們兩位都是強人，很可能會發生衝突。日本人的計畫卻使他們各有用武之地，所以可以不必爭功。而他們雙方領域的分界線又恰好在所羅門群島附近，日軍在那裡的兩棲威脅，要求麥克阿瑟的陸軍和尼米茲的海軍必須聯合運用，於是他們之間也就必須發展出一種合作的安排。

珊瑚海會戰

準備進行第一個行動的日本地面和空中兵力，都集結在新不列顛（New Britain）的拉布爾，而海軍則集結在加羅林群島中的特魯克島（Truk）附近，該島位於北面一千哩的地方。在被指定擔任兩個攻擊任務的兩棲作戰部隊的後方，又有一個航空母艦攻擊部隊，準備隨時擊退美國人的干涉行動。這支部隊以航空母艦「翔鶴」號和「瑞鶴」號為基幹，加上護航的巡洋艦和驅逐艦，一共搭載著一百二十五架海軍飛機（四十二架戰鬥機和八十三架轟炸機）。在拉布爾另有飛機一百五十架可以用來支援。

美國的情報（這是同盟國方面的主要優點）已經發現了日本計畫的主要線索，於是尼米茲將軍也把他所有一切能動用的兵力都向南方運送——兩艘航空母艦，「約克鎮」號（Yorktown）和「萊克辛頓」號（Lexington）從珍珠港出發，載有飛一百四十一架（戰鬥機四十二架，轟炸機九十九架），另有兩批巡洋艦擔任掩護的任務。（另外兩艘航空母艦「企業」號和「大黃蜂」號在空襲東京之後剛剛回來，也奉命向珊瑚海趕去，但是到達太遲未能趕上會戰。）

五月三日，日軍在屠拉吉登陸，在無抵抗的情況下占領了該島——島上少量的澳洲守兵已經事先聞風撤走，那時「萊克辛頓」號正在海上加油，而在佛萊契海軍少將（Rear Admiral Fletcher）指揮之下的「約克鎮」號則距離現場更遠。但在次日，當它距離屠拉吉約一百哩時，還是向該島發動好幾次攻擊。除了擊沉一艘日本驅逐艦以外，便無其他的成果。而「約克鎮」號本身未受到報復只能歸之於僥倖。因為兩艘日本航空母艦為了運送一批戰鬥機已經前往拉布爾——那是為了省事而離開了屠拉吉。這是雙方所犯一連串錯誤或誤解的開端，美國人最後在兵力平衡上獲得了利益，也應歸功於這些錯誤和誤解。

現在井上所指揮的日本航空母艦群向南駛來，經過了所羅門群島的東方，而繞道進入了珊瑚海，希望能從後面偷襲美國的航空母艦部隊。此時，「萊克辛頓」號已和「約克鎮」號會合，正在往北駛，企圖攔截前往摩斯比港的日本侵入部隊。五月六日——即柯里幾多島投降的黑暗日子——雙方航空母艦部隊都在搜尋對方卻並未發生接觸——雖然有一度它們之間僅隔了七十哩的距離。

七日清晨，日本的搜索機群報告他們已經發現了一艘航艦和一艘巡洋艦，於是井上立即命令對這兩艘敵艦加以轟炸，並迅速予以擊沉。但實際上，它們不過是一艘油輪和一艘護航驅逐艦，所以時間和努力都是浪費了。同日黃昏，井上又嘗試另一次較小規模的攻擊，但結果欲使他所用的二十七架飛機損失了二十架。此時，佛萊契的母艦飛機，也同樣被一件錯誤報告引入歧途，把力量用來攻擊日軍掩護摩斯比港侵入軍的艦隊。在這次攻擊中，他們擊沉了輕航空母艦「祥鳳」號，一共只花了十分鐘——這在整個戰爭記錄中要算是最快的一次。一個比較重要的戰果是，日本人因此而暫時放棄了侵入行動，並命令其部隊撤回。這是由於攻擊錯誤所得的意外收穫。

五月八日上午，雙方的航空母艦部隊終於交手了。雙方的實力十分接近，日本人有飛機一百二十一架，而美國人則有一百二十二架。雙方的護航兵力也幾乎是勢均力敵——日本方面為四艘重巡洋艦和六艘驅逐艦，美國方面則為五艘重巡洋艦和七艘驅逐艦。不過日本人卻進入了一個雲帶，而美國人則在晴空之下作戰。這使得「瑞鶴」號始終未受到美國飛機的注意。不過，「祥鶴」號卻中了三彈，負傷頗重而必須撤離戰場。在美國方面，「萊克辛頓」號中了兩枚魚雷和兩顆炸彈，接著發生了爆炸而不得不放棄這艘有歷史意義的名艦——美國水兵們一向尊稱它為「萊夫人」（Lady Lex）。「約克鎮」號只中了一顆炸彈，安全的逃脫了。

下午，尼米茲命令航空母艦部隊撤出珊瑚海——由於對摩斯比港的威脅至少是暫時已經解除。日本人也退出了現場，並相信美國的兩艘航艦均已沉沒。

以絕對損失而言，美國在飛機方面損失較輕：七十四架對八十餘架。美軍在人員方面的損失為五百四十三人，而日軍則超過了一千人，但美國卻損失了一艘艦隊重型航艦，而日本則僅損失了一艘輕型航艦。不過比較重要的是，美國人還是阻止了敵人達成其戰略目標——攻占新幾內亞的摩斯比港。而現在美國人憑藉其優異的技術，迅速修復「約克鎮」號，使其能夠勉強如期趕上次一階段的太平洋大戰，而日本方面在珊瑚海會戰中負傷的兩艘航艦，卻未能在第二次更具有決定性的會戰中登場。

珊瑚海會戰是有史以來第一次雙方艦隊在彼此不見面的情況下交戰，其距離從戰艦的最大極限約二十哩，伸展到航空母艦彼此相距約一百餘哩。不久，我們就可以再看到一次更大規模的海戰——那就是中途島會戰。

中途島會戰

日本的大本營在其五月五日的命令中，即已決定了這個次一階段的作戰。聯合艦隊司令部所擬定的計畫是異常的宏大而詳盡，但卻缺乏彈性。幾乎整個日本海軍都被用在這次作戰中。一共差不多動用了二百艘艦艇，其中包括八艘航空母艦，十一艘戰鬥艦，二十二艘巡洋艦，六十五艘驅逐艦，二十一艘潛艇。協助他們的還有六百多架飛機。尼米茲上將一共只勉強集中了七十六艘艦艇，而其中有三分之一是屬於北太平洋的兵力，根本就不曾參加會戰。

對於主要的中途島作戰，日本人一共使用了：（一）一個前進潛艇部隊，分成三線巡邏，具有擊滅美國海軍對抗行動的意圖；（二）一支侵入部隊由近藤中將指揮，用十二艘有護航的運輸船，載運著部隊五千人，擔負密切支援的為四艘重巡洋艦，而一支較遠距離的掩護部隊則有兩艘戰鬥艦，一艘輕航空母艦，和另外四艘重巡洋艦；（三）南雲中將的第一航空母艦部隊，包括四艘艦隊重型航艦——搭載飛機二百五十架以上——由兩艘戰鬥艦、兩艘重巡洋艦和一隊驅逐艦擔負護航的任務；（四）山本大將所直接指揮的主力艦隊，包括有三艘戰鬥艦，加上驅逐艦的屏障和一艘輕航空母艦。其中有一艘戰鬥艦為最近建造完成的巨無霸「大和」號（Yamato），排水量七萬噸，裝有十八吋砲九門，為山本的旗艦。

對於阿留申的作戰，日本人所分配的兵力有：（一）一支侵入兵力由三艘有掩護的運輸船組成，搭載部隊二千四百人，加上一個由兩艘重巡洋艦所組成的支援群和一支包括兩艘輕航空母艦的航艦部隊；（二）一支掩護部隊則有四艘較舊的戰鬥艦。

這次會戰的發起是在阿留申方面，以六月三日對荷蘭港（Dutch Harbor）的空襲為起點，接著日軍應於六月六日在三個地點突擊登陸。六月四日，南雲的航空母艦飛機也應攻擊中途島上的機場；而次日即應占領庫里珊瑚礁（Kure Atoll）（在中途島以西六十哩），並用它來當作一個水上飛機的基地。六月六日，巡洋艦將砲擊中途島，而部隊也開始突擊登陸，這整個侵入行動則由近藤的戰鬥艦擔負掩護之責。

日本人所料想的是在日軍登陸之前，在中途島地區是不會有美國軍艦出現，因為他們希望美國太平洋艦隊在聽到阿留申已經受到空襲之後，就會兼程向北面趕去。於是也就可能使它陷落在日本兩大航空母艦部隊之間。但在追求此種戰略目標（即擊滅美國航空母艦）時，日本人的戰術安排卻使他們自己受到妨礙。由於六月初有比較有利的月光條件，所以山本不願意等候「瑞鶴」號將其在珊瑚海所損失的飛機補充完全就決定先發動攻擊，否則那些飛機即可用來增援其他的航艦。至於在一共可用的八艘航空母艦中，有兩艘已前往阿留申方面，兩艘用來配合戰艦群，所以只剩下四艘可充任攻擊的主力。同時，艦隊的行動在速度上已受到緩慢運兵船的拖累。此外，假使日本人的主要目的是擊滅美國的航空母艦，而並非僅為攻占中途島，則對於阿留申方面採取分散的行為，似乎也就很難說得上是有理由。而最糟的還是為了在固定時間內攻占固定的點，遂使他們自己的行動備受拘束，而喪失了一切的戰略彈性。

在美國方面，尼米茲的主要煩惱即為日本人的兵力優勢。自從珍珠港事變之後，他已經沒有戰鬥艦可用，而在珊瑚海會戰之後，又只剩下兩艘適合於戰鬥之用的航空母艦——「企業」號和「大黃蜂」號。不過依賴一種驚人的努力，它們又終於增加到了三艘——因為「約克鎮」號只花了兩天的時間就修好了，而據正常的估計應該需要九十天。

不過，尼米茲也有一個巨大的利益，足以抵補兵力的劣勢，那就是在情報方面的優勢。三艘美國航空母艦，連同他們的二百三十三架飛機，是位在中途島以北相當遠的地方，所以也是在日本偵察機的視線以外，但以中途島為基地的長程「卡塔林那」式（Catalina）飛機，卻可以提早把日軍的行蹤報告他們。這樣他們也就希望能對日本海軍作一個側面的攻擊。六月三日，即為美國航空母艦就位後的一天，空中偵察即已在中途島以西六百哩的海面上，發現了緩慢行動中的日本運輸船。日本飛機在搜索時所採取的典型是有相當大的空隙，所以容許美國航艦從東北面接近而不被發現。同時，山本和南雲都相信美國太平洋艦隊不在附近的海上，這也使他們在行動上獲得很多的方便。

六月四日清晨，南雲以其飛機中的一百零八架對中途島發動一次攻擊，另外還保留相當數量的飛機，以便發現任何敵方軍艦時即可立即加以攻擊。第一波攻擊即使中途島上的設施受到了重大的損毀，而日機的損失極為輕微，但他們向南雲的報告卻認為有再度攻擊的必要。因為他們自己的航空母艦正受到從中途島起飛的美機轟炸，所以南雲也認為有徹底摧毀該島機場的必要，遂命令其控制的第二波飛機全部將魚雷換成炸彈，以執行此項任務；因為截至此時為止，還沒有發現美國航空母艦的蹤影。

不久之後，就有報告傳來說，約在二百哩之外已經發現一群美國艦船；不過最初還只認為是一些巡洋艦和驅逐艦。但到了○八二○時，又來了一個比較精確的報告，說其中包括有一艘航空母艦。這實在使南雲處於一種極為狼狽的情況，因為他的大多數魚雷轟炸機現在都已換裝了炸

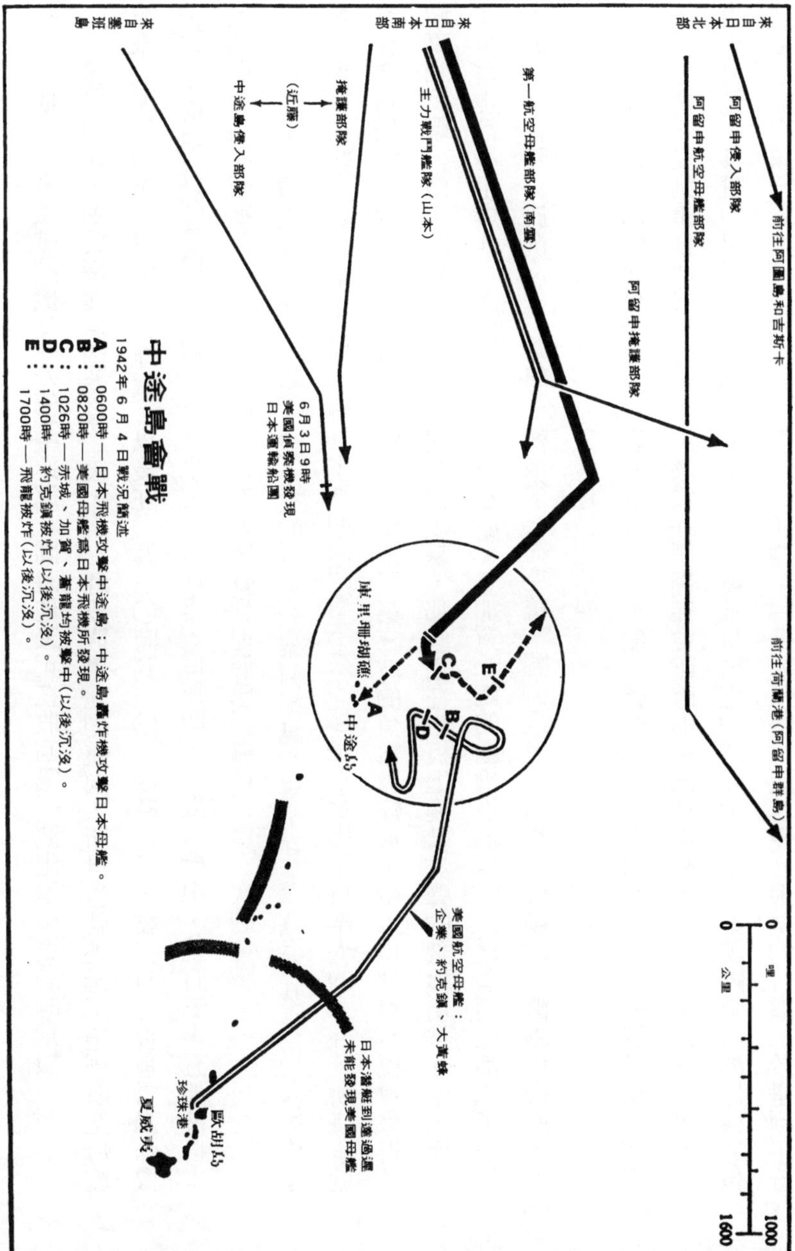
來自日本北部
前往阿圖島和吉斯卡
阿留申侵入部隊
阿留申航空母艦部隊
阿留申掩護部隊
前往荷蘭港（阿留申群島）
0 哩 1000
0 公里 1600
來自日本南部
第一航空母艦部隊（南雲）
主力戰鬥艦隊（山本）
掩護部隊
（近藤）
中途島侵入部隊
來自塞班島
6月3日9時
美國偵察機發現
日本運輸船團
庫里珊瑚礁
中途島
A
B
C
D
E
美國航空母艦：
企業、約克鎮、大黃蜂
日本潛艇到達過遲
未能發現美國母艦
歐胡島
珍珠港
夏威夷
中途島會戰
1942年6月4日戰況簡述
A：0600時—日本飛機攻擊中途島；中途島轟炸機攻擊日本母艦。
B：0820時—美國母艦爲日本飛機所發現。
C：1026時—赤城、加賀、蒼龍均被擊中（以後沉沒）。
D：1400時—約克鎮被炸（以後沉沒）。
E：1700時—飛龍被炸（以後沉沒）。

彈，而他的大多數戰鬥機又都在空中巡邏。同時他又正在收回第一波出擊中途島的飛機。

儘管如此，由於接獲這個消息之後，南雲就改取東北的航向，所以也就逃過了美國航空母艦派來攻擊他的第一波俯衝轟炸機。以後在〇九三〇時到一〇二四時之間，雖又有三批魚雷轟炸機（那是速度很慢的飛機）連續向日本航空母艦進攻，但在四十一架飛機中，就有三十五架被日本戰鬥機和高射砲擊落。在這個時候，日本人感覺到他們已經贏得了這一次的會戰。

但在兩分鐘之後，從「企業」號上來的三十七架俯衝轟炸機，在麥克勞斯基少校（Clarence W. McClusky）率領之下，從一萬九千呎的高空衝下來，那是完全出乎日本人的意外，所以也就沒有遇到任何的抵抗。日本戰鬥機剛剛才擊落了第三波的魚雷轟炸機，所以也就沒有機會來得及爬高和反擊。南雲的旗艦「赤城」號首被攻擊，那些正在甲板上換裝炸彈的飛機均被炸中，而許多魚雷也都發生爆炸，迫使艦上的官兵棄船。「加賀」號的艦橋也被炸毀，從頭到尾都成了一片火海，黃昏時終於沉沒。「蒼龍」號被從「約克鎮」號上飛來剛剛趕到現場的俯衝轟炸機命中了三顆半噸重的炸彈，於是在二十分鐘後也被迫棄船了。

現在日本方面所僅存無恙的一艘航空母艦「飛龍」號就集中全力向「約克鎮」號反擊，在那天下午使其受到重創而終被放棄——該艦在珊瑚海會戰時即早已負傷頗重，雖經搶修後趕來參加這場會戰，其實力早已大為減弱。但是到下午會戰將結束的時候，二十四架美國俯衝轟炸機，包括從「約克鎮」號上飛來的十架在內，又抓住了「飛龍」號，使其受到嚴重的打擊。於是到了五日凌晨，日本人只好將其放棄，而到〇九〇〇時它也終於沉沒。

這個六月四日的會戰，是海軍歷史上所僅見的一次，其命運的變化是如此的奇特而迅速，同時也證明在此種運用長程海空戰鬥的新型會戰中，機會的因素是相當的大。

山本聽到其航空母艦部隊慘敗的消息之後，其第一個反應是一方面命令他的戰鬥艦前進，另一方面召回其在阿留申方面的兩艘輕航空母艦——他仍然希望打一次比較舊式的海戰來挽回命運。但由於「飛龍」號喪失的消息繼續傳來，再加上南雲的悲觀報告，遂使山本也改變了決心。六月五日清晨，山本決定中止對中途島的攻擊。他仍然希望能夠把美國人引入陷阱，所以他向西撤退，以等待敵人的追擊。但是在這個緊要的一戰中指揮兩艘美國航空母艦「企業」號與「大黃蜂」號的斯普勞恩斯少將（Admiral Raymond A. Spruance），卻是勇敢和慎重兼而有之，所以山本的妙計遂未得逞。

此際，日本人在北太平洋方面對阿留申群島的攻擊，已在六月三日清晨按預定計畫實施。分配給這個作戰的兩艘輕航空母艦，對荷蘭港派出了二十三架轟炸機和十二架戰鬥機。這是一支太小的兵力，除非是運氣特別好，否則絕難產生重大的效果；實際上由於地面為雲霧所遮掩，所以幾乎沒有什麼損毀。次日天氣較佳，日軍再度攻擊，雖然能命中若干目標，但效果極為有限。於是到了六月五日，這兩艘航艦又被召南下去協助主力作戰。不過在六月七日，日本的小型海運部隊還是照計畫登陸，在無抵抗的情況之下，占領了三個島中的兩個——吉斯卡（Kiska）和阿圖

（Attu）——這也是他們的指定目標。對於這一點成就，日本人卻大事宣傳，以求抵消他們在中途島的慘敗。從表面上看來，這兩個點的被攻占似乎是一種重要的收穫，因為阿留申群島是橫跨著北太平洋，靠近舊金山與東京之間的最短航線。但事實上，這些荒涼的小島，經常為雲霧和積雪所封鎖，根本就不適宜作為空軍或海軍基地，以從事越過太平洋的前進。

總結言之，一九四二年六月的作戰對於日本人而言是一次慘重的失敗。他們在中途島戰鬥中喪失了四艘艦隊航艦和大約三百三十架飛機，大部分都是和航艦一同沉沒的，此外還有一艘重巡洋艦——而美國人的損失則僅為一艘航空母艦和大約一百五十架飛機。在美國方面，主要的兵器即為俯衝轟炸機——成為強烈對比的是，魚雷轟炸機有百分之九十被擊落，而陸軍的巨型B-17轟炸機，證明對艦船的攻擊是沒有太大的效力。

除了上文中所提到的那些基本戰略的錯誤外，日本人同時也因為其他各種毛病而吃了很大的虧。在「指揮」方面最大的毛病是山本五十六實際上是被孤立在其旗艦「大和」號的艦橋上，對於作戰未能作全盤的控制；南雲則已經喪失了他的理智，而海軍的傳統使山口和其他的將領們寧願和他們的船隻一同沉到海底，而不設法去恢復主動。反之，尼米茲因為始終留在岸上，所以能夠對戰略情況保持著嚴密的全面控制，這和山本的情形恰好成一強烈對比。

一連串的戰術錯誤更增加了日本人的困難——搜索飛機飛行的架次不夠，所以未能提早發現美國的航艦；在高空缺乏戰鬥機的掩護；艦上救火的設備太差；四艘航艦上的飛機同時出擊，這也就是說所有的飛機將要同時收回和再裝備，所以有一段時間整個艦隊完全沒有攻擊力。當正在作這些換裝（由炸彈改換魚雷）時，艦隊又同時向敵軍前進，這也就使美國飛機更易於發現其位置，而且在其戰鬥機尚來不及自衛時就將其擊中。造成這些錯誤的大部分原因，乃是由於過度的自信。

一旦當日本人喪失了這四艘艦隊航艦，連同其有良好訓練的飛行人員之後，雖然他們在戰鬥艦和巡洋艦兩方面仍繼續保有優勢，但那已無太多的價值。因為只有在他們自己陸上基地的飛機可以掩護的地區內，這些軍艦才敢於冒險出動——而日本人在長期的瓜達康納爾爭奪戰中之所以終歸失敗，其主因又正是缺乏制空權。這次中途島會戰給予美國人一次無價的喘息機會，因為一直到這一年的年底，他們的新型「艾塞克斯」級（Essex Class）艦隊航艦才開始能夠參加戰鬥。所以可以很合理的說，中途島會戰實為一個重大的轉機，並終於決定了日本最後敗亡的命運。

中途島以後的西南太平洋

雖然中途島一戰的結果嚴重的妨礙了日本人在西南太平洋的前進，但卻還是不曾完全阻止它。儘管日本人已經不再能使用其艦隊來推動侵略，但他們卻仍要繼續前進，而且還分為兩個方向——一在新幾內亞，越過該島東部的巴布亞半島（Papuan Peninsula）作陸上的進攻；另一在所羅門群島，採取一種逐島躍進的方式，並沿著島鏈建立機場以掩護連續的短程躍進。

新幾內亞和巴布亞

當日本人在一九四一年十二月投入戰爭之時，澳洲作戰部隊在大部分都在北非加入英國第八軍團的序列——雖然在緊急時，這些部隊是可以召回的。儘管新幾內亞是那樣的接近澳洲本土，但在那裡比較強大的兵力卻只有一個旅級的部隊，駐在位於南岸的巴布亞首府摩斯比港。在新幾內亞的北岸，以及在俾斯麥群島和所羅門群島上的少許澳洲駐防部隊，都是在看到日本人要來時就先行撤退了。但對於摩斯比港卻認為有防守的必要，因為如以那裡為基地，日本人的空中攻擊即可以達到澳洲大陸上的昆士蘭。很自然的，澳洲人民對於這樣的威脅是十分的敏感。

早在一九四二年三月，日本人以拉布爾為基地，已經在新幾內亞北岸的拉意（Lae）登陸，那裡已經很接近巴布亞半島。但如上文所說，由於五月間珊瑚海無決定性會戰的結果，日本的海運遠征部隊在尚未達到摩斯比港之前又退回了原處。此時，麥克阿瑟將軍已奉派為西南太平洋地區的聯軍總司令。在六月初中途島會戰之後，聯軍的地位，無論為直接的或間接的，都已經變得比過去遠較安全，因為澳洲部隊的大部分現在都已經回國，而新的師也正在編組中；同時美國也已經把兩個師和八個航空大隊（Air Group）置於澳洲。在巴布亞，澳軍的實力也已經增強到一個師以上——在摩斯比港駐有兩個旅，在該半島東端的米爾尼灣（Milne Bay）又駐有第三個旅；另有兩個營則沿著科科達（Kokoda）小徑向在北岸的布納（Buna）推進，其目的是想要在那裡建立一個空軍基地，以便掩護計畫中沿新幾內亞海岸向西的兩棲前進。

但到了七月二十一日，這個行動就受到了阻止，而顯然正在消蝕中的日本威脅，又死灰復燃。作為其企圖再度攻占摩斯比港行動的一部分——這回是準備採取陸上進攻的方式——日軍二千餘人已在布納附近登陸。接著在二十九日，聯軍又受到進一步的震驚，日本人又已經攻占科科達，在橫越半島的距離上是差不多去了一半。到了八月中旬，日軍的兵力已經增加達一萬三千人以上，他們正在壓迫澳軍沿著叢林小徑向後撤退。雖然在這裡半島的寬度不過一百多哩，但因為小徑必須越過歐文斯坦里山脈（Owen Stanley Mountains），其中有一處高達八千五百呎，所以補給運輸日益困難——這自然是對攻擊者不利——而聯軍的空中攻擊又更增大了此種困難。在一個月之內，日軍前進終於停頓，距離其目標只差三十哩左右。同時，一支小部隊的日軍（一千二百人，以後增到二千人），於八月二十五日也在米爾尼灣登陸，經過五天的激烈戰鬥之後，到達該處機場的邊緣，但受到澳軍的逆襲而被迫退回到船上。

到九月中旬，麥克阿瑟已經把第六和第七兩個澳洲師的主力，外加一個團的美軍，集中於巴布亞境內準備發動攻勢。二十三日，西南太平洋聯軍地面部隊總司令，澳洲籍的布拉梅將軍（General Sir Thomas Blamey）到達了摩斯比港，開始指揮這次作戰。當聯軍反攻科科達和布納時曾受到日軍猛烈的抵抗，不過由於大量使用空運之故，聯軍的補給困難卻可以獲得解決。日本人在山脈最高峰附近的敦普爾頓路口（Templeton's Crossing），本已構築三道連續的防禦陣地，但到十月底，其最後一道防線也還是被聯軍攻克。十一月二日，澳軍收復科科達並重新開放那裡的機場。日本人嘗試在庫穆希河（Kumusi River）上再建立一個新的立足點，但由於聯軍不僅用空投的方式獲得了架橋的器材，而且另外一批美澳部隊也用空運到達北岸，構成側面威脅，所以日軍的防禦很快就被擊破。

儘管如此，日軍在布納附近還是作了長期的固守，直到一九四三年一月二十一日，在聯軍援兵紛紛從海上和空中到達之後，日本人在海岸的最後據點才終被消滅。在六個月的作戰中，日本人一共損失了一萬二千人以上。澳軍的戰鬥損失為五千七百人，美軍為二千八百人，一共為八千五百人——但在熱帶濕熱和瘧疾流行的叢林中，他們患病的人數卻高達此數的三倍。但他們卻已經證明，即令在如此惡劣的叢林條件之下，他們還是能夠成功的與日本人戰鬥，而以各種不同形式來表現的空權，也可以提供一種決定性的利益。

瓜達康納爾

由於麥克阿瑟和尼米茲兩位將軍同樣都希望能利用中途島的勝利，以使在太平洋的作戰迅速轉守為攻，因此瓜達康納爾戰役遂成為其自然發展的結果。他們的願望也分別受到在華盛頓的上級馬歇爾和金恩的支持，不過其條件卻是這種攻勢必須與美英兩國共同協議的大戰略相配合，那就是「首先擊敗德國」的構想，對於任何提早的反攻來說，唯一可行的領域即為西南太平洋，這也是一致同意的。但同時也非常自然的，究竟應由誰來指導和指揮這次反攻的問題，卻不免引起爭論。現在由於敵人在中太平洋，對於夏威夷群島的壓力不僅減輕而且已經消除，所以海軍對於這個本質為兩棲性的作戰，當然非常希望能充分表現其能力。僅僅是非常勉強的，金恩才同意接受「先擊敗德國」的大戰略構想，和為了這個目的而在英國增建美國兵力的政策。在一九四二年，由於英國人反對提早發動越過海峽的攻擊，遂使馬歇爾反過來想對太平洋方面的作戰予以第一優先，金恩對於這種觀點的轉變大為高興，雖然那不過只是暫時性的曇花一現而已——因為羅斯福總統是不可能贊成對政策作這樣肯定的改變。

但是，當有關在西南太平洋地區轉守為攻的問題達成協議之後，至於由誰負責指揮的辯論也就立即尖銳化，在六月底是最為激烈。結果又還是一種折衷的解決，那是由馬歇爾所提出，而在七月二日用參謀首長聯席會議指令的形式來發布的。這個攻勢被分為三個階段來執行。第一個階段為占領聖克路群島（Santa Cruz）和所羅門群島的東部，尤其是屠拉吉和瓜達康納爾。為了這個目的，陸海軍的境界線也要移動，以便使這個地區落在尼米茲的轄區內，所以這個攻勢的第一階段自然由尼米茲負責指導。第二階段為攻占所羅門群島的其餘部分，以及新幾內亞的海岸直到

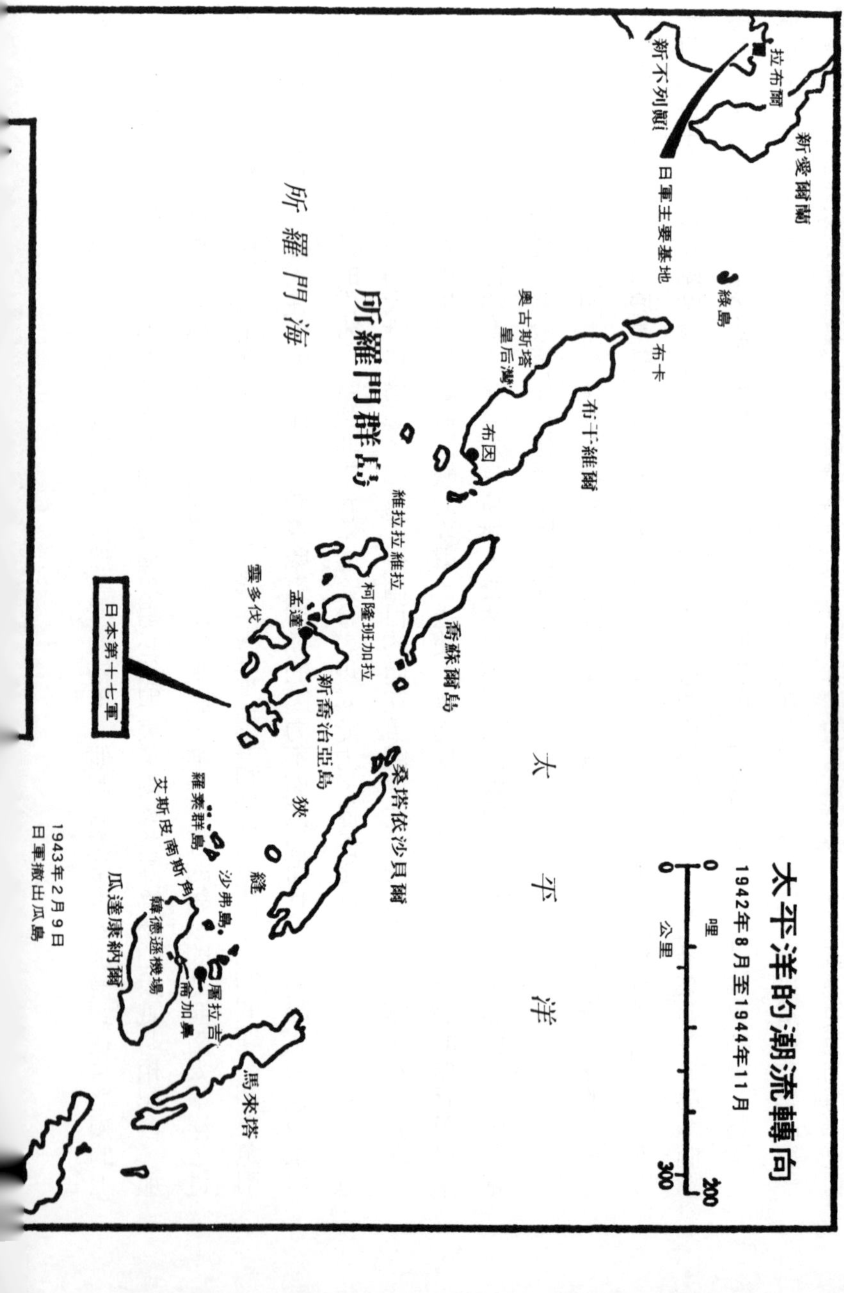
太平洋的潮流轉向
1942年8月至1944年11月
0 哩 200
0 公里 300
新愛爾蘭
拉布爾
新不列顛
日軍主要基地
綠島
布卡
奧古斯塔皇后灣
布干維爾
布因
所羅門群島
所羅門海
維拉拉維拉
柯隆班加拉
孟達
雲多伐
喬蘇爾島
新喬治亞島
日本第十七軍
桑塔依沙貝爾
狹
縫
太平洋
羅素群島
沙弗島
圖拉吉
支斯皮南斯角
韓德遜機場
侖加角
瓜達康納爾
馬來塔
1943年2月9日
日軍撤出瓜島

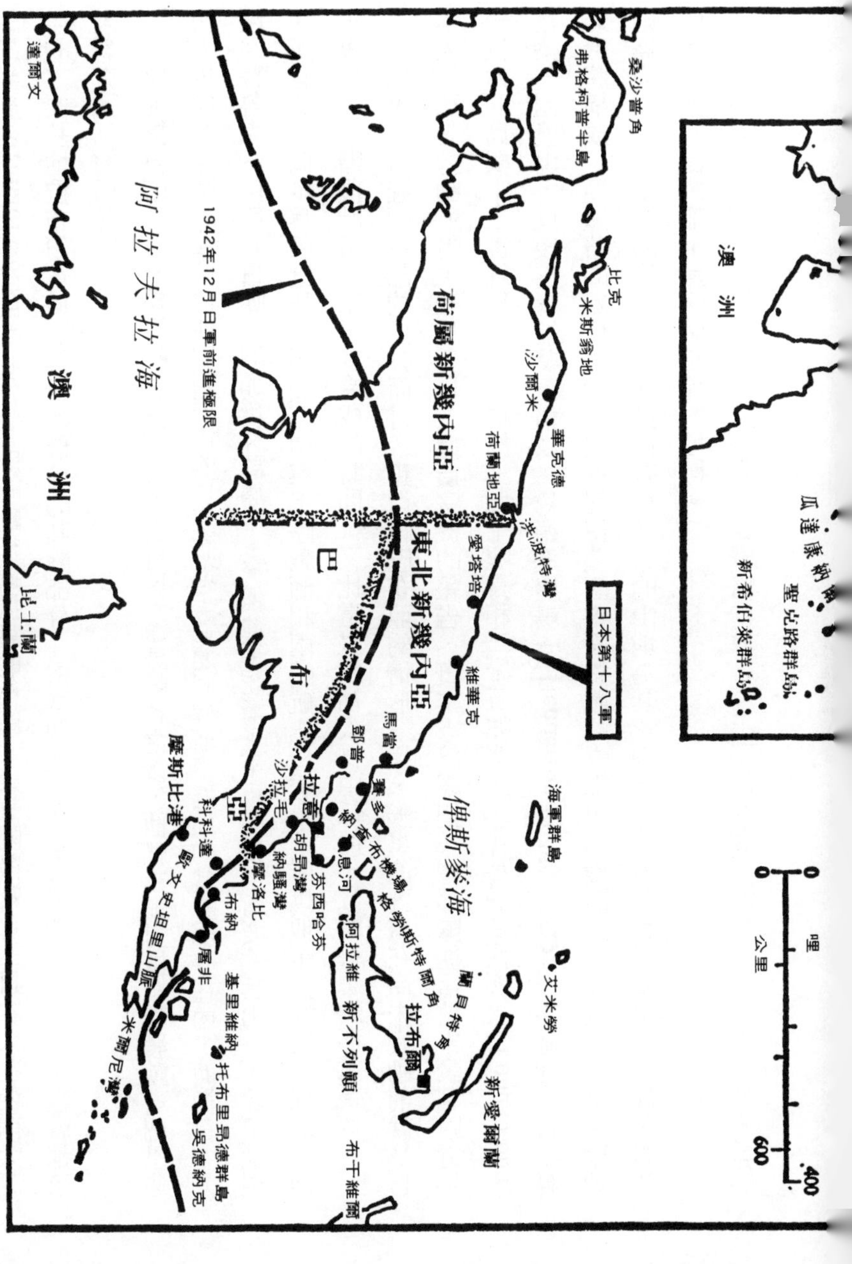
桑沙普角
弗格柯普半島
比克
米斯翁地
沙爾米
華克德
荷蘭地亞
洪波特灣
愛塔培
維華克
馬當
鄧普
萊多
納查布機場
息河
拉壹
沙拉毛
胡昂灣
芬西哈芬
納騷灣
摩洛比
布納
屠非
科科達
歐文史坦里山脈
米爾尼灣
摩斯比港
基里維納
托布里昂德群島
吳德納克
新不列顛
阿拉維
格勞斯特爾角
蘭貝特角
拉布爾
新愛爾蘭
艾米勞
海軍群島
布干維爾
俾斯麥海
荷屬新幾內亞
東北新幾內亞
巴
布
亞
阿拉夫拉海
澳
洲
達爾文
昆士蘭
1942年12月日軍前進極限
日本第十八軍
澳洲
瓜達康納爾
聖克路群島
新希伯來群島
哩
公里
0
400
600

胡昂半島（Huon Peninsula）為止，即剛剛超過拉意的地區。第三階段為攻占日本人在西南太平洋的主要基地拉布爾，以及俾斯麥群島的其餘部分。這兩個階段在修改了境界線之後，也就都落入麥克阿瑟的指導之下。

此種折衷的計畫使麥克阿瑟深感不滿，自從中途島勝利之後，他就主張對拉布爾發動一個迅速和大規模的攻擊，他深信他能夠很快的攻克該地，並連同俾斯麥群島的其餘部分在內，而把日本人趕回特魯克（位於七百哩外的加羅林群島中）。但他卻認清了不可能獲得所要的兵力——除了他現在所有的三個步兵師以外，再加一個海軍陸戰師和兩艘航空母艦——所以他也只好同意採取這種折衷性的三階段計畫。結果其完成的時間，又比這些領袖人物中任何一位所料想的都還要長。

就攻占所羅門東部的部分而言，正像在巴布亞的情形一樣，聯軍的計畫在尚未發動前就為日本人的搶先行動所阻。七月五日，據偵察機的報告，日本人已經把一些部隊從屠拉吉調到附近另一較大的島嶼——也就是瓜達康納爾（九十哩長和二十五哩寬），並且已在倫加鼻（Lunga Point）建築一個機場，以後它就被美軍稱為「韓德遜機場」（Henderson Field）。以那裡為基地，日本轟炸機將構成一種顯著的威脅，所以也就促使美國方面對戰略立即再作檢討，一開始就使瓜達康納爾島成為一個主要的目標。這個島以森林密布的山地為其背脊，加上多雨和不衛生的氣候，對於任何作戰而言，都不是一個有利的目標。

在尼米茲之下，對於這個作戰的全盤戰略指導，是由這個地區的司令葛美里中將（Vice-

Admiral Robert L. Ghormley）負總責，而由佛萊契少將負戰術指揮之責——他同時也控制著以「企業」號、「沙拉托加」號（Saratoga）和「胡蜂」號（Wasp）三艘航艦所分別組成的三個掩護部隊群。至於陸上基地的空中支援，則分別來自摩斯比港、昆士蘭和其他若干島上的機場。登陸部隊由范地格里弗特少將（Major-General Alexander A. Vandegrift）指揮，包括第一陸戰師和第二陸戰師的一個團，共約一萬九千人，分乘十九艘運輸船，再加上護航軍艦。當這支龐大的艦隊接近海岸時，看不見島上任何敵人的蹤跡，八月七日清晨海空火力開始轟炸，部隊於〇九〇〇時登陸。到黃昏時，在岸上已有一萬一千名陸戰隊官兵，在次日上午占領了機場，那是差不多已經完成了。在瓜達康納爾島上本來共有二千二百名日軍，但在部分都是建築工人，現在都已經逃入叢林中。在屠拉吉有日軍一千五百人，曾作較頑強的抵抗，直到第二天黃昏時，才被在那裡登陸的六千名美國陸戰隊所肅清。

日本人的反應亦來得非常迅速——而最可笑的是由於情報的錯誤，日本人相信美軍登陸的人數很少（只相當於其實際人數的一個零頭），所以反應也就來得更快。他們並不準備作一次適當的攻擊，而只是把兵力零星的投入和逐次的增援。結果儘管雙方都想像是進行一次迅速的攻擊和反擊，但實際上卻發展成一種拖延的作戰。

不過，日本海軍的護航部隊卻比較強大，他們的一再前進也就產生了一連串的重大海軍衝突。其中的第一次，對美國人而言也是最糟的一次，即所謂沙弗島（Savo）會戰，那是靠近瓜達康納爾西岸的一個小島。八月七日黃昏，日軍在拉布爾的第八艦隊司令三川中將，集中了一支五艘重巡洋艦和二艘輕航空母艦的兵力駛往瓜達康納爾。次日偷偷地溜進了所羅門群島兩行島鏈間的狹窄水域，即所謂「狹縫」（slot）地區。在黃昏時就接近了沙弗島——而恰好在這個時候，佛萊契已經命令美國航空母艦撤退，因為他們的燃料和戰鬥機都急待補充。雖然聯軍的巡洋艦和驅逐艦在夜間也採取了戒備的措施，但合作和瞭望的工夫都很差。在凌晨的時候，三川的部隊先後使其南北兩群島都受到了奇襲，在一個小時之內，它又迅速退回「狹縫」裡。結果美軍的五艘重巡洋艦有四艘沉沒或正在下沉中，而另一艘也受重傷——真是所謂全軍覆沒——而三川的部隊幾乎完全沒有受任何損傷。

使日本人大受其利的因素有：他們對夜戰的優良技巧，優秀的光學儀器，尤其是二十四吋的「長槍」（Long Lance）魚雷。這是美國海軍在戰爭中所遭遇到的一次最惡劣的失敗。對於美軍而言可以說是非常的僥倖，三川在完成其任務之後，並未進一步去摧毀停在侖加泊地那些毫無防禦能力的運兵艦和補給船——因為不知道美軍的航空母艦已經撤走，以為如果不迅速退回到「狹縫」中比較有掩蔽的位置，則天明之後可能會受到空中的攻擊。此外，三川也不知道美國人對瓜達康納爾的登陸具有那樣巨大的規模。所以對於一位指揮官的優劣是必須根據其作決定時所獲得的情報來判斷。

當天下午，為了避免再度的攻擊，美國海軍的剩餘部分遂向南撤退，儘管陸戰隊的補給品

（糧食和彈藥）還有一小半尚未卸載。於是部隊的口糧減為一天兩餐，而在以後的兩個星期內，陸戰部隊也都是處於完全孤立的地位——既無海軍的支援，復無空中的掩護。直到八月二十日才有第一個中隊的陸戰隊飛機到達，韓德遜機場方開始啟用。即令如此，這樣的空中掩護也還是極為有限。

日本人之所以錯過機會，其主因還是由於他們對已在瓜達康納爾登陸的美國海軍陸戰隊的兵力始終估計過低——估計只有二千人，並假定只要用六千人的兵力即足以擊敗他們而收復該島。於是他們派了兩個先遣支隊，共一千五百人，用驅逐艦載運，在八月十八日，分別在侖加鼻的東西兩側登陸。這些部隊一登陸之後就立即進攻，而並不等候其後續部隊的到達，結果就立即為美國陸戰隊所殲滅。後續的部隊——也只有二千人——於十九日從拉布爾啟程。雖然兵力很小，但卻有強大的海軍支援——這又是在中途島所曾經用過的老辦法，用登陸為餌以引誘美國艦隊進入陷阱。這次前進以輕航空母艦「龍驤」號為前導，其本身也是香餌的一部分，接著後面就是近藤中將所指揮的兩艘戰鬥艦和三艘巡洋艦，在他們的後面則為南雲中將所指揮的艦隊航艦「翔鶴」號及「瑞鶴」號。

這次誘敵計畫導致了所謂東所羅門會戰，但美軍卻並未如日軍所願的被引入陷阱。因為葛美里中將對於他們的接近，從「海岸監視哨」方面已經護得了適時的警告——「海岸監視哨」這個組織是由澳洲海軍情報軍官和當地的農夫所組成，分布在各小島上，對於情報搜集頗有貢獻。他把三支海軍特遣部隊集中在瓜達康納爾的東南方海域，那也就是以「企業」號、「沙拉托加」號和「胡蜂」號三艘航空母艦為基幹。二十四日上午，日軍航艦「龍驤」號首被發現，到下午即為美國航艦上的飛機所擊沉。此時，兩艘日本艦隊航艦也已被發現，所以日軍飛機來襲時，美國航艦上的全部戰鬥機早已升空備戰，結果把來襲的八十架日機擊落了七十架，而自己則僅損失十七架。唯一受到比較嚴重創傷的艦隻即為「企業」號。在此次不具有決定性的會戰之後，日本艦隊遂乘黑夜逃走，而美國的艦隊也是一樣。

在這次無效的海軍努力之後，遂有一個休止的段落，不過在陸上則為例外——因為在瓜達康納爾島上的微弱日軍部隊，正在韓德遜機場作無效的進攻。每次都被美軍所擊退，又因為他們是如此的死拚到底，所以幾乎總是全部被殲滅。但是他們又不斷的獲得補充，分成小隊的援軍，由驅逐艦很規律的按時送達——所以美國人戲稱之為「東京快車」（Tokyo Express）。因此島上的日軍數量仍在不斷的增加，到九月初又有六千人正在向該島輸送。在九月十三日的夜間，這支部隊對美國陸戰隊的陣地發動了猛烈的攻擊——這個陣地因此而獲得了「血嶺」（Bloody Ridge）的命名——但是所有的攻擊終於還是被擊退，日軍損失超過一千二百人。

不過此時，在該地區中的美國海軍部隊已經元氣大傷，因為兩艘航空母艦「沙拉托加」號和「胡蜂」號都受到日本潛艇的攻擊——前者重傷而後者沉沒。由於「企業」號尚在修理，所以現在只剩下一艘「大黃蜂」號可以提供空中掩護。

在前次日軍企圖重占瓜達康納爾失敗之後，日本帝國大本營曾在九月十八日頒布一道新訓令，把這個戰役的優先次序列在新幾內亞之前。但日本人對於在瓜達康納爾島上的美國陸戰隊兵力還是繼續估計過低，認為最多不會超過七千五百人，照這樣計算，他們相信派遣一個師的兵力，再加上聯合艦隊的協力，即足以達成任務。第一批增援的先期海軍行動，又導致了在瓜達康納爾海岸附近的另一次海戰。這次會戰發生在十月十一日的夜間，被稱為艾斯皮南斯角（Cape Esperance）會戰。雙方損失都不重，但平均說來是對美國人比較有利——所以對於士氣可以產生振奮作用，不過乘著這次海戰，日本已經使其援軍完成登陸，使其兵力總數達到二萬二千人。同時，美軍的兵力也已增到二萬三千人——在屠拉吉島上還另有四千五百人。

儘管如此，對美軍而言十月中旬仍然是這個戰役的最緊急階段，尤其是兩艘日本戰鬥艦曾用巨砲猛轟韓德遜機場，使儲存的燃料發生大火，並把機場上的九十架陸戰隊飛機擊毀了四十八架，只剩下四十二架——而同時也迫使美國陸軍的重轟炸機飛回新希伯萊（New Hebrides）群島。日本飛機的不斷轟炸雖是一種痛苦，但使美軍人力消耗得最厲害的還是濕熱的氣候和不良的食物。

日本人受到傾盆大雨和濃密森林的一再耽擱，其陸上攻勢終於在十月二十四日發動。主力攻擊是在南面，但美國陸戰隊據守著非常堅強的防禦陣地，而他們的砲兵也運用得非常良好。日軍終被擊退，其損失達數千人，而美國方面卻只有幾百人。到了十月二十六日，日軍被迫撤退，留下死屍約二千具。

此時，在山本統率下的聯合艦隊也來到了所羅門群島的東北方水域，正在等候陸軍攻占韓德遜機場的好消息。他的兵力有兩艘艦隊航空母艦、兩艘輕型航空母艦、四艘戰鬥艦、十四艘巡洋艦，和四十四艘驅逐艦。而在美國方面，儘管已有新戰鬥艦「南達科塔」號（South Dakota）和幾艘巡洋艦來到，但全部海軍實力卻僅及日方的一半。以戰鬥艦而論則為一對四。但修復的「企業」號已前來增援「大黃蜂」號，從近代海軍的觀點來看，這卻是較為重要的。海爾賽已奉派代替過度疲勞的葛美里，同時他也帶來了新的朝氣。十月二十六日，兩支艦隊開始衝突，此即所謂「聖克路群島會戰」，這次戰鬥又是再度受到雙方空中行動的支配。「大黃蜂」號被擊沉，「企業」號負傷。日軍方面，航艦「翔鶴」號和輕型航艦「瑞鳳」號均受重傷。雙方的艦隊在二十七日均退出戰場。以飛機損失而言，則日軍方面遠較慘重——七十架飛機沒有回航，而在以此次會戰為頂點的十天內，一共損失了二百架飛機，此外從八月最後一個星期算起，他們一共損失了三百架。美國人不久又獲得二百多架新機的增援，還有陸戰第二師的其餘部分以及一個陸軍師的一部分。

儘管如此，日本人也已同時獲得足夠的增援，使他們可以作繼續的努力——一方面是受到榮譽心的驅使，另一方面也是由於對敵方損失作了過分樂觀的估計，這些努力遂導致兩次衝突，合稱為「瓜達康納爾海戰」。

第一次衝突是發生在十一月十二日（星期五）的清晨，雖然為時只有半小時之久，但美國方面有兩艘巡洋艦被擊沉，而日本的戰艦「比叡」號也受到了重傷，並於次日沉沒——這是日本方面在此戰爭中所喪失的第一艘戰艦。

這次海戰的第二部分是發生於十一月十四日的夜間，一萬一千名日本援軍從海上運往瓜達康納爾，由驍勇不屈的田中少將所領的大批驅逐艦護航，並由近藤的重型軍艦擔任掩護。在美軍截擊之下，運輸船中途沉沒，其他四艘雖能到達瓜達康納爾，但在次日上午又為空中攻擊所擊毀，所以一共只有四千人能夠登陸，連同極少量的緊急補給在內。

在這次海戰中，美國驅逐艦的損失很重，但近藤所剩下的一艘戰鬥艦「霧島」號，也被擊傷。在午夜時，裝有雷達控制砲火的美國新戰鬥艦「華盛頓」號，在八千四百碼的射程開火，其火力是如此的精確和猛烈，在七分鐘之內就使「霧島」號喪失了行動能力，不久即告沉沒。

此時，在陸上的美國海軍陸戰隊以及其他的部隊，在獲得補給上的優勢之後，現在也就開始反守為攻，正在擴張他們的灘頭陣地。到了十一月底，美國在島上的空軍實力增加到飛機一百八十八架，所以日本人已經不再敢用行動緩慢的運輸船團來運送增援或補給。在十二月間，兵員與補給都只能依賴潛艇輸送，其數量簡直不過是聊勝於無而已。

日本海軍已經損失慘重，所以其首長們力主放棄瓜達康納爾，但陸軍首長們，由於在拉布爾已經集中了五萬人的部隊，所以仍希望找機會把他們送往該島增援——在那裡他們也已經有了二萬五千人。不過此時，美國人也早已增強他們的實力，到一九四三年一月七日，總數已超過五萬人，而且補給狀況極為良好。反之，日本人的口糧卻已經減到正常量的三分之一，飢餓和瘧疾已經使他們變得極為軟弱，因此也就不可能再採取攻勢——儘管在防禦中它還在繼續作頑強的抵抗。

所以在一月四日，日本大本營遂不得不面對現實，命令島上的殘部逐步撤出。因為不知道已有這個決定，美國人在推進時仍然是非常的謹慎，所以日本人得乘機把部隊分為三批撤退，從二月一日夜間開始，到二月七日夜間完成——在全部過程中僅損失了一艘驅逐艦。

不過總結算起來，瓜達康納爾的長期苦鬥，對於日本人實為一次非常嚴重的失敗。它已經喪失大約二萬五千人，包括死於飢餓和疾病的九千人在內，而美國人的損失則要小得多。更糟的是它至少已經損失了六百架飛機，連同其有訓練的人員在內。同時，美國在所有各方面的實力都繼續增高，因為其人力和工業的動員正在加速推進中。

緬甸：一九四二年五月—一九四三年五月

到一九四二年五月，由於英軍已經從緬甸撤入印度，所以日本人在東南亞的擴張也就已經達到其計畫中的極限。因此他們開始轉取守勢，並企圖鞏固其征服的地區。同時英國人也開始準備反攻的計畫，以等待次一個乾季的來臨（在一九四二年十一月）。這個計畫沒有一個是可行的——由於後勤上的困難。其中只有一個曾經勉強嘗試，那就是非常有限的阿拉干（Arakan）攻勢，而其結果則為一場慘敗。[1]

就後勤而言，最重要的地區就是阿薩姆（Assam）和孟加拉（Bengal），但它們從未被認為或計畫為一個軍事基地。機場、倉庫、道路、鐵路和油管一律都得現做，港口也要擴大，而整個區域也必須改組。

印度指揮當局所面臨的第一項重大困難就是船隻，因為大部分的需要都必須來自海外。但因為所有其他的戰場都具有較高度的優先，所以給印度留下來的船隻在數量上也就非常的少。要想把這個地區變成一個反攻的跳板當然是需要很多的物質，但分配給印度的東西卻尚不及其所需量的三分之一。

內部的運輸也同樣是一個重大的困難。在印度東北部的公路和鐵路系統，都已年久失修。要想把補給物資從加爾各答和其他港口運往前線，則這些運輸系統首先必須加以巨大的改進。但各種不同物質的缺乏又妨礙了此種工作的進度。此外，季風雨也是一種嚴重的障礙，它造成山崩與沖走了橋梁。日本人的空襲也頗有貢獻，但更嚴重的障礙卻是勞工糾紛和政治不安——自一九四二年夏季克里普斯訪問團（Cripps Mission）的任務失敗之後，印度國會黨就開始發動一種非暴力的不服從運動，所以國內的秩序很難維持。這又受到一部分親日分子的利用，和日益惡劣的經濟

1 原註：可參閱第二十九章中的地圖。

情況的刺激。不過在所有一切的障礙中，最惡劣的又首推鐵路機車（火車頭）的缺乏——魏菲爾曾要求至少應供給一百八十五輛，但他卻只獲得了四輛！

由於已經決定要把印度建設成為一個基地，使其能容納三十四個師的兵力和一百個航空中隊，所以後勤問題也就變得更為複雜和艱鉅。為了修建二百二十個新機場，就要動用一百萬人以上的勞工，於是也就使其他各種計畫所能動用的人力受到很大的限制——其中需要人力最急的是建築道路。此外又有四十萬難民從緬甸逃入印度，供養他們也成為一種嚴重的補給負擔。

雖然現在的印度總部已控制了很多個師的兵力，但那都是一些新成立的部隊，不僅缺乏裝備和訓練，而且更缺乏有經驗的軍官和士官。那少數已有若干戰鬥經驗的部隊，不僅由於緬甸戰役，也因為瘧疾的肆虐而變得疲憊不堪，而且在撤退的過程中也已喪失其大部分的裝備。所以雖然名義上是有十五個師，但在最近的將來，勉強能夠作戰的最多不過三個師而已。

除了行政問題之外，還有指揮問題，尤其是一部分中國部隊已經撤入印度，和他們一同來的還有美國陸軍的第十航空軍，和性情乖僻的史迪威將軍（General Stilwell）。

另一個緊急因素即為空中優勢的需要——為了保護印度本身和確保對中國的補給，以及對任何收復緬甸的企圖提供必要的空中掩護。所幸的，當季風在一九四二年五月來臨之後，日本人就把他們大部分的飛機抽調去幫助西南太平洋方面的作戰，於是也就使印度方面獲得一個短時期的休息。這也就使同盟國可以在比較平靜的環境中來增建其空軍實力。到了一九四二年九月，在印度已有了三十一個英國和印度中隊。不過在他們之中，有六個中隊尚不適於作戰，九個中隊專供保衛錫蘭之用，五個用在運輸和偵察方面——因此只留下七個戰鬥機中隊和四個轟炸機中隊可以參加印度東北部的作戰。不過，從英美兩國送來的飛機數量卻是每月都有增加，所以到一九四三年二月，即將有五十二個中隊。此外，飛機本身也都逐漸更換較新的型式——有「米契爾」式、「颶風」式（Hurricane）、「解放者」式（Liberator）等。他們中間大多數都是直接飛往在阿薩姆和孟加拉的新機場，因為自從珊瑚海和中途島等地的海戰之後，印度受到海上侵入的危險已經變得很微小了。

一九四二年四月，魏菲爾已經改組了印度的指揮體系。其中央總部設在亞格拉（Agra），並負訓練和補給之責，另設三個區域性的陸軍指揮部：西北、南區和東區，後者才是作戰性的。

對於收復緬甸的計畫作為，又包括與中國軍隊合作的問題在內，這是分別指駐在印度阿薩姆和中國雲南省內的部隊而言。在一九四二年十月，中國計畫從雲南出兵十五個師，加上在阿薩姆的三個師，再加上十個左右的英國或印度師，對緬甸作一次兩面夾攻。在中國人的計畫中，後者的任務不僅要侵入緬甸北部，而且還應對仰光發動一個海上的攻擊。魏菲爾在原則上雖然同意這個計畫，但他卻懷疑他所認為必要的兩個條件是否能夠滿足——足夠強大的空軍兵力以控制緬甸的上空；和一支強大的英國艦隊，包括四至五艘巡洋艦，足以控制印度洋並掩護對仰光的攻擊。第二個要求事實上是不可能的——因為英國海軍在其他方面的任務已經使它分身乏術。蔣委員長對於魏菲爾的這些考慮卻認為是英國人根本無意作任何認真努力的證明，所以在一怒之下，也就在一九四二年底放棄了這種計畫。

阿拉干攻勢：一九四二年十二月—一九四三年五月

儘管如此，魏菲爾卻還是決定發動一個有限性的攻勢：一方面向馬玉（Mayu）半島前進一百哩，以收復阿拉干沿岸地區；另一方面對次一半島頂端的阿恰布島（Akyab）作一個海上侵入，以便攻占那裡的機場——因為日本飛機從那裡可以攻擊印度東北的大部分地區。假使聯軍飛機能以那裡為基地，則也就可以掩護緬甸的整個北部和中部。不過，這個計畫的此一重要部分，因為缺乏登陸艇，終於還是被取消。

即令如此，魏菲爾還是堅持其對阿拉干的陸上進攻計畫，他認為總比一事無成要好一點。第十四印度師在一九四二年十二月開始前進，但行動極為遲緩，所以使得日本第十五軍的司令飯田將軍，能夠把援軍調往該地區，並在一月底阻止了英軍的前進——以後在二月間他增援更多的部隊。此時印度東區司令愛文將軍（General Noel Irwin），已經提出警告，認為由於瘧疾之故，部隊已經很不完整，士氣更為低落，但魏菲爾卻不聽忠告仍堅持繼續前進。於是日軍遂向該師的後方進攻，於三月十八日達到馬玉河（Mayu River）上的錫茲威（Htizwe），並迫使該師撤退。接著印度第二十六師又接替了第十四師的防務，但日軍繼續進攻，越過了馬玉河，於四月初在印定（Indin）到達了海岸。然後日軍再繼續向北推進，其目的希望在五月季風季節來臨之前，占領毛達——布其道（Maungdaw-Buthidaung）之線，這樣即可以在下一個乾季來臨時（一九四三年十一月—一九四四年五月），使英軍無法再向緬甸發動攻勢。

四月十四日，第十五印度軍的軍長史林中將（W. J. Slim），接管了在阿拉干地區的指揮權，他發現部隊的物質和精神狀況都極為惡劣，一方面是由於瘧疾的肆虐，另一方面是由於對日軍陣地的正面攻擊使他們受到重大的損失。儘管仍希望守住毛達——布其道之線（在海岸與馬玉河之間），但他又計畫如必要時再向後退，撤到柯克斯市場（Cox's Bazar）之線，那也就是再向北退五十哩，恰好達到國境線上。在那裡的地域比較開闊，要比在馬玉半島上的叢林和沼澤中更能發揮英軍在戰車和火砲方面的優勢，而同時也可以使日軍的交通線接得更長，更易摧毀。

但所有一切的計畫都未能生效。因為日本人在五月六日黑夜把英國人逐出了布其道，而側面的威脅又使他們自動放棄了在海岸的毛達。於是日本人決定停止在新攻占的線上，因為季風即將來臨。總而言之，英國人企圖從陸路（沒有海上的協助）收復阿恰布及其機場的企圖，已證明是一場完全的慘敗。日本人所表現的是他們擅長側面迂迴的行動和通過叢林的滲透行動。反之，美國人卻完全忽視了間接路線，只知蠻攻硬打，不僅付出了巨大的代價，而且更使部隊的士氣受到極嚴重的挫折。到了一九四三年五月，他們只得退回到在前年秋天所據守的舊有戰線。

緬北游擊戰

在這種一片漆黑的環境中也還有一線光明出現，那就是緬北游擊隊已經第一次立功。這個部隊有一個非常古怪的名稱，叫作「擒敵」（Chindit），這是其創始者，溫格特（Orde Wingate）所命名的。「擒敵」是一種半獅半鷹的神獸，在緬甸的佛塔上時常可以看到牠的雕像。溫格特認為在這種作戰中最需要地面和空中的密切合作，所以他就想到用這種神獸來作為象徵。事實上，這支部隊的第一次作戰就是在緬甸北部更的宛江流域——這也可以幫助大家把這個「隊名」記在心裡。[2]

在一九三八年秋天，溫格特當時還是一位上尉軍官，他從巴勒斯坦請假回英國，曾經會晤了一些有影響勢力的人士，並使他們對他產生強烈的印象——正好像他在那一年稍早的時候，曾使當時在巴勒斯坦任英軍司令的魏菲爾將軍，和負責北區的艾費茲准將（Brigadier John Evetts）產生良好印象一樣。[3]

但是當溫格特在十二月間回到巴勒斯坦時，他發現他在猶太人圈內的政治活動，已經引起了當地英國當局的疑忌。魏菲爾的後任韓林將軍（General Haining）——他原先也曾批准「特別巡夜隊」的組織——就決定不再讓他控制那個部隊，而把他調到自己的司令部中當一個閒差事。接著在一九三八年五月，韓林又要求把他送回英國，回國之後他就在高射砲司令部中充任一項低級幕僚的職位。

但在一九四〇年秋季，溫格特又從這個冷藏庫中被救出，送往衣索比亞去組織游擊隊，以對抗控制東非洲的義大利人。他這個任命是由剛剛入閣不久的艾美里（Leo Amery）所推薦，而魏菲爾對於此項建議也立即表示欣然接受。一九四一年五月東非洲戰役成功的結束，就溫格特個人的命運來說，是又再度的陷入低潮。在這種不如意的環境之下他又為瘧疾所困，以致企圖自殺。但他在家中休養時，新的機會又來臨了，這一次是英國人在遠東吃了大敗仗。這個機會又是魏菲爾所提供，他本人自從北非的夏季攻勢失敗之後，遂被免除了中東總司令的職務，而被送往印度。到了一九四一年年底，由於日本人連續的侵入馬來亞和緬甸，於是又使魏菲爾面對一個更大的危機。一九四二年二月，當緬甸的情況顯得沒有希望時，魏菲爾遂要求把溫格特送來印度，以便在緬甸發動游擊戰。

2　譯者註：「更的宛江」的英文為「Chindwin」恰好把「Chindit」和「Wingate」這兩個字的頭部包括在內，所以原作者才會這樣說。

3　原註：他曾經來看我幾次並和我討論「特別巡夜隊」（Special Night Squads）的訓練問題——那是他在春季裡被允許組織的，隊員是從猶太人的地下自衛隊哈格拉（Hagana）中挑選的，以對付在巴勒斯坦擾亂治安的阿拉伯武裝匪徒。他告訴我說，他已經把我的戰術觀念應用到此種游擊式的作戰上，並且把他對於這個問題所寫的一套論文送給我看。在那個時候，他又特別強調他是「阿拉伯的勞倫斯」（T. E. Lawrence）的遠房親戚，並且還很顯然的以此自豪；儘管他成名之後，對勞倫斯有同行相輕的趨勢。由於溫和特的要求，我也曾致書邱吉爾替他作介紹。

當溫格特到達後，遂力主創立一個所謂「長程穿透群」（Long Range Penetration Group），訓練它能在緬甸叢林中作戰，以襲擊日本人的交通線和哨據點。他的理論是認為這支部隊應該相當強大，使其襲擊行動能發揮強大的效力；同時又應該相當精小，使其可以躲避敵人。旅級的兵力被認為最為適合，於是第七十七印度旅被改組來配合此種目的。這些「擒敵」戰士要比日本人更擅長叢林戰，他們擁有各種不同的專家，尤其是要有精通爆破和無線電通信的人才。同時他們又必須發展良好的地面與空中之間的合作關係，因為其補給是仰賴於空投。由於這個原因，每個縱隊又都配屬了一個皇家空軍人員的小組。此外，縱隊的運輸工具即為馱騾。

溫格特要求提早採取行動，一方面是想用表現其破壞敵軍士氣的能力為手段，來恢復英國人的士氣；另一方面也是想對於此種「長程穿透群」的工作作一次試驗。魏菲爾本來是認為應該在英軍發動全面攻勢直前和同時，來使用這支特種部隊，但他還是同意實現溫格特的願望，因為一個提早的試驗可以獲得經驗和情報資料，所以這個冒險也還是值得一試的。

這個旅分為七個縱隊，對於計畫中的作戰，又合編為兩個群——北群五個縱隊，總計兵員二千二百人，騾馬八百五十匹；南群兩個縱隊，總計兵員一千人，騾馬二千五十匹。這兩個群在一九四三年二月十四日，渡過了更的宛江，而一部分正規軍也採取行動以分散敵人的注意。在向東前進的途中，這兩個群又分成預先安排的縱隊，然後對日本的前哨據點作一連串的攻擊，並切斷鐵路線，炸斷橋梁，和在公路上採取伏擊的行動。三月中旬，這些縱隊已經越過了伊洛瓦底江，伊洛瓦底江在更的宛江之東，彼此相距約一百哩。不過到了那時，日本人已經為此種威脅所驚醒，開始使用其兩個師的大部分兵力進行對抗——日軍在緬甸一共只有五個師。在對抗壓力和其他的困難之下，這些縱隊乃被迫撤退，到四月中都回到了印度，已經損失三分之一的實力，並丟棄了大部分的裝備。

這個作戰並無太大的戰略價值，而日本人的損失也頗為輕微，但它證明了英國和印度部隊也一樣能在叢林中作戰，並且對於空投補給的技術獲得了實用的經驗，同時也指出空中的優勢甚為必要。

此外，它也使日本的新任十五軍司令牟田中將，認清了他不能把更的宛江當作一個安全的屏障。要想預防英國人的反攻，則他必須再繼續前進。所以這樣才使日本人在一九四四年又越過印度的邊界進攻，並引起了重要的英法爾（Imphal）會戰。

未來的計畫

由於行政的困難和資源的缺乏，所以在一九四二年到四三年間的乾季中，英國人還是沒有希望發動任何真正的攻勢。主要的計畫都是為下一個乾季（即一九四三年十一月到一九四四年五月）來設想的，依照一九四三年一月卡薩布蘭加會議的決定，中英兩國軍隊在緬甸北部發動攻勢，並在海岸攻占某些要點之後，接著就應向仰光發動一個海上的突擊——它被命名為「阿拉金作戰」（Operation Anakim）。要達到這些目的則又必須獲得空中優勢，集中強大的海軍兵力，包括充足的登陸船隻在內——此外對於行政問題和陸上運輸問題也都必須尋求解決。

很明顯的，要想滿足所有這些要求是非常困難的，所以到了一九四三年春天，魏菲爾也就有了放棄對緬甸作戰的企圖，而主張進攻蘇門答臘，來作為一種擊敗日本人的間接路線。四月間他前往倫敦述職時，曾經與邱吉爾及參謀首長們會談，並向他們說「阿拉金作戰」必須放棄或暫緩的理由。代替它的蘇門答臘計畫有一個動人的代字，叫作「寇飛寧」（Culverin）[4]。邱吉爾對於此種間接路線頗為欣賞，不過最後還是因為相同的理由，像「阿拉金」計畫一樣的被放棄了。同時又因為美國人堅持必須盡快的重新打通到中國的陸上補給路線，所以這些南面的作戰遂均被擱置，儘管計畫作為仍在繼續進行。在這個戰區內若有任何真正的行動，那就是在緬甸的北部。

---

4 譯者註：「寇飛寧」原意為十六世紀所通用的一種長管砲。

第二十四章 大西洋之戰

在大西洋之戰中最緊要的階段，是在一九四二年的下半年和一九四三年的上半年，但其長久變化的過程卻與整個六年的戰爭同其終始。的確，甚至於還可以說在戰爭本身尚未開始時它就早已發動，因為德國的第一艘遠洋潛艇，是在一九三九年八月十九日離開德國駛往在大西洋中的作戰位置。到八月底，即德軍侵入波蘭的前夕，已有十七艘這樣的潛艇進入了大西洋，而另有十四艘左右的近海潛艇也已經留在北海水域。

儘管在德國再武裝的過程中，潛艇的生產在時間表上開始得很晚，可是當戰爭爆發時，德國人卻已有五十六艘的實力（雖然有十艘尚未完成作戰準備），換言之，只比英國海軍所有的總數少一艘。不過其中又有三十艘為「北海之鴨」（North Sea Ducks），不適宜在大西洋作戰之用。

首開記錄的為九月三日夜間，擊沉了從英國駛出的郵輪「雅典」號（Athenia），這也就在和英國宣戰的同一天，以及德軍侵入波蘭後的兩天。實際上，那是未經警告即被德國潛艇的魚雷所擊中，顯然是違背了希特勒的明令，即規定潛艇戰的執行必須遵照海牙公約；那艘潛艇的艇長對於他自己的行動所提出的辯護理由是，他確信那艘郵輪是一艘武裝商船。在以後的幾天內，又有幾艘船被擊沉。

到了九月十七日，德國人獲得一次更重要的戰果：在不列顛群島的西端，其第二十九號潛艇（U-29）擊沉了英國航空母艦「勇敢」號（Courageous）。三天以前，另一艘航空母艦「皇家方舟」號（Ark Royal）也曾幾乎被第三十九號潛艇（U-39）所擊中——不過在護航的驅逐艦反擊之下，那艘潛艇卻立即被擊沉。這種顯明的危險遂使英國人不再敢用艦隊航空母艦來參加獵殺潛艇的工作。

潛艇對商船的攻擊，同時也獲相當成功。在戰爭開始的第一個月（九月）內，同盟國和中立國商船被擊沉的總數為四十一艘，其總噸位達到十五萬四千噸之多。而到那一年（一九三九）結束時，共損失商船一百一十四艘，總噸位超過四十二萬噸。此外在十月中旬，由普林上尉（Lientenant Prien）所指揮的第四十七號潛艇（U-47），曾深入英國艦隊在斯卡巴佛洛（Scapa Flow）的碇泊區，擊沉了戰鬥艦「皇家橡樹」號（Royal Oak），使英國人在其防禦尚未改進之前，只好暫時放棄這個主要基地。

不過值得注意的是，在十一和十二兩個月內，商船的損失要比前兩個月減少了一半，而損失於水雷的船隻又多過損失於潛艇的。此外，英國海軍已經擊沉九艘德國潛艇——即相當於其總實力的六分之一。至於對商船的空中攻擊只能算是一種擾亂，並無更厲害的效果。

在戰爭的最初階段，德國海軍是把巨大的希望寄託在其水面軍艦上，而並不太重視潛艇，從經驗上看來，這種希望是不現實的。當戰爭爆發時，德國袖珍戰鬥艦「斯比上將」號（Admiral Graf Spee）正位於中大西洋，而其姊妹艦「德意志」號（Deutschland）則在北大西洋——該艦以後又改名為「盧左」號（Lutzow）。但直到九月二十六日，希特勒才准許他們開始攻擊英國的船隻。他們的成績都並不太好——而「斯比上將」號被困在普拉特（Plate River）的河口內，終於在十二月被迫自沉。新建的巡洋戰艦「格耐森勞」號（Gneisenau）和「香霍斯特」號（Scharnhorst），在十一月間曾作短時間的出擊，但在冰島—法羅群島（Iceland-Faeroes）水道中擊沉一艘武裝商船之後，即匆匆返回德國。根據在一九一七年到一八年的經驗，同盟國的船隻在航行時早已組成船團，雖然護航的軍艦還不夠，而且還有許多的船隻未能納入組織，但這種辦法即已經產生相當有效的嚇阻作用。

在一九四〇年六月法國淪陷後，英國船隻的航線所受到的威脅也變得比較嚴重。所有一切經過愛爾蘭南方的船隻現在都暴露在德國的潛艇、水面和空中攻擊之下。除了甘冒巨大危險以外，所剩下來唯一的進出路線就是繞過愛爾蘭的北面—即所謂「西北路線」。甚至於這一條航線德國的長程轟炸機也還是能夠達到。這種四引擎的福克—吳爾夫「鷹」式（Focke-Wulf FW-200 "Kondor"）飛機，以挪威的斯塔凡格（Stavanger）和法國的波爾多（Bordeaux）附近的米瑞納克（Merignac）為基地。在一九四一年十一月間，這種長程轟炸機曾經擊沉十八艘船隻，共計六萬六千噸。此外，潛艇的成績更大形增加——在十月間達到六十三艘的總數，超過了三十五萬噸。

此種威脅變得如此的嚴重，所以大量的英國軍艦已從反侵入任務中抽回，被派往西北水道去擔負反潛護航的工作。儘管如此，水面和空中的護航能力還是非常的薄弱。

六月間，即戰略情況改變的第一個月，被德國潛艇擊沉的商船數字躍進到五十八艘和二十八萬四千噸，雖然在七月間略為下降一點，但在以後的月份中平均都是在二十五萬噸以上。

在英國東岸航線上，德國空投的水雷在一九三九年最後幾個月內所造成的損失超過了潛艇，而在一九四〇年春季德軍侵入挪威和低地國家之後，這種威脅也隨之益形增加。

此外在秋季裡，袖珍戰鬥艦「希爾上將」號（Admiral Scheer）又偷偷地溜進了北大西洋，在十一月五日攻擊一個從新斯科夏的哈里法克斯港（Halifax, Nova Scotia）返回英國的護航船團，擊沉了五艘商船和唯一的一艘護航船，這艘武裝商船「傑維斯灣」號（Jervis Bay）為了想使船團中其餘船隻能獲得逃走的時間，而不惜犧牲其自己。「希爾上將」突然在這一條主要航路上出現，使得越過北大西洋的整個航運都暫時為之停頓，所有其他的船團都暫停航行達兩星期之久，直到知道「希爾上將」已經進入南大西洋之後才敢開始行動。在南大西洋方面所能找到的攻擊目標較少，但當它於四月一日「巡航」了四萬六千餘哩，安全返回基爾（Kiel）時，一共擊沉了十六艘商船，共計為九萬九千噸。重巡洋艦「希伯上將」（Admiral Hipper）在十一月底也衝入了大西洋，但在聖誕節的拂曉，當它攻擊一支船團時本身卻受到奇襲，因為這是一支運輸部隊前往中東的船團，擁有強大的護航部隊。護航的英國巡洋艦把「希伯上將」趕走，以後它的機件又發生故障，遂逃往法國的布勒斯特港（Brest）。二月間，它從那裡又作了第二次出擊，這次比較成功，在非洲海岸附近擊沉了一個無護航的船團中的七艘商船，但它自己的燃料也將用盡，所以其艦長遂決定再返回布勒斯特。三月中旬，德國海軍參謀本部命令它回國作一次徹底的整修，於是它恰好趕在「希爾上將」之前回到基爾港。這艘船的耐航力是如此之低，不僅表示其機件有毛病，而且也證明這一類軍艦不適宜於擔任突襲商船的任務。

德國人在海洋戰爭中最有效的武器，僅次於潛艇和水雷的，證明是改裝供突襲之用的偽裝商船。這些船隻從一九四〇年四月起，開始被派出去作長時間的巡航，到同年年底，第一批六艘船已經擊沉四十四艘商船，共三十六萬噸——大部分是在遙遠的海上。它們的出現，或其可能出現，都足以造成許多困擾，其威脅幾乎是和實際擊沉的數字一樣的重大。又因為德國能夠利用一些祕密基地，來使它們不斷的獲得燃料和其他的補給，所以這種威脅也就更形擴大。這些突襲船有很巧妙的運用，其所攻擊的目標也都經過良好的選擇——其中只有一艘曾陷入戰鬥，但它還是逃脫而並未受到嚴重的損傷。除了一次例外，他們這些艦長在行為上都能合於人道的原則，容許那些被攻擊的商船船員有時間放下救生艇，並對他們的戰俘給予適當的對待。

面對著多方面的威脅，尤其是在從大西洋到不列顛海路上的潛艇威脅，英國海軍的護航能力早已感到應接不暇。德國潛艇以法國的大西洋港口為基地——布勒斯特、羅隆（Lorient）和洛瑟爾（La Rochelle）附近的巴里斯（La Pallice）等——最遠可以達到西經二十五度，而在一九四〇年的夏季，英國人所能提供的護航最多卻只能達到西經十五度，即愛爾蘭以西約二百哩，出了這個範圍之外，商船經常就只能採取疏散的方式，在無護航之下前進。甚至於在十月間，護航的限度也還只能延伸到西經十九度——即愛爾蘭以西約四百哩，而且通常擔任護航的也不過是一艘武裝商船而已，直到一九四〇年的年底，才能夠增加到每個船團平均二艘。只有前往中東的船團才能獲得較強大的掩護。

這裡應該特別提到的是，在新斯科夏的哈里法克斯港，實為大西洋航道西端的主要起點，凡是從美洲載運糧食、石油和軍火返回英國的船團，在最初三四百哩的航程中，是由加拿大的驅逐艦來護航，然後再由大西洋護航部隊來接管，直到不列顛西端保護較佳的地區為止。

在一九四〇年春季，有一種專用的「護航艦」（Corvette）出現，於是使護航問題的解決獲得了非常有價值的幫助。這種小型軍艦，排水量只有九百二十五噸，在惡劣天候之下艦上官兵的體力很難支持，而且船的速度也不夠快，甚至於趕不上在水面行駛的德國潛艇，但是它們在任何的天候中，都曾非常英勇的來執行護航任務。

一九四〇年九月，經過兩個月的說服努力，邱吉爾終於和羅斯福達成一項協議：美國以五十艘舊驅逐艦（第一次大戰的剩餘物資），來交換對大西洋彼岸八個英屬基地的九十九年租借權。這對於英國人是一個極大的幫助。雖然這些驅逐艦都是舊船，並且必須裝上偵側潛艇的測音儀器始能使用，但是不要好久，它們就能對護航和反潛的工作提供重要的貢獻。同時，這種基地的租借也使美國得以開始準備其本身對於航運的保護，這也是使那個偉大的中立國家被捲入大西洋之戰的第一步。

冬季來臨，天氣開始轉劣，自然使護航的困難益形增加，但同時也減少了德國潛艇的活動。到一九四〇年七月，德國的數字顯示潛艇的實力已經增加百分之五十，已被擊毀的為二十七艘，但仍餘留五十一艘。到次年二月，其有效兵力的總數降到二十一艘。但自從有了法國的基地之後，德國人從已減少的總數中，卻仍可以把較多的潛艇維持在海上，同時也可以使用較小的近海潛艇來參加攻擊遠洋航運的工作。

在另一方面，義大利海軍對於此種鬥爭的貢獻卻非常的有限。雖然他們的潛艇從八月起即開始參加大西洋中的作戰，但到了十一月，在大西洋中活動的艇數已不少於二十六艘，但其收穫卻幾乎等於零。

雖然主要是由於惡劣天氣的影響，德國潛艇的壓力在冬季已經減弱，但到一九四一年初，它又開始恢復了。同時又因為鄧尼茲上將（Admiral Dönitz）採取了一種新的「狼群」（Wolf-Pack）戰術，所以威脅也就為之倍增——這種新戰術是把幾艘潛艇集中在一起活動，而不是單獨的作戰。此種戰術在一九四〇年十月間首次試用，在以後的幾個月內遂逐漸發展成為一種完善的典型。

他們作戰的方式大致如下：當一個護航船團的位置大致確定後，岸上的潛艇總部就通知距離最近的一個潛艇群，先派一艘潛艇去尋找這個船團並形影不離的跟蹤，然後再用無線電引導其他潛艇駛向目標。當他們在現場集合之後，就在夜間發動水面攻擊，通常都是居於上風的方向，這樣的攻擊將連續達數夜之久。白天裡，潛艇都退到護航船所達不到的位置上。此種夜間水面攻擊的方法在第一次大戰時即已用過，鄧尼茲本人在第二次大戰前曾寫過一本書，敘述他個人在這一方面的經驗和意見。

此種新戰術使英國人受到了奇襲，因為他們所考慮的主要為水下的攻擊，並且把一切信心都寄託在測音儀器上，這種水底偵測工具的有效距離大約為一千五百碼。但當潛艇浮出水面像魚雷艇那樣的接近船團時，測音儀器卻喪失其效力，而在夜間，護航船隻實際上也和瞎子差不多。所以德國人對於夜間攻擊的利用，遂使英國人對於潛艇戰的一切準備都落了空，因此也就使他們喪失平衡。

要想對抗此種新戰術，最佳的機會即為提早發現跟蹤的潛艇，也就是由「接觸保持者」（Contact-Keeper）將它趕走。假使護航艦能使潛艇潛入水中，則這種狼群戰術就會發生困難，因為它們的潛望鏡在黑夜裡是無用的。對抗夜間攻擊的一種非常重要的措施，即為在海上實施照明，最初所使用的為照明砲彈和火箭，但以前即採用一種更有效的照明工具，叫作「雪片」（Snowflake），它簡直能夠把黑夜變成白天。另外還有一種叫作「萊光」（Leigh Light—係以發明家的姓名來命名）的強力探照燈，可以裝在擔任護航驅逐任務的飛機上。以後還有更重要的發展即為雷達，可以用來補助視覺的不及。和這些新工具之發展相配合的，就是加強護航船隻和人員的訓練，以及改進情報組織體系等。

不過所有這一切的改進都需要時日，而非在短暫時間之內可以收效，但很僥倖的，在這個階段的德國潛艇數量還太少，足以限制此種「狼群」戰術的使用。戰前鄧尼茲曾作這樣的估計：假使英國人採取一種全球性的護航系統，則德國需要三百艘潛艇始足以產生決定性的戰果。但在一九四一年春季，德國所有的作戰實力卻只及此數的十分之一。

尤其僥倖的是，因為在三月間，其他軍艦和飛機所作的商船突襲行動也達到了新的高潮。袖珍戰鬥艦「希爾上將」號和巡洋戰艦「香霍斯特」號及「格耐森勞」號，曾擊沉和俘獲十七艘商船；長程轟炸機曾炸沉四十一艘，而潛艇所擊沉的數字也相同——總共曾經毀滅商船一百三十九艘，超過了五十萬噸。

不過當巡洋戰艦於三月二十二日回到布勒斯特之後，在四月間由於英國人對該港作了一次猛烈攻擊，遂使巡洋戰艦受到重傷而陷在那裡不能行動。

剛剛過了五月中旬，一艘新的德國戰艦「俾斯麥」號（Bismarck），由一艘新的巡洋艦「猶金親王」號（Prinz Eugen）隨伴著，駛入大西洋以增強此種威脅。英國人的情報工作這次做得很好，當他們在喀得加特（Kattegat）海峽出現時，五月二十一日清晨倫敦即已接獲警告，以後英國的海岸巡邏飛機，同一天又在卑爾根附近發現其行蹤。英國巡洋戰艦「胡德」號（Hood）和戰艦「威爾斯親王」號，在何蘭德中將（Vice Admiral L. Holland）指揮之下，從斯卡巴佛洛駛出，想在繞過冰

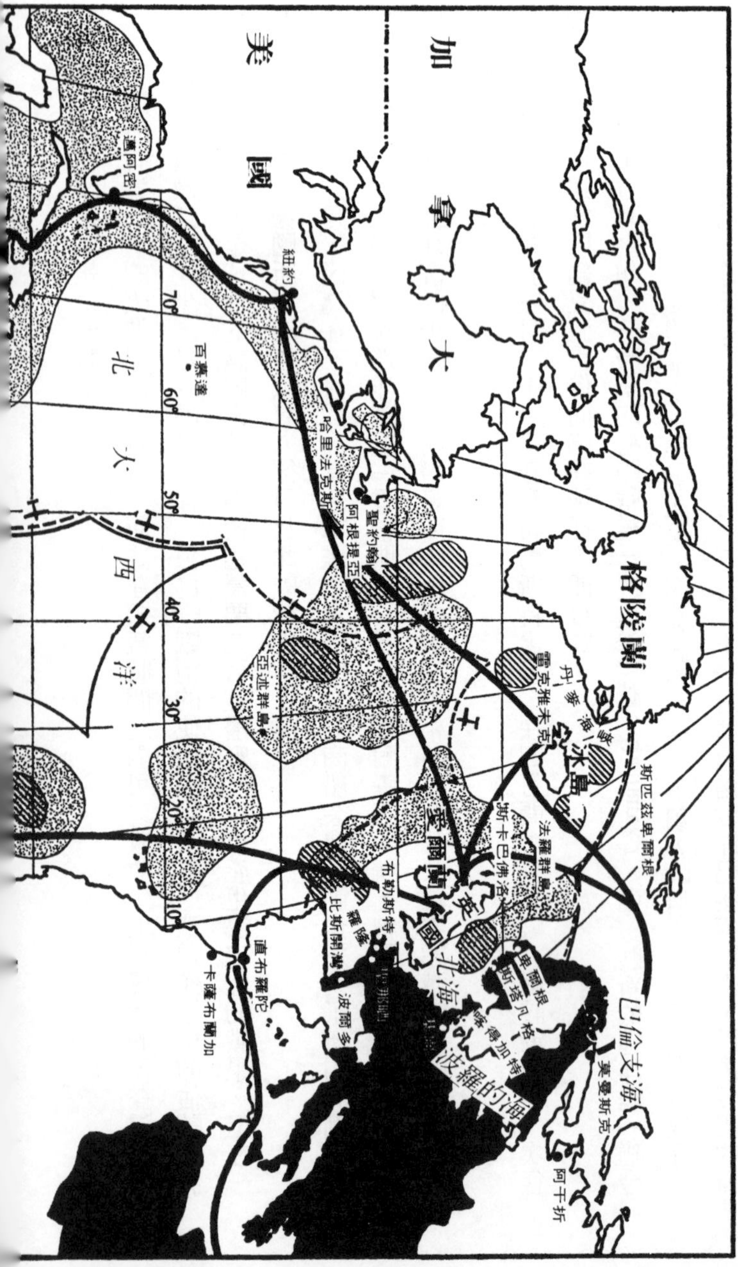
格陵蘭
加拿大
美國
北大西洋
紐約
邁阿密
百慕達
哈里法克斯
聖約翰
阿根提亞
亞述群島
丹麥海峽
雷克雅未克
冰島
斯匹茲卑爾根
法羅群島
斯卡巴佛洛
愛爾蘭
英國
北海
布勒斯特
羅隆
比斯開灣
波爾多
直布羅陀
卡薩布蘭加
卑爾根
斯塔凡格
巴倫支海
莫曼斯克
阿干折
波羅的海
70°
60°
50°
40°
30°
20°
10°

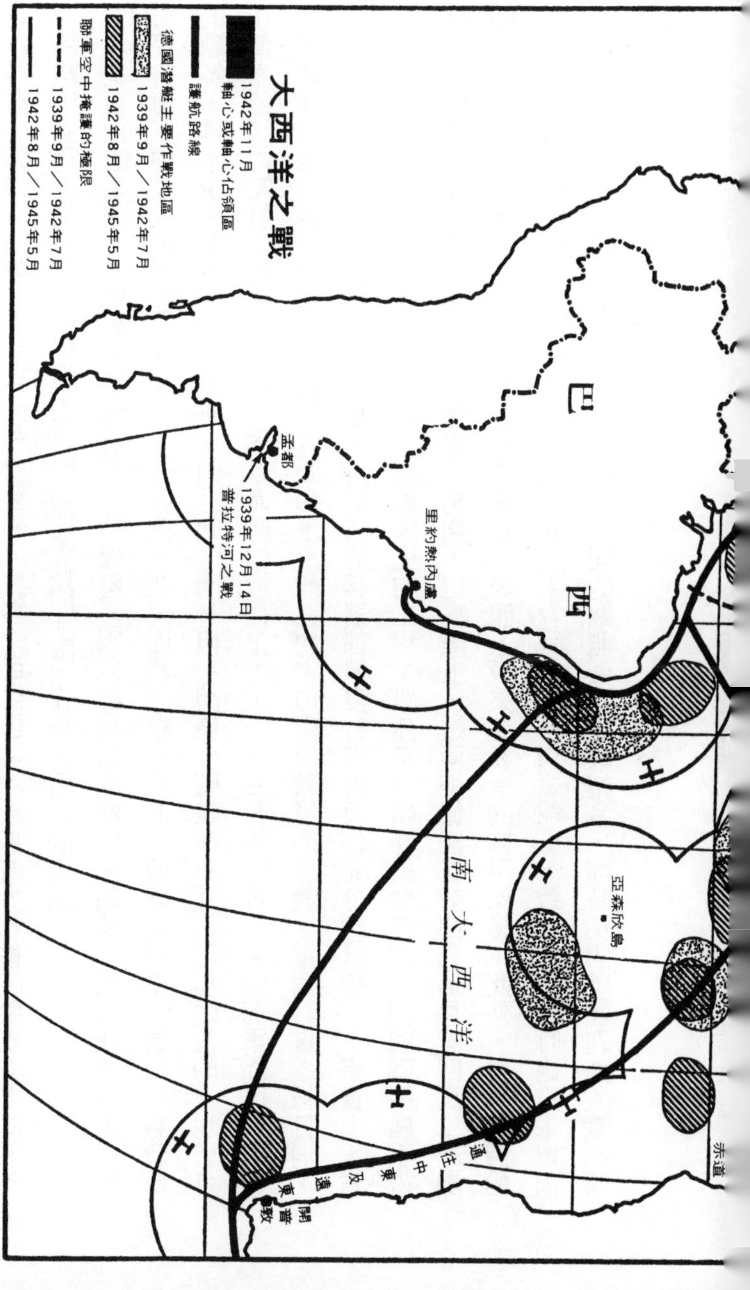
大西洋之戰
1942年11月
軸心或軸心佔領區
護航路線
德國潛艇主要作戰地區
1939年9月／1942年7月
1942年8月／1945年5月
聯軍空中掩護的極限
1939年9月／1942年7月
1942年8月／1945年5月
巴西
孟都
1939年12月14日
普拉特河之戰
里約熱內盧
南大西洋
亞森欣島
赤道
通往中東及遠東
開普敦

島北方的航線上去加以攔截。次日黃昏，當空中偵察證明他們已不在卑爾根地區後，英國主力艦隊在托費上將（Admiral Tovey）率領之下，也從斯卡巴佛洛向同一方向駛去。二十三日黃昏，英國兩艘巡洋艦「諾福克」號（Norfolk）和「蘇福克」號（Suffolk），在冰島西方和格陵蘭東方之間的丹麥海峽中看見了那兩艘德國軍艦，斯時，何蘭德的部隊正在接近海峽的南端。

從紙面上看來，英國艦隊是擁有巨大的優勢，因為四萬二千噸的「胡德」號，在名義上是英德雙方海軍中最大的軍艦，並裝有十五吋砲八門，而和它在一起的「威爾斯親王」號是一艘新建的戰艦，排水量三萬五千噸，裝有十四吋砲十門。但「胡德」號是在一九二〇年建造的，也就是在華盛頓條約簽訂之前，而且從未加以徹底的近代化——一九三九年三月，英國海軍部已決定給予該艦以較佳的裝甲保護，包括垂直的和水平的在內，但由於戰爭的爆發，這個計畫遂被打消。至於「威爾斯親王」號是一艘新艦，所以它的兵器都還沒有來得及作充分的試驗——事實上，當它這次出海時，還有一些工人在船上趕做未完的工程。雖然華盛頓條約曾經限制德國戰鬥艦不得超過三萬五千噸，重巡洋艦不得超過一萬噸，但實際上，這兩艘德國新船卻分別具有四萬二千噸和一萬五千噸的排水量，這也就使他們享有比表面上看來還要重的裝甲保護。此外，雖然它們的主砲居於劣勢的地位——「俾斯麥」號為八門十五吋砲，「猶金親王」號為八門八吋砲——但因為「威爾斯親王」號的砲有毛病，而德國方面的觀測儀器比較精良，同時英國戰艦在進入戰鬥時的方式不妥，因而產生了抵消作用。

三月二十三日，上午五時三十五分（即日出前一小時），雙方已經互相望見；五時五十二分，四艘船一同開砲——大約射程為二萬五千碼（十四哩）。在英國方面是由「胡德」號領先，所以兩艘德國軍艦的火力遂集中在它的身上。除了它是旗艦以外，它也是最易擊毀的，尤其是運用「瞰射」火力（Plunging fire）為然——因為這個原因，所以德國人也就盡快的企圖縮短射程。[1]結果雙方緊逼在一起，以至於英國人無法使用其後砲塔，而德國卻可以使用其整個側舷火力。他們在第二次和第三次齊放就發生了效力，於是在上午六時「胡德」號發生爆炸，並於幾分鐘內沉沒——全艦官兵一千四百餘人只有三人生還。對於英國巡洋戰艦在四分之一世紀前的日德蘭（Jutland）會戰中的命運，實在是一個太沉痛的追憶。

現在兩艘德國軍艦就可以把火力集中在「威爾斯親王」號的身上，在幾分鐘之內，它被「俾斯麥」號擊中了幾砲，而「猶金親王」號也命中了三彈。所以在上午六時十三分，「威爾斯親王」號的艦長決定脫離戰鬥，並在煙幕掩護之下實行退卻。現在射程已經減到了一萬四千六百碼。指揮著兩艘巡洋艦的威克華克少將（Rear Admiral Wake-Walker）——自從何蘭德陣亡後，整個部隊遂由他指揮——認可了這個決定，而他自己也決定僅和敵人保持接觸，以等候托費上將所率領的主力艦隊趕到現場。那時托費上將還在三百哩以外，所以抓住德國人的希望並不太大，因

1 譯者註：所謂「瞰射」即居高臨下之意。

為在那天上午能見度已經愈變愈壞。到了下午，當托費聽到「俾斯麥號」已經改變航向，並把速度減到大約二十四節時，他不禁感到放心了。

因為在早晨那場短促的戰鬥中，「威爾斯親王」號也曾使「俾斯麥」號被命中了兩發砲彈，其中一彈已經使它漏油，所以也就減低了它的耐航力，於是使德軍指揮官盧金斯將軍（Admiral Lutjens）決定向法國西部的港口進發，而放棄進入大西洋的企圖——因為他知道已有幾艘英國軍艦正企圖攔截他，所以也不敢退回德國去。

當天下午，托費派遣寇提斯（Admiral Curties）率領的第二巡洋艦支隊，保護航空母艦「勝利」號（Victorious）——它載運著一批戰鬥機正擬前往中東——前進到距離「俾斯麥」號一百哩內的位置。這樣近的距離使「勝利」號可以使用其九架魚雷轟炸機。它們在下午十時後即全部起飛，冒著非常惡劣的天候，很困難的才找到了「俾斯麥」號，並在午夜後不久連續對它發動攻擊，但是只命中一顆魚雷，對於這艘重裝甲的戰艦卻未能造成任何嚴重的損害。二十五日清晨，「俾斯麥」號擺脫了追兵而不知去向。在那一整天內，英國人白花了許多氣力，還是沒有能夠找到它。

直到二十六日上午十時半，它才又被英國海岸司令部的一架巡邏機再度發現，其位置距離布勒斯特約為七百哩。可是托費的部隊現在分散得太遠，而且燃料也開始感到缺乏，所以很難在它逃入庇護所之前將其抓住。但是從直布羅陀前來的H部隊，在索美維爾將軍（Admiral Somerville）指揮之下，現在卻正好居於可以攔截的位置。這支部隊包括一艘大型航空母艦「皇家方舟」號。第一次攻擊毫無效果，但在下午九時左右所作的第二次攻擊卻比較成功。所發射的十三顆魚雷有兩顆命中，其中一顆擊中「俾斯麥」號的「裝甲帶」（armour belt），沒有發生作用，但另一顆卻命中其右後方，損毀了它的俥葉、操縱系統和舵。這才是具有決定性的意義。

費安上校（Captain Vian）的驅逐艦隊現在構成了一個包圍圈，並在夜間繼續作魚雷攻擊。英國戰鬥艦「喬治五世」號（King George V）和「羅德尼」號（Rodney）也已趕到現場，並以他們的重砲發射穿甲彈，痛擊已經跛足的「俾斯麥」號達一個半小時之久。到十時十五分，它已經只剩下一個尚在燃燒中的殘骸。此時，在托費命令之下，英國的戰鬥艦開始撤退，以防德國的潛艇和重轟炸機前來報復，只留下巡洋艦來替這艘正要下沉的德國軍艦送終。「多賽夏」號（Dorsetshire）再發射三顆魚雷，於是到了十時三十六分，「俾斯麥」號遂消滅在碧波之下。

在「俾斯麥」號沒有沉沒之前，它至少命中了八顆魚雷，也可能為十二顆，再加上更多的重砲彈。這說明了該艦結構設計者的工作成果，實在是非常的優異。

「猶金親王」號於二十四日和「俾斯麥」號分手，在中大西洋補充燃料後，即發現主機有故障，所以其艦長遂決定放棄巡航而返回布勒斯特。雖然中途也曾被英國人發現，但終於還是在六月一日回到了該港。

不過總結言之，一九四一年五月的這一場戲劇化的海戰，終於證明德國人想用水面軍艦來贏得大西洋之戰的計畫和努力是完全失敗了。

德國潛艇的作戰卻持續了較長的時間，而且也變成一種嚴重的威脅，儘管其過程是起伏無常。五月間，德國潛艇擊沉商船的數字急劇地上升，到六月間又再度達到了三十萬噸以上的高水準——說得更精確一點，是六十一艘商船，共計三十一萬噸。這也相當於一個大型船團的全部商船數量。值得稱述的是，海員們並不因此而受到嚇阻，對於船員的補充是從未感到缺乏。

不過那年春季也出現了一些有利的因素。三月十一日，美國的租借法案完成了立法程序，而在同一個月內，包括驅逐艦和飛艇的美國「大西洋艦隊支援群」（Atlantic Fleet Support Group）也已組成。四月間，由美國海軍負責巡邏的美洲「安全地帶」（Security Zone），也從西經六十度向東伸展到西經二十六度。

同時在三月間，美國在格陵蘭東岸上建立了空軍基地，在百慕達（Bermuda）也有設施，而在五月間，其海軍也接管在紐芬蘭東南部的阿根提亞（Argentia）租借基地。七月初，美國海軍陸戰隊在冰島的雷克雅未克（Reykjavik）接替英國駐軍的防務，而從那時起，來往於冰島與美國間的美國商船也由美國海軍負責保護。所以美國在大西洋的「中立」，已經日益變得不中立了。英國船在美國船塢中的修補在四月間就已獲得批准，而利用租借的方式在美國建造軍艦和商船也已經開始。

此時，加拿大在大西洋的鬥爭中也給予英國強大的援助，六月間已經創立一支加拿大護航部隊，基地設在紐芬蘭的聖約翰（St. John's）。加拿大海軍現在接管了在大西洋中的護航責入，由此往東直到冰島以南的會合點為止。於是英國海軍部所計畫的連續護航才變得有其可能性。

一九四一年夏季，加拿大和英國的護航部隊在大約西經三十五度的「中洋交點」（Mid Ocean Meeting Point）會合，並互相交換其所護送的船團。而冰島和西線（Western Approaches）兩支護航部隊（均由英國人負責），則在大約西經十八度的「東洋交點」（Eastern Ocean Meeting Point）會合和交換船團。

自六月以後，從英國到直布羅陀的船團，在全程中都有密切的保護，而對於沿著西非洲海岸到獅子山（Sierra Leone）為止的船團，也給予連續的保護。

現在每一個船團平均可以分配到五艘護航軍艦。一個總數四十五艘商船的船團，有長過三十哩的圓周需要保護。即令如此，每一艘護航軍艦上的聽音偵測儀，卻只能掃過一哩長的弧線——所以空隙仍然很大，足以容許德國潛艇穿透圓周而不被察覺。

至於說到空中的掩護，租借法案增加了卡塔林那式水上飛機的數量，所以從一九四一年春季起，這種掩護以不列顛群島為起點，向海洋推進到約七百哩的距離，所以迫使德國潛艇不得不遠離西面的進入路線。以加拿大為起點的空中掩護距離已達六百哩；從冰島向南伸展也達到四百哩。但在中大西洋仍留下一個大約三百哩寬的缺口，只有航程較長的美國「解放者」式飛機才可以提供掩護。直到一九四三年三月底才能有經常的巡邏，而到四月中旬仍只有四十一架飛機擔任勤務。

此時，德國潛艇的數量也在不斷增加。到一九四一年七月已有六十五艘在服行作戰任務，到十月間即增為八十艘。在九月一日，德國潛艇總數為一百九十八艘——而到此時商船損失的總數共為四十七艘。總而言之，參加服役的新潛艇是要比擊沉的多。此外，德國潛艇的構造也加強了。其外殼要比英國的潛艇堅固，一顆深水炸彈必須在非常接近之處爆炸，始能將其擊毀。

九月間有四支船團曾遭受重大的損失——所有的損失又都是由於缺乏適當的空中掩護。

不過在那個月，緊接著羅斯福和邱吉爾八月間會晤之後，兩國海軍的合作又因為美國總統批准了計畫良好的美國「第四號西半球防禦計畫」而獲得更進一步的加強。在這個計畫之下，美國海軍同意保護由非美國船隻所組成的船團，於是對於某些東行的大西洋船團，美國海軍開始提供護航部隊直到「中洋交點」為止，而這個交點又已經向東移到大約西經二十二度的位置。

此項行動也幫助減輕英國人的困難，這樣使他們對於英國與「中洋交點」間的一段距離可以提供比較適當的護航部隊。到一九四一年底，在該地區中的護航部隊已經增到八個群，每個群有三艘驅逐艦和大約六艘護航艦。另外還有十一個群，每個群有五艘驅逐艦，名義上它是充任預備隊以便增援任何發生困難的護航艦隊，或應付大量集中的德國潛艇，但實際上卻多為例行性的任務所占用了。

十月間，德國潛艇所擊沉的商船數字減到三十二艘，共十五萬六千噸。尤其值得注意的是，在任何海岸司令部基地周圍四百哩以內的水域並沒有商船被擊沉。這可以證明德國潛艇不願冒險進入長程偵察機和轟炸機所能掩護的地區。不過沉船數字的下降還另有一個原因，就是有一部分德國潛艇被派往地中海方面去支援隆美爾在北非的作戰。

十一月間，沉船的數字又再度下降——只比十月間總數三分之一略多一點——而在十二月間，在北大西洋方面的數字仍然繼續減少。但在日本參戰之後，在遠東方面的損失大增，使船舶沉沒的總數達到二百八十二艘，接近六十萬噸（包括各種原因在內）。

在西方，一九四一年下半年內，德國的長程轟炸已經變成一種比潛艇更要巨大的威脅，尤其以到直布羅陀的航線為甚。這也就令人認清對任何船團都有提供戰鬥機密切支援的必要。所以在六月間，遂採用了第一艘護航航空母艦（Escort Carrier）——英國的「大膽」（Audacity）號，該艦還是使用彈射起飛（Catapult Launched）的戰鬥機。在十二月間，這艘航艦在一次成功的防禦戰中（保護一支從直布羅陀返回英國的船團）曾經扮演重要角色，雖然它本身在九天的苦戰中終於沉沒。

在一九四一年年底，德國作戰潛艇總數為八十六艘，而正在訓練和試航中的約有一百五十艘之多。但因為當時有五十艘是分布在地中海內或其進出口的附近，所以留下來可用於北大西洋方面的只有三十六艘。六月間，由於大舉進攻補給船隻之故，而使其中有九艘被獵殺，於是殘餘潛艇乃暫時退往南大西洋。從一九四二年四月到十二月這九個月之內，德義兩國的潛艇一共擊沉商船三百二十八艘，計一百五十七萬六千噸，但其中僅三分之一是結隊航行的。反而言之，在德國所損失的三十艘潛艇中，有二十艘是被護航部隊所擊毀。這似乎可以證明，以較大的護航部隊和閃避曲折的航線來對付德國的潛艇，已經暫時占得了上風。

在這裡對一九四二年初的護航兵力部署情況，先作一個概述。西方航線司令部都是由羅貝爾將軍（Admiral Sir Percy Noble）主持，其三大作戰基地分別設在利物浦、格陵諾克（Greenock）和倫登德立（Londonderry），一共控制著二十五個護航群——總共約有七十艘驅逐艦和九十五艘較小型軍艦。

他們共分為四類：（一）短程驅逐艦，保護中東和北極航線的第一段和運輸美國部隊的郵船；（二）長程驅逐艦和護航艦，保護從「西洋交點」到不列顛之間的北大西洋航線和直布羅陀航線；（三）長程砲艦（Sloops）、驅逐艦和巡邏艇（Cutters），保護獅子山航線的主要部分；（四）凡在德國轟炸機所能達到的地區內，各防空群支援護航部隊和隨護北極和直布羅陀兩航線上的船團。

同時，在直布羅陀也有相當於兩個群的兵力來負責局部性的護航任務，而在自由鎮（Freetown）的護航部隊則有一個驅逐支隊和大約二十四艘的護航艦。紐芬蘭護航部隊主要是由加拿大海軍來提供，共有十四艘驅逐艦，大約四十艘護航艦，以及二十多艘專供局部性護航之用的其他艦艇。

但是在一九四二年的初期，大西洋之戰仍然還是沒有起色，其原因之一即為缺乏飛機。當費爾特爵士（Sir Philip Joubert de la Ferte）在前年夏季接管海岸司令部時，他曾經估計需要各式飛機共八百架，而尤其特別強調長程轟炸機的重要性。但至一九四二年時，海岸司令部所屬的轟炸機奉命全部移交給轟炸機司令部（Bomber Command），而所有一切新生產的轟炸機也都完全予以分配，以便對德國發動空中攻擊。這種優先次序上的衝突變得非常的嚴重。此外，艦隊航空方面要想為自己訂造的三十一艘新護航母艦獲得戰鬥機，也遭遇到很大的困難。

另一障礙是因為由美國替英國建造的新巡防艦（Frigates）未能如理想的那樣迅速加入服役——由於美國人優先建造越過海峽作戰所需的登陸艇，因為美國人仍然希望能在一九四三年發動那樣的作戰，即使在一九四二年已無希望。此種優先次序的決定，對於英國在大西洋中無法改善其弱點，和商船繼續受到重大損失，都應負極大的責任。

第三種障礙是在一九四二年初，美國海軍本身也遭遇到了重大的困難——不僅是在太平洋方面由於珍珠港災難所引起的各種困難，而且在大西洋方面由於德國潛艇活動的擴大，也使美國本身的船隻遭遇嚴重的損失。

在一九四二年五月，鄧尼茲和他的幕僚們估計，要想擊敗英國，則他們每個月應平均擊沉七十萬噸的商船。他們知道在一九四二年並不曾達到這個數字——不過他們卻並不知道實際上每月的平均數並未超過十八萬噸。他們認為美國的參戰對他們是有利的，因為那樣可以在西大西洋中給予他們以較大的行動自由，和較多尋獲無保護目標的機會。

德國能派往美洲海岸附近作戰的潛艇數量是非常的有限，但其收穫卻大到了不成比例的程度。因為美國海軍將領們對於開始實施護航制度是十分的遲緩和勉強——正像第一次世界大戰時的英國海軍將領們一樣。同時，美國對於其他戒備措施的採取也是同樣的遲緩。發光的水道標誌，和船舶無線電的無限制使用，都可以使德國潛艇獲得其所需的一切幫助。海岸的遊樂場，例如在邁阿密海灘，夜間還是照樣的燈火輝煌，使海上的船隻在多少浬以外就會顯出很清楚的陰影。德國潛艇白天就潛伏在海岸附近的水面下，到了夜間就浮出水面，使用火砲或魚雷任意攻擊船隻。

雖然在美洲海岸附近作戰的德國潛艇從未超過一打之數，但他們到四月初，即已擊沉約近五十萬噸的船隻——其中百分之五十七都是油輪。

這種損失對於英國的情況也就造成了一種非常嚴重的反應。美國海軍必須撤回其護航的軍艦和飛機，以鞏固其本身沿岸水域的防務；同時美國商船在安全的越過了大西洋之後，在駛進美國水域時反成為德國潛艇送上門的肥羊。

這種結果使得鄧尼茲大感興奮，於是他希望能夠把所有的德國潛艇都盡可能派往美國的沿海。對於同盟國真可以說是太幸運，在這個緊要關頭上，希特勒的「直覺」卻救了他們的老命。在一月二十二日的一次會議中，他突然宣布他深信挪威是一個決定命運的地區，所以他堅持把所有一切的水面軍艦和能夠動用的潛艇，都應送往那一方面以預防聯軍的侵入。三天之後，鄧尼茲接獲一個完全出乎其意料的命令，要他立即派遣第一批八艘潛艇去掩護通經該國的海上進路，新戰鬥艦「鐵比制」號（Tirpitz）也同時在一月間前往挪威，跟在它後面的還有「希爾上將」號、「猶金親王」號、「希伯上將」號和「盧左」號等艦。

這不能說希特勒沒有先見之明，因為在四月間，邱吉爾的確曾經要求英國參謀首長們考慮在挪威登陸的可行性，其目的是想要減輕德國人對北極航線的壓力——但他們卻表示懷疑，而美國人也支持他們的態度，所以這個計畫遂始終不曾成熟。

對於同盟國而言，還有另外一件幸事，那就是由於一九四一年和一九四二年之間的冬季特別寒冷，延誤了德國潛艇在波羅的海的訓練進度，結果使德國在一九四二年的上半年內一共只有六十九艘新潛艇可借作戰之用。其中二十六艘終於被派往挪威北面水域，兩艘前往地中海，十二艘補充損失，所以在大西洋方面的淨增數字僅為二十九艘。

儘管如此，軸心潛艇擊沉商船的數字卻仍然每月都有增加——二月間增加到接近五十萬噸，三月超過五十萬噸，四月間雖曾降到四十三萬噸，但是五月卻又升到六十萬噸，而在六月間卻達到空前的七十萬噸。到六月底的總計，半年來一共擊沉商船四十一萬四千七百四十噸，其中為德國潛艇所擊沉的則超過了三百萬噸——差不多百分之九十都是在大西洋和北冰洋被擊沉的。直到七月間，由於反潛方法有了全面的革新，同時美國也已採用了護航辦法，所以被潛艇擊沉的數字才又降回到五十萬噸以下。

一九四二年夏季情況的改進，只不過是曇花一現而已。到八月間由於德國新建的潛艇紛紛出場，使其全部實力增加到三百艘以上，而其半數以上均可供作戰之用。它們區分為許多群，分別在格陵蘭、加拿大、亞速群島（Azores）、西北非洲、加勒比海和巴西等地區附近的水域中活動。八月間德國潛艇擊沉船隻的數字又再度超過了五十萬噸的大關。在以後的幾個月內，它們在千里達（Trinidad）附近的收穫特別豐富，因為在那裡有許多船隻還是單獨的航行。八月中旬有五艘巴西商船被擊沉，可是立即促使巴西向德國宣戰，此一舉動就政治和大戰略的觀點來看，對於德國都是得不償失。同盟國使用巴西基地，對於整個南大西洋可作較嚴密的控制，並從此使德國水面突襲船隻無法在那裡躲藏。

不過，這已經不像過去那樣重要，因為德國現在已經可以不用武裝商船在遠洋中從事突擊了，他們改用一種新型和較大的潛艇——即所謂「水底巡洋艦」（U-Cruisers），排水量一千六百噸，行動半徑為三萬哩。

新型德國潛艇能夠潛入較深的水中，可達到六百呎的深度，在緊急時甚至於還可以更深——不過這種優點不久即為深水炸彈也可在較大深度爆炸的事實所抵消。此外，德國潛艇的產量也正日益增大。新的潛水油輪可以使它們在大洋中補充燃料，其無線電情報的效率也已經提高。最後，德國人對於英國人控制護航船團所用的許多密碼也都能予以譯出，正好像他們在一九四〇年八月以前的情形一樣。

在另一方面，新的十公分波長雷達——它的訊號是潛艇所無法攔截的——為英國科學家所有一切成就中最重要者。在一九四三年初，它才在飛機上普遍的採用，與「萊光」探照燈配合運用，遂使同盟方面恢復了在夜間和低能見度時的主動，並擊敗德國潛艇在一點五公尺波長範圍上工作的雷達搜索接收器。

在鄧尼茲這個階段的戰時日記中顯示，他對於英國人的此種偵察工具的效力，以及英國飛機在東大西洋中的數量增加是如何的感到憂慮。

在整個戰役中，鄧尼茲一直表現出他是一個非常能幹的戰略家，他經常能探尋敵人的弱點，並集中其全力打擊在這些弱點上。從開始時，他就一直掌握著主動，同盟國的反潛部隊總是要比他慢一步。

在一九四二年的下半年，他的計畫是以格陵蘭以南的空中護航缺口為焦點，他的目的是在同盟國船團尚未達到這個地區之前就先將其釘牢，等到他們通過這個缺口時就集中全力來加以攻擊，等到他們進入有空中掩護的地區就馬上撤退。

此外到秋天時，鄧尼茲已有足夠的潛艇，所以只要一有機會出現，即可以容許他從心所欲的使用其「狼群」戰術來進行主動的攻擊。

自從七月起，德國潛艇的壓力即開始增加，十一月間擊沉船隻的數字增到了一百一十九艘，共七十二萬九千噸。不過其中有一大部分是在南非和南美水域中脫離了船團而單獨行動的船隻。

一九四二年秋天，美英聯軍開始在西北非洲登陸，即所謂「火炬作戰」。這對護航部隊形成了一種巨大的額外要求。所以直布羅陀、獅子山和北極等航線都只好暫時停止。為了保護美國運兵船從冰島到英國這一段航程，也需要更多的護航部隊。對於這種快速的船團，至少要有四艘驅逐艦才能保護三艘運兵船。

唯一例外的就是那兩艘被改裝為運兵船的巨型郵輪，八萬噸的「瑪麗皇后」號（Queen Mary）

和「伊莉沙白皇后」號（Queen Elizabeth）。它們每艘能搭載一萬五千人甚至於還可以更多——一個師的大部分。其時速超過二十八浬，那實在是太快了，除了航程的兩端之外，任何驅逐艦都無法伴送。所以此種巨型郵輪的安全就只能依賴其高速，再加上曲折多變的航行路線。此種冒險政策居然獲得了完全的成功，自從一九四二年八月起，它們曾多次穿越大西洋航行，從未受到任何潛艇的攔截。

概括言之，海軍護航兵力和空中掩護兵力的增長，是無法趕上日益增多的潛艇數量。平均每個月有十七艘德國新潛艇加入服役，而到一九四二年的年底，總數達到三百九十三艘，其中有二百一十二艘已經參與作戰——而在同年的年初總數為二百四十九艘，參加作戰的僅為九十一艘。這一年之內，被擊毀的德國潛艇為八十五艘，義大利潛艇二十二艘——這個數字顯然是不足以抵消新增加的產量。

在這一年內，軸心國家的潛艇，在全世界各水域中所擊沉的船隻為一千一百六十艘，共計六百二十六萬六千噸——再加上敵方其他兵器所造成的損失，總數應為一千六百六十四艘，共計七百七十九萬噸以上。

雖然同盟國方面約有七百萬噸的新船參加服役，但自從開戰以來，每年結算起來總還是虧損，以一九四二年而論，仍然還是虧損了約近一百萬噸。在這一年之間，英國的輸入減到了三千四百萬噸——尚不及一九三九年數字的三分之一。尤其是英國的商業燃料（煤）的存量已經降到最低額，只有三十萬噸，而每個月的消耗量則為十三萬噸，顯然必要時須動用海軍的存煤，不過，除非是在極端緊急的情況下，否則這種措施還是應該盡量避免。

所以當一九四三年一月間，同盟國的領袖們在摩洛哥海岸的卡薩布蘭加集會，以決定次一階段的大戰略時，他們對於商船噸數的逆差情況感到非常的煩惱。除非能夠克服德國潛艇的威脅，和贏得大西洋之戰，否則對於歐洲實際上也就不會有進行有效攻擊的可能。這一戰的重要性不亞於一九四〇年的不列顛之戰。勝負的決定主要就要看哪一方面在物質上和心理上能有較長久的耐力。

這個鬥爭的勝負又受到指揮人事改變的影響。十一月間，羅貝爾上將奉派出任英國海軍駐華盛頓代表團的團長，也就是英國海軍參謀總長在兩國聯合參謀首長組織中的常任代表。在他充任「西方航線」地區司令的二十個月任期當中，對於反潛措施的改進頗多貢獻，他也能使海上和空中的護航人員都保持高昂的士氣，因為他了解他們的問題，並經常和他們保持密切的個人接觸。不過很僥倖的，接替他的人也經過非常良好的選擇。此人即為賀爾敦爵士（Admiral Sir Max Horton），在第一次世界大戰時，他已是一位傑出的潛艇指揮官。自從一九四〇年初起，他就負責指揮所有一切以不列顛為基地的潛艇部隊。所以他把一切有關潛艇和潛艇人員的專家知識帶入了反潛作戰，再加上他個人的推動力和想像力。這些素質的結合使他成為一個有資格和鄧尼茲作一次較量的理想人選。

賀爾敦的計畫是想對潛艇發動比較強大和集中的反擊。護航艦和其他小型艦艇的速度不夠快，所以在德國潛艇之間的戰鬥中不能夠窮追不捨，因為假使他們追得太遠，也就無法再趕上其所保護的船團。因此必須要有更多的驅逐艦和輕巡洋艦，他們分開工作，並協助護航部隊，當他們一和敵方潛艇發生接觸，就必須拚命窮追不捨直到將其擊沉為止。為了這種目的，在九月間即已開始組成支援群，而賀爾敦上任之後，對於這種工作的推動遂更不遺餘力，他甚至於不惜減少密切護航的兵力，來加速完成這種組織。他的目的是想在中大西洋內奇襲敵人；統合使用幾個新組成的支援群和母艦飛機的戰力來作有協調的反擊，同時也和護航部隊及長程飛機協力攻擊敵潛艇。他強調支援群不應浪費時間去對德國潛艇作廣泛的搜索——這是過去所常犯的錯誤。潛艇出沒的地方就在船團的附近，所以支援群必須與保護船團的護航群保持密切的合作。當船團進入格陵蘭附近的空中掩護缺口時，就應派一個支援群去增援每一個護航群，只要情況可能還應加派飛機。他相信，德國潛艇所慣於應付的是來自護航船團方面的攻擊，所以支援群若從四方八面來攻，則一定會使他們受到奇襲和喪失平衡。

在德國方面，希特勒卻正在大發雷霆，因為在一九四二年的除夕，德國軍艦「希伯上將」號、「盧左」號和六艘驅逐艦，從阿吞峽灣（Altenfiord）出發，攻擊一支通過北極海的船團，結果毫無所獲。這個事件具有非常重要的後果。他在一怒之下，表示決心遣散這些大船。於是在一個月之後，賴德爾元帥（Grand Admiral Raeder）辭去海軍總司令的職務，接替他的人即為鄧尼茲，但鄧尼茲仍然兼任潛艇部隊司令的職務。鄧尼茲對於如何應付希特勒是另有一套，他終於說服了希特勒同意把「鐵比制」號、「盧左」號和「香霍斯特」號等艦，仍繼續保留在挪威，作為一支相當強大的任務部隊。

在十二月和一月，大西洋是比較平靜無事，德國潛艇只擊沉了二十萬噸的商船。這主要是由於惡劣天候所致。但是在船團中的商船也因此受到重大的損失，尤以動力較弱的船隻為甚。

一九四三年二月間，德國潛艇所擊沉的數字又幾乎增加了一倍，到三月間，擊沉的商船總數為一百零八艘，共計六十二萬七千噸——又再度接近了一九四二年六月和十一月的最高峰數字。最令人感到煩惱的是，其中將近有三分之二的商船是在船團中被擊沉的。三月中旬，三十八艘德國潛艇集中攻擊兩支返回英國的船團，很巧合的這兩支船團靠近在一起，在三月二十日恢復空中掩護之前，被擊沉了二十一艘，共十四萬一千噸。德國只損失一艘潛艇。這是整個戰爭中一次最大的船團護航會戰。

事後，英國海軍部的記錄上說：「一九四三年三月的前二十天內，德國人幾乎已經切斷了新舊兩世界之間的交通線。」此時，英國海軍參謀本部甚至於已經開始懷疑以護航船團作為一種有效防禦體系的價值。

但在三月份最後的十一天內——即這個決定命運之月的最後三分之一階段——又發生了一種巨大的改變。在北大西洋一共只沉沒了十五艘商船，而在前三分之二的階段內，卻被擊沉了一百零七艘。四月間的數字僅及三月的一半，而到五月則更少。賀爾敦統合戰力的反擊已經生效——

在一個極短的期間內，已經達到其理想的目的。

在三月間最緊急的時候，美國人曾要求退出北大西洋的護航系統，以便專心負責南大西洋航線，尤其是以通到地中海者為然。同時他們也懸念著太平洋方面的作戰。不過實際影響卻並不大。美國政府把其第一艘支援群航空母艦交給英國人指揮，並且還提供重要的長程「解放者」式飛機。所以從四月一日起，在美洲與英國之間的一切航程，都是由英加兩國共同負責保護。

在一九四三年的春季中（即三、四、五三個月），德國潛艇在一連串的護航戰鬥中遭遇失敗，並且受到慘重的損失。五月中旬，鄧尼茲已有預感的向希特勒提出報告說：「在潛艇作戰中，我們正面對著最巨大的危機，因為自從敵人利用新的偵察工具之後，已使戰鬥變為不可能，並正在使我們蒙受重大損失。」在五月間，德國潛艇的損失已經不止增加一倍，升到其全部海上兵力的百分之三十——像這樣高的損失率是絕難持久的。所以在五月二十三日，鄧尼茲把他的潛艇完全撤出北大西洋，以等待有新兵器可資利用。

到七月間，同盟國商船的增建數字已經多於被擊沉的數字。這是一件大事，也證明德國潛艇的攻勢已經失敗了。

很事後回顧，很顯明的可以看出，美國本身在三月間的逃過失敗，其機會的狹窄也是間不容髮。同時，也明白顯示其危險的主因即為船團缺乏長程飛機的掩護。從一月到三月，當有空中掩護的時候，在大西洋的船團中一共只被擊沉了兩艘船隻。一旦對船團能提供適當的空中掩護，尤其是長程的「解放者」式飛機，則德國潛艇在「狼群」戰術的運用上也就日益困難。他們現在在任何時候都可能會突然發現有一架飛機出現在其上空，並正在指示一個支援群中的軍艦各就其適當的戰鬥位置。

但是，雷達使用德國潛艇所不能攔截的十公分波長的脈波，也誠如鄧尼茲所認清和強調的，的確是一種非常重要的因素。新型兵器，例如一種叫作「刺蝟」彈（Hedgehog）的反潛火箭，和較重的深水炸彈，也都頗有貢獻。還有負責研究最佳戰術體系的「西方航線戰術單位」（Western Approaches Tactical Unit）以及布拉特教授（Professor P. M. S. Blackett），對於護航部署所作的作業分析（Operation analysis）——也都是功不可沒。此外，在一九四三年五月底，對於船隻的控制又改用了一套新的密碼，所以使德國人又喪失其最有價值的情報來源。

不過對於勝利而言，也許最重要的因素還是護航軍艦和飛機在訓練標準上的改進，以及海空軍雙方人員的合作無間。

以個人而論，賀爾敦上將對於擊敗德國潛艇的戰鬥所作的傑出貢獻，是上文中所早已強調過的。此外，斯雷索空軍中將（Air Marshal Sir John Slessor）的功勞也是同樣的重大，他於一九四三年二月出任海岸空軍司令，那也正是最緊急的階段。在許多優秀的護航群指揮官當中，最值得稱讚的有兩個人——華克上校（Captain F. J. Walker）和格雷敦中校（Commander P. W. Gretton）——他們都是最善於擴張戰果的。

在一九四三年六月整個一個月之內，北大西洋中沒有一支船團曾受到攻擊，而在七月間，德國潛艇的損失卻極為重大，尤其是以在比斯開灣（Bay of Biscay）中為最，在那裡，英國海岸司令部的空中巡邏曾經有極豐富的收穫。在該月內有八十六艘德國潛艇企圖越過海灣，其中有五十六艘被發現，十七艘被擊沉（有十六艘是被飛機擊沉的），另有六艘被迫退回其基地。誠如鄧尼茲對希特勒的報告中說，他們在比斯開灣的唯一出路就只剩下沿西班牙海岸的一條窄線。不過，反潛巡邏隊對於他們的成功也曾付出相當的代價，一共損失了十四架飛機。

在一九四三年六月到八月之間的三個月內，除地中海外，德國潛艇在一切其他水域中總共只擊沉五十八艘同盟國的商船，而其中又差不多有一半是在南非洲附近和印度洋中擊沉的。他們為這種平常的戰果一共付出了七十九艘潛艇的代價——其中為飛機擊沉的不少於五十八艘。

為了希望能重獲優勢，鄧尼茲堅決要求希特勒在大西洋上給予較多的長程空中搜索，和對必經的要道提供較強的空中掩護。戈林是很不願意提供空中的協力，為了克服此種困難，鄧尼茲也就必須反覆辯論，而比起賴德爾，希特勒對於他的話要算是比較能夠言聽計從。鄧尼茲同時也獲得了批准，把潛艇的生產量從每月三十艘增加到四十艘，並且優先建造一種新型潛艇，那是具有較高的潛航速度。但是這種非常有前途的「華特」（Walter）式潛艇——其動力來源為狄塞爾燃料（Diesel fuel）和過氧化氫（hydrogen peroxide）混合——但卻發生許多試驗上的困難，以至於直到一九四五年戰爭結束時，都還沒有一艘能夠參加服役。不過另有一種重要的新發展卻比較可以應急，那就是所謂「修諾克」（Schnorkel），那本是一九四〇年以前由荷蘭人所原始設計的一種潛艇呼吸管，其功用為吸入新鮮空氣和排除柴油引擎的廢氣。它也能使潛艇在保持潛望鏡的深度時仍可繼續為其電池充電。到一九四四年的中期，已有三十艘德國潛艇裝置了此種呼吸管。

在一九四三年的中期，德國人還有兩種其他的新武器：追蹤魚雷（homing torpedo），即魚雷利用船隻螺旋槳的音響來導航；和滑翔炸彈（glider bomb）。但在九月和十月間，也就是德國潛艇再度發動攻擊的兩個月，同盟國一共只損失了九艘船——在四十六個北大西洋船團中總共有二千四百六十八艘船隻——而德國潛艇反而被擊沉了二十五艘。經過此種進一步的重大失敗之後，鄧尼茲遂不再把潛艇組成大型機動群了。

十月八日，英國和葡萄牙簽訂了一項協定，接管在亞速群島上的兩個空軍基地，於是整個北大西洋從此都已置於空中掩護之下。

在一九四四年的最初三個月內，德國潛艇所受到的損失更為重大。在越過北大西洋的一百零五個船團中，共計三千三百六十艘船隻，只被擊沉了三艘，而德國潛艇反而損失了三十六艘。現在鄧尼茲就決心停止一切進一步對護航船團的作戰，並且坦白的報告希特勒說，除非能有新型的潛艇、新的防禦工具和較佳的空中偵察，否則他們即不可能再行作戰。

一九四四年三月底，鄧尼茲奉命用四十艘潛艇組成一個群，以便在聯軍侵入西歐時從事近海的作戰。到五月底，他已經把七十艘潛艇集中在比斯開灣的各港口內，在北大西洋中則只留下三艘，而其任務又僅是報告天候的變化而已。

德國人的放棄北大西洋潛艇作戰，遂使英國的海岸司令部有如釋重負之感。在長達四十一個月的反潛作戰中，該司令部所屬的飛機（第十九聯隊）共計擊沉德國潛艇五十艘，和擊傷了五十六艘（出入比斯開灣基地的次數為二千四百二十五次）。在此同一期間之內，第十九聯隊在比斯開灣也損失了飛機三百五十架。如果英國當局對於海岸司令部能夠分配以較多的飛機——從其任務的重要性上看來，那也許是應該的——則其損失可能較小，而效果也可能更大。

在這個階段還有一件值得一提的事，即對碇泊在挪威北部的德國戰鬥艦「鐵比制」號所作的兩次攻擊——第一次是在一九四三年九月，它受到三艘英國超小型潛艇（midget-submarine）的攻擊，第二次是在一九四四年三月，又受到英國艦隊飛機的攻擊——但都不過使其受到相當創傷而已。最後到十一月間才終於為英國空軍的重轟炸機所擊沉。在對斯匹茲卑爾根（Spitzbergen）的一次突擊時，它的主砲才有過一次射擊的機會——但它累經重創而仍不沉沒的事實，卻可以證明德國海軍造艦工程技術的優良。此外，僅僅由於其存在的威脅，也已經對英國的海運戰略產生一種重大的影響，並且也牽制英國海軍相當大的一部分實力。

「香霍斯特」號的威脅是在上年十二月裡被解除的：當它企圖截擊一支北極的船團時，受到英國本土艦隊一支強大部隊的包圍而終於被擊沉。

在一九四四年的上半年，英國在國內水域中的主要煩惱，是來自一種稱為「E艇」（E-boats）

的小型摩托魚雷艇。雖然他們的總數從來未超過三十餘艘，但因為他們在各航線之間可作迅速的調動，而且又能選擇適當的機會，所以也就構成了一種很難應付的擾亂。

德國的潛艇均已集中在法國西岸的港口內，準備對抗聯軍的渡海行動，但結果卻證明殊少效力。不過他們也乘著這個機會在六月間諾曼第登陸之前裝配了「修諾克」呼吸管，於是對於空中攻擊也就變得不那樣容易被摧毀了。

當美國第三軍團在八月中日從諾曼第衝出，達到法國西岸的那些港口——布勒斯特、羅隆、聖那晒（St. Nazaire）——附近時，大多數的德國潛艇都被調往挪威。自從那時起，出入不列顛的船隻遂開始可以再度使用繞著愛爾蘭南岸的舊有正常航線。

從八月下旬起，又有一連串的德國潛艇從挪威和德國出發，繞過蘇格蘭和愛爾蘭北面，到達接近不列顛海岸的位置，但在這次近岸作戰中他們的戰果卻非常的有限——不過由於他們經常潛伏在水面下並使用「修諾克」之故，所以損失也比過去為少。在一九四四年九月到十二月之間，他們在不列顛沿岸水域中一共只擊沉十四艘商船。

北極航線

從一九四一年九月底起，英國人即開闢了到蘇俄北部的航線。在冬季阿干折（Archangel）

港被冰封時，就改用莫曼斯克（Murmansk），那是蘇俄唯一重要的不凍港。德國人沒有能從陸上攻占該港，就戰略而言，實在是一項嚴重的錯誤，使他們在蘇俄最危險的時候，喪失了切斷這一條北面補給路線的機會。

等到德國人知道英國船隻（以後又加上美國的）已在大規模利用這條航線援助蘇俄時，他們才開始匆忙的增強其在挪威的海空兵力，並在一九四二年三月至五月的三個月內，對同盟國的北極船團加以連串的強力攻擊。尤以六月底向東行駛的PQ17號船團所受到的損失最為慘重。英國海軍部相信這支船團和其護航部隊已快要被德國軍艦全部擄獲，於是在七月四日命令所有船隻在巴倫支海（Barent Sea）分散逃走。這些毫無抵抗力的商船在德國飛機和潛艇攻擊之下，全部三十六艘只逃出了十三艘。這支船團所載運的飛機只送到了八十七架，損失了二百一十架，戰車只送到了一百六十四輛，損失了四百三十輛，非戰鬥車輛只送到了八百九十六輛，損失了三千三百五十輛——加上其他物資的三分之二，大約損失了九萬九千三百一十六噸。

在這次災難之後，直到九月才有第二次的船團駛往蘇俄，並有遠較強大的部隊護航，而德國方面因為早已獲得無線電情報的警告，所以賴德爾上將為了慎重起見，也就沒有使用其較大型的軍艦——如果使用了也許仍能擊敗英國的護航部隊。結果PQ18號船團中的四十艘商船，有二十七艘安全的到達阿干折，而德國的飛機和潛艇卻受到極慘重的損失。從此以後，德國人遂再也不曾在遙遠的北方部署如此巨大的空軍兵力。

經過了另一段時間之後，在冬季中英國又曾派遣少數幾支較小的船團前往蘇俄。儘管俄國人一再強烈要求多派船團在援助他們，但是對於綿長的達洋航線卻從未派遣部隊協助護航，即令到了他們的港口附近，所提供的掩護也都極為有限。自從一九四三年三月起，由於白晝已經開始延長，所以英國國內艦隊總司令托費上將，遂不願意再派護航船團前往蘇俄。在大西洋方面的緊急情況遂決定了此種辯論。一切用在北極航線上的護航部隊都轉移到大西洋方面，而他們對於那年春季德國潛艇所遭受的決定性失敗，也曾有很大的貢獻。

到十一月間，北極航線方面的船團才又繼續航行，卻有了遠較過去強大的護航部隊，並包括新建的護航航艦在內。這些部隊使已經減弱的德國空軍和其潛艇都受到重大損失，而同時也使大量的物質得以安全的運達蘇俄港口。

從一九四一年起，經由北極水域駛往蘇俄的船團一共有四十個，包括船隻八百一十二艘，除其中五十八艘被擊沉，和三十三艘因為各種原因而中途折回以外，其他的七百二十艘都安全通過——並已把大約四百萬噸的物資運抵蘇俄。這些物資中包括五千輛戰車和七千架以上的飛機。為了運輸這些大量的援俄物資，同盟國曾損失十八艘軍艦和二十八艘商船，包括回程者在內。至於德國人為了阻止它們的通過，也喪失一艘巡洋戰艦「香霍斯特」號、三艘驅逐艦和三十八艘潛艇。

最後階段

在一九四五年最初幾個月內，德國潛艇的數量仍在繼續增加——由於新潛艇仍在繼續生產，而損失則已減輕，這又是由於「修諾克」呼吸管的採用，和在大西洋中的長程作戰已經停止之故。一月間，有三十艘新潛艇加入服役，而過去每個月平均都僅為十八艘。其中有些是新的改良型，具有較長的巡航距離和較高的潛航速度——一千六百噸的U艇二十一型（Type XXI）遠洋潛艇，和二百三十噸的U艇二十三型（Type XXIII）近海潛艇（其中約有三分之二為較大型）。在三月間，德國潛艇隊達到了其實力的最高峰，總數為四百六十三艘。

直到三月以後，聯軍的轟炸作戰才開始對潛艇的生產產生嚴重的影響。對於同盟國而言，很僥倖的在波羅的海中的空投布雷，雖然所造成的物質損失極為有限，但卻帶來了一項重要的意外收穫——甚至於是他們的海軍將領們都不曾認清的——那就是妨礙了德國潛艇的試驗和訓練，所以也使那些新型潛艇不能大量的加入作戰。如果不是這樣，當大量新型潛艇加入戰鬥之後，即可能使潛艇的威脅又回升到一九四三年那樣的高峰。

不過一旦當同盟國陸軍在三月裡渡過萊茵河之後，並且又與俄軍東西並進向柏林會師，於是對於德國人而言，所有一切的希望也就隨之而消失。

在戰爭的最後幾個星期中，德國潛艇的活動主要是在不列顛的東海岸和東北岸附近。雖然他們並無什麼收穫，但值得注意的卻是在這些水域中，從來沒有一艘新型潛艇被擊沉過。

德國於五月間投降之後，有一百五十九艘潛艇隨之投降，但卻有二百零三艘為艇上的官兵自己所鑿沉。這可以表現德國潛艇人員的傳統精神和不屈不撓的士氣。

在前後五年半的戰爭期中，德國人曾建造和使用一千一百五十七艘潛艇，同時還接收了五十艘外國潛艇。其中一共損失了七百八十九艘（包括三艘外國的在內）。此外，他們也使用了大約七百艘超小型的潛艇。在海上被擊沉的共有六百三十二艘，其中極大部分（五百艘）都應歸功於英國或英國所控制的部隊。反之，德、義、日三國的潛艇一共擊沉船隻二千八百二十八艘，總計約近一千五百萬噸。其中極大部分為德國人所擊沉──其潛艇同時也擊沉了同盟國軍艦一百七十五艘，其中大部分是屬於英國的。在同盟國方面為德國潛艇所擊沉的商船數字中，有百分之六十一是單獨航行的船隻，百分之九為船團中的落伍者，而只有百分之三十才是船團中的船隻──而在有空中掩護的情況之下，在船團中的損失可以說是極為輕微。

德國人占用了比斯開灣沿岸的法國海軍基地達四年之久，而愛爾蘭人又一直拒絕允許同盟國利用其西面和南面的海岸線，儘管他們自己的補給也還是有賴於護航船團的供應。上述兩項因素對於同盟國在大西洋中的損失應負很大的責任。反之，同盟國的保有北愛爾蘭和冰島對不列顛所剩餘的唯一航路的暢通，實具有極大的貢獻。

國家圖書館出版品預行編目（CIP）資料

第二次世界大戰戰史／李德哈特（B. H. Liddell Hart）著；鈕先鍾譯. -- 四版. -- 臺北市：麥田出版：英屬蓋曼群島商家庭傳媒股份有限公司城邦分公司發行, 2025.07
冊；　公分. --（李德哈特說戰史；1-2）
譯自：History of the second world war
ISBN 978-626-310-890-5（上冊：平裝）. --
ISBN 978-626-310-891-2（下冊：平裝）. --
ISBN 978-626-310-892-9（全套：平裝）
1.CST: 第二次世界大戰　2.CST: 戰史
592.9154　114005661

李德哈特說戰史 1

第二次世界大戰戰史（上）

History of the Second World War

作者　李德哈特（B. H. Liddell Hart）
譯者　鈕先鍾
責任編輯　呂欣儒
封面設計　兒日設計
印刷　前進彩藝有限公司
內頁排版　李秀菊
國際版權　吳玲緯　楊靜
行銷　闕志勳　吳宇軒　余一霞
業務　李再星　李振東　陳美燕
總經理　巫維珍
編輯總監　劉麗真
事業群總經理　謝至平
發行人　何飛鵬
出版　麥田出版
台北市南港區昆陽街16號4樓
電話：886-2-25000888　傳真：886-2-2500-1951
發行　英屬蓋曼群島商家庭傳媒股份有限公司城邦分公司
台北市南港區昆陽街16號8樓
客服專線：02-25007718；25007719
24小時傳真專線：02-25001990；25001991
服務時間：週一至週五上午09:30-12:00；下午13:30-17:00
劃撥帳號：19863813　戶名：書虫股份有限公司
讀者服務信箱：service@readingclub.com.tw
城邦網址：http://www.cite.com.tw
香港發行所　城邦（香港）出版集團有限公司
香港九龍土瓜灣土瓜灣道86號順聯工業大廈6樓A室
電話：852-25086231　傳真：852-25789337
電子信箱：hkcite@biznetvigator.com
馬新發行所　城邦（馬新）出版集團
Cite（M）Sdn. Bhd.（458372U）
41, Jalan Radin Anum, Bandar Baru Seri Petaling,
57000 Kuala Lumpur, Malaysia.
電話：+6(03)-90563833　傳真：+6(03)-90576622
電子信箱：services@cite.my

初版一刷／1995年1月
二版一刷／2008年5月
三版一刷／2020年9月
四版一刷／2025年7月

ISBN 978-626-310-890-5（紙本書）
ISBN 978-626-310-903-2（EPUB）
全套：ISBN 978-626-310-892-9（紙本書）
ISBN 978-626-310-905-6（EPUB）